La Scala

SILVIA AVALLONE
Un'amicizia

Rizzoli

Pubblicato per

Rizzoli

da Mondadori Libri S.p.A.
Proprietà letteraria riservata
© 2020 Mondadori Libri S.p.A., Milano

ISBN 978-88-17-15411-6

Prima edizione: novembre 2020

Un'amicizia

A mio padre

«A cosa serve la vita?»
«Non lo so.»
«Neanch'io. Ma non credo che serva a vincere.»

JONATHAN FRANZEN, *Le correzioni*

I DIARI

Bologna, 18 dicembre 2019
ore 2

Il fondo del buio era il luogo che mi faceva più paura, da bambina. Bastava scendere in garage senza premere l'interruttore, socchiudere la porta della cantina, ed eccolo lì, muto e denso. In agguato.

Nel fondo del buio poteva annidarsi qualsiasi pericolo. Streghe, animali spaventosi, mostri senza volto, ma anche niente: il vuoto. Credo sia stata questa la ragione che mi ha costretta a dormire con mia madre fino a un'età irragionevole che mi vergogno a dire.

Adesso, a trentatré anni, guardo nel fondo del buio della mia stanza e mi sembra di sentire i miei vecchi diari scricchiolare nel nascondiglio in cui li ho sepolti vivi dopo averti persa. Cinque anni di liceo e uno di università riassunti con calligrafia svolazzante, uniposca e lustrini d'argento, silenziati e quiescenti come dentro un reattore abbandonato.

Da quando non siamo più amiche ho smesso di tenere traccia della vita.

*

Mi metto a sedere sul letto. In un impeto di maturità capisco che è arrivato il momento di ricordare, e affrontarti. Non potrei prendere alcuna decisione saggia nei tuoi confronti, altrimenti.

Recupero la scala nello sgabuzzino, salgo due pioli e mi fermo perché mi sento una ladra. Di cosa?, mi chiedo. Del mio stesso passato?

Arrivata in cima, ho la tachicardia. Allungo le braccia nella polvere che ricopre l'armadio ed estraggo tutti e sei i diari dal fondo del buio.

Li porto alla luce sul comodino. Tenerli qui, vicino a me, è un pugno in pieno stomaco. Di fronte alle copertine rosa, a fiori, dorate, sento l'esigenza di mettere subito le cose in chiaro: non c'è pace possibile tra me e te, Beatrice.

Poso una mano sulla copertina lilla dell'agenda 2000-2001, tentata, ma ancora indecisa se aprirla oppure no. E mentre combatto con me stessa, le dita sfuggono al controllo, s'infilano per conto loro tra le pagine. Il diario si spalanca e ne esce una Polaroid scolorita, una di quelle che ci aveva scattato mio padre.

La raccolgo, l'avvicino all'alone più intenso della lampadina. Riconosco me piccoletta, i capelli tagliati corti, la felpa dei Misfits, il sorriso spaurito. E riconosco te, il mio esatto contrario. Con la chioma magnifica, il rossetto rosso, le unghie viola; mi abbracci e ridi forte. Non ce la faccio, a vederci.

Volto la foto. Sul retro trovo scritto: "Amiche per sempre". La data: "14 giugno 2001".

Non so da quant'è che non mi capitava, ma scoppio a piangere.

PARTE I

Prima che la conoscessero tutti

(2000)

I

Il furto dei jeans

Se questa storia deve avere un inizio, e deve averlo per forza, allora voglio partire dal furto dei jeans.

Non importa se non coincide con il principio cronologico dei fatti, se quel pomeriggio ci conoscevamo già. Noi due siamo nate lì, fuggendo in motorino.

Prima però serve una premessa. Che mi costa fatica e m'innervosisce, ma sarebbe scorretto far finta che la Beatrice in questione sia una Beatrice qualsiasi. Il lettore comincerebbe tranquillo e poi, una volta scoperto che si tratta di te, salterebbe sulla sedia dicendo: "Ma è *lei*?!". E si sentirebbe preso in giro. Purtroppo, quindi, non posso prescindere da quello che la ragazzina dei miei diari è diventata: un personaggio pubblico, di quelli ingombranti. Anzi, direi che più ingombrante di te, al mondo, non c'è nessuno.

*

La persona di cui parlo, infatti, è Beatrice Rossetti.
Già, *lei*.

Ma prima che la conoscessero tutti in tutto il pianeta, e che a ogni ora del giorno e della notte si sapesse dov'era e com'era vestita, Beatrice era una ragazza normale, era mia amica.

La migliore, per essere precisi, l'unica che abbia avuto. Anche se nessuno lo immaginerebbe mai, e io mi sono sempre ben guardata dal rivelarlo.

Parlo di parecchi anni fa, quando il mondo non era sommerso di sue foto e il suo cognome, al solo pronunciarlo, non scatenava dibattiti, infinite discussioni, litigi feroci. I poli magnetici, gli oceani, le terre emerse non vibravano appena lei rendeva pubblico uno sguardo ammiccante, un tailleur, una cena romantica in compagnia di un bel ragazzo in cima al Burj Khalifa. Anzi, per la stragrande maggioranza di noi, il web nemmeno esisteva.

Non ho mai perso il controllo sul voto del segreto che ho posto sulla nostra amicizia. E se lo allento adesso è solo per fare chiarezza con me stessa. La confessione, per inciso, nasce e muore qui, nella camera privata con porta chiusa che per me significa da sempre la scrittura.

Non mi sognerei mai di dirlo in giro, o peggio, di vantarmene. E poi, chi mi crederebbe? Se mi limitassi anche solo ad accennare ai miei colleghi, per esempio: "Conosco la Rossetti, eravamo in classe insieme", so già che quelli non mi lascerebbero più andare a forza di domande morbose. E darebbero per scontato che tra noi ci sia stato solo qualche ciao, qualche occhiata casuale: figuriamoci se una come *lei* e una come *me* potevano diventare complici.

Vorrebbero estorcermi dettagli piccanti, meglio se imbarazzanti, ridurre la sua divinità a peccato, a trabocchetto: "Dillo, è rifatta?". "A chi l'ha data per diventare *così famosa?*"

Ma domanderebbero alla persona sbagliata, perché io non ho conosciuto "la Rossetti": io *so* chi è Beatrice. Gli omissis nelle biografie, le domande eluse nelle interviste, i vuoti e le perdite di cui non rimane traccia da nessuna parte, io li ho conservati. Insieme a certe nostre felicità infantili e scandalose, che non interesserebbero a nessuno, ma che a me, ancora oggi, fanno accapponare la pelle.

Dopo di lei, infatti, ho cercato altre amicizie, ma senza impegnarmi. Dentro di me sapevo che quella magia di segreti e tane in cui nascondersi e giuramenti solenni poteva scoccare solo in quarta ginnasio tra me, Elisa Cerruti, perfetta sconosciuta, e Beatrice Rossetti, che più celebre di così è impensabile. E allora cosa può cambiare, a me che l'ho persa, se tutti là fuori la idealizzano, la incensano, la crocifiggono, la odiano e, in ogni caso, credono di conoscerla?

Non sanno niente di niente, penso io.

Perché lei era la *mia* migliore amica in tempi non sospetti. E io ho fatto l'alba leggendo tutti e cinque i diari del liceo insieme al primo dell'università. E poi ho guardato a lungo la scrivania di fronte alla finestra, il computer che fino a oggi ho usato solo per lavoro. Sono rimasta in piedi a fissarlo con paura. Perché da ragazzina ero convinta di essere brava a scrivere, credevo che sarei diventata addirittura una scrittrice. Invece ho mancato l'obiettivo. Mentre Beatrice è diventata *un sogno*.

Però la Bea che nessuno conosce la sento premere per uscire. Mi sono tenuta questo vuoto nell'anima per tanto di quel tempo, che adesso non me ne frega nulla se sono all'altezza oppure no. Non voglio dimostrare niente. Solo raccontare. Ammettere che nel 2019 non mi sono ancora passate: la delusione, la rabbia, la nostalgia. E non so se dirlo sia una resa o una liberazione, lo scoprirò alla fine.

Quel che voglio restituirmi ora è solo l'inizio.

*

Dicevo, il furto dei jeans.

L'11 novembre del 2000 – così è segnato sul diario di prima superiore – un sabato opprimente, con la pioggia che batteva contro i vetri della finestra e l'imperativo categorico per me, come per tutti i miei coetanei, di uscire, divertirmi e avere un mucchio di amici, io me ne stavo chiusa in camera a deprimermi senza fare niente. Anche Beatrice all'epoca, per quanto oggi possa suonare assurdo, non godeva di grande popolarità. Anzi, doveva avere ancora meno amici di me se verso le due e mezza, dopo mangiato, arrivò a chiamarmi sul telefono di casa.

Io ero proprio l'ultima spiaggia, infatti. Vivevo in quella città da poco più di quattro mesi e non solo non mi ero integrata, ma non me n'ero fatta una ragione; volevo solo morire.

Al ritorno da scuola avevo pranzato con mio padre in silenzio come al solito, poi ero andata a rintanarmi in cameretta, mi ero infilata le cuffie del walkman nelle orecchie e avevo ripreso a stilare la lista di aggettivi – "solitario", "fulvo", "anziano" –

per il platano al centro del cortile. Infine mi ero scocciata pure di cercare parole e avevo buttato il diario a terra. Me ne stavo così, a gambe incrociate sul letto, piena di rancore nei confronti del mondo, quando papà bussò. E io, ovviamente, non risposi. Spensi la musica. Lui attese. Bussò di nuovo e di nuovo non risposi. Era una specie di gara a chi s'intestardiva di più. Finché lui scostò la porta, si affacciò lo stretto necessario a non urtarmi: «C'è una tua compagna di classe al telefono, si chiama Beatrice».

Mi partì il cuore.

«Forza, ti sta aspettando» m'incitò, visto che non mi muovevo.

Si capiva che era contento: credeva iniziassi a farmi delle amiche, ma si sbagliava. Prima di quella telefonata Beatrice e io non lo eravamo affatto. Lei una volta mi aveva illusa, ma poi mi aveva solo snobbata. A scuola faceva finta di non vedermi. Peggio di quelli che mi prendevano in giro: indifferenza totale.

«Ci vieni in centro con me?» mi domandò appena appoggiai l'orecchio al ricevitore. Avrei dovuto risponderle no e riattaccare. Invece capitolai.

«Quando?»

«Tra mezz'ora, un'ora?»

Camminare insieme in corso Italia davanti a tutti, quanto mi sarebbe piaciuto. Non fidarti, mi ammonii stringendo la cornetta più forte. Ragiona: la faresti sfigurare. Ci dev'essere sotto una trappola, per forza. E poi, scusa: con che faccia tosta mi cerca? Ero arrabbiata. Però anche, contro la mia volontà, emozionata.

«E in centro cosa facciamo?» Tastai il terreno.

«Non posso dirtelo per telefono.»

«Perché?»

«Perché è un segreto.»

«Dimmelo, o niente.»

«Sì, così ti tiri indietro…»

Rimasi in silenzio, sapevo aspettare. Lei esitò, ma alla fine non resistette e mi sussurrò: «Voglio rubare dei jeans. So già quali».

Smisi di respirare.

«Da sola non riesco, ho bisogno di un palo» ammise. «Ma tu non hai idea: non sono jeans qualsiasi… Costano quattrocentomila lire!» esclamò sottovoce. Immaginai si tenesse una mano davanti alla bocca per non farsi sentire là, a casa sua. «Se vieni, ne rubo un paio anche per te. Promesso.»

Dalla cucina dove stava sparecchiando, papà si sporse e buttò l'occhio in corridoio, a me rigida accanto al tavolino del telefono. Avrebbe dato non so cosa pur di vedermi uscire, ambientarmi in quella città che mi era ostile. Mentre l'unica cosa che volevo io era tornare a prima, alla vita di prima, e non rivederlo mai più.

Lo odiavo, per quanto lui non mi avesse fatto niente. Ma era proprio il niente, il punto. Le pareti nude della stanza imbiancata di fresco per il mio arrivo. Il letto vuoto in cui ogni notte spalancavo gli occhi e cercavo una loro mano, un loro ginocchio, inutilmente. L'appartamento in cui loro non chiacchieravano, non litigavano, non mi chiamavano più, e si ostinavano a non esserci.

«Ci sto» risposi alla fine.

Avvertii Beatrice sorridere: m'indovinava. Rubare era l'ultima cosa di cui una come me sarebbe stata capace agli occhi di chiunque, ma non ai suoi. Ho scritto che era una ragazza normale all'epoca, ed è vero, però aveva un dono: sapeva leggere. Non in superficie e neppure all'interno, ma al cuore. Delle parole, dei gesti, degli abiti. Proprio lei che dell'apparenza avrebbe fatto la sua fortuna, sapeva che la verità di una persona, come di un libro, è in ciò che rimane muto; e segreto.

«Alle tre e mezza alla spiaggia di ferro. Sai dov'è?»

«Sì.»

Mise giù. E io, con il filo del telefono tra le mani, anche se non volevo, non mi fidavo ed ero morta da quattro mesi, tornai in vita.

*

La spiaggia di ferro è troppo lontana, pensai vestendomi in fretta, mormorando a papà un «ciao» senza spiegazioni e uscendo di casa.

Veniva chiamata così per via della sabbia scura, dei resti di una vecchia miniera, e di sicuro non era in centro. Ci ero arrivata per caso a luglio, in uno dei tanti pomeriggi a girovagare a vuoto da sola in motorino. Mi aveva colpita perché, anche in piena estate, non c'era nessuno. Era un'insenatura di rocce con l'acqua che diventava subito fonda, e un'aria afflitta di abbandono, di spiaggetta minore scartata dai turisti, che me l'aveva subito fatta sentire affine. Però quel sabato di novembre, mentre guidavo inzuppandomi i pantaloni e la giacca di pioggia, non riuscivo a capire perché Beatrice mi avesse dato appuntamento là.

Perché si vergogna di me, ovvio. Oppure è uno scherzo e non si presenterà.

Non c'erano case né negozi in quel tratto di costa, figuriamoci jeans costosi da quattrocentomila lire. A ogni semaforo inchiodavo, mi voltavo e mi assaliva la tentazione logica di tornare indietro. Solo che poi, irresistibilmente, andavo avanti.

Io ero "la straniera". Così mi dicevano in classe dietro le spalle, ma abbastanza forte da farsi sentire. Come fossi venuta dall'Argentina o dal Kenya anziché appena da un'altra regione. Entravo in aula e mi squadravano, mi criticavano le scarpe, lo zaino, i capelli. Ogni volta che pronunciavo una *e* o una *z* diversamente da loro, ridacchiavano. Anche Beatrice ridacchiava. Non mi aveva mai difesa, mai raggiunta durante l'intervallo. E adesso cosa vuole da me? Che le faccia da palo?

Che cretina che sono.

Serpeggiavo lungo le curve del belvedere, mi lasciavo l'abitato alle spalle con l'anima e i pensieri pesanti. Cominciò a spiovere, frammenti di luce livida affiorarono tra grossi nuvoloni neri. Le strade, i palazzi, le spiagge: era tutto bagnato. Impossibile che una come lei volesse diventare mia amica.

Si truccava, sembrava uscita ogni giorno dal parrucchiere. E io? Lasciamo perdere. Qualcuno avrebbe dovuto insegnarmi a dare importanza anche all'aspetto esteriore, ma non era successo.

Quando raggiunsi l'incrocio al termine della città, mi fermai allo Stop e mi sentii tanto invisibile, perfino a me stessa, che mi sbirciai nello specchietto retrovisore. Il mio viso era pallido, lentigginoso. Avrei potuto, forse, mettermi un po' di terra, di fondotinta, se solo ci fossero stati dei trucchi in quella casa, se vi fosse rimasto qualcosa di femminile, ma niente. Imboccai la strada verso l'estremità ventosa del promontorio e ne fui certa: si trattava di uno scherzo. Mi sarei ritrovata sola laggiù, più sola di quanto già non fossi, e mi sarei buttata dagli scogli. Ero sbagliata, sapevo soltanto sbagliare.

Invece lei c'era.

Seduta sul suo SR Replica nuovo. Mi aspettava sotto il cielo gonfio color antracite, il casco tra le mani e un impermeabile scuro che la nascondeva fino ai piedi, da cui trapelava solo un paio di stivaletti con un tacco tanto alto e a spillo che nessun altro mortale, di qualsiasi età, sarebbe riuscito a guidarci un motorino in un giorno di pioggia. Il vento le faceva danzare furiosamente i capelli lunghi fino al sedere, che non erano ricci né bruni nel 2000, ma castani, con le punte schiarite come si usava allora, e lisciati con la piastra. Non mi aveva mentito, non mi aveva tradito: era davvero con me che voleva uscire.

Rallentai, frenai a pochi centimetri dal suo SR con il mio Quartz di seconda mano che era quanto di peggio mio padre avesse potuto procurarmi, per giunta imbrattato di adesivi imbarazzanti: un dito medio alzato sopra il fanale posteriore, vari bulldog con la cresta e A di anarchia, residuati punk che non erano dipesi da me.

Coi polmoni e il cuore bloccati, braccia e gambe molli, tolsi il casco, sollevai lo sguardo e, a distanza di quasi vent'anni, ho ancora il suo volto impresso nella memoria. Non com'è oggi, in milioni d'immagini pubblicitarie affisse sui palazzi, sulle copertine delle riviste, ovunque su Internet. Ma com'era quel giorno sperduto della mia adolescenza, l'unico in cui fuori di casa l'ho vista struccata. Nel parcheggio sterrato della spiaggia di ferro, con intorno nessuno, e io e lei l'una di fronte all'altra.

La pelle del suo viso era pallida, arrossata, e aveva i brufoli. Il mento e la fronte, in particolare, erano segnati dai tentativi di schiacciamento e da costellazioni di puntini neri. Non che questo ne pregiudicasse la sfacciata bellezza, ma i suoi lineamenti, senza la solita maschera di fondotinta, erano imperfetti e rotondi, persino tristi. La bocca chiusa in un lieve broncio, con le labbra screpolate dal freddo, era piuttosto anonima senza rossetto. Ma gli occhi, quelli sì, rimanevano eccezionali, di un verde smeraldo introvabile in natura, con lunghe ciglia senza bisogno di mascara, e lo sguardo muto, sigillato nel suo mistero; quegli occhi che l'intero pianeta conosce, o così crede.

«Il tuo motorino fa schifo, ma sai che gli adesivi mi piacciono?» Sorrise con i denti bianchi allineati, le fossette al centro delle guance, come sapeva sorridere lei per disarmarti.

«Non li ho messi io» risposi con sincerità, «li ha attaccati mio fratello.» Che poi era l'unica ragione per cui non li avevo staccati.

«Ti ho detto una bugia, prima, ma solo perché altrimenti non saresti venuta. Non andiamo in centro, andiamo a Marina di S, e il tuo Quartz è troppo riconoscibile: devi lasciarlo qui.»

«Qui?» Mi guardai intorno. Era una landa desolata di eriche e ginepri piegati a terra dal maestrale. C'era solo il mare, scontroso.

«Non vengo. Saranno almeno dieci chilometri.»

«Dodici» precisò lei.

«Non possiamo arrivarci con un cinquantino. Mio padre chiama la polizia se non rientro prima di cena.»

Non era vero: se fossi rincasata a mezzanotte papà avrebbe pensato che ero una quattordicenne normale e ne sarebbe stato felice.

«Il mio SR fa gli ottanta, cosa credi? Mica vengo da Biella come te. Se ci muoviamo, per le sette siamo di nuovo qui. Sono giorni che studio questo piano. Perché non ti fidi?»

Perché non puoi fare gli ottanta all'ora per dodici chilometri con quei tacchi. E perché una volta mi hai messo una mano sulla spalla, poi sei sparita. E quando sei riapparsa mi hai ignorata, hai riso alle frecciate degli altri.

Ma il peggio era che l'avevo già perdonata.

«Avanti, monta» mi ordinò scivolando sulla punta della sella per farmi posto.

Scesi dal Quartz titubante: era un rottame sì, ma anche l'unico motorino che avevo e papà, per quanto gliene importava a lui dell'aspetto esteriore, non me ne avrebbe certo comprato uno più carino.

«Cosa c'è, hai paura che te lo rubino?» rise. «Chi, i gabbiani?» Salii dietro di lei. Beatrice partì a razzo sull'SR che, non aveva mentito, era truccato. Giù per il sentiero pieno di buche, costeggiando l'osservatorio astronomico e il faro, facendo lo slalom in mezzo alla macchia che odorava di sale, terriccio umido, animali selvatici nascosti tra i lecci.

Mi aggrappai a lei vincendo l'imbarazzo, schiacciai il busto contro la sua schiena. Bea mi lasciò fare perché lo sentiva, che ero spaventata. Quella velocità non la conoscevo. Le ruote slittavano sull'asfalto madido e lei accelerava. Era come se fossimo sempre sul punto di cadere.

Sbucammo sulla Provinciale: un rettilineo a due corsie zeppo di camion, automobili e nemmeno uno scooter. Cominciammo a filare a settanta all'ora sorpassando tutti, come il regionale coi finestrini illuminati diretto lassù, a nord, dov'era rimasta la mia vita.

A ovest, oltre la pineta, il sole squarciava le nuvole e calava incandescente sul mare. A est le colline sventrate dalle cave erano già buie. Correvamo in bilico sulla linea continua che divideva le carreggiate, con gli automobilisti che lampeggiavano e suonavano il clacson per avvertirci che così forte mica andava bene, in due su un cinquantino era vietato. Chiusi gli occhi, mi pentii di essere uscita di casa, di averle dato retta. Allora Bea staccò una mano dallo sterzo.

Con la sua avvolta in un guanto di lana, prese la mia nuda. La strinse.

Non sapevamo quasi niente l'una dell'altra, io non conoscevo il suo dolore e lei non conosceva il mio, ma qualcosa dovevamo aver intuito perché le sue dita scivolarono nelle mie, le accarezzarono, io accarezzai le sue. E forse fu per questo, o per il freddo, che di nascosto i miei occhi cominciarono a lacrimare.

*

La boutique si chiamava Scarlet Rose. Sono certa che oggi sia chiusa da anni, ma quell'inverno a Marina di S esisteva eccome, con sei vetrine sfolgoranti affacciate sul corso principale e addobbi natalizi in anticipo su tutti. Sembrava un'astronave, tanta luce emetteva.

Beatrice e io restammo lì davanti a congelarci per un po'. A guardare i turisti venuti da Firenze, addirittura da Roma, che scrollavano gli ombrelli, entravano, e avevano addosso milioni di lire.

Intorno a noi Marina di S era presa d'assalto, come solo il fine settimana e in alta stagione. Lo struscio era così fitto che non si passava. Da ogni dove spuntavano carretti di popcorn, venditori di palloncini, suonatori di fisarmonica a cui le persone trafelate, cariche di acquisti, ficcavano un paio di monete nel cappello.

Mi hanno sempre messo tristezza le località marittime che sono turistiche e basta, senza motivo diverso dalla prossimità del mare. Marina di S era ed è esattamente questo: un assembramento di case intorno a una fila di negozi, con un porticciolo modesto quanto un grande magazzino e nessuna storia; un posto anonimo che ogni tanto si atteggia e profuma di brigidini, croccante, pizza al taglio. Eppure quel pomeriggio mi parve bellissima.

Beatrice mi teneva ferma, incollata a sé. Forse temeva che all'ultimo io ci ripensassi, ma come potevo? Mi dava una tale ebbrezza trovarmi di sabato in mezzo al corso: era la prima volta; a braccetto di una coetanea, in combutta con lei. Sapevo che era possibile solo dove nessuno ci conosceva, e che Beatrice era straordinariamente struccata, nascosta sotto una palandrana nera anziché avvolta in una nuvola di brillantini, perché era questo l'obiettivo: restare in incognito, né viste né ricordate. Si teneva il cappuccio tirato sopra la testa, l'impermeabile chiuso. Racimolava coraggio. Ora che ci ripenso, è meraviglioso: lo sappiamo solo noi due cosa significò quell'istante.

Quando si decise, mi trascinò di fronte alla terza vetrina: nel centro esatto scintillavano inondati di luce quelli che, lo capii persino io, dovevano essere *i* jeans. Tempestati di Swarovski in ogni centimetro quadro, affusolati e aderenti come la coda di una sirena. Il resto del manichino era nudo, per forza: cos'altro volevi aggiungere a dei pantaloni così?

«Mia madre ha detto che non me li compra» mi spiegò fissandoli, «neanche per Natale, neanche se è l'unica cosa che desidero. È una stronza.» Si voltò verso di me. «Tu non sai quanto è stronza mia madre, non lo sa nessuno.»

Restai in silenzio, quell'argomento era diventato tabù per me. Compresi che doveva esserlo anche per lei perché non aggiunse altro in proposito. Ma, dopo aver riflettuto, mi guardò dritta negli occhi con una determinazione che non ho mai dimenticato.

«Un giorno» mi giurò, «entrerò qui e comprerò tutto il negozio. Coi miei soldi, quelli che mi guadagnerò io, da sola. Tutto quanto me lo prenderò, lo saccheggerò, lo vuoterò. Lo giuro davanti a te. Non ho mai rubato, non ruberò più. Ma oggi lo devo fare, a sfregio. Lo capisci?»

«Sì» risposi. Perché davvero mi sembrava di capire che il furto di quei jeans fosse questione di vita o di morte. Promisi a me stessa che l'avrei aiutata a portarli via, a costo di essere fermata, identificata e tradotta in questura. Allora mio padre sarebbe venuto a recuperare me, una volta tanto, anziché mio fratello, e io avrei potuto gridargli: "Hai visto cosa sono arrivata a fare? Quanto sto male, quanto sono infelice qui? Riportami a Biella, per favore".

Beatrice si sfilò il soprabito, lo ripiegò in borsa, si ravviò i capelli. E, come per effetto di un prodigio, cambiò completamente aspetto.

Entrammo. Le commesse erano tutte indaffarate, cosa che non impedì a una di loro di notarci, scivolare su Beatrice e fermare lo sguardo sorpreso, poi contrariato, su di me. Non starò a dire, in un momento così carico di adrenalina, com'ero conciata. Non solo quel giorno, ma sempre affondavo le mani nell'armadio e recuperavo quello che c'era con l'unico scopo di coprirmi e svanire. Solo che, in un negozio del genere, l'effetto risultava opposto. Beatrice mi osservò a sua volta, si rese conto in ritardo che anch'io, come il mio Quartz, ero un'anomalia. Ma ormai eravamo in ballo. E nessuno al mondo, nessuno, sa ballare come Beatrice. Mi appoggiò le labbra all'orecchio e mi sussurrò: «Fai finta di essere sordomuta».

*

Per prima cosa dovrò dire com'era vestita Beatrice. Non solo perché l'intero suo futuro, fama e ricchezza dipenderanno da questa sua abilità stregonesca di far perdere le proprie tracce dietro un abito. Ma perché la vicenda del furto, la sua stessa realizzabilità, si resse proprio su quel travestimento.

Indossava un cappotto della madre, bianco panna, corto e stretto in vita da una sontuosa cintura d'avorio, che le dava un'aria così signorile da aggiungerle almeno cinque anni.

Poi, gli stivaletti già menzionati, di una lucida, morbida, pelle nera.

Infine, ma non in ultimo, un gonnellone di velluto lungo fino a terra, nero anche questo, pieno di balze e inserti d'organza, di non ricordo quale stilista ma lo ricordava la commessa che ci aveva adocchiate e che cadde nel tranello. Si avvicinò a Beatrice appena ebbe finito con l'altra cliente, per dirle che quella gonna era un capo magnifico e se stava cercando qualcosa da abbinarci era nel posto giusto. Beatrice si affrettò a inventare che la aveva acquistata a Firenze, perché era lì che viveva, insieme a me: la sua piccola, sfortunata, sorellina.

La verità è che avevamo entrambe quattordici anni quel giorno, solo che lei ne dimostrava venti e io dieci. Dall'inizio, per natura, fu stabilito che la protagonista dovesse essere lei, e questa legge decise per intero il nostro futuro. Anche l'esito ultimo per cui io oggi mi trovo qui, nascosta a scrivere, mentre lei sta là, al centro del mondo, sulla bocca di tutti.

La commessa ci fece strada tra gli espositori. Beatrice cominciò a dire che forse le serviva una camicetta. Si tolse il cappotto, la borsa, me li diede. Allungò le mani sul tavolo dove camicie, magliette e top venivano distesi. I suoi occhi, me ne accorsi, erano diventati così verdi e rapaci, come sotto incantesimo. «Li provo tutti» concluse e si spostò in camerino. La seguii rimanendo fuori, ubbidiente. Intravedevo il suo corpo che si spogliava: un braccio, una spalla. La mano tesa all'esterno: «Questa no, non mi piace!» gridava. «Adesso l'altra!» Famelica, imperativa. Poi usciva. Andava dritta allo specchio. Si ammirava. «No, mi fa difetto.» Arrabbiata.

Si fece portare altre camicie, maglioni, cardigan, pullover. «Ah!» aggiunse da dietro la tenda a un certo punto. «Ha anche dei jeans un po' insoliti da farmi provare?»

La commessa era ormai stordita. Beatrice aveva accumulato fuori e dentro il camerino una montagna di roba. Non la finiva più di raccontare che suo padre era un giornalista famoso, che sua zia lavorava a Parigi presso un atelier di moda, e che io, eh, avevo questa malattia rara per cui non crescevo, non parlavo, e nostra madre aveva rischiato la depressione. Bea ricamava, infiorettava, era una straordinaria narratrice. Finché, dalla vetrina, le vennero portati *i* jeans.

«Questo è l'ultima taglia 38 rimasta.»

Beatrice tacque, posò gli occhi sulle braccia della commessa dove i jeans stavano adagiati, neanche fossero una creatura viva. Il suo sguardo si era fatto cupo, come il fondo notturno di un bosco.

«No, sono troppo appariscenti» decretò.

«Mi creda, le staranno d'incanto. Potrà indossarli a Capodanno, perfino con una semplice maglietta faranno figura.»

Mi colpì molto che quella signora le desse del lei, la trattasse da pari. A me non era mai capitato, in alcun negozio.

Passò del tempo.

«Se proprio insiste…» disse Beatrice sforzandosi.

Li afferrò e si richiuse dietro la tenda. Appena la commessa fu lontana, emerse con metà del viso per farmi cenno di entrare.

Era nuda. Aveva solo il reggiseno e un perizoma addosso.

Provai un sentimento forte, confuso, tra il disagio e l'attrazione. Ma lei non se ne accorse. Prese il cartellino, tenne il prezzo fermo tra l'indice e il pollice e me lo mostrò: quattrocentotrentaduemila lire.

«Visto?» mi fece allargando gli occhi colmi di eccitazione. «Ti rendi conto?»

Ero ammutolita, al di là della recita. Non perché quell'oggetto costasse quanto costava, ma perché il corpo di Beatrice senza niente addosso era uno spettacolo crudo, e così potente. Come la Nike di Samotracia, la Dafne del Bernini, ma anche la lava, la terra, qualcosa di sporco. Non avevo mai pensato che la bellezza potesse fare male.

Si infilò i jeans piano, abbassando lo sguardo, e attese. Come mio padre con le Polaroid prima di voltarle: lasciava che si creassero, che dal nulla una sagoma fiorisse svelando la sua verità, o la sua menzogna. Riuscì a trattenersi per venti secondi a occhi chiusi di fronte allo specchio. Poi li spalancò. E glielo lessi in faccia: il piacere.

Illuminata a giorno dal faretto bianco, nel segreto del camerino, l'immagine appena nata, in jeans e reggiseno, era un magnete.

Non riuscivo a distogliere lo sguardo, come sotto ipnosi.

Non poteva ricevere rifiuti, una come lei. Non poteva essere abbandonata né ignorata. Solo amata e invidiata dall'universo.

Beatrice, come se avesse indovinato i miei pensieri, disse: «Sto sul cazzo a tutti, te ne sei accorta? Mi fanno la bella faccia davanti però mi odiano, non mi chiedono mai di uscire con loro. Ma pensa se una mattina mi presentassi a scuola così, quanto rosicherebbero. T'immagini? Anche mia madre ingoierebbe, perché io sono giovane e lei no, perché sono più bella di lei. Capisci perché lo devo fare?».

In realtà continuavo a non capire, ma volevo essere sua amica.

Beatrice mi prese entrambe le mani, come fossi la sua sposa.

«Sei pronta?»

«Sono pronta.»

Mi sorrise, mi guardò negli occhi.

«Allora adesso devi sentirti male.»

Senza togliersi i jeans, ma anzi infilandosi sopra la gonna e rivestendosi in fretta, gridò il mio nome: «Oddio, Elisa!». Cosa conosceva del mio passato? Niente. Eppure mi aveva appena chiesto di fare quel che mi veniva meglio: non avvertire più l'aria nei polmoni, il pavimento sotto i piedi; il cuore impazzito come se dovesse frantumarsi tra un istante. Le chiamano crisi di panico, ma per me erano sempre crisi di solitudine; iniziarono una mattina precisa della mia infanzia che riuscirei persino a raccontare, se il ricordo non mi straziasse.

Uscii dal camerino soffocando. Beatrice attaccò a gridare seminando il panico da Scarlet Rose. Tremavo. Mi si fecero tutti intorno. Qualcuno accorse con un bicchiere d'acqua.

«Aria, aria!» implorò Beatrice trascinandomi verso l'uscita. Piangeva. Una voce propose di chiamare l'ambulanza e lei rispose disperata: «Sì, subito! Mamma, papà!». Invocava i nostri genitori immaginari. Io ero blu per l'apnea. Lei si sfilò le scarpe di nascosto, le ficcò in borsa. Spalancò la porta. Poi so solo che cominciammo a correre.

A correre con tutte noi stesse, a perdifiato nel corso dove non si passava e ci facevamo largo lo stesso a spintoni, e poi giù per i vicoli male illuminati, dietro le auto in doppia fila, rasente i muri. Morte d'infarto raggiungemmo il motorino lasciato all'inizio dell'Aurelia.

Beatrice s'infilò il casco, mi porse il mio, abbassò il cavalletto e scoppiò a ridere.

«Sei stata grandiosa, Eli, grandiosa!»

Eli, mi aveva chiamata. Mi sembrò come se fossimo figlie della stessa storia, così intime: siamesi. Ero fiera di me, di noi. Neanche quand'ero uscita con tutti "Ottimo" dalle elementari, e poi con "Ottimo e menzione d'onore" dalle scuole medie, mi ero sentita così bene.

Schizzammo nel buio illuminato dai fari delle auto, nel sabato sera che, come nei film, era il centro esatto della vita. Una sosta al volo per fare benzina e poi via a settanta all'ora, se possibile più veloce. Arrivammo alla spiaggia di ferro che solo la luna illuminava la costa e il mare. Il cielo era così terso che potevi distinguere le costellazioni del Toro e dei Gemelli.

Scesi dal suo SR, rimontai sul Quartz.

«Mi spiace che non sono riuscita a rubarne un paio anche per te» disse spegnendo il motore. «Ti presterò i miei.»

Sollevò la gonna per scoprirli. Alla luce fredda della luna gli Swarovski presero fuoco.

«*Bea*» dissi, chiamandola così per la prima volta, «io mica li posso mettere.»

«Perché?»

«Mi hai vista?» Sorrisi, quasi a scusarmi.

«Tu non sai niente» mi rispose, seria. «Lunedì dopo pranzo vieni a casa mia, via dei Lecci 17, e ti faccio vedere una cosa che nessuno ha visto.»

«Non so se posso...»

«Puoi.»

Era tardi. Ci lanciammo giù per la discesa senza aggiungere altro, lei davanti e io dietro. Come per molto tempo sarebbe stato: davanti e dietro lo specchio, la macchina fotografica, il computer, lei in luce e io in ombra, lei che parla e io che la ascolto, lei che diventa e io che la guardo.

Ma quella sera ci rincorrevamo e basta giocando a sorpassarci. Lei con l'SR fiammante, io con il catorcio. Sobbalzando in mezzo alle buche, scansando le radici dei pini che crepavano la strada, lanciandoci grida e schiamazzi. Eravamo pazze.

Rientrammo in città alle nove passate. Alla rotonda di via degli Orti lei prese a destra, io a sinistra. Ci salutammo con un colpo di clacson e il filo di quella promessa a tenerci ancora unite: a lunedì, dopo la scuola.

Poi il sogno finì. Avvertii di nuovo il magone riempirmi lo stomaco mentre parcheggiavo sotto casa. La lampada accesa in cucina al piano rialzato, dove ad aspettarmi c'era solo mio padre.

2

Due estranei

Trovai l'ingresso del condominio socchiuso e la porta di casa aperta, come se lui avesse riconosciuto il motore del Quartz o, peggio, atteso il mio ritorno alla finestra tutto il tempo. Se avessi avuto un altro posto dove andare, ci sarei andata. Quell'appartamento buio con le stanze abbandonate al silenzio, tutte eccetto una, mi ribadiva quanto fossimo soli.

Percorsi il corridoio pesando i passi, come fanno gli ospiti nelle case degli altri. Nell'aria ristagnava un odore invitante di sugo di pesce e io avevo fame. Con le suole infangate e il giaccone dismesso da mio fratello, mi sporsi dallo stipite della cucina.

La tavola era apparecchiata bene, con cura, non nel modo approssimativo di mamma. La tovaglia era pulita e stirata, i piatti fondi sopra quelli piani, i tovaglioli erano di stoffa, mica pezzi di Scottex buttati lì. Sul fuoco al minimo bolliva l'acqua, gli spaghetti crudi già pesati sulla bilancia. La tivù trasmetteva una puntata di *Superquark* che papà stava seguendo con attenzione.

Erano le dieci meno venti.

Si voltò tranquillo verso di me e mi chiese: «Butto la pasta?».

Annuii. La sordomuta, da mesi, mi veniva naturale.

Lui si alzò, sollevò il coperchio dalla pentola, aumentò il fuoco.

«Puoi toglierti le scarpe e il giubbotto, se vuoi, e anche lavarti le mani.»

La sua educazione mi irritava, l'igiene non ne parliamo. Nella mia vita di prima nessuno mi aveva mai detto di lavarmi le mani. Mio fratello contava i soldi del fumo, ammorbidiva l'hashish tra pollice e indice sopra la fiamma dell'accendino, poi ficcava le stesse dita nel pacchetto di patatine. A volte capitava persino che il pacchetto di patatine fosse la cena.

Mi avvicinai al lavello, presi un po' di sapone per i piatti e mi strofinai frettolosamente dita e palmi. Senza separarmi dalla giacca, però, e dalle scarpe: un paio di anfibi viola con la punta di ferro che, quando camminavo, sembravo Charlot: il numero era un 40 e io portavo il 36, ma erano appartenuti a Sebo, il migliore amico di Niccolò, e mi tenevano compagnia.

«Ascolta.» Papà m'indicò lo schermo su cui passavano immagini di pianeti e nebulose. «È interessante. Astronomia al classico si studia solo al triennio ed è un peccato.»

Non sapevo quando avrei studiato astronomia, avevo appena cominciato le superiori. I suoi tentativi di dialogo, per giunta su materie scientifiche, mi davano sui nervi ancor più delle sue buone maniere.

«Mi affascina pensare che dell'universo conosciamo solo il dieci per cento» continuò, mescolando gli spaghetti, «mentre il resto, la stragrande maggioranza di ciò che esiste, rimane un mistero.»

Purtroppo lo ascoltavo. Lo spiavo perfino, esattamente come faceva lui con me. Passavo davanti al suo studio e di sbieco gettavo dentro uno sguardo. Quando lo sentivo parlare al telefono con qualche collega, mi accostavo e origliavo. Carpivo poco o niente, in realtà. Ma a lui andava anche peggio, perché io non parlavo con nessuno, la porta della mia camera era sempre chiusa e, quando andavo in bagno, oltre a girare due volte la chiave, aprivo tutti i rubinetti.

Eravamo padre e figlia, ma anche due perfetti sconosciuti. Con quattordici anni di ritardo, era un po' difficile cominciare una relazione.

Quella sera di novembre del 2000 me ne stavo rincantucciata sulla sedia accanto al termosifone bollente con il bomber addosso. Trincerata dentro una bolla d'insofferenza e di rancore che non voleva saperne di scoppiare. In sottofondo, Piero Angela spiegava la differenza tra una galassia ellittica e una spirale. Mio padre assaggiò uno spaghetto.

«Il web si è già organizzato allo stesso modo» commentò, «la parte accessibile non è più dell'un per cento.» Ne assaggiò un altro, decise di scolarli. «Però pensa, con quell'un per cento, come cambierà la vita sul pianeta. Ve l'hanno spiegato vero, a scuola, cos'è il web? Quale fonte immane d'informazioni?»

Per me, in quei mesi, era solo una fonte di scocciature, perché quando lui si connetteva a Internet, io non potevo telefonare. Non me ne fregava niente delle sue chat, dei suoi siti. Mi colpiva, piuttosto, che mi preparasse gli spaghetti allo scoglio alle dieci di sera. M'inteneriva. Perciò m'innervosiva. Cenare con lui era uno strazio.

«Uno di questi giorni mi piacerebbe aprirti una casella di posta elettronica, Elisa» disse mentre faceva saltare gli spaghetti insieme al sugo. Io m'irrigidii perché non avevo idea di cosa fosse una casella elettronica, e già solo il nome mi suonava antipatico. «Sarebbe bello. Anzi, secondo me è proprio ora che tu abbia un indirizzo mail.» Si avvicinò alla tavola, riempì i piatti, lasciò sui fornelli la padella vuota. «Potreste scrivervi tutti i giorni senza bisogno di aspettare, sentirvi più vicine, tu e tua madre.»

«Non mi serve» chiarii subito, con voce dura e malferma.

«Perché? Vedrai come ti sarà utile, e quanto è veloce.»

«Abbiamo già il telefono» replicai, sorvolando sul fatto che squillasse molto di rado. Mio padre arrotolò una forchettata di pasta. «Buon appetito» mi augurò. Assaggiai. Era buono ma non glielo dissi. Non staccai gli occhi dal tavolo.

«Credo potrebbe essere una soluzione per provare a comunicare di nuovo, con calma, tutti insieme. Che ne dici?»

Avrei voluto alzarmi, lanciare il piatto, spaccare tutto, ammazzarlo.

«Il telefono non è il mezzo più congeniale per noi. Parlare, evidentemente, non ci mette a nostro agio. Invece scrivendo sarebbe diverso. Potremmo prenderci il tempo che ci serve per scegliere le parole, aggiustarle, cambiarle se necessario.»

Ma come ti permetti?, pensai. Cosa ne sai tu della scrittura che sei un ingegnere di merda?

«Il computer è là» proseguì, «puoi andare nel mio studio

quando vuoi, prenderti l'intimità e il tempo di cui hai bisogno. Credo proprio che ne regalerò uno a tua madre per Natale.»

Mi venne un accesso di tosse, mi andò la saliva di traverso, avvertii il desiderio di vomitare. Era solo una strategia per non fargli vedere che, in realtà, mi veniva da piangere. Mamma e Natale nella stessa frase innescavano un cortocircuito. Papà mi allungò un bicchiere d'acqua. Si alzò, mi venne vicino. Mi tolse la giacca di Niccolò e mi accarezzò i capelli madidi di sudore. Poi ritrasse la mano. Era troppo affettuoso, quel gesto.

«Ti prometto che passeremo un bel Natale. Farò in modo di farli tornare qui, di convincerli a rimanere fino all'Epifania. Alle brutte andremo su noi. Non devi preoccuparti.»

Alle brutte fuggirò e non mi troverai più.

Andrò a nascondermi alla Palazzina Piacenza, per sempre.

Appena avrò compiuto diciott'anni.

Questo pensiero mi calmò. Calmava sempre anche mio fratello l'idea della maggiore età. Era il traguardo, la prova che bisognava tenere duro, pazientare, ma alla fine ci saremmo liberati dalle scelte dissennate dei nostri genitori.

Papà tornò a sedersi al suo posto e io sollevai la testa per guardarlo. Dovevo essere sconvolta. Lo capii dalla sua espressione di pena.

Si stava impegnando. L'uomo di quarantasette anni che mi stava di fronte, coi capelli e la barba brizzolati, gli occhiali dalla spessa montatura nera, la faccia da capostipite di tutti i nerd, era lì che si dava da fare a spignattare, a pulire, a sistemare, per sua figlia. Si era preso sei mesi di aspettativa all'università pur di accudirmi e fare il casalingo.

Solo che io non lo volevo, l'amore di un estraneo. Volevo mamma che non mi chiamava, Niccolò che si sfondava di canne. Non questo padre colto, pieno di interessi, che era lì a elemosinarmi un sorriso, un cenno di apertura. Questo poveraccio che si era ritrovato di punto in bianco a vivere con una figlia adolescente.

Una come me, per giunta.

Portavo i capelli tagliati da maschio, rosso carota come mia madre. Anche le lentiggini le avevo ereditate da lei, come gli occhi color nocciola. Ero alta uno sputo e pesavo all'incirca quarantacinque chili, cioè poco. Non avevo fianchi, non avevo tette, per cui potevo tranquillamente indossare la roba che non entrava più a mio fratello o quella scartata dalle figlie delle amiche di mamma quando facevano pulizia negli armadi. Il risultato era che andavo in giro coi jeans larghi macchiati apposta di candeggina e le camicette con il colletto rotondo che sapevano di elementari, le felpe dei Sex Pistols di due taglie più grandi e le gonnelline scozzesi a pieghe. Ero, evidentemente, una disadattata. Ma nella mia famiglia, con sfumature diverse, lo erano tutti.

Squillò il telefono e io trasalii. La mia esistenza, in quel periodo, era letteralmente decisa e scandita da quello strumento bianco e grigio, con su scritto "Telecom Italia".

Un solo squillo e mi lanciai giù dalla sedia, mi fiondai in corridoio. Lo sapevo che era lei: chi altri avrebbe potuto essere a quell'ora di sabato? Come un fulmine mi avventai sulla cornetta.

«Mamma!» gridai.

Mi lasciai cadere sul pavimento con il ricevitore talmente incollato che era diventato tutt'uno col padiglione auricolare. Lo tenevo con entrambe le mani, le labbra premute sopra. Mi ci aggrappavo. Ero così felice che non mi avesse dimenticata.

«Amore, come stai?»

«Bene» mentii, e subito l'assalii di domande: «Cos'avete fatto oggi? Ha nevicato? Sei passata a salutarmi Sonia e Carla?». Volevo sapere tutto di Biella, della vita che facevano là senza di me. «E Niccolò c'è?»

«No, tesoro, è al Babylonia.»

Il "Baby", solo a sentirlo nominare, mi inteneriva trasportandomi a una qualsiasi delle notti che avevamo trascorso là, Niccolò dentro il capannone a pogare e io e mamma fuori, in macchina ad aspettarlo. Il sedile reclinato, un plaid sopra le gambe, e i finestrini abbassati anche d'inverno. Com'era dolce addormentarsi con mamma che beveva una birra a collo, fumava; e le risaie intorno.

«Ha nevicato, ma solo sopra Andorno» disse. «Le montagne sono tutte bianche.»

Le rivedevo attraverso la sua voce. Il Cresto, il Camino, il Mucrone. Erano come persone, per me. E impazzivo di nostalgia.

«In biblioteca ci sei andata?»

«Come facevo? Il sabato, se ci sono ritardi nelle consegne, lavoro anche di pomeriggio, lo sai.»

Non sapevo niente, in realtà, del suo nuovo impiego al cappellificio Cervo. M'intristiva esserne tagliata fuori, io che un tempo leggevo per ore nel parcheggio della Liabel e conoscevo i suoi colleghi, i suoi orari.

«Tu cos'hai fatto invece?» mi chiese.

«Niente.»

«Niente è impossibile.»

«Sono uscita» ammisi.

«Ma è una notizia bellissima! Con chi?»

La sua gioia mi feriva, significava che non era gelosa.

«Con una compagna di scuola, Beatrice.»

«Le amicizie sono importanti, Eli, ricordatelo sempre. Puoi passarmi un attimo tuo padre, per favore?»

Di già? Mi si crepò il cuore. Si frantumò.

Perché mi vuoi così poco bene, mamma?

Chiamai papà, glielo passai. Aveva ragione lui: il telefono non era congeniale a noi come famiglia. Perché non eravamo affatto una famiglia.

Non avevo più voglia di sentirli discutere come se io non esistessi, quindi mi chiusi in camera.

Alcuni scatoloni del trasloco giacevano ancora per terra, addossati al muro, sigillati con lo scotch. Non aprirli mi dava l'illusione che la mia permanenza là fosse solo temporanea e mia madre e mio fratello sarebbero tornati a riprendermi, un giorno. Mi lasciai cadere sul letto e afferrai il walkman. Era un'altra cianfrusaglia dismessa da Niccolò, al pari dei giacconi e delle felpe. Me lo aveva regalato solo perché si era comprato il lettore CD portatile, altrimenti lo avrebbe buttato via. Però io infilavo le dita nelle bobine della musicassetta, tiravo fuori per gioco il nastro magnetico. Non potendo accarezzare lui, accarezzavo *Enema of the State* dei Blink-182.

Cercai nell'armadio il romanzo che non avevo restituito in biblioteca prima di partire. Il pigiama a cuori che avevo sfilato a mia madre dalla valigia prima che se ne andasse. Accumulai tutto, lo strinsi e sperimentai l'enorme potere che hanno gli oggetti di rilasciare gli odori e le voci che hanno assorbito. Di rendere presenti i ricordi.

Non avevo più niente, niente.

Portai il walkman, il romanzo e il pigiama sotto le coperte, come un naufrago con le ultime cose di una vita. Non avevo nemmeno una fotografia di noi tre, una prova che eravamo stati felici. Possedevo solo un diario con il lucchetto dove mi esercitavo a fermare un'impressione, un sentimento, affinché almeno dentro le parole mi rimanesse qualcosa.

Disseppellii la chiave da sotto il materasso e lo aprii.

Dov'ero arrivata? Sfogliai le pagine. Ad "anziano".

Ma si poteva dire di un albero? Avevo elencato cinquantadue aggettivi per il platano di fronte alla finestra, fissandolo per ore e giorni, eppure non avrei saputo quale scegliere.

Com'è quel platano, Elisa?

Non lo so.

Se dovessi descriverlo a qualcuno che non può vederlo, cosa diresti? Che è triste, pensai. È tutto secco, quasi spoglio, è lì da solo, nel cortile sul retro, piantato nel cemento.

È triste, sì. O lo sei tu?

Chissà se anche Beatrice aveva un diario, mi chiesi. Cosa vedeva lei dalla sua finestra, in quale casa abitava, a che piano. Lunedì lo avrei scoperto. Il cuore si ricompattò e riprese a battere. Mi alzai per prendere lo stradario di T e cercare in quell'intrico via dei Lecci 17. La trovai in un quartiere distante, in collina. Tracciai con la biro il tragitto da casa mia a casa sua e mi sfuggì un sorriso. Avevo una prospettiva, adesso. Calmava il dolore. Di poco, però lo alleviava.

"Ingiallito" ricominciai. "Seminudo." Anzi: "solo". Nessuno in classe mi aveva mai domandato: "Biella dove si trova? Cosa c'è là di speciale?". Dicevano che era la biella del motore, che io ero una sbiellata, battute cretine senza sapere niente. Sollevai lo sguardo dal diario, ascoltai il silenzio provenire dalle altre stanze. Papà aveva messo giù di colpo, esasperato. La telefonata era finita. Mamma non aveva voluto riparlare con me. Guardai le pareti vuote alla luce dell'abat-jour: sembravano sbarre, la scatola chiusa di un orfanotrofio.

Come hai potuto lasciarmi qui?

Portarti via Niccolò e abbandonare me?

Mamma, perché?

3

Addio a una vista

Ci eravamo trasferiti nella città di T, all'inizio, tutti e tre insieme. Il 29 giugno del 2000 eravamo partiti con l'Alfasud, tre valigie e quattro grammi di hashish. Perché mamma aveva perso il lavoro alla Liabel e deciso, nello stesso istante, di riprovarci con papà.

Parlare di decisioni nel caso di mamma è improprio: procedeva piuttosto per impulsi. Tornò a casa un pomeriggio di aprile, forse di marzo, si lasciò cadere sul divano del salotto dove io stavo facendo i compiti e Niccolò disegnava il drago che avrebbe voluto tatuarsi. La ricordo perfettamente: la zazzera impertinente, il caschetto rosso carota senza nemmeno un capello bianco, e il nasino all'insù, le lentiggini, gli occhi gialli truccati di viola al modo delle ragazzine. Le avresti dato la metà dei suoi anni, anche per via della statura minuta e del corpo tutto nervi e scatti. Si accese una sigaretta e disse: «Ragazzi, ce ne andiamo».

Io frequentavo la terza media, mio fratello la quarta superiore. Sul momento, non potemmo neppure lontanamente indovinare.

«Mi hanno licenziata» c'informò soffiando il fumo, «per un paio di mutande.» Sorrise con stupore. «Sembra una calamità ma la faremo diventare un'occasione.»

Quindi si alzò, filò dritta in corridoio con noi che le andavamo dietro, ignari e già in allarme. Lei euforica, invece, come se avesse appena trovato la chiave per la felicità. Tirò su il ricevitore, compose il numero. Il tutto avvenne in diretta di fronte a noi.

«Ci ho ragionato» esordì, «prendiamoci un'altra possibilità, Paolo. Siamo ancora giovani, ce la meritiamo. I nostri figli hanno bisogno di noi, io ho bisogno di te. Di cambiare aria, di cambiare vita. Ti prego.»

E ci passò papà, che era sempre stato una voce nel telefono, al massimo un'apparizione taciturna a Pasqua e a Natale, scuotendoci la cornetta davanti con energia: «Forza, ditegli qualcosa!». Prima a Niccolò, poi a me. E noi eravamo così sconvolti che non riuscimmo neppure a spiccicare il solito riassunto: "Tutto ok, a scuola ok".

La verità è che quando mamma fece quel colpo di testa e all'improvviso ci impose d'interrompere le nostre esistenze, lasciare la città dov'eravamo nati, la casa in cui eravamo cresciuti, per traslocare a più di cinquecento chilometri di distanza, noi non avevamo idea di chi fosse nostro padre. Era l'uomo che ci mandava i soldi, che chiamava la domenica mattina, a cui dovevamo volere teoricamente bene, cos'altro?

Non ne avevamo mai sentito la mancanza.

Neppure di T conoscevamo granché: la spiaggia in cui trascorrevamo annoiandoci le due settimane a cavallo di Ferragosto, quando mamma ci spediva da lui e ogni pranzo o cena era un calvario; la passeggiata con le palme e gli oleandri rinsecchiti; il centro storico con quel bastione in perenne restauro. Potevamo contare in tutto due o tre indirizzi di amici del mare a cui non avevamo mai scritto, che da un anno all'altro mutavano così drasticamente che ogni estate tornavano sconosciuti. Ma, più di tutto, quel che credo atterrisse me e mio fratello quel pomeriggio, con il ricevitore in mano, erano loro due *insieme*. L'assoluta incomprensibilità di come un uomo riservato, un professore universitario, potesse essere inciampato in nostra madre, averci fatto due figli, e addirittura darle una seconda chance non prima, quando i figli erano piccoli e forse avrebbero desiderato un padre che li andasse a prendere a scuola; ma ora.

Ci opponemmo. Con tutte le nostre forze.

Niccolò, sempre più diretto di me, scaraventò il telefono contro il muro. «Sei pazza! Io ho gli amici qui, ho il basket, ho *tutto*» gridò. «Mi manca un anno al diploma e mi fai cambiare scuola? Sei fuori? Vacci tu a vivere con *quello*! Non sono più un bambino che puoi sballottare di qua e di là. Mamma, vaffanculo!»

Rovesciò la sedia, si trincerò in camera, smise di mangiare a tavola, di andare a scuola, fu bocciato. Io mi limitai al gioco del silenzio: a domanda tacevo, a discorso tacevo. Vincevo sempre. Qualche giorno dopo presi il mio letto – rete, materasso, cuscino – e lo trascinai da sola dalla camera di mamma, dove avevo sempre dormito, a quella di Niccolò. Non riuscivo ad addormentarmi senza l'odore di lei, il suo respiro, mi veniva da piangere da quanto mi mancava. Però resistevo. Ogni notte Niccolò rientrava più tardi, puzzava di fumo, urtava contro i mobili, mi svegliava. La mattina io mi alzavo e lui russava. Il nostro appartamento si trasformò gradualmente in un magazzino di scatoloni, e noi asserragliati, in sciopero delle pulizie, delle parole, del bene. Mamma faceva per abbracciarci e noi ci scansavamo. Gelosi, follemente gelosi.

Ricordo un sabato sera: mio fratello si era rifiutato di venire, per cui eravamo mamma e io nella pizzeria davanti alla stazione. Capitava spesso quando non aveva voglia di cucinare. Sedute a un tavolo nella saletta fumatori, l'una di fronte all'altra sotto un poster del Napoli ai tempi di Maradona, mamma mi versò due dita del suo vino. Scostandosi dagli occhi la frangetta mi disse: «Eli, comunque vada a finire, non è giusto che non viviate mai con vostro padre. Non lo dico per il presente, ma per quando vi mancherà qualcosa e sarà tardi. Avete bisogno di costruire un rapporto con lui: vero, quotidiano. Anche se non ve ne rendete conto, ne avete un bisogno *disperato*».

Bevvi le due dita di vino e mi girò subito la testa. Non hai ragione non hai ragione non hai ragione, protestai dentro me stessa.

«Non sei curiosa di vedere come ce la caveremo? In quattro?»

Io zitta, che più zitta non si poteva. Divorai a occhi bassi la margherita, continuai a rimuginare. Che un intruso non ci serviva. Che lei stava preferendo lui a noi. Che noi tre stavamo benissimo in tre. E che T era una città di mare piena d'estate e vuota d'inverno e io là non ci volevo andare.

Finita la cena tirai fuori dalla borsa *Menzogna e sortilegio* e m'isolai.

Sentii mia madre sbuffare divertita mentre facevo finta di leggere. Attaccò bottone con un cameriere: «È un'intellettuale, mia figlia. Dove la porti, apre un libro: alle Poste, alla Standa. È di grande compagnia!».

Eravamo di casa alla Lucciola. Ogni Capodanno lo avevamo festeggiato là. Mamma, Niccolò e io: inscindibili. Non potevo credere che quei tavoli con le tovaglie rosa e le sedie in coordinato, le saliere con dentro i chicchi di riso, i dipinti del Vesuvio e del golfo di Napoli che facevano tanto esotico lassù, all'estremità del Piemonte, non li avrei più rivisti. Era una tale ingiustizia che avrei voluto mettermi a urlare.

Invece tenni fede al mio silenzio.

La scuola finì e iniziarono gli esami di terza media. La nostra casa era piombata nella desolazione: un deposito di pacchi in attesa di essere spediti, orme di quadri tirati via dalle pareti, tutto imballato a eccezione di camera mia e di Niccolò – neanche una valigia fatta, stesse lenzuola da due mesi.

Mai stati compatti come in quel periodo, io e lui: un muro, che mamma attraversava leggera, in mutande e reggiseno, le braccia cariche di vestiti. «Ci serviranno questi cappotti laggiù, secondo voi?»

Una parte dei mobili fu incautamente venduta, l'altra coperta da teli di plastica. Persi in un colpo solo i giocattoli della mia infanzia. Mamma li ammucchiò e li regalò in blocco alla Caritas. «È ora di crescere, Elisa.» Ma era l'ultima cosa che desideravo.

Arrivò il giorno dei risultati degli esami e li andai a vedere con lei. Rigida al suo fianco, incazzata nera. Ma con chi altri avrei potuto?

Non avevo amiche. Se qualche debole legame era nato alle elementari, le medie lo avevano spazzato via. Ero timida. Le mie coetanee sfilavano su e giù per via Italia con il rossetto viola e il piercing al naso, parlavano di cose da fare coi maschi che a me suonavano incomprensibili. Non avevo più i nonni, né zii o cugini nei paraggi. A differenza di mio fratello, non gareggiavo in

44

alcuna squadra. Nessuno mi aveva iscritto a un corso di musica, di teatro. L'unico luogo diverso da casa che frequentavo era la biblioteca per bambini. Prima di diventare "la straniera" a T, nelle scuole di Biella ero stata "l'asociale".

Quel giorno, all'ingresso delle medie Salvemini, una fitta schiera di genitori ci fronteggiava, a un centimetro eppure a distanza siderale. Non uno che ci degnasse di un saluto. Era comprensibile: le mamme degli altri indossavano tailleur estivi dai colori pastello, camicette di seta, giri di perle; la mia jeans strappati al ginocchio e Converse. I padri degli altri sorridevano e scherzavano con i figli per ingannare l'attesa; il mio era un buco là in mezzo. Ci saranno stati anche genitori trascurati, stanchi, malvestiti, ma io non li vedevo.

Quando i bidelli spalancarono le porte e ci fecero entrare, i tabelloni erano appena stati affissi in bacheca. Tutti si accalcarono a cercare il proprio voto, a confrontarlo con quelli altrui, a dire che non era giusto, che meritavano di più o di meno. E io.

Io stavo lassù, in cima. Ero "l'asociale", sì, quella con la madre matta, i pantaloni a quadretti e i mocassini, che nessuno invitava ai compleanni, l'unica che non avesse mai baciato un ragazzo. Però, ero anche la sola con "Ottimo e menzione speciale".

Mia madre si chinò a darmi una carezza.

«Che regalo vuoi? Te ne meriti uno enorme.»

Provai a pensarci. Non avevo sogni. Cosa ne sapevo io di regali, di oggetti che ti rimangono, che puoi possedere? Vivevo di libri presi in prestito, di abiti passati da altri che non mi era mai interessato scegliere. Amavo, della realtà, solo i luoghi: le vetrine della Lucciola da cui si vedeva il casotto giallo della stazione, il parcheggio della Liabel in cui avevo atteso che mia madre finisse di lavorare, il nostro appartamento al terzo piano di via Trossi e, più di tutto, la Palazzina Piacenza.

Credo fui sul punto di piangere: Perché non ti bastiamo noi?

«Qualunque cosa, avanti» insisté lei.

Sospesi lo sciopero del silenzio.

«Rimanere» risposi.

Allora le cadde il sorriso dal volto, lo sguardo si oscurò, e io mi paralizzai perché sapevo quei segnali cosa stavano a preannunciare.

Mi strattonò via con violenza di fronte a tutti, come fossi stata bocciata. Mi trascinò prima in auto, poi su per le scale, poi in quel cesso di camera in cui ci eravamo ridotti. Tirò giù mio fratello dal letto, lo prese a sberle. Afferrò me per i capelli. Provammo a ribellarci, ma fu inutile. Aveva perso la pazienza. Ci schiacciò la faccia dentro le valigie, come la nonna il muso dei gatti nella pipì quando la facevano sul tappeto. Ci graffiò. Ci costrinse a prendere tutta la nostra roba, pulita e sporca, a ficcarla dentro i borsoni. Subito, veloce. Gridandoci cose che non posso ripetere, non voglio, durante quello che fu il primo e peggior trasloco della mia vita.

*

Prima di continuare, devo affrontare il ricordo straziante.

Non ne ho mai fatta parola con nessuno, neppure con Beatrice o con mio padre. Ma, dal momento che ho preso questa decisione, di scrivere tutto, che senso avrebbe tenere un segreto con me stessa?

Ho una certa dimestichezza coi personaggi letterari: leggo tanto. Ho conosciuto tra le pagine molte bambine orfane, sfortunate, vittime delle peggiori angherie, però lasciate intatte dal male: luminose, piene di talento, chiaramente destinate al riscatto. La tentazione di raccontarmi così, come una di quelle piccole eroine, lo ammetto, mi stuzzica.

Però il mio futuro lo conosco, ormai, e si tratta di un riscatto assai difettoso. D'altra parte, io non sto scrivendo un romanzo. Chi sono, lo voglio mettere bene a fuoco, senza favole. Se provassi a domandarmi a bruciapelo: Perché, Elisa, quando avvenne, l'incontro con Beatrice fu così decisivo, tale da condizionare tutta la tua vita?

A essere onesti, dovrei rispondere: Perché, prima di lei, io ero sola.

Era buio, era presto, era inverno. Il penultimo anno di scuola materna. Niccolò faceva colazione in cucina, io avevo l'influenza e tremavo, mamma non sapeva a chi lasciarmi. La rivedo nitidamente, attaccata al telefono a chiamare questo e quello, a piangere, implorare: «Per favore, solo per questa mattina! Dormirà tutto il tempo...». Ogni volta riattaccava sconsolata. Ma poi le braccia le caddero lungo i fianchi e arrivò l'idea: «Vieni, usciamo».

Mi imbacuccò: due maglioni, il piumino, il berretto, la sciarpa. Io che scottavo e morivo di freddo. Mi prese in braccio, scendemmo in garage con Niccolò che si fermava ogni tre passi a raccattare palle di neve da lanciarci, e mamma s'infuriava. Mi sistemò sul sedile accanto a sé. Lui protestò ma si arrese a sedersi dietro. L'auto ci mise un'eternità a partire. Aveva ripreso a nevicare. Le strade erano coperte di sale e ghiaccio.

Lasciò mio fratello a scuola. Dopo guidò fino in piazza Lamarmora, parcheggiò di fronte a un palazzo che non avevo mai visto. Attese che le luci al primo piano si accendessero, allora mi sollevò e mi accompagnò su per la scala, oltre la porta a vetri smerigliati. All'interno faceva un caldo soffocante, i neon mi abbagliarono. Mamma mi accomodò su un cuscino, togliendomi uno dopo l'altro gli strati di lana, mi diede l'ultima tachipirina. Mi fece: «Sssh» con il dito appoggiato alle labbra.

«Io vado al lavoro, tu stai tranquilla, all'una torno.»

Riesco ancora a sentirmi, dentro, il cuore che rimbomba e si svuota.

L'abbandono che riempie la cassa toracica, esonda, le gambe che tremano per la paura, il senso di precarietà infinita.

Non riuscii nemmeno a piangere. Mi accoccolai con la testa nascosta tra le mani, le placche in gola che ustionavano, i pensieri e le emozioni inceppati da un gelo tremendo.

La biblioteca era deserta perché erano tutti in classe, o a casa malati, ma accuditi da qualcuno. Ero certa che mia madre non sarebbe tornata.

Non ho idea di cosa s'inventò con le bibliotecarie, come le convinse. Dopo un tempo indefinito, la più anziana mi mise una mano sulla fronte per sentire se la febbre era scesa, mi chiese se avessi sete o bisogno di andare in bagno. Non volevo niente. Quando la tachipirina fece effetto e trovai la forza di mettermi seduta, mi guardai intorno e li odiai: i libri.

Cosa si credevano? Di poter sostituire mia madre?

Carla e Sonia, a cui in seguito mi sarei affezionata, tornarono con una raccolta di fiabe di Basile. E mi assale un impeto di tenerezza, ora, a pensare che Sonia doveva avere poco più di quarant'anni, non aveva mai desiderato figli, e non sapeva da che parte cominciare con una bambina della mia età. Carla, invece, che di anni ne aveva sessanta e ogni tanto badava ai nipoti, soffriva di sciatalgia, zoppicava. Ero capitata loro all'improvviso, tra capo e collo, in pieno orario di lavoro. Ma, anziché chiamare i carabinieri, mi avevano dato Basile.

Lo sfogliai per qualche istante senza immaginare che farci: non sapevo leggere. Le figure erano minuscole, le parole enormi e nemiche. Lo richiusi, però mi ci aggrappai con entrambe le mani perché non c'era altro che m'impedisse di cadere.

Il panico, o meglio la solitudine, è uno stato primitivo e molto semplice, in cui da una parte c'è il mondo smisurato, minaccioso, ignoto, e dall'altra ci sei tu, un nonnulla. Senza una madre, nessuno può sopravvivere. È una verità che ho sperimentato assai bene, di cui porterò sempre in ciascun organo vitale le cicatrici. Eppure mamma, dopo quella volta, ci prese gusto.

Non so come avesse scoperto l'esistenza di quel posto, forse un volantino, o per sentito dire. In generale, dubito abbia mai frequentato una biblioteca. Però quelle stanze colorate con i tappeti e i cuscini, i tavoli e le sedie a misura di bambino, dovevano esserle sembrate il parcheggio ideale, gratuito soprattutto: la soluzione a ogni problema. Così imbastiva scuse, interpretava drammi, sgattaiolava via di nascosto. Carla e Sonia credo l'avessero inquadrata, avuto pietà di me, e desistito dall'avvertire gli assistenti sociali perché poi quella strana donna che sembrava una ragazzina tornava, mi tempestava di baci. Forse mi voleva bene.

Non lo faceva sempre. Al bar, quando usciva con le amiche, piazzava Niccolò ai videogiochi, me su uno sgabello accanto a lei, e io giuravo, incrociando le dita dietro la schiena, che non avrei ascoltato i loro discorsi. Dal parrucchiere, al supermercato, potevo seguirla. Ma poi mi ammalavo, oppure lei doveva andare da qualche parte. Sola? Con qualcuno? Non l'ho mai saputo. Allora arrivava il momento in cui parcheggiava davanti alla Palazzina Piacenza.

Se mio fratello riuscì a salvarsi, in parte, e a condurre un'adolescenza normale con amici e sport, fu solo perché aveva un sistema immunitario di ferro ed era un maschio. La sua capacità di amare dipendeva da lei, ma non la sua identità. Per mesi non li aprii neppure, i libri.

Passavo le mattinate a fissare, al di là dei vetri, il monte Cresto e il Bo, il Mucrone e il Camino: la sola presenza fisica che fosse rimasta al suo posto, sempre. Sonia e Carla, appena potevano, venivano a sedersi vicino a me sul grande cuscino, e m'indicavano una lettera, poi un'altra. Questa è la A, questa la O, la C, la D, la M. E io, chiusa a riccio, a poco a poco cominciai a cedere.

Imparai a leggere, e il tempo prese a correre, la realtà ad assentarsi. Ero libera di dimenticare me stessa, d'essere pirata, orco, strega, principessa. La solitudine cessava, nella difficoltà uno scoiattolo o una fata arrivava sempre in mio soccorso. Quando mia madre inseriva la freccia e rallentava in piazza Lamarmora, adesso ero quasi contenta.

La aspettavo leggendo. Per ore, anni. Gli altri crescevano, i corpi si allungavano, le voci arrochivano, alle mie compagne di classe venivano le mestruazioni. Io restavo ferma, invece, come sotto incantesimo. Rimanevo identica fuori, e dentro avvenivano metamorfosi prodigiose. Non stringevo amicizia con nessuno, ma con centinaia di personaggi immaginari sì. Avevo un'esistenza spettrale e una fantasia incandescente. Solo l'invisibile accadeva sul serio, solo dietro le parole qualcuno era disposto a parlarmi. Anche per questo, molti anni più tardi, quando avrei visto Beatrice la prima volta, l'avrei riconosciuta subito. Non in apparenza, intendo, ma dall'interno.

Perché mia madre mi abbandonava a leggere.

E io volevo mamma, invece, avrei dato non so cosa per rimanere analfabeta.

La letteratura fu, in fondo, il solo modo che mi capitò per colmare il suo vuoto. Potrà mai esistere una passione senza prima un vuoto?

Dovrò ricordarmi di questa domanda quando Bea diventerà famosa.

*

"Non ce l'ho con la primavera / perché è tornata. / Non la incolpo / perché adempie come ogni anno / ai suoi doveri.

Capisco che la mia tristezza / non fermerà il verde. / Il filo d'erba, se oscilla, / è solo al vento."

Così inizia *Addio a una vista* di Wisława Szymborska e muore la mia infanzia. Una mattina di vent'anni fa, con la luce rasoterra dell'alba e i finestrini chiusi perché il mondo fuori era ancora freddo.

La nausea, lo stomaco vuoto. Mio fratello, seduto davanti, ascoltava *Enema of the State*, lato A e lato B, con il walkman, fissando torvo la strada. Nessuno parlava. Il monte Cresto e il Bo, il Mucrone e il Camino durarono forse mezz'ora nel lunotto posteriore, poi scomparvero.

Capivo, accoccolata sui sedili dell'Alfasud, che quel pezzetto di muraglia alpina sarebbe rimasto là senza di me e avrebbe continuato a esistere. Non lo accettavo. Mentre mia madre mi separava a forza da quella vista, mi tenevo stretto, premuto al seno, *Menzogna e sortilegio*, preso in prestito in biblioteca e mai restituito; nemmeno letto, in realtà, solo cominciato più volte.

Quando girai la testa e provai a guardare avanti, quel giovedì di fine giugno, Biella non si vedeva più. La pianura tagliata in due dall'A26 mi parve una lastra monotona, indistinta. Il resto del pianeta scorreva estraneo di là dai vetri.

Crescere è una perdita.

Mamma guidava sorridendo. All'altezza di Ovada sterzò e uscì a una stazione di servizio. «Colazione?» esclamò spegnendo il motore. Allegra, come fossimo in gita. «Lo volete alla crema o al cioccolato, il cornetto?»

Niccolò spalancò la portiera, si trascinò fuori. «Il tuo entusiasmo del cazzo puoi ficcartelo su per il culo.» Richiuse più forte che poteva.

Dopo, al bancone, ci scambiammo un lungo sguardo, mio fratello e io, mentre divoravamo le brioche che ci aveva comprato lei: seduta in cima a uno sgabello, con la minigonna, masticava un chewing-gum come una minorenne e la sbirciavano tutti. Non la finiva più di controllarsi allo specchio, lo tirava fuori dalla borsa di continuo. Si ripassava il rossetto, si ravviava i capelli, si preparava per papà. E noi eravamo così rossi in faccia e pieni di bile, che avremmo potuto esplodere e disintegrarci.

Prima di uscire Niccolò mi trattenne. Parlando alla mamma ma guardando me, disse: «Vado in bagno».

«Anch'io» inventai.

Corremmo giù per le scale, entrammo nel cesso dei maschi.

Lui mi fissò negli occhi: «Scappiamo».

«Quando?»

«Adesso.»

«E dove andiamo?»

«Torniamo a Biella. Ci accampiamo, è estate.»

Una tachicardia meravigliosa mi afferrò il cuore: la possibilità.

«Mi faccio prestare una tenda» continuò lui, «tanto è caldo. Andiamo vicino al Cervo, così ci possiamo lavare.»

«Ma è freddo, è un torrente» obiettai.

«Chissenefrega! Ci sono i rave, le sagre, troveremo sempre da mangiare, da fumare, non saremo mai soli. Poi a ottobre faccio diciott'anni, vado a lavorare al Babylonia, e tu potrai vivere con me senza problemi.»

Entrarono alcuni uomini e ci guardarono male: me che ero una femmina e Niccolò a gambe larghe sul bordo del lavandino, che stava per accendersi una sigaretta.

«Sì, ma dove?» insistetti. «Dove vivremo d'inverno?»

«Occuperemo una casa, quella di nonna.»

«Senza riscaldamento?»

«Esistono i fornelletti. Facciamo bollire dei pentoloni d'acqua.»

Per un istante, uno solo, mi parve plausibile: attraversare di corsa l'autostrada, raggiungere l'Autogrill sul versante opposto, chiedere un passaggio a un tir. Vivere di caccia e pesca in Valle Cervo. A settembre occupare la vecchia casa di nonna, così a pezzi da non essere stata mai venduta né affittata, e che lo Stato italiano mi lasciasse esistere e frequentare il liceo così: incustodita. Del resto, non sarebbe stata la prima volta.

«Ok» risposi.

«Perfetto» disse mio fratello accendendosi la sigaretta.

«Ragazzino» tuonò una voce. «Guarda che non si può fumare qua dentro. Spegnila.»

L'uomo di mezza età si diresse verso di noi. Niccolò reagì ridendo e soffiandogli il fumo in faccia. Quel signore avrebbe forse potuto nicchiare, ma non lo fece.

«Maleducato, tuo padre non te lo ha insegnato, il rispetto?»

Come sempre quando si toccava quel tasto, a Niccolò partì immediato il cazzotto. Entrarono altri uomini. Io mi feci da parte. Avevo assistito milioni di volte a quella scena, eppure non mi abituavo mai. Scoccava di frequente l'ora della rissa, la domenica in caserma a recuperare Niccolò dopo un oltraggio, una detenzione, un'aggressione. Ogni volta osservavo lui strafottente, mia madre che scalava gli specchi pur di difenderlo, e avvertivo giù, tra le gambe, una strana sensazione: come se la vescica volesse svuotarsi da sola, perché io non avevo potere su niente.

In Autogrill, quel mattino, le grida dovettero raggiungere il piano superiore perché accorsero numerosi; anche mamma. La guardai, mi fu chiaro che il progetto di fuga si era già arenato sulla soglia dei bagni. La vidi lanciarsi come una furia nella ressa: «Lasciate stare i miei figli, pezzi di merda!». I lineamenti dolci alterati al punto da risultare irriconoscibili.

La vergogna è un sentimento che ho provato spesso per la mia famiglia. Me la sono portata dietro come un masso, come fosse colpa mia. Per anni.

Fummo *pregati* di andarcene, tutti e tre. Risalimmo in macchina: mio fratello che imprecava, mia madre spettinata, io piangente. Mamma sgommò via in quarta, il motore su di giri e la frizione che strideva. «Dammi quella roba che stavi ascoltando.» Allungò la mano, tassativa, a Niccolò. Infilò la cassetta nell'autoradio e partì una canzone che non sarò mai più in grado di ascoltare. *All the Small Things*.

Sì: eravamo una ben piccola cosa, alla deriva su quell'Alfasud.

Mio fratello tirò fuori una cartina, un accendino, del fumo e lo ammorbidì. Pensai: Ecco, abbiamo superato ogni limite. Mamma lo sbirciò di traverso, ma non si scompose: «Non credo ti faccia bene quella roba. A me una volta mi ha fatta svenire».

«Avanti, fuma.»

Niccolò le passò la canna. Mamma scosse la testa: «Sei scemo? Sto guidando!». Però fece un tiro. E subito un altro. Come se "quella roba" non fosse per lei così remota come avrebbe preferito farci credere.

«Dài, Eli, fuma anche tu.» Mio fratello si voltò indietro.

«Stai scherzando?» gli risposi.

Non avevo mai provato nemmeno le sigarette.

«Cosa vuoi che ti faccia? È solo uno spino!»

Così fumai, tossii, fui sul punto di vomitare. Ma poi continuammo a passarci lo spino fino a quando ne rimase il filtro.

Rovesciai la testa sullo schienale e ridendo pensai: Siamo così superflui. Se ci fossimo schiantati contro il guardrail, nessuno avrebbe sentito la nostra mancanza. Forse di mio fratello sì, perché lui aveva la ragazza, un sacco di amici. Ma erano rimasti a Biella, li aveva già persi. Anche a basket non giocava più da tempo. Preparava il borsone, faceva finta di andarci, poi girava dietro il palazzetto dello sport e si sdraiava su un fianco sotto la chiesetta di via Italia, come su un prato, le canne aspirate e passate a decine, insieme ai punk. Non avrebbe combinato niente nella vita, era già chiaro. E io? Ero brava a scuola, sarei potuta andare all'università, un giorno. Ma avevo qualcosa che non quadrava, non piacevo a nessuno. E mamma?

Avrà rubato, in quindici anni, non so quante migliaia di mutande sul posto di lavoro.

Non ci vorrà bene nemmeno lui, pensai, non potrà salvarci. Dove *lui* stava per Paolo Cerruti, professore d'Ingegneria del software al tempo in cui *software* era una parola che ai più non diceva niente.

Eravamo stati troppo felici in tre sotto il piumone, la domenica fino a mezzogiorno. Con mamma che ci stringeva a sé come fossimo ancora bambini. Fare le briciole nel letto, vuotare sacchi di popcorn, guardare sei ore filate di MTV. Felici in un modo sbagliato, che nessuno avrebbe sospettato mai in una famiglia disastrata e problematica come la nostra. Ma ora che so dove ci ha portati, la nostra storia, voglio ribadirlo: quella felicità non era una messa in scena, era vera. E io mi disperavo, su quei sedili, perché lo sentivo che la cosa torbida e luminosa che ci univa, una volta arrivati a T, sarebbe finita.

Poi a Genova ci sorprese il mare.

Una mezzaluna blu alla fine di una galleria.

Si spalancò, si prese tutto l'orizzonte. Sul ponte che oggi non esiste più, noi passammo quel giorno intontiti, i vestiti impregnati di hashish, i Blink-182 nell'autoradio, completamente allo sbando. Ma il mare ci strappò un sorriso.

Il resto del viaggio Niccolò e io lo passammo dormendo, indifferenti alla conclusione. Se fossimo arrivati o fossimo morti, era lo stesso.

4

La stanza dei ritratti

Lunedì 13 novembre, dopo la scuola, il cielo era così nitido da sembrare estate; quella "fredda, dei morti", come scrive Pascoli, con i passanti stretti nei cappotti e i rami scheletrici. Ma il sole era alto nel blu, l'aria persino tiepida, quando imboccai via dei Lecci per la prima volta.

Era una tranquilla strada residenziale senza uscita, con due file bianche di villette a schiera che rifulgevano nella luce pomeridiana. Ci scivolai dentro con il Quartz in folle, rallentai per leggere i civici sui cancelli tutti uguali. Quando trovai il 17 parcheggiai di fronte a una siepe, oltre la quale s'intravedevano un giardino di dimensioni modeste e un garage. Ci rimasi male: mi ero immaginata abitasse in chissà quale villa maestosa, Beatrice, non in un'ordinaria casetta a due piani.

Spensi il motore. La quiete che emanavano quelle abitazioni nuove, alcune ancora in vendita, mi assalì. Intorno non c'era niente, solo colline. Mi tolsi il casco. Con una leggera tachicardia mi accostai al citofono. "Avv. Riccardo Rossetti" c'era scritto. Suonai, il cancello si aprì. Attraversai il vialetto e bussai alla porta rimasta chiusa nel modo più educato possibile.

L'avevo vista una volta sola, la famiglia di Beatrice, radunata intorno al grande tavolo di un ristorante costoso, e mi aveva fatto un'impressione tale: come fossero stati i Clinton. Ricordai i loro abiti eleganti, l'auto nera lucidata a specchio su cui erano saliti, e nessuno nel frattempo veniva ad aprirmi. Pensai di bussare di nuovo, più forte, quando una donna con uno strofinaccio in mano spalancò. Entrai.

E precipitai nel bel mezzo di un litigio.

Non c'erano anticamere, corridoi o sottoscala in cui nascondersi. A casa di Bea arrivavi e ti ritrovavi subito al centro della scena, in un vasto salone affollato di quadri, tappeti e cuscini. Mi sentii fuori luogo, troppo esposta. Ma sbagliavo: nessuno si era accorto della mia presenza.

La madre era furibonda. Rimasi paralizzata a guardarla. Era vestita, truccata e pettinata come se dovesse condurre un telegiornale. Impossibile dal vivo incontrare una donna del genere: un chilo d'oro, di fondotinta, di rimmel, di lacca, su un corpo platealmente forgiato dalla dieta e dalla palestra. Non la smetteva di gridare contro sua figlia: «Ti ho fatto una domanda, rispondi! Hai usato l'acqua ossigenata? Sì? Lo sai che te li sei bruciati? E te li devi rasare a zero? Dio, quel colore! Perché mi devi deludere sempre?».

Individuai Bea in un angolo, contro uno stipite, in bilico su una soglia. Aveva una mantellina di plastica sulle spalle, i capelli impiastricciati di una tinta che sembrava fucsia o arancione – non si capiva – e le gocciolava sulla fronte, sui jeans, dappertutto.

«Adesso mi tocca chiamarlo, Enzo, implorarlo di trovarci un buco entro sera. Perché tu in giro così non ci vai. Non ti posso guardare!»

Si chinò a cercare il telefono tra riviste, collane e altri milioni di oggetti sparpagliati su una grande tavola di vetro. Poco distante, sdraiata sul divano, la sorella maggiore di Beatrice, Costanza, sorrideva aggraziata e un po' perfida. Il manuale di chimica aperto sulle ginocchia, il dolcevita nero, i fuseaux neri e un biondo chignon in cima alla testa. «Mamma, lasciala perdere, è un caso disperato.» Poi, rivolgendosi a Bea: «Fai veramente schifo». Compiaciuta.

Sempre sul divano il fratello di undici anni, Ludovico, sedeva concentrato davanti al televisore, intento a falciare con un mitra una truppa di zombie. Eccetto la governante, che mi sbirciò più di una volta strofinando i vetri, nessuno mi salutò o si preoccupò di chi fosse entrato.

Quando posò lo sguardo su di me, Beatrice aveva gli occhi pieni di lacrime. Mi fece cenno di raggiungerla e io, armandomi di coraggio, attraversai il salotto. Sua sorella adesso mi degnò di un'occhiata così esplicita che avrei potuto tradurla in parole: "Che razza di pezzente ci hai tirato in casa, Beatrice?". La madre, in piedi accanto al telefono, mi squadrò senza mettermi a fuoco. Chiamò tamburellando con le unghie sul tavolo, implorò Enzo, il parrucchiere di fiducia, di salvare il salvabile quel giorno stesso, ché la situazione era disperata, tragica. Notai che non aveva le iridi verdi di sua figlia, ma scure, normali, come anche la sorella e il fratello. In compenso gesticolava con queste unghie laccate di rosso, lunghe almeno tre centimetri, che le impedivano di maneggiare qualsiasi cosa eccetto la cornetta. Mi domandai che lavoro facesse una persona con quelle mani. Di sicuro non l'operaia come mia madre. Peccato che la rabbia la sfigurasse: era una gran bella donna. Non riuscivo a capire perché si fosse arrabbiata tanto per dei capelli non suoi.

«Salve» sussurrai quando ebbe chiuso la telefonata.

«Si chiama Elisa, è quella di Biella» mi presentò Beatrice, «facciamo i compiti insieme oggi.»

«Fino alle quattro, poi dobbiamo andare.» Spostò lo sguardo da me a Beatrice. «Come ti è venuta in mente una cosa del genere prima del casting? Sei orribile.»

Beatrice mi prese la mano e mi portò via. Su per le scale, al piano di sopra, in fondo a un corridoio foderato di carta da parati a fiori e moquette grigia, c'era la sua stanza. La chiuse a chiave. Mi trascinò nel suo bagno privato e, per sicurezza, chiuse a chiave anche quello.

«La detesto» disse.

Aprì il rubinetto, rovesciò la testa nel lavandino; i suoi capelli erano davvero un po' fucsia e un po' arancioni. La tinta andava via insieme all'acqua, ma il colore rimaneva: a macchie.

Beatrice li tamponò con l'asciugamano, li scosse davanti allo specchio. «Volevo il tuo stesso colore» mi sorrise.

E io dentro di me pensai: *Tu* volevi essere come me? Sei matta?

«Allora ho mescolato due tinte e ho fatto un casino.» Ma non sembrava pentita.

«I miei capelli sono brutti» replicai, «i tuoi erano bellissimi.»

«Non erano miei. Io ce li ho ricci, crespi, tremendi, e di un castano che non sa di nulla. È dalla prima media che Enzo me li stira con la piastra e mi cambia il colore in base alle copertine di "Vogue".»

Attaccò il phon alla corrente, giocandoci come Demi Moore in un film che piaceva tanto a mio fratello, *Striptease*. Io mi sedetti sul bordo della vasca a guardarla con stupore. Era vero: era riccia. Mentre li asciugava, i suoi capelli diventavano un cespuglio indomito che non aveva alcuna parentela con la chioma disciplinata che le avevo visto ogni mattina a scuola. D'altra parte, era truccata alla perfezione. Non il solito pastrocchio delle nostre coetanee, intendo, ma una maschera dipinta con zelo, che le sfilava l'ovale e le alzava gli zigomi, le ingrandiva gli occhi e le labbra, le affinava il naso, conferendole un'apparenza altera e senza età. Naturalmente, senza l'ombra di brufoli.

«Sai che a volte ci dormo anche?»

Sussultai, come ogni volta che dialogava con il mio silenzio.

«Per non svegliarmi la mattina e dovermi odiare davanti allo specchio. Lascio tutto: il fondotinta, il rossetto. Se metti il mascara waterproof e stai attenta a rimanere immobile con la nuca sul cuscino, non si sbriciola, resiste.»

Compresi quale atto di confidenza fosse stato mostrarsi a me senza trucco il pomeriggio del furto. Provai un istintivo attacco d'affetto, ma lo trattenni. Lei accese un piccolo stereo in cima a una mensola. Dalle casse esplose una canzonetta che Niccolò avrebbe classificato senza esitazioni come: "merda". Era così zeppo di trucchi, quel bagno, e di profumi, creme, bagnoschiuma, che mi chiesi a cosa servisse tutta quella roba, io che di mio avevo uno spazzolino e un dentifricio.

«Guardami» mi fece, afferrando un deodorante e portandoselo alle labbra, «non sembro Paola?» Fece finta di cantare: «*Vamos a bailar, esta vida nueva! Vamos a bailar, nai na na!*». Accennò un balletto sensuale, venne a strusciarsi con il sedere contro le mie ginocchia. Provò a tirarmi dentro il ritornello, a farmi alzare con il solletico sui fianchi. Mi sottrassi: non mi sarei mai potuta abbandonare a una cosa tanto idiota.

«Non ti piacciono Paola & Chiara?»

«No» ammisi.

«Allora cosa ti piace? Le mettevano ovunque quest'estate!»

Era una cosa che non facevo mai, parlare di me. Ero certa di non poter interessare a nessuno. Decenni dopo, la psicologa avrebbe tentato di convincermi che sotto una così scarsa considerazione di me c'era lo zampino di mia madre. Io so solo che quel giorno, in quel bagno, mamma era lontana centinaia di chilometri e a me venne voglia di fidarmi. Sentivo che Beatrice avrebbe potuto capirmi: non tanto questa sua versione esibizionista, quanto quella di prima, giù in salotto, che incassava un cazziatone così ingiusto.

«A Biella c'è un posto» le raccontai, «che si chiama Babylonia, dove le ragazze e i ragazzi hanno i capelli blu, verdi, o arancioni e fucsia come te, ma rasati ai lati e con la cresta al centro, e cantano gli Offspring mentre pogano e fumano e alzano il dito medio contro tutto e tutti.»

«Cosa vuol dire *pogare*?»

«Che non balli. Sei un corpo che rimbalza in solitudine tra la gente. Ti prendi a spallate, a testate. Ci hanno suonato i Rancid, in mezzo alle risaie di Ponderano. Biella è molto diversa da T» conclusi.

«E chi sono i tuoi cantanti preferiti?»

«Gli Offspring. Ma anche i Blink-182.»

«Li ascolta tuo fratello?» mi chiese con malizia. «È figo, come si chiama?»

«Niccolò.»

«Lo voglio conoscere. Mi ci fai uscire un sabato?»

Annuii vaga. Non avevo il coraggio di dirle che se n'era andato. Ammetterlo a voce alta sarebbe stato come accettarlo. E poi, se Niccolò si fosse trovato davanti Bea, le avrebbe detto che era una pottina di merda, una borghesuccia di merda, qualunque cosa, comunque di merda.

«Hai ragione, a T non ci sono punk. Siamo tutti scemi e banali allo stesso modo.»

«Ma tu non sei banale, anzi. Adesso sei quasi punk.»

Scoppiò a ridere: «Mi piacerebbe, con la cresta e un piercing qui, in mezzo al naso, scappare e pogare là, al Babylonia».

«Allora ci andiamo» le proposi, improvvisamente felice.

«Figurati.»

«Perché?»

«Adesso te lo spiego.»

*

Mi condusse fuori, in quel corridoio dove i nostri passi non facevano rumore. La sua famiglia era ancora di sotto, la sentivamo vociare.

Superammo le camere spalancate della sorella e del fratello, quella chiusa dei genitori. Bea scostò l'ultima porta ed entrammo in una stanza così fredda e buia che pareva di qualcuno morto da poco dopo una lunga malattia. Camminai a tentoni seguendo la sua sagoma e, quando lei sollevò la tapparella, rimasi senza fiato.

Ovunque alle pareti erano appese fotografie, come in un museo o in una cappella votiva. Ingrandimenti giganteschi, ritratti, collage di Polaroid in cornice, sotto vetro. Dove non c'erano cornici, c'erano scaffali stipati di album numerati, ciascuno battezzato con un nome: Costanza, Beatrice, Ludovico. Beatrice stravinceva su tutti.

«Ludo ha fatto un paio di sfilate, ma si è scocciato subito. Poi papà si è messo di traverso, "i maschi non fanno certe cose", e mamma ha dovuto cedere.»

Era andata a sedersi sul davanzale della finestra, in controluce. «Costanza è bella, ma non ha i miei occhi e nemmeno la mia altezza. Ne ha fatte tante di pubblicità, da bambina. Anche quella dei Mini Pony, non so se la ricordi. Comunque, quando le è venuto il ciclo, poi un'acne peggio della mia, e i fianchi larghi, non l'hanno più scelta.» Si rosicchiò una pellicina, succhiò un minuscolo puntino di sangue. «Quindi sono rimasta io.»

Lo disse in un tono ambiguo, come se fosse una condanna ma anche un'elezione. Non capii se la valanga d'immagini di se stessa che tappezzavano quel luogo la rendessero infelice oppure fiera.

Se ne stava lì, i capelli ridotti a lana di vetro, a rimirare i propri ritratti come fossero quelli di una sconosciuta. Bea con la treccia e il diadema, teneramente infantile, gli occhi stupefatti e le guance rosse di fard in una réclame d'alta moda. Bea mogano scuro, forse dodicenne, su una passerella in costume da bagno. Sempre, di rigore, coi capelli lisci. Il sorriso che era già l'universalmente noto: paragonabile a quello della Gioconda, inscalfibile, indecifrabile, che ricorre all'infinito sulle pagine del web. Ma le immagini che solo io vidi, piantate coi chiodi nel muro, erano sbiadite, immobili e come morte. Era questo che mi inquietava, forse, la somiglianza di quelle pareti con i loculi nei cimiteri. Le fissavo e cominciavo a capire perché sua madre si fosse arrabbiata tanto.

«Tu ce l'hai un diario?» le chiesi.

«Che diario?»

«Uno segreto, dove scrivi i tuoi pensieri, le tue giornate.»

«Io non scrivo.»

C'erano anche ritratti dei tre figli insieme, altri solo della madre, della madre col padre, della famiglia riunita a Natale, a Pasqua, a Parigi, alle Maldive. Sempre a fuoco, in primo piano, con la giusta luce, gli occhi aperti; nitidi, sorridenti, smaccatamente felici. Non riuscii a non fare il confronto. Ricordai i mucchietti scarsi di foto tenute alla rinfusa dentro un cassetto della mia, di famiglia. Inquadrature storte, con le teste tagliate, il flash partito a caso che ci faceva gli occhi rossi e le facce spaurite da gufi. Rettangoli che mi stringevano il cuore, che nessuno aveva mai voglia di guardare. Dove mancava sempre mio padre, o mia madre o io o mio fratello, dove c'erano sempre dei buchi.

«Tua madre che lavoro fa?» Non riuscii a frenarmi.

«Niente.»

La guardai interrogativa.

«È una casalinga» sorrise Beatrice con sarcasmo, «anche se non l'ho mai vista stirare, pulire, cucinare. Ha vinto la fascia di Miss Lazio nel '68. Nel Paleolitico, per due o tre mesi, è stata qualcuno. Poi ha sposato mio padre, si è votata a lui come una santa, e lui in tutta risposta l'ha sempre riempita di corna con qualsiasi collega o segretaria.»

*

Non aprimmo libro, quel giorno. Neppure io sarei stata in grado di concentrarmi. Avevo i pensieri schiacciati dal peso di quella stanza, di cui peraltro Beatrice non ha mai parlato, in seguito, in alcuna intervista, in alcun salotto televisivo.

Quando scendemmo al piano di sotto, la sorella era sparita, il fratello anche, ed era rimasta Ginevra dell'Osservanza, la madre, sul divano a sfogliare una rivista. La luce esausta del tramonto scoccava dritta dalla finestra e le colpiva il viso, scoprendone le rughe sotto il fondotinta, la fragilità, i cinquantadue anni.

Quella vista m'intenerì; dovette fare lo stesso effetto a Beatrice perché si avvicinò, le si sedette accanto e si strinse a lei come a chiedere scusa. Allora la madre le accarezzò i capelli devastati: «Aggiusteremo ogni cosa». Con voce dolce, come fosse diventata un'altra.

Non mi stupì, ci ero abituata. Sapevo che una madre conteneva due estremi e passava dall'uno all'altro senza preavviso. E tu potevi odiarla finché volevi, ma poi arrivava sempre la necessità fisica di farti abbracciare e accettare. Tu irrisoria e lei gigantesca, una disparità incolmabile che in certi casi – come è avvenuto per me e Beatrice – ti compromette la vita.

Si tennero per un po', i corpi incastrati, come se io non ci fossi. Mi faceva male guardarle, ma le guardavo, provando un senso di mancanza così lancinante che era come se fossi diventata orfana. Lo sapevo perché se n'era andata. Senza portarmi con sé, intendo. Riuscivo a immaginare la sua nuova vita a Biella. Il sollievo, la libertà riconquistata. Solo, non capivo perché mi avesse messa al mondo.

Beatrice e sua madre si sciolsero. «Va bene, ragazze, adesso andiamo» disse Ginevra alzandosi. Rivolgendosi a me con improvvisa gentilezza: «Vuoi venire con noi? Elisabetta, Elena?».

«Elisa, mamma!»

«Elisa, vuoi conoscere Enzo, che magari sistema anche te?»

«No, grazie, devo tornare a casa.»

Con tempi e movimenti identici, s'infilarono scarpe e cappotti bellissimi, afferrarono borse firmate di pelle. «Allora ciao, Elisa, quando vuoi sei la benvenuta a casa nostra. Beatrice, tu aspettami al cancello che vado a recuperare la macchina.»

Uscimmo e Bea mi accompagnò al motorino. Quando feci per prendere il casco e infilarmelo, mi fermò le mani. «Io ti ho svelato parecchi segreti oggi, invece tu non mi hai detto quasi niente. Se vogliamo essere amiche, così non va bene. Ci dev'essere una parità assoluta.»

La osservai con ansia, non capivo dove volesse andare a parare.

«Non mi hai detto se sei fidanzata.»

Il casco mi cadde di mano e rotolò sul marciapiede.

Credo di essere arrossita, o sbiancata.

Bea si mise a ridere: «Allora c'è, un ragazzo».

«Perché me lo chiedi?»

«Sei trasparente, lo vedo. Dimmi chi è.»

«Non è vero, non c'è.»

Arrivò la madre con la BMW strombazzando il clacson. La parentesi di tenerezza era finita e ora aveva fretta, era di nuovo nervosa. Bea mi lasciò a malincuore: «Me lo dirai, tanto». Salì rassegnata dal lato del passeggero e io la guardai svanire sul macchinone nero in fondo alla strada.

Poi misi in moto il Quartz. Anziché tornare a casa, zigzagai per le stradine perpendicolari e parallele di quel quartiere iniziato e mai finito di costruire, con le gru ferme, le fondamenta scoperte, così vuoto. Me lo lasciai alle spalle con un senso di liberazione. Scesi lungo il belvedere, a ridosso delle colline fitte di lecci e ginepri. Arrivai all'incrocio di fronte al Circolo dei Lavoratori, girai a destra e attraversai la città nuova: un palazzo quadrato, un centro commerciale, un giardinetto, di nuovo un palazzo quadrato, dando gas in quelle vie senza nomi né ricordi, estranee al punto che forse non venivo dal Piemonte ma dall'Asia, da una di quelle isole nel Pacifico che non hanno mai avuto contatti col resto del mondo.

Raggiunsi il porto. Guidai per un'ora costeggiando il mare, che d'inverno era malinconico quanto me.

Un ragazzo c'era, sì.

C'era stato.

Il mare era burrascoso. La luce illusoria del pomeriggio si stava esaurendo oltre i moli, le navi cargo, i traghetti che avevano ritardato la partenza per l'arcipelago. Faceva freddo. Ero di nuovo sola.

Mi fermai alla fine di una banchina. Le onde s'infrangevano contro la barriera. Il vento mi sferzava la faccia gelido, salato.

Mi misi a ricordare con violenza quel ragazzo.

5

Estate di mezzo

L'estate di mezzo tra le mie due vite l'avevo trascorsa in gran parte a cercare lui, abbandonandomi a giri senza criterio e senza senso lungo il litorale. Perlustravo una spiaggia libera: niente. Ripartivo, sostavo un chilometro più in là di fronte a uno stabilimento balneare: ancora niente. Seduta sul Quartz sotto il sole di luglio con i jeans lunghi e un camicione a quadri, setacciavo sdraio, asciugamani, cabine, docce. M'incagliavo nei corpi degli altri.

La punta di un capezzolo, i peli, il rilievo subdolo negli slip dei maschi. Mi passavano di fronte ragazzini oppure vecchi, nella luce piena che marcava loro le cosce muscolose o avvizzite, grondanti d'acqua di ritorno dalla spiaggia o nudi e impazienti di arrivarci. «Che cazzo guardi, schifosa?» «Sfigata, pervertita!» Quando venivo scoperta mettevo in moto e fuggivo via senza casco.

Volevo rivederlo. Laggiù, in mezzo agli ombrelloni, gli amici, le ragazze. Misurare la distanza che mi divideva da lui e da quel mondo dove le mie coetanee sfilavano sulla battigia, i costumi scivolati apposta in mezzo alle chiappe, lo smalto sulle unghie, i braccialetti portafortuna alle caviglie, succhiando Chupa Chups o cornetti Algida in un modo che era un chiaro invito a qualcosa. D'ignoto, di cui io non sarei stata capace. E per quale ragione un ragazzo come lui avrebbe dovuto preferire me a una di loro?

Sopravvivere all'adolescenza e a quel trasloco insieme, pensavo, non sarebbe stato possibile. Ma prima devo fare un passo indietro.

La notte del nostro arrivo a T, mamma e papà ci separarono. Con la scusa di una stanza a testa in quella nuova casa, sistemarono Niccolò a destra e me a sinistra del corridoio. «Siete grandi» aveva sorriso mamma allacciandosi a papà come una mia coetanea, le dita infilate nella tasca posteriore dei pantaloni di lui. Erano andati a dormire insieme, loro. Tornando dal bagno li avevo sentiti ridere in modo soffocato dietro la porta. Dopo, non riuscii più a chiudere occhio.

Fissavo il buio col terrore di sentirli ancora. Sentire cosa? Non sapere ingigantiva l'angoscia. Tenevo le orecchie tese a ogni cigolio, in allerta come una preda nella boscaglia. La finestra socchiusa lasciava entrare il mare. Solo questo udivo: l'ansimare cupo delle onde.

Alle quattro, forse alle cinque, non ressi più e fuggii da mio fratello.

«Non dormi?»

Lui scosse la testa, seduto al centro del letto con la schiena al muro, su quelle lenzuola così nuove che avevano ancora le pieghe della fabbrica. «Dove siamo, Eli? Non ci credo che è successo.»

La luce minima dell'abat-jour tremava a ogni refolo di scirocco, mi ricordò quella ninna nanna: "La fiamma traballa, la mucca è nella stalla" che mi cantava sempre lei da bambina. E adesso.

Non avevamo più la nostra mamma.

«Mi fa cagare questo posto.» Niccolò si accese una sigaretta visto che l'hashish era finito. La stanza prese subito a puzzare di Marlboro come a Biella. «Non posso dormire con questo cazzo di mare, e fa un caldo di merda per chiudere la finestra.»

Salii sul suo letto a una piazza e mezza circondato, come il mio più piccolo, da valigie e borsoni intatti.

«Domani dove lo trovo il fumo?»

«Se vuoi, ti aiuto io a cercarlo.»

Niccolò si mise a ridere. Indossava i boxer e una canottiera.

Lui sì che lo avevo visto nudo milioni di volte, nella vasca da bagno di fronte a me, che mi schizzava di schiuma con la cerbottana. Gli toccai i piedi con la punta dei miei, come da bambini. Lui mi diede un bacio dentro l'orecchio per farmi il solletico. Passammo un'ora, forse due, ad architettare piani. La fuga in treno: chiusi nei cessi senza biglietto per sei o sette ore si poteva fare. L'omicidio: non era difficile in fondo uccidere un uomo, bastava un cuscino premuto nel sonno, o uno shock anafilattico, se avessimo scoperto a cosa era allergico. Finché udimmo un rumore di ciabatte e scattammo verso la porta. Niccolò la schiuse lo stretto necessario a guardare: nostro padre. Che se la svignava dalla camera matrimoniale. Assonnato, colpevole, in pigiama. Che ricordi avevo con lui? Né una coccola né una passeggiata sulle spalle che vedevo allontanarsi verso la cucina.

Lo sentimmo accendere l'interruttore, prepararsi una moka sotto quella che immaginai fosse l'unica luce accesa nel quartiere. Niccolò richiuse e tornammo a letto senza dire una parola. Lo ascoltammo ancora: il rubinetto del bagno, il rivolo di pipì, lo sciacquone. Potevamo sul serio vivere con lui? Quando papà uscì per prendere il regionale delle 6.30 verso la sua ultima sessione di esami all'università prima delle vacanze, solo a quel punto riuscimmo a dormire. Abbracciati sotto le lenzuola, con il giorno che già filtrava attraverso le tapparelle maculando la stanza. Per tre o quattro ore scarse. Poi mamma venne a svegliarci.

Sembrava un'altra donna. Insistette per fare subito il giro della città, usò espressioni come «Visitiamola!» e «Facciamola nostra!», con i punti esclamativi e la voce squillante.

«Vacci tu» le rispose Niccolò, «noi abbiamo altri progetti.»

«Quali?» chiese mamma imburrando una fetta biscottata.

Papà ci aveva fatto trovare la tavola imbandita come in albergo. I biscotti, le marmellate, la frutta già sbucciata e tagliata a pezzetti, aveva persino tolto i semini dall'uva. Niccolò e io avevamo represso a stento un moto di stupore.

«Allora, che progetti?» ripeté mamma aggiungendo confettura.

«Un pusher, se proprio lo vuoi sapere.»

Lei non addentò la fetta, la tenne a mezz'aria e gliela puntò contro: «Adesso basta, Niccolò. Tuo padre non sa niente. Si arrabbierà, s'infurierà. Con me».

«Sai che cazzo me ne frega.»

«Non ti fa bene. Alla lunga potrebbe danneggiarti il cervello.»

«Stai cercando di fare la mamma normale? Stai sprecando energie.»

«Non litigate» intervenni stremata dalla notte insonne, decisa a difendere quella forse ultima giornata insieme, da soli. «Possiamo conciliare le due cose: il giro e il pusher.»

Mamma squadrò Niccolò, di nuovo: «Se ti fai sgamare fumato da tuo padre, giuro che ti ammazzo».

Eravamo ancora noi, con le nostre regole, le nostre abitudini. Siamo di passaggio, m'illusi. È solo un'estate scema, poi basta.

Lasciammo un casino di tazzine e piatti nel lavandino, briciole sopra e sotto il tavolo. Ci lavammo nel bagno in contemporanea. Io i denti, mamma la doccia, Niccolò si incerò i capelli. Poi vestiti e scarpe a caso infilati addosso e via sull'Alfasud. I finestrini abbassati e la vecchia autoradio che gracchiava: "*The cruelest dream, reality*".

«Se vedi un punk, mamma, fermati» disse mio fratello con disincanto guardando fuori. Arrancando nel traffico del lungomare ci fu subito chiaro: non avremmo trovato il Babylonia laggiù, né i Murazzi di Torino, né centri sociali, musei del cinema, capannoni abbandonati ai rave party. Non si vedevano industrie degne di nota, murales, A di anarchia. Era una città immobile, T, incarcerata nel suo anonimato.

Sto drammatizzando: era un paesone. Con un bel mare e neanche un hotel di lusso, molti ombrelloni piantati a caso e pochi stabilimenti ordinati; e il famoso bastione con intorno i ponteggi. Ma non chiedetemi dove si trovi o di scrivere per intero il suo nome. Beatrice ci è nata, la sua biografia è ovunque. Ma la T che racconto io è mia. Nessuno ha il diritto di reclamare: "quella via non è lì", "qui non c'è la droga", "le ragazzine non si spogliano così facilmente dalle nostre parti".

È nella mia anima che vi state inoltrando.

*

Mamma parcheggiò l'Alfa in piazza Gramsci, scendemmo sbattendo le portiere e, lo ricordo come fosse ieri, i vecchi seduti al bar, la barista, l'edicolante, le cassiere e i clienti della Coop, tutti si voltarono a guardarci.

Mio fratello aveva la cresta verde, una decina di piercing tra faccia e orecchie, portava un collare per cani con le borchie e una maglietta a brandelli. Io, a causa di uno stock racimolato da mia madre, mettevo solo camicioni maschili che mi arrivavano alle ginocchia. Mamma indossava una sottoveste lilla, semitrasparente, senza reggiseno.

Esordimmo a T come scesi da un ufo.

La sorpresa però, o l'incomprensione, fu reciproca. Non so spiegarlo, ma a cinquecento chilometri di distanza, pur restando in Italia, le persone vestivano davvero in modo diverso, e gesticolavano anche diversamente, e non li avevamo ancora sentiti parlare!

A quell'ora del mattino i giovani dovevano essere tutti al mare, o emigrati. I turisti erano pochi, giusto qualche pallida famiglia tedesca. Le località vicine erano molto più famose e attrezzate. Restavano i vecchi a giocare a carte e a darci una sbirciata.

Niccolò rimase esterrefatto dopo una decina di metri: «C'è una sala giochi!». A Biella non ne esistevano più da tempo. Studiò i volti dei clienti alla ricerca di uno spacciatore, ma nessuno di loro superava la soglia dei dodici anni. Allora mamma ci prese a braccetto, tutti e due, e ci costrinse a passeggiare in mezzo ai palmizi ingialliti del corso, le gelaterie ancora chiuse, le friggitorie, i negozietti di collanine. Quando il corso finì, iniziarono i vicoli. Ci addentrammo. Una ragnatela umida di pietre, i palazzi così vicini da non lasciar filtrare la luce del giorno. Rumori di pentole alle finestre, chiacchiere private lanciate dai balconi.

Sbucammo al sole all'improvviso, nel vasto di una piazza che finiva direttamente in mare, in un groviglio di barche in secca con i gatti acciambellati sopra. E in cima, a dominare il Tirreno, un edificio corroso dalle intemperie, tre piani e secoli di salsedine alle finestre. Stava lassù come un fortino abbandonato.

Lessi la targa. "Ginnasio Statale."

Rilessi. "Ginnasio Statale Giovanni Pascoli."

Mi avvicinai incredula. Il maestrale batteva.

"Giovanni Pascoli." Non potevo crederci.

Che da metà settembre sarebbe stata quella la mia scuola. Che sarei finita là dentro. E che, in un certo senso – ma questo lo capisco solo oggi – non ne sarei uscita mai più.

Distolsi lo sguardo. Però tornai subito a interrogare: un piano, una finestra a caso. Che genere di compagni mi sarei ritrovata? Quali professori? Chi sarebbe potuto diventare mio amico in un posto del genere?

Mamma e Niccolò non si erano accorti di nulla. Si indicavano l'un l'altra i vu cumprà del porticciolo che esponevano borse e CD piratati. Non feci in tempo a spiegare loro che quel rudere era il classico e io no, non ci volevo andare, che li vidi prendersi per mano e allontanarsi. Spensierati, senza di me. Si ricordarono di chiamarmi solo quando ormai erano rimpiccioliti sul molo a pestare corde e a valutare occhiali.

«Vengo dopo» risposi, gridando o sussurrando appena.

Faceva differenza?

Sono passati tanti anni e l'ho accettato: che la famiglia che per me fu tutto, fu anche – e molto – un fidanzamento tra loro due. Mio fratello e mia madre. È sempre stato attraente, Niccolò, per giunta dannato: il massimo per una come mamma. Era suo figlio, il primo, quello arrivato subito in viaggio di nozze. E io? Ero stata un po' come quell'estate: un tentativo fallimentare dei miei genitori di rimettersi insieme. Certo, non solo questo, anche altro. Ma cosa?

Cresci, Elisa.

Voltai loro le spalle. Risalii piazza Marina, alzai gli occhi al liceo, gli feci il dito medio e continuai a camminare. Mi veniva da piangere, ma andavo. Li amavo, volevo odiarli e non ci riuscivo. Proseguivo. Altri cento, duecento metri. E poi successe.

*

La verginità l'avrei persa mesi dopo. L'imene che si spezza, il dolore nuovo, il sangue tra le cosce: quella roba lì doveva ancora venire. Ma l'ingenuità dei sentimenti, l'ultimo tenace filamento che m'incatenava all'infanzia, posso dire di averli infranti quel giorno, quando trovai di colpo, inaspettatamente, la biblioteca comunale di T.

Infilai il portone, l'odore dei libri usati m'investì subito, calmandomi. Era uno stanzone, niente a che spartire con la Palazzina Piacenza. I muri grigi, le scaffalature in metallo, le piastrelle di graniglia: assomigliava piuttosto a un archivio o a un tribunale. Però esisteva una sala destinata alla lettura, e avendo fiuto per le tane me ne accorsi presto.

La intravidi di là da una porta a vetri: appartata, silenziosa. Mi c'insinuai. Era più grande di quel che avevo intuito, fiocamente illuminata, con lunghi tavoli in ciliegio, leggii sparsi, deserta. Allora mi lasciai cadere su una sedia come fosse mia. Ammirai le pareti di legno incastonate di volumi per sola consultazione interna, e sorrisi. Temo persino di aver detto qualcosa di ridicolo, tipo: "Caspita!" incrociando gli anfibi sul tavolo. Lanciai gli occhi all'angolo opposto e mi sentii morire.

Non ero affatto sola.

Qualcuno stava seduto là e mi osservava.

Mi ricomposi subito, le gambe giù. Distolsi lo sguardo da quella persona prima ancora di averla vista. Imbarazzata, infastidita: avevo pregustato l'assalto agli scaffali, invece mi toccava alzarmi con educazione, dirigermi lenta verso una mensola, consultare gli indici attenta a come muovevo le anche, il sedere.

A stare dentro l'attenzione di qualcuno non ero pronta. Goffa, sbagliata e troppo esistente. Altro che Beatrice, perfettamente a suo agio in lingerie di fronte a milioni di testimoni. Io non riuscivo a essere un po' spontanea neppure davanti a uno solo.

Cercai tra i reparti la P di Poesia.

Un'occhiata sfuggì al mio controllo e sfiorò la sua testa.

Era un ragazzo. Siccome era tornato a leggere, il volto chino, nascosto dai capelli biondi, non riuscii a capire bene che età avesse.

Che t'importa? Cercai la P di Penna.

Non sembrava malvestito, brutto, disadattato. Chi potrà mai venire, oltre a me, in una biblioteca il 30 di giugno?

Trovai Penna e *Tutte le poesie*.

Tornai alla sedia di prima. Avrei potuto sceglierne un'altra, che gli desse le spalle, a due o tre tavoli di distanza, ma non lo feci.

Attaccai una pagina, un verso: "Leggera piomba sul bene e sul male".

Mica leggevo. Sentivo lui che mi studiava. La penombra della sala incresparsi, il fruscio della carta nel silenzio, la polvere cadere. Non volevo, non potevo, invece lo sbirciai anch'io.

Ci guardammo.

E tornai alla poesia immediatamente.

"Leggera piomba sul bene e sul male / la loro dolce fretta di godere."

Imponendomi di restare ferma, mimetizzata, come se il mio corpo fosse un nascondiglio, invece era in fiamme. Visibilissimo. Visto.

Chissà cosa legge lui.

Vattene, Elisa.

Però se me ne vado subito, sembra che lo faccio apposta.

Resisti altri cinque minuti. Poi scappa.

Puntai la porta. Mamma e Niccolò mi staranno cercando, pensai. Lo spiai di nuovo. Gli zigomi, i polpacci, la maglietta. Non era la prima volta che vedevo un ragazzo del genere: atletico, dal profilo regolare, le labbra ben disegnate. Ne avevo incrociati a decine a scuola, per strada, e la cosa non mi aveva mai toccata. Ero convinta di dover restare zitella tutta la vita (appresso a mia madre?). Ma un ragazzo così in una biblioteca non lo avevo mai incontrato. La coincidenza mi sconvolgeva perché, senza confessarmelo, l'avevo fantasticata milioni di volte.

Non riuscivo a concentrarmi. Lo scrutavo ancora. Poi subito l'imbarazzo. "La loro dolce fretta di godere." Senza capire.

Anche lui continuava a voltarsi poco, piano.

Finché si alzò afferrando il suo libro e io fui sicura che se ne stesse andando, invece fece il giro del tavolo e venne a sedersi vicino a me.

«Tu non sei di T.»

Non mi mossi. Scoprii in quell'istante come parlavano là, come aprivano le *e* e le *o*. Dalla sua bocca.

«Non ho mai trovato qualcuno che avesse meno di sessant'anni qui, specialmente d'estate.»

Riuscivo a rimanere imperterrita, fuori.

Dentro, però, era un casino. Ero emozionata, e la natura di quell'emozione mi sfuggiva. Ero preoccupata dalla camicia che indossavo, che mi nascondeva sì le tette e i fianchi che non avevo, ma chissà cosa mi faceva sembrare. Diventai scema. E futile, preoccupata di cose futili.

«Cosa leggi?» Mi rubò il libro. «Ah, Penna.»

Lo conosceva.

«Ma parli?»

No, preferivo ascoltare. Anni a giocare da sola, a leggere da sola, il mio banco a scuola era sempre stato un'isola. Quando venivo chiamata alla lavagna per un'interrogazione, la voce mi usciva roca, ingorgata, disabituata al punto che sentirmi mi faceva impressione.

Mi accadde anche quella mattina quando dissi: «Mi chiamo Elisa».

«Io Lorenzo.»

Mi sfiorò una mano con la sua per presentarsi. La mia non reagì, rimase lì sul tavolo come un sasso. Ma, quando lui la ritrasse, mi attraversò il desiderio irrazionale che lo facesse ancora, e di riuscire a sollevare le dita questa volta, rasentare le sue.

«Sono di Biella, una città del Piemonte.»

«So dov'è, ci sono stato una volta con mio padre, l'ho accompagnato in un viaggio di lavoro. Mi ricordo Oropa.»

Credo di avere sorriso.

«Ma tu cosa ci fai a T, sei in vacanza?»

«Ho paura di no.»

«In che senso?»

Elisa, alzati: sarà ora di pranzo, mamma sarà furibonda.

«Sei in vacanza o no?» insistette.

«No. Ma non ne voglio parlare.»

Adesso se ne va, pensai. Capisce che non c'è niente di speciale in me, e mi saluta.

Invece rimase. «Va bene, cambiamo argomento. Sei qui a studiare?»

Scossi la testa.

«A leggere?»

Annuii.

«E che libri ti piacciono?»

«Poesie.»

Sorrise: «Guarda me».

Mi mostrò la copertina del suo libro: Osip Mandel'štam.

«Non lo conosco.»

«È russo, fu deportato e morì a Vladivostok nella neve.»

Aveva gli occhi azzurri e lunghe ciglia biondo miele come i capelli. Spalle ampie da nuotatore, e braccia con le vene in rilievo. Era abbronzato come se andasse al mare tutti i giorni. Aveva mani grandi. Io guardavo il suo corpo e, nel mentre, sentivo esistere il mio.

Dal nulla mi venne il pensiero di baciarlo. Non in modo normale, ma come raccontavano le mie compagne di classe nei cessi della scuola: «Mi ha messo la lingua in bocca, me l'ha bagnata di saliva, gli ho sentito i denti». Quelle spacconate che mi avevano fatto un po' schifo, adesso le volevo.

Restammo zitti, invischiati in un silenzio che non era affatto un vuoto. Era come se lui si fosse accorto di quel che avevo pensato. E quel pensiero gli piacesse.

«Anche tu preferisci le poesie ai romanzi?»

Fui sincera: «A casa ho *Menzogna e sortilegio*, l'ho iniziato mille volte ma non riesco ad andare avanti. Mi blocco. Invece con Leopardi non mi succede. E nemmeno con Antonia Pozzi. Saba. Sereni».

Lorenzo sembrava incantato.

«Quanti anni hai?»

«Quattordici. Tu?»

«Quindici. Nessuno conosce Sereni. Tu sì.»

«*Gli strumenti umani*» dissi. Guardandomi bene dal rivelare che era tutto merito di Sonia, la bibliotecaria di Biella, mica mio. Era fissata con la poesia italiana: scriveva anche lei, si autopubblicava, inviava le sue sillogi a tutti i poeti viventi sperando che qualcuno le rispondesse. Invece si era solo ritrovata con il conto in rosso.

Ma adesso Biella non c'era più, non c'era un prima.

«*Un posto di vacanza*» proseguii a elencare, sfacciata, «*Frontiera*» come se, anziché parlare, mi stessi spogliando. «*Stella variabile.*»

«È impossibile che conosci tutte le sue raccolte.»

Hai visto, mamma, che i libri servono?

«E che musica ascolti?»

Sorrisi indecisa. Ma ormai ero in gioco, e ci avevo preso gusto.

«Metal, rock e punk hardcore» esagerai.

«Hardcore?» Rimase sconvolto.

«Gli Offspring, i Green Day, i Blink-182. E Marilyn Manson.»

«Leggi Sereni e ascolti Marilyn Manson?»

Ci stavamo solo guardando, ma non era vero. Le asole dei bottoni, le stringhe, le cerniere, tutto sciolto. Eravamo nudi. Così affini.

«Leggimi una poesia di Penna» mi chiese.

Aprii a caso. «"Passano i buoi pesanti con l'aratro / nella gran luce. Chiudimi in un bacio."»

«Un'altra.»

Ubbidii. «"Come beve alla fonte il bel fanciullo / così abbiamo peccato e non peccato."»

«Rileggimi quella di prima.»

Io lo guardai e lessi soltanto la fine: «"Chiudimi in un bacio"».

Credo riuscimmo a sentirci i cuori, l'uno nell'altra, battere.

«Forse è perché leggo Mandel'štam da due ore e sono ubriaco, forse è colpa di Penna, non lo so, ma te lo devo dire. Ho sempre immaginato di entrare qui un giorno e trovare una ragazza come te, sola, a leggere. Non me la figuravo fisicamente così, come sei tu, ma... Cavolo, sei davvero tu. È successo.»

Ero senza fiato.

Lorenzo si sporse verso di me. Pensai di indietreggiare, di scansarmi. Solo che il mio corpo restava lì, anzi: aspettava. Che Lorenzo arrivasse a un millimetro dal mio viso. Che facesse quella cosa con la lingua che non avevo ancora capito se poi si restava incinta oppure no. Non me ne fregava niente. Avrei corso qualsiasi pericolo. Stupida, incosciente.

Sfiorò la mia bocca. Le nostre labbra si toccarono. Si aprirono. Si richiusero una nell'altra. Era come se tutta la mia vita fosse lì, tutta me, in quel punto caldo e strano.

Lorenzo si staccò di colpo. «Scusami.» Si passò una mano fra i capelli, abbassò lo sguardo. «Devo essere impazzito.»

Si alzò. Non riuscì neppure a salutarmi.

Fu lui a fuggire. Io rimasi lì, sulla sedia. A tastarmi la bocca, la saliva senza asciugarla. A ripensare alla sconosciuta che avevo dentro, così spudorata, diversa da come mi credevo.

Avevo baciato qualcuno. Un estraneo. Quando uscii ero stordita. Il sole a picco mi accecò, mi fece barcollare. Udii una voce gridare: «Signora, signora! È quella, la ragazza?».

«Dove?»

«Là, davanti alla biblioteca!»

Misi a fuoco la scena: un uomo mi stava indicando. Dal fondo della strada mia madre e mio fratello stavano sopraggiungendo di corsa. Non guardai Niccolò, solo lei. E lei arrivò come un tir. Si fece vicina, vicinissima. M'investì con un ceffone. Uno solo. Che mi torse la faccia.

«Non azzardarti mai più. Mai più!» urlò.

Non aggiunse altro. Tornammo alla macchina nel mutismo più assoluto. Una volta a casa saltai persino il pranzo. Ciascuno andò a chiudersi nella propria stanza, per conto suo: non era mai accaduto.

Solo nel tardo pomeriggio Niccolò mi venne a bussare per raccontarmi quante ore ero scomparsa: quasi tre. Non sapevano più dove cercarmi, a chi chiedere. «Mamma sembrava impazzita, fermava chiunque per strada, gridava "Elisa!" così forte che si affacciava la gente dai palazzi. Siamo tornati indietro fino alla sala giochi.»

«Papà lo avete avvertito?»

«No. Mamma voleva chiamare la polizia, poi le è venuto in mente che potevi esserti nascosta in una biblioteca. Ma siamo dovuti andare all'ufficio turistico per capire dov'era, perché il tabacchino diceva una cosa, quello della gelateria un'altra, un casino.»

Mi conosceva così tanto, mia madre, che mi vennero le lacrime agli occhi. Le appartenevo, era irreparabile il mio amore per lei. Eppure.

Non ero più vergine.

*

Pensai a lui tutta la cena, mentre papà, rientrato dall'ultima sessione di esami, magnificava le spiagge bianche e le oasi naturali della regione, e prometteva a mamma di farle visitare anche il capoluogo e l'università in cui insegnava, e lei si arricciava i capelli, se li scostava, giocherellava con le posate, si mordicchiava il labbro inferiore: sembrava me quella mattina di fronte a Lorenzo. Niccolò, pur di non sentirli né vederli, mangiava con la testa nel piatto e le cuffie del walkman nelle orecchie.

Dopo, avviata la lavastoviglie, papà finì di scrostare il fornello e propose a mamma di uscire. Lei disse subito sì. «E voi» aggiunsero dopo un po', «volete venire? Andiamo giusto qui sotto a prendere un gelato.»

Era evidente che volevano andarci da soli, che il gelato era una scusa. Mio fratello era viola. Nessuno di noi due rispose.

Origliammo, invece, mentre si spogliavano e si rivestivano in camera, scambiandosi battutine. Rivolgemmo loro un cenno minimo con la testa quando vennero in cucina a salutarci, tutti in ghingheri. Lei con lo stesso vestito della mattina, ma in aggiunta tacchi e rossetto. Lui che si vedeva: si era impegnato, ma il golfino smanicato sopra i bermuda non è che fosse il massimo. Erano così male assortiti, così felici. «A tra poco!» si congedarono, lui che le circondava le spalle e lei che rideva.

Appena ebbero chiuso la porta Niccolò prese a calci una sedia, la fracassò. Mi guardò e disse: «Eli, io non ci rimango altri cinque minuti in questo posto di merda. Lo odio, li odio, vaffanculo. Andiamo alla stazione e guardiamo i treni».

Aveva ragione, però non mi mossi. Era un posto tremendo, ma dopo meno di ventiquattr'ore dal nostro arrivo mi era successa questa cosa inaudita, favolosa... So che può sembrare incredibile che fosse accaduto tutto in un solo giorno. Ma a quattordici anni è così che funziona la vita. Il tempo non lo senti, tanto è veloce. Gli eventi si susseguono di continuo come fuochi d'artificio. Basta un attimo per cambiare idea.

Non volevo più fuggire.

6

L'ora di epica

Beatrice entrò in classe per ultima insieme alla campanella delle 8.20, sbattendoci in faccia i suoi inediti capelli lunghi: rossi, frisé.

Si diresse spedita verso la mia compagna di banco, una povera ragazza di cui non rammento più neppure il nome, timida, col naso aquilino e un difetto di pronuncia. Le intimò di spostarsi, ché adesso accanto a Biella si sedeva lei.

Fu un momento di gloria per me. Perché avvenne davanti a tutti, voltatisi increduli verso di noi; e perché sancì il nostro esordio in pubblico come migliori amiche. La criticherò spesso in futuro, non condividerò molte delle sue scelte, rimarrò a lei diametralmente opposta, ma una cosa devo riconoscerla: ha sempre avuto coraggio.

Si tolse lo zaino, il cappotto. Una volta seduta, lanciò all'intorno un fulminante sguardo di sfida: "Be', sorpresi?".

Eravamo ufficialmente Barbie Superchioma e l'immigrata.

Le toccai i capelli, impossibile resistere: così morbidi e lucenti, identici a quelli della bambola che avevo avuto anch'io alle elementari. Ricordavo lo scempio stopposo del giorno prima, le chiesi: «Ma come ha fatto il tuo parrucchiere a trasformarli così? È una magia».

«No, è una parrucca» rispose lei. «Enzo me li ha dovuti tagliare un bel po'. E poi devo tenermi sempre in testa un trattamento oleoso, ricostituente, per almeno due settimane. Sono *impresentabile*, ha detto mamma. Ha pure pianto.» Rise.

La classe seguitava a esaminarla di sottecchi, tra l'infastidito e l'ammirato. Si era cosparsa le palpebre di brillantini, pareva pronta per la discoteca. Non c'erano fotografi appostati all'epoca, però lei arrivava a scuola e spaccava, per il solo gusto di farlo. Non ha mai indossato, che io ricordi, le scarpe che avevano gli altri, i giubbotti che andavano di moda. Se le veniva voglia di assomigliare a una Barbie del 1993, lei, madre permettendo, lo diventava.

«Li senti, i loro sguardi?» Si accostò al mio orecchio con le labbra, ci mise una mano davanti. «Non ti fanno il solletico?»

No. Mi facevano effetto il suo fiato sul lobo, il suo ginocchio contro il mio, e che fosse passata così platealmente dalla mia parte.

«Volevo il tuo stesso color carota, ho insistito tanto. Ma mamma ed Enzo si sono rifiutati e ho dovuto ripiegare sul rosso ciliegia.»

Arrivò la professoressa Marchi e ci zittimmo. Si sedette dietro la cattedra, captò il cambiamento sia di banchi che di capelli, ma disse solo: «Pagina 220, *Odissea*, Libro VI».

Era una donna severa, che non dava confidenza: «Non sono una vostra amica, ma l'insegnante d'italiano, latino e greco». Aveva trent'anni, ne dimostrava cinquanta.

Beatrice e io cercammo la pagina, diligenti. La Marchi attaccò a leggere e noi a seguirla, attente. «"Abitiamo in disparte, nel mare ondoso, / ai confini del mondo, nessun altro mortale arriva tra noi."»

Io usavo, per sottolineare, una matita appuntita, mi soffermavo solo sui versi che mi colpivano. Bea, invece, impugnava un evidenziatore e lo passava come un rullo per tinteggiare: titoli, testo, esegesi, marcava tutto. Non so poi come facesse a liberarsi dalle parti inessenziali. Però mi dava euforia sentirmela accanto, sbirciare nel suo astuccio, distinguere il suo odore di crema alla pesca nell'aria.

«"Ma costui è un infelice, qui arrivato ramingo, / che ora ha bisogno di cure: mendicanti e stranieri / sono mandati da Zeus."»

La Marchi interruppe la lettura, attese che sollevassimo le teste per guardarci in viso: «Non esiste, nella Grecia antica, dovere più importante dell'ospitalità. È un obbligo né morale né politico, ma religioso. Nausicaa vede Odisseo nudo, orribile, "lordo di salsuggine", le ancelle fuggono ma lei lo riconosce, oltre l'apparenza, come dono di Zeus».

Risatine: «Biella dono di Zeus! *Lorda* lo è di sicuro!». Sapevo dove sarebbero andati a parare i miei compagni, odiai la Marchi per la scelta di quel passo. «Nuda, nuda!» Da dietro la sedia. «E Mazzini come lo dice? Ah ah, Mazzini!» Non era una novità, eppure mi vergognai: non di loro, di me. Stornai lo sguardo dal libro e lo volsi alla finestra.

Il Pascoli era decrepito, umido, scrostato, tanto che di lì a cinque anni lo avrebbero chiuso per inagibilità e mancanza d'iscritti. Però aveva il pregio di trovarsi in una posizione splendida, forse la migliore d'Italia. Da ogni vetro trapelava il mare.

Mi perdevo a guardarlo. Quando la lezione non m'interessava o gli altri mi prendevano in giro, mi assentavo con lui. Che era entrato nella mia vita occupando un vuoto, dando forma all'abbandono che avevo cucito qui, tra lo sterno e il cuore. Il correlativo oggettivo, avrei imparato in seguito, il luogo in cui scavare una buca e seppellire il sentimento che non riusciamo a nominare.

Beatrice allungò una mano sul mio manuale riportandomi in classe. Senza farsi vedere, mi scrisse in un angolo della pagina: "Chi è?".

Non capii. La Marchi aveva ripreso a leggere l'incontro tra Odisseo e Nausicaa. Bea si spazientì e aggiunse: "Il ragazzo! Chi è?".

Mi presi l'ora di epica per pensarci. Mi costava, non era affatto semplice. Però, io non avevo mai avuto un'amica. E una così, uguale a Superchioma, non mi sarei azzardata nemmeno a sognarla. Adesso le sedevo accanto: me la dovevo meritare, glielo dovevo dire.

A margine del suo manuale, in piccolo, piccolissimo, scrissi: "All'intervallo te lo faccio vedere".

*

Le ricreazioni precedenti le avevo trascorse rimanendo in classe, sola con la mia Crostatina, la fronte contro la finestra e le mani sul termo. Mi pesavano più quei dieci minuti delle cinque ore di lezione. A volte si tratteneva anche la mia ex compagna di banco: faceva finta di ripassare, china, triste. Io mi specchiavo in lei, lei in me, e restavamo in silenzio.

Quel martedì, però, Beatrice mi trascinò con sé dai margini al centro. L'emozione che provai uscendo insieme a braccetto nel corridoio fu enorme e liberatoria. Conobbi il resto dell'edificio: le scale, i piani. Bea voleva battere ogni angolo, setacciare ogni bagno, finché non avessimo stanato *il ragazzo*.

«Raccontami tutto» ordinò. E io, sbocconcellando la merenda, correndo dietro a lei che come sempre digiunava, obbedii. Mentre tutti si voltavano a salutarla, incuriositi o contrariati dalla mia presenza, comunque falsi: «Che bei capelli, ti stanno da dio!».

Iniziai ad accorgermi di quanto poco fosse amata. Era alta uno e settantacinque già allora, con un vitino e una pancia così piatta, un sedere così sodo, un paio di gambe così lunghe e affusolate che credo non avesse mai assaggiato una merendina. Svettava troppo, staccava tutti. Stava sul cazzo, e io lo leggevo sulle facce degli altri che, perlomeno laggiù, in quella sperduta provincia, erano pronti a osannare le belle ragazze se passavano in televisione, ma quando se la trovavano lì, una di loro, non esitavano a massacrarla.

In fila al distributore delle bevande, Bea non smise di chiedermi: «È qui? Lo vedi?».

«No» continuavo a risponderle con sollievo.

Lei infilò una moneta, digitò il codice del caffè ristretto. Lo bevve amaro. «Non è che è rimasto a casa?»

«Il suo motorino c'era, stamattina.»

«Bene, se non è dentro, allora è fuori.»

Compresi che faceva sul serio e la trattenni: «Lasciamo perdere». Mancavano forse tre minuti alla fine dell'intervallo. Bea ignorò la mia ritrosia e mi trascinò a una porta secondaria, spinse il maniglione antipanico. Sbucammo in un cortile interno, riparato dal vento, dove gruppi di ragazzi più grandi fumavano in cerchio o appollaiati sulle scale antincendio. Mi fece salire su una di queste e disse: «Trovalo».

Faceva freddo, eravamo le uniche senza giacca. Lassù a sfregarci le mani, entrambe con i capelli rossi.

Guardai dentro questo e quel capannello, lo riconobbi. Indicai la sua testa bionda a Beatrice: «È quello là».

«Stai scherzando?» urlò quasi. «È Lorenzo Monteleone!» Sapevo il suo cognome, adesso. E non mi serviva a niente. «Famiglia super in. Ci siamo anche stati a cena un paio di volte, con mia mamma che sbavava e si scioglieva. Suo padre è stato sindaco, ora è in Regione. Sua madre è magistrato o roba del genere. È figlio unico. Cos'altro? Abita in piazza Roosevelt...»

Quante informazioni, pensai, a riempire d'improvviso mesi di fantasia e di silenzio, di appostamenti e di attese. E così era un "figlio di" anziché un Robin Hood come me lo ero immaginato io. Orfano, cresciuto da un anziano libraio, tutto un romanzo dickensiano che mi ero scritta nella testa, invece la realtà era un'altra e si poteva riassumere nel seguente modo: la fugace apparizione di un'estate. Come appaiono le divinità alle mortali: si accoppiano con loro sotto forma di cigno, e svaniscono.

Dopo il bacio, ero tornata in biblioteca ogni giorno. Ci ero stata di mattina, di pomeriggio, accompagnata in auto dai miei genitori, a piedi. Insistendo, rivoltandomi come una belva: «Devo andare, *devo*!». Mentre i miei, perplessi, mi facevano notare che era domenica e avrei trovato chiuso. Forse fu anche per questo che mio padre si affrettò a cercarmi un motorino.

Mi ero fatta la tessera, avevo prenotato per due mesi di fila le poesie di Mandel'štam. Le avevo lette, rilette, imparate a memoria. Tutto luglio, tutto agosto. Alzando gli occhi dal tavolo a ogni cigolio della porta, sperando che fosse lui.

Invece niente.

Più niente.

Allora mi alzavo e andavo a cercarlo fuori, dove vivevano i ragazzi normali che giocavano a calcio sulla battigia e prendevano il sole. Pregavo di trovarlo e insieme di non trovarlo mai. Di non sorprenderlo al bar con i suoi amici e i piedi sporchi di sabbia, allacciato a una ragazza dietro uno scoglio. L'intero litorale, battevo. Ero arrivata persino alla spiaggia di ferro. Poi era cominciata la scuola.

Papà mi aveva recuperato a metà luglio, non so dove – «su Internet» diceva, ma cosa fosse Internet all'epoca io non lo sapevo – il Quartz. Un cinquantino goffo di scarso successo, fuori produzione dal '97. Quando parcheggiai di fronte al liceo per la prima volta mi accorsi subito che l'unico esemplare era il mio e mi sentii così male, così furiosa con lui: Non lo vedi come sto messa, che sono nuova, che mi prendono in giro, e tu mi rifili pure un catorcio così?

Credo non se ne fosse reso conto. Per lui davvero come uno andava in giro vestito, pettinato, su quale mezzo di trasporto, non aveva rilevanza. Solo l'intelligenza contava, solo quel che uno sapeva e aveva da dire. Ma vaglielo a spiegare al mondo, papà, a questo mondo! Poi Niccolò, sempre per il mio bene, era andato in edicola a comprare un blocco di adesivi, convinto di metterci una pezza, e gli aveva dato il colpo di grazia trasformandolo in un "punk-motorino".

Era stato proprio mentre rallentavo nel parcheggio che avevo rivisto Lorenzo, una mattina di settembre, in sella a un Phantom nero. Lo avevo riconosciuto prima ancora che si togliesse il casco. Mi aveva riconosciuta anche lui, si era bloccato. Con gli occhi tristi aveva sollevato due dita in segno di saluto. Io avevo fatto inversione, ero andata a cercare il posto più lontano. Avevo sofferto per cosa, per chi? Lo conoscevo? No. Avevo solo fantasticato sul suo nome. Il tempo era passato, la delusione era diventata niente.

«… e, mi spiace dirtelo, è fidanzato.»

«È la spiegazione» risposi a Beatrice guardando Lorenzo che rientrava insieme agli altri. La campanella era già suonata. «Sul serio, non ha importanza.»

«Ma mi hai detto che vi siete baciati!»

«Non era vero.»

Mi diede uno strattone. «Valeria è una stronza. La sua ragazza, dico. Lui non è cattivo, lo conosco: è strano, fa un po' il poeta. Lei merita di essere cornificata.»

Non sapevo chi fosse, questa Valeria. Di corna non me ne intendevo. Dopo che mia madre e mio fratello erano tornati a Biella senza di me, avevo smesso di andarci, in biblioteca. Nei pomeriggi eterni dopo la scuola, una volta finiti i compiti e prima che facesse buio, mettevo cinquemila lire di benzina al Quartz con il solo scopo di non pensare. Mi fermavo ancora davanti alle spiagge, ma ormai si erano svuotate.

Nel frattempo erano rientrati tutti tranne noi, le lezioni erano riprese. Ci saremmo beccate una nota sul registro, sia io che Bea, quella mattina.

«Se vuoi una cosa, ti devi organizzare» mi disse. «Come abbiamo fatto coi jeans. Devi vincere.»

«Ma vincere che?» Mi fece ridere.

Mi esaminò. Seria, concentrata. Sulla scala antincendio del cortile interno del Pascoli mi chiese: «Cosa sai fare?».

Non lo sapevo.

«Cosa *ti piace*?»

Provai a pensarci.

«Non cosa sei, come pensi di essere, come ti vedono gli altri, ma tu, nella vita, cosa vuoi?»

Ammutolii. Eravamo troppo sbilanciate su quelle scale. Io, incapace di rispondere, e lei che aveva dentro questo fuoco. Ora che ci penso: come sapeva ardere, e captare a soli quattordici anni i desideri più reconditi degli altri.

«Scrivere, no? Hai detto che tieni un diario.»

Provai un imbarazzo così forte, come se mi avesse strappato i vestiti davanti a tutta la classe.

«Scrivigli una lettera, allora.» Mentre i bidelli mandati a cercarci finalmente ci avevano trovate, e ci facevano segno di entrare "subito, veloce!", lei mi promise: «Ti aiuto io. La fai leggere prima a me, e ti do una mano».

*

Così cominciammo: su pagine strappate ai quaderni. Niente mail, allegati, floppy disc, CD, chiavette: carta e penna.

Tornai a casa come un'invasata, quel giorno. Pranzai con mio padre ancora più ombrosa del solito. Mi chiusi in camera, non toccai libro per il pomeriggio intero. Inchiodata alla scrivania, il foglio bianco davanti. Vergai una sola parola, "Lorenzo", e fu come rompere un argine.

Credevo di averlo rimosso, invece era rimasto. Latente, in incubazione. Lui, forse, oppure il bisogno di scrivere, di avere, mio e solo mio, un destinatario assente a cui raccontare ogni cosa.

Fui sincera all'inizio, spudorata. Avevo tanta voglia di togliermi di dosso tutto, lasciarmi andare, dire. La Bic correva sulla pagina, margini compresi. Gli scrissi di cosa erano fatte le mie giornate: di silenzio. I pranzi, le cene, le domeniche. Io in camera e papà nello studio. Gli descrissi Biella: le montagne, la Liabel, la Palazzina Piacenza. Ero sudata mentre lo facevo, me ne stupivo: ero capace. Gli narrai le gite sul Sesia d'estate, a Oropa d'inverno. Lo slittino lanciato sul prato delle Oche sommerso di neve, io e mio fratello schiacciati dentro come una cosa sola. Mamma che rideva con il bicchiere di vin brulé caldo tra le mani. Il vuoto lancinante dell'abbandono.

Senza rileggere, infilai la lettera in una tasca dello zaino. La mattina dopo la portai a Beatrice sicura, orgogliosa. Lei la spiegò e la divorò.

«No» concluse rialzando gli occhi. «È piena di errori, di ripetizioni. È patetica, fai venire voglia di chiamare il Telefono Azzurro. Mica devi raccontargli tutto, controllati. Seleziona.»

Provai una fitta di dolore fisico. Un senso di rifiuto devastante perché riguardava me. Non come mi vestivo, l'accento con cui parlavo, il mio taglio di capelli. Me.

Eppure ubbidii. Il secondo pomeriggio mi rimisi lì, in postazione. A decenni di distanza, mi tocca prendere atto del potere che Beatrice esercitava su di me. E, cosa paradossale, che senza di lei non avrei mai trovato il coraggio di cimentarmi nella scrittura.

Provai a selezionare, questa volta, a controllarmi, a non godere. Stavo così rigida sulla sedia, in punta di penna. Scrivevo una parola e la cancellavo, un'altra e la cancellavo. Uno spreco di carta, una fatica inaudita. L'intero vocabolario italiano mi suonava pericoloso, eccessivo, inadeguato; *io* lo ero.

Venerdì mattina consegnai a Beatrice una mezza pagina stringata. «Cos'è?» Me la ridiede stizzita. «Non hai scritto niente qui. Passi da un eccesso all'altro. Lo devi sedurre, mica annoiare.» Il terzo pomeriggio capii e cominciai a mentire. Contenendomi nella prima versione, poi rilessi e stracciai. Riscrissi mentendo di più. Aprii *Menzogna e sortilegio*: non ero mai andata oltre pagina 30, pure lo depredai. A caso, copiando singole parole, frasi intere: così, perché mi suonavano bene.

Inventai episodi del mio passato mai vissuti. Trasfigurai casa mia: da via Trossi, periferica, la spostai in pieno centro. Mia madre, da operaia e ladra, la trasformai in pittrice tormentata. A Niccolò tolsi la cresta, i piercing e lo vestii di nero, con il soprabito di pelle, i capelli lunghi e la faccia dipinta di bianco, ché a mio avviso i metallari erano più affascinanti. Ci presi gusto, persi ogni scrupolo. Trascorsi il sabato e la domenica a cambiarmi la vita.

«Lo devi sedurre» aveva detto Beatrice. Io scrivevo e non ero più Elisa. Mi ammantavo, mi mascheravo, esageravo con gli aggettivi. Ricamavo su biancheria intima e dettagli irripetibili. Spacciandomi per esperta di cose che neppure immaginavo: non le esplicitavo, le lasciavo sospese tra gli spazi bianchi, alludevo. Eppure, liberandomi della timida Elisa e fingendomi una che l'aveva già fatto milioni di volte, accedevo a una parte di me, insospettabile, che forse era la verità.

Quel che è certo è che Beatrice fu la miglior scuola di scrittura che potessi frequentare. Per quanto oggi vada a dire in giro che leggere è una perdita di tempo, che lei ha un impero da mandare avanti e i romanzi sono tutte fesserie. Mente. Come mento io. E niente è più erotico di una menzogna.

Domenica a letto rilessi l'ultima volta il frutto di sei giorni di lavoro. Mi emozionò come non fossi stata io a scriverlo. Infatti: chi era stato? La risposta mi eccitava. Uscii a piedi scalzi in corridoio per telefonare. Non mi tenevo. Sollevai la cornetta e, anziché la linea, sentii lo stridore metallico di Internet. Papà stava scaricando in quel momento non so che diavolo di file universitario da miliardi di byte. Mi adirai. Gli spalancai la porta e gridai: «Staccati da quella roba, devo telefonare!».

La letteratura, mi sembrava già di farne parte. Vincendo il timore, chiamai Bea a casa alle nove di sera, improvvisai un'emergenza scolastica e, appena sua madre me la passò, la implorai: «Alle sette e mezza, domani. Troviamoci a scuola prima, per favore! È fondamentale!». Misi giù e non riuscii più a dormire.

L'indomani la scuola era deserta e nell'atrio c'eravamo solo io e Bea con gli zaini e le giacche addosso. La lettera in mezzo. Mentre lei leggeva, io la spiavo. Scalpitavo, fremevo, sussultavo a ogni minima increspatura del suo volto: un sopracciglio, un labbro. Morivo.

«Bella» mi disse alla fine. «È veramente bella, Elisa.»

Gli occhi le brillavano, io ero felice in una misura sterminata che sconfinava nella beatitudine.

Bea ripiegò il foglio nella busta, chiese a un bidello una penna, ci scrisse sopra qualcosa, salì le scale. Io dietro. Solo che poi non entrò nella nostra classe, ma salì al piano di sopra.

«Cosa vuoi fare?» le chiesi in allarme.

Lei neppure mi rispose. Gli altri studenti cominciavano solo allora ad arrivare alla spicciolata. Beatrice attraversava il corridoio a destra al secondo piano, dritta verso l'aula in fondo: la v c.

«No» la fermai. Feci per strapparle la lettera di mano.

Lei tese il braccio e mi fu impossibile raggiungerla. Era troppo più alta di me. Mi venne da piangere. «Non voglio che lui la legga!»

«E per cosa l'hai scritta allora?»

Per lei. Per farmi dire che ero brava.

Per me. Per dimostrarmi che valevo qualcosa.

Lui era presente, reale. Non c'entrava nulla con quelle bugie.

«No, ti prego.»

Beatrice mi fulminò con lo sguardo: «Non siamo più amiche».

Mi lasciò di sasso.

«Decidi: o andiamo a mettergliela sotto il banco, o giuro che non ti parlo più, torno a sedermi dov'ero prima e ti sputtano.»

Eccola, la stronza.

Era uscita fuori. Come il primo giorno di scuola, come tutte le volte che si era messa a ridere di Biella sbiellata.

La stronza voleva vincere. Nessuno scrupolo di ordine morale, sociale, civile. L'amicizia: vaffanculo. Voleva solo ottenere il risultato.

E lo ottenne.

Entrammo in v c. Si era già informata, organizzata, sapeva dove andare: ultimo banco lato finestre. Era tutto intagliato di scritte, sotto c'era un libro dimenticato. Feci in tempo a leggere in copertina "Vittorio Sereni, *Stella variabile*". Una folata di freddo, avvertii la mia pelle incresparsi sulle braccia, sulle gambe. Poi Beatrice vi lasciò accanto la busta "Per Lorenzo".

E fuggimmo.

7
Ferragosto, quando B. mi salvò la vita

"E si divorano con gli occhi, si / cercano si tendono le mani / di nascosto sulla fiandra del tavolo." Non siamo Lorenzo e io, anche se i versi appartengono a *Stella variabile*. I due che si cercano e si divorano, provando a farlo di nascosto ma riuscendoci male, sono i miei genitori.

S'intitola *Domenica dopo la guerra* questa poesia e contiene una domanda: "Per due che si ritrovano in una / domenica dopo la guerra / allora può / rifiorire il deserto del mare?". Mia madre rifiorì, questo è sicuro. Mio padre si chiuse meno nel suo studio e prese addirittura un po' di colore. Dopo sette anni di matrimonio e undici di separazione – si erano lasciati quando io cominciavo a dire le prime frasi di senso compiuto – in quell'estate sciocca e devastante del 2000 conobbero una seconda adolescenza.

Le fughe serali per il gelato divennero la consuetudine. Con l'andare del tempo ci risparmiarono persino la formalità del: «Volete venire anche voi?». Quando papà terminò gli impegni accademici, non ci fu giorno in cui non partirono per il mare. Sempre una spiaggia diversa, un'oasi naturale nuova. Dopo pranzo mio fratello e io andavamo a letto, io a leggere e lui a dormire, già frastornato di marijuana. Loro due, invece, uscivano profumati di crema solare: mia madre con un cappello di paglia e un arioso prendisole giallo, mio padre con un berretto da baseball, un romanzo di Stephen King sotto il braccio e al collo l'inseparabile binocolo da birdwatching.

Erano sempre a zonzo sulla lurida Passat di lui, il bagagliaio stipato all'inverosimile: le attrezzature per osservare e fotografare gli uccelli, la macchina Polaroid per scattare ritratti a lei, lei che aggiungeva il materassino gonfiabile, la sdraio, gli asciugamani. Cosa si dicevano? Impossibile immaginarlo. Mamma non ne sapeva nulla di ghiandaie marine, fratini, occhioni, mai mostrato interesse per gli animali. Internet e software? Meno che niente. Le galassie? Era già tanto che sapesse in quale regione d'Italia si trovava. Papà si era laureato con 110 e lode, la sua tesi di dottorato era stata pubblicata negli Stati Uniti, e mamma non aveva nemmeno il diploma. Se provava a leggere che so, "Sorrisi e Canzoni", si stancava dopo una frase. Era un disastro. I miei occhi adulti non sono meno impietosi con lei, la sua impulsività, il suo italiano, di quelli con cui la guardavo quell'estate. Eppure, cosa darei per rivederla così felice.

Non in foto, ma in un pomeriggio qualsiasi di luglio o agosto del 2000, come sorrideva uscendo per andare in spiaggia. Minuta, lentigginosa, la frangia disordinata e lunga sugli occhi. Lieve e spensierata come il suo nome. Annabella.

Ogni tanto, dopo il sonno pomeridiano, Niccolò riemergeva dal suo stato di alterazione e veniva a cercarmi; oppure io terminavo l'ennesima rilettura di Mandel'štam e andavo a bussare alla sua porta. Ci sedevamo in cucina, soli, a fare merenda, rispolverando le vecchie e peggiori abitudini di Biella: MTV, patatine e piedi sul tavolo. Mentre di là dalla tapparella abbassata si levava il clamore di T, viva, impegnata in gare di tuffi dalle scogliere, sfide a racchette sul bagnasciuga.

Noi pallidi, incazzati. Solo dopo le cinque ci azzardavamo a mettere il naso fuori, come gli anziani e i neonati. E mentre io continuavo a fare la spola da casa in biblioteca come un'anima in pena, e lui si sfasciava di hashish e chetamina insieme a nuovi, miserabili amici, mamma e papà se la spassavano alla grande.

Non voglio farli passare per ciò che non erano: insensibili, snaturati. Si preoccupavano per noi. Vedevano le pupille dilatate di Niccolò, la mia faccia avvilita. Però, e adesso lo capisco, cosa potevano farci?

Erano innamorati.

Era il loro momento, non il nostro.

Provavano a coinvolgerci ogni tanto, papà soprattutto. Una mattina volle mostrarci come funzionava il 586 Olidata che campeggiava nel suo studio, un parallelepipedo grigio che ingombrava più di un televisore, con lo schermo bombato che oggi farebbe sorridere chiunque, ma all'epoca aveva un processore Pentium 3, e papà non faceva che ripeterlo a tutti: «Ho un Pentium 3», con gli occhi che gli s'illuminavano di futuro. Quella volta si entusiasmò, si accalorò. Devo dire che fu sempre un bravo insegnante, di quelli che restano nel cuore degli studenti. Ma, si sa, i figli sono un'altra cosa: non ascoltano. Virò il mouse, cliccò con precisione mostrandoci come avremmo potuto collegarci a Internet, aprirci al mondo. Ci scrisse username, password, numero ISP su un foglietto: una trafila. Noi muti, glaciali, resistemmo là dentro forse dieci minuti.

Quindi tentò con l'altra sua grande passione: gli uccelli. Avremmo potuto assistere allo spettacolo straordinario di gheppi in volo e fratini in amore al Parco naturale di San Quintino, svegliandoci all'alba muniti dei giusti scarponcini e di un binocolo adeguato. Stroncammo sul nascere il progetto uscendo direttamente dalla stanza.

Mamma era cambiata, non ci guardava più come prima. Era presa da lui, dal mare, dall'euforia per la ritrovata libertà.

«Hai un sacco di arretrati» diceva a papà ridendo, senza rancore, e ci smollava. Un paio d'ore, la mattinata intera. Poi tornava per l'una con le mani cariche di acquisti, i capelli pieni di sabbia, addirittura una volta i pantaloncini macchiati di verde come se si fosse rotolata in un prato e, immancabilmente, trovava il tavolo apparecchiato, l'ex marito ai fornelli, i figli piazzati davanti al televisore. Lividi come due cere.

In nostra presenza non si baciavano mai, non si sfioravano quasi. Ma era tutto evidente. Due che avevano così pochi argomenti dovevano per forza riversare su altro. La loro camera era l'ultima in fondo, la più lontana dalle nostre. Mamma adesso in bagno chiudeva a chiave la porta, non ci faceva più entrare. Era sempre profumata, truccata, pettinata. Si stava separando da noi, perché quel "noi" adesso non esisteva più. Esisteva il "loro".

Ma torniamo alla domanda iniziale: "Allora può rifiorire il deserto del mare?". La risposta a trentatré anni la so ed è no.

*

La prima avvisaglia che l'idillio tra mamma e papà fosse destinato a finire emerse la notte di Ferragosto, quella in cui conobbi Beatrice. Più che di un'avvisaglia, però, si trattò di un rombo spaventoso, assordante, del genere che precede, in certe zone costiere, lo tsunami.

In quell'occasione non insistettero per farci uscire con loro, lo imposero: saremmo andati a cena tutti e quattro in un ristorante chic con la terrazza sul mare. Papà aveva prenotato un mese prima per trovare un tavolo. «Quindi ci vestiremo bene, aspetteremo i fuochi d'artificio e ci divertiremo un mondo.» Mamma lo disse con il tono dell'ultimatum e la faccia che assicurava sberle.

Ho sempre odiato le feste. Non mi sento originale, so che qualsiasi famiglia non dico disastrata o incrinata, ma normale, viene messa in croce da questo tipo di giornate. Già i Natali erano sempre stati per noi un calvario: papà che citofonava a Biella impacciato, fuori luogo, con il panettone in mano, lo sforzo logorante di dirci qualcosa.

Ferragosto era un po' lo stesso con le aggravanti del caldo e di T. In più mamma, ora che giocava alla moglie, si prodigava in preparativi. Mentre prima di festeggiare non le importava niente, anzi: appena il pranzo finiva e papà se ne andava era felicissima d'infilarsi la tuta, lasciare la cucina in confusione e cantare con noi sul divano Manu Chao. Adesso invece portò me e se stessa dal parrucchiere.

«Un taglio punk a tutte e due» se ne uscì.

«Mi scusi?» domandò l'uomo, il titolare.

Non era Enzo, sarei entrata molto tempo dopo nel suo salone "super in" – come scriverebbe Beatrice – che costava un accidenti, e ti offrivano persino il caffè durante la tinta. No, il negozio dove mi portò mamma era spartano, immagini sbiadite

93

di tagli fuori moda e signore di una certa età ad aspettare sotto i caschi per l'asciugatura.

«Corti e sbarazzini» tradusse mamma, «l'importante è che ci faccia uguali, me e mia figlia.»

Sedute accanto, ci davamo la mano. Una piccola parentesi di felicità, debole e illusoria. Lo specchio rifletteva due immagini somiglianti: due carote. Mamma mi strizzava l'occhio e sorrideva mentre due ragazze con le forbici davano un taglio netto alle nostre ciocche; il suo potere era tale, quando eravamo solo noi e lei mi voleva bene, che io dimenticavo la possibilità di un ragazzo, di un amore, del futuro, di leggere e scrivere; desideravo solo tornare bambina.

I maschi di casa ci accolsero con un «Wow!» al nostro rientro, per una volta concordi, affiatati. E subito papà si entusiasmò cercando lo sguardo di mio fratello, e mio fratello si vergognò voltandosi dall'altra parte. Fatto sta che eravamo carine, mamma e io.

Avevamo persino fatto shopping. In profumeria, in merceria, infine in una catena di abbigliamento: stock di mutande, reggiseni, decine di abiti nuovi per una vita nuova. Con la carta di credito di papà, mamma faceva tenerezza. Continuavamo a entrare, per abitudine, solo in catene economiche. Ma a T mamma si eccitava, s'imbizzarriva, pretendeva che io provassi dei sandalini con il tacco e dei tubini da vamp neri, argentati, dorati che non sarebbero stati bene neppure a Beatrice, universalmente nota perché a lei sta bene tutto.

La sera di Ferragosto alle 20 eravamo pronti. È una vera fortuna che non esista una foto di famiglia di quell'istante: più che per una cena, sembravamo conciati per Carnevale. Mamma, nel suo lungo abito rosa evidenziatore, non avrebbe sfigurato a un matrimonio nei Balcani. Papà, strizzato in completo e camicia, non sembrava più lui. Su insistenza di mamma aveva addirittura portato la Passat all'autolavaggio. Niccolò era ancora Niccolò: se gli avessero detto anche come vestirsi, saremmo finiti in un trafiletto di cronaca nera. E io, cristo santo, indossavo sul serio un tubino dorato con spacco e scollatura.

In viaggio verso il ristorante pregai di non incrociare Lorenzo, che non mi vedesse in quelle condizioni.

Non lo sapevamo, che stavamo andando a sbattere. Papà guidava con prudenza, ligio ai limiti di velocità. Eravamo come un grosso ordigno bellico sotterrato: saremmo saltati? Sì, no. Ascoltammo *Basket Case*. Ne ricordo alcuni versi profetici: *"Grasping to control / So I better hold on"*. Mamma canticchiava, papà tentava di cogliere in quella musica aspetti positivi, lui che amava solo Mozart. Le strade erano congestionate, le spiagge punteggiate di falò e ragazzi in cerchio a passarsi le canne in attesa del bagno di mezzanotte. Dai finestrini entravano scirocco ed elettricità. Ero riuscita a dire no ai tacchi, a tenermi i miei anfibi. Niccolò mi stringeva la mano per sfogare il nervoso. Avevamo già viaggiato con mamma e papà davanti e noi dietro? Mai.

*

Un giorno le verrà in mente d'ingaggiare qualcuno che rediga la sua biografia – parlo di Beatrice. Di certo non chiederà a me: non ci rivolgiamo la parola da più di tredici anni. Nemmeno io mi sognerei di accettare: me lo ricordo bene il nostro ultimo litigio, quello definitivo. Però so, al mondo, che sarei l'unica in grado di scrivere quel libro.

Varcammo la soglia del ristorante La Sirena tutti e quattro insieme, quel Ferragosto, intimiditi, ma forti della nostra prenotazione. Attraversammo la sala interna già piena e raggiungemmo la terrazza sul mare, effettivamente scenografica.

Le stelle tremolavano riflesse sull'acqua; il moto calmo delle onde, oltre al brusio dei commensali, era l'unico sottofondo; ogni tavolo era apparecchiato con tovaglie di fiandra e posate d'argento; sopra le nostre teste solo la volta notturna del cielo e suggestive lanterne di carta pendenti da una pergola. Mamma andò in visibilio, Niccolò ne fu disgustato. A impressionare me invece fu la ragazza dagli straordinari capelli lucenti, castano chiaro con le punte d'oro, e gli occhi smeraldo, il vestito bianco da cresima, circondata da una famiglia perfetta.

Perché mi colpì? Possibile che in un ristorante gremito fino all'ultima sedia il solo volto su cui mi soffermai fu il suo? Avevo letto tanto, migliaia di descrizioni di personaggi invisibili e leggendari mi erano servite a riconoscere lei. Che era magica, senza ombra di dubbio: il suo sguardo irradiava il potere degli incantesimi, il suo sorriso stregava. E io la scelsi, all'istante.

Rimasi a fissarla non so per quanto tempo, mentre i miei genitori aspettavano che qualcuno ci conducesse al nostro tavolo e i camerieri sembravano aver premure solo per loro: madre, padre e i tre figli accomodati alla tavola al centro, l'unica rotonda, distanziata rispetto agli altri, con la vista migliore, un profluvio di fiori, lo spumante nel ghiaccio.

Ginevra dell'Osservanza era elegante ma sobria: in nero, accollata. I capelli raccolti in una fine pettinatura. Esagerata solo coi gioielli: diamanti al collo, alle orecchie, alle dita, ai polsi. Gareggiava con le principesse di Monaco e le mogli dei presidenti che avevo visto sfogliando "Novella 2000" dal parrucchiere. Riccardo Rossetti, poi, aveva proprio la posa dell'uomo vincente. Spalle diritte, la mano piegata a sostenere il mento mentre accoglieva le confidenze dei figli. Cravatta e camicia indossati con levità, senza quel senso di costrizione che vedevo in mio padre. Sorridevano consapevoli di essere osservati, orgogliosi della loro prole. Il minore aveva lo stesso caschetto biondo del Piccolo Lord. La maggiore riprendeva il fratellino se si sporcava, ma con grazia; anche lei impeccabile nei vestiti e nel trucco – unica trasgressione: un brillantino sulla narice destra. Infine Beatrice, acerba e ancora in potenza. Ma chiunque oggi spenda malignità, alludendo che sia rifatta, avrebbe dovuto esserci quella sera.

Se fosse realtà o finzione, la sua famiglia, lo avrei scoperto dopo. In quel momento restai incantata da tanta bellezza. "Invidiateci" parevano dire, con le effusioni, l'allegria. I figli scherzavano coi genitori, i genitori coi figli, erano tutti amici a quel tavolo.

Quando mi sedetti con i miei al nostro: laterale, quadrato, senza fiori, ci osservai dall'esterno, guardai di nuovo i Rossetti e il paragone fu così impietoso che mi umiliò. Non avevamo niente da dirci, noi, eravamo brutti. Papà lo conoscevamo appena, mamma non faceva che prendere in mano il tovagliolo, la forchetta, esultando come una bambina. Eravamo sbagliati: dentro, alla radice. Anche fuori: dei pagliacci. Mi uscivano le cosce da quel vestito, mi tenevo una mano sulla scollatura per coprirmi. E poi.

Era tutto troppo, là: i prezzi sul menu, le portate, il pianobar a metà serata. Non eravamo abituati. Credo che anche mamma, papà e Niccolò si sentissero in difetto, sotto pressione. Forse fu questo a fregarci.

Cenai con gli occhi puntati sulla ragazza favolosa. Quanti anni hai?, le chiesi in silenzio. Dove vai a scuola? Cosa leggi? Sei mai triste? La pregavo di distrarmi, di salvarmi mentre tutto al mio tavolo precipitava.

Mamma esagerò col vino, è un fatto. Un altro è che Niccolò subito dopo l'antipasto si alzò e rimase chiuso un'eternità nel bagno. Fu allora che iniziammo a destare l'attenzione degli altri: quando mamma prese a ridere sguaiata, a gridare aneddoti imbarazzanti, e Niccolò tornò dalla toilette cereo, barcollante.

Papà si rese conto.

«Amore, non bere più per cortesia» le disse con calma.

«Lasciami divertire» protestò mamma, «per una volta.»

Quando Niccolò si fu seduto, papà si rivolse anche a lui: «Sono seriamente preoccupato».

Siccome mio fratello non reagiva, papà tornò a interpellare mamma: «Annabella, mi avevi parlato di qualche canna, a me pare che la situazione stia degenerando e occorra rivolgersi a uno specialista».

Alla parola "specialista" mamma e Niccolò si riebbero all'unisono e scoppiarono a ridere. Sganasciandosi, piegandosi in due. L'intera sala ci osservava, adesso. Papà diventò pallido. Nel mio stomaco, contro lo sterno, sentivo l'ansia montare. Non mangiavo più, nessuno di noi mangiava più. Solo mamma continuava a bere.

«Non credo ci sia molto da ridere.» Papà tentò di riportare l'ordine. «La droga ha ripercussioni gravi, inficia le capacità cognitive» alzò di un tono la voce. «Niccolò sta compromettendo il suo futuro e tu me lo hai tenuto nascosto.»

Mamma si ricompose, si sforzò di replicare qualcosa all'altezza. La vidi rimestare nel suo cervello alla ricerca di un senso, una direzione, un significante anche vuoto, purché suonasse italiano. S'impegnò, ma riuscì solo a esplodere in un'altra risata. «Paolo, quanto sei noioso. È un adolescente, è *sano* trasgredire alla sua età!»

«E alla tua, invece?» Un antico rancore, da una zona remota, tenuto sotto chiave, rifluì in superficie e prese il sopravvento. «Lo sei sempre stata: incosciente, egoista, immatura, da che ho memoria. Ma adesso hai quarantadue anni, Anna.»

«Eddài, andiamo a fare l'amore da qualche parte.» Mamma si guardò intorno come se davvero cercasse un posto. Gli fece l'occhiolino: «Così ti passa il nervoso».

Papà, anziché lei, guardò me. Serio, imbarazzato. Io credo di essere riuscita a stento a trattenere le lacrime. Ci assomigliavamo, sì. Eravamo gli unici sobri a quel tavolo, i più soli. o e 1, mi avrebbe insegnato d'inverno, quando a T saremmo rimasti io e lui, sono le basi della rivoluzione digitale. Un vuoto, un pieno. Non ci sei, ci sei. Puoi contare su di me, non puoi contarci. Mamma e Niccolò erano fatti così: uno zero, una mancanza, una delusione conficcati nella mia anima. Non solo questo, ma anche: *anche*.

«Credo sia meglio andare» concluse papà.

«Perché? Siamo solo al secondo. Io voglio vederli, i fuochi.»

«Niccolò ha bisogno di una bella dormita, se non di un passaggio al pronto soccorso.»

«Ma va', se sta benissimo!»

Era collassato su se stesso, mio fratello, presente a tratti. Farneticava. Mamma non riusciva a non urlare, gesticolare, dare spettacolo. Ci guardavano ancora tutti, più intensamente. Compresa la famiglia perfetta al tavolo centrale che si era voltata, con garbo, a compatire quella infelice, crollata: la mia.

«Ti ho lasciato rovinare i miei figli.» Anche papà perse il controllo. «Mi sarei dovuto opporre alla decisione del tribunale: sei incapace di badare a te stessa, figuriamoci agli altri. Rivedrò tutti gli accordi» la minacciò con rabbia, «t'impedirò di fare scempio almeno di lei» e indicò me.

Ne fui certa: era colpa mia.

«Allora perché mi hai detto che mi amavi?» Mamma scoppiò in lacrime. «Che non mi avevi dimenticata, che...» Non riuscì a finire la frase. «Stronzo!»

«L'amore è responsabilità. Ma guardali, guarda come li hai ridotti.»

Tra i fumi dell'alcol mamma c'individuò. Prima Niccolò, poi me. Il suo sguardo mi fece male. Cosa c'era dentro? Niente. Ma se si fosse trattato solo di niente sarebbe stato meglio. Invece c'era anche affetto, il suo amore, che si era manifestato in modo imprevedibile, altalenante, anarchico, esagerato, ma responsabile no: questo mai.

La vidi racimolare i pensieri, le energie, mettersi a posto i capelli.

«E tu dov'eri?» gli rinfacciò col trucco pesto, il vestito macchiato di pianto nero. «Ti lamenti del risultato, non ti piace? Ma cosa hai fatto tu? *Io* gli ho dato da mangiare, *io* li ho portati a scuola, *io* gli ho messo il termometro nel sedere, *io* me li sono smazzati il sabato e la domenica. Li ho baciati li ho presi a sberle li ho sopportati li ho amati. Tu hai fatto solo carriera all'università, bastardo.»

Papà restò rigido con il tovagliolo in mano. Lo strinse fino a stritolarlo. Distinsi sul suo volto il senso di colpa, d'ingiustizia, d'impotenza. Fece per aprire bocca e difendersi, ma in quel momento arrivò un cameriere a chiederci, a disagio: «Tutto bene, signori?».

Mi alzai di scatto rovesciando la sedia. Piangendo, con quel vestito che m'intralciava e mi faceva inciampare sotto lo sguardo pietoso dei presenti – in realtà non lo so, perché mi coprivo la faccia per la vergogna –, corsi fuori.

I figli. Presi una direzione a caso del lungomare in cerca di un nascondiglio. La colpa è sempre dei figli. Volevo calarmi in una buca e sparire. Scavalcai un muretto, finii in spiaggia, in un tratto buio e deserto, lontano dalle chitarre, dai falò, dalla felicità degli altri.

Mi sedetti sulla sabbia, mi abbracciai le ginocchia singhiozzando. Perché i genitori, senza i figli, forse non litigherebbero mai, non si lascerebbero.

Volevo morire. Con lucidità e ragione. Nessuno può farcela senza una famiglia e io non ce l'avevo, non la meritavo. Non vedevo alcun futuro davanti a me, eccetto il mare.

Immergermi come Virginia Woolf, fu questo il pensiero. Tornare indietro, non camminare, non parlare più, a ritroso, non respirare, non nascere, rimanere dentro, incagliata sul fondo dell'acqua.

Ma sentii una mano posarsi sulla mia spalla.

*

Era lei.

Quando sollevai la testa e la vidi, rimasi sconvolta. Un vecchio insonne, un malintenzionato, papà venuto a cercarmi, avrei potuto aspettarmeli. Ma la ragazza del tavolo al centro no.

«Non piangere» mi disse con un sorriso dolce e bianco, due buchini al centro delle guance che veniva subito voglia di avvicinare un dito e passarcelo su: scomparivano, ricomparivano appena lei muoveva le labbra. La luna la inargentava. Si era staccata dal suo pianeta per venire a conoscere il mio.

«Faranno pace» mi rassicurò, mentendo.

Si tolse i sandali, mi si sedette accanto infilando i piedi nudi, le unghie laccate di rosso, dentro la sabbia. Avevo freddo. Lei se ne accorse e mi prese una mano tra le sue.

Come mai?, le chiesi in silenzio. Hai lasciato la tua famiglia bellissima per raggiungere me in quest'angolo buio? Non ha senso.

«Ti capisco» mi rispose. «I miei non farebbero mai una scenata simile in giro, ma a casa: prima chiudono tutte le finestre, poi non hai idea di quello che succede.»

«Però, se in pubblico non litigano» replicai, «è già qualcosa.»

«Perché, io e miei fratelli non siamo un pubblico? Davanti a noi si dicono troia, puttaniere, si graffiano, e non gli importa niente che li vediamo. Ma degli altri, oh, gliene importa da morire.»

Aveva i capelli raccolti in una coda di cavallo, due smeraldi le pendevano dai lobi, uguali agli occhi: nel buio li vedevo scintillare. La sua espressione conteneva un segreto. Un istante pareva triste, l'istante dopo trionfale.

«Tu puoi uscire senza che tutti ti giudichino al primo sguardo come la figlia di due matti» mi sfogai, «non ti devi vergognare sempre: all'Autogrill, al ristorante. Sei libera.»

«Io faccio finta.»

Mi suonò giusto: darsi un tono, nascondere le burrasche che si hanno dentro. Sembrare migliori e chi se ne frega della verità.

«Non sai cos'avrei dato, prima, per essere seduta al tuo posto» le confessai, «per scambiare la mia vita con la tua.»

«Sì? Così poi li sentivi, i ceffoni di mia madre.» Ridendo si toccò una guancia. «Una volta mi ha fatto un livido qui, poi mi ha dovuto stendere sia il correttore che il fondotinta. Ero in quarta elementare. La maestra mi ha vista truccata e mi ha sgridato: "Ti sembra Carnevale? Vai a lavarti subito la faccia!". Ma se me la lavavo, era peggio.»

«Come hai fatto?»

«Ho provato a scappare.»

«Da scuola?»

«Sì, ma era impossibile. Allora ho chiamato mia mamma dal telefono dei bidelli e le ho detto di venirmi a prendere. Lei mi ha comprato una Barbie.»

Mi colpì non tanto l'episodio, quanto il tono: limpido, senza un filo di rancore.

«Anche la mia passa da un estremo all'altro.» Mi voltai per mostrarle una cicatrice dietro la schiena di tanto tempo prima.

«È un bel tatuaggio» commentò lei.

Come potessimo parlarci così senza conoscerci, non so. Forse accade a tutti gli adolescenti di scostarsi i vestiti per confrontare le ferite inferte dalle proprie madri e vantarsene.

«Sarà pazza, però è simpatica» mi fece divertita. «Sai cos'ha detto mia mamma a mio papà quando siete arrivati? "Richi"» la scimmiottò, «"ci sono gli zingari perfino qui."» Scoppiammo a ridere. «Anche tuo fratello è buffo. Vi ho osservati per tutta la cena. Non avevo mai visto un drogato dal vivo.»

«Tu hai osservato noi?»

«Quando non ci spiavi tu, vi spiavo io.»

Il mare di fronte era nero e denso come petrolio. In lontananza, i ragazzi grandi si spogliavano e prendevano la rincorsa per tuffarsi. Nudi, si baciavano in acqua coi capelli bagnati. Era agosto: il cielo inondava "d'un pianto di stelle" noi due.

«Tu sei bella» le dissi d'istinto.

«Anche tu, però hai un vestito bruttissimo!»

Scoppiò a ridere di nuovo, entusiasta.

Non volevo più morire.

«Abbracciami» le chiesi.

E oggi mi domando come sia stato possibile che abbia preso un'iniziativa del genere. Io, che non mi ero mai lasciata sfiorare da nessuno che non fosse mia madre o mio fratello, almeno a Biella, e avevo il terrore del contatto fisico. Invece a T mi era venuta voglia di crescere.

Il fatto è che Beatrice era una creatura fatata, e io – come l'orfanella protagonista di un romanzo – lo avevo capito. Proveniva da una favola, era scesa sulla Terra per salvarmi. Toccami, pensai, esaudisci i miei desideri. Lei allargò le braccia, le gambe, come a dire: "Vieni qui". Ci andai. Mi rintanai. Lei si richiuse intorno a me, mi strinse. Appoggiò il mento sulla mia spalla e propose: «Aspettiamo una stella cadente».

Rimanemmo lì per dieci minuti, forse un quarto d'ora: in silenzio, attente. Poi un puntino cadde davvero, la vampa di un fiammifero nell'universo, che in un attimo si spense. Entrambe sussultammo, chiudemmo gli occhi pensando forte, li riaprimmo una dopo l'altra gridando: «Fatto!». Non so quale desiderio abbia espresso lei, ma io, visto che non si è avverato, lo posso rivelare: che diventassimo amiche, per sempre.

Fu una parentesi. Come tutte le epifanie, i doni insperati, le sorprese, durò un soffio. Quando dall'estremità della scogliera cominciarono a sparare i fuochi, lei si alzò e disse che doveva andare.

«Come ti chiami?» le domandai, più per trattenerla che per sapere.

«Beatrice. Tu?»

«Elisa.»

«Ci ritroveremo, Elisa, te lo prometto.»

Invece sparì, com'era sparito Lorenzo.

Tornò nel suo luminoso pianeta, non la rividi più.

Fino al 18 settembre.

8

Stella variabile

"Variabile": mutevole, instabile, incostante.

Il primo giorno nella nuova scuola fu terribile. Per l'ansia non dormivo da una settimana. Anche se mamma e Niccolò abitavano ancora a T e non sospettavo potessero lasciarmi di lì a un mese, la vita a casa si era ormai deteriorata. Mamma e papà bisticciavano e basta. Non più in grande con sceneggiate e urla, ma di sbieco, a basso consumo: frecciatine, sospiri, veleni. Io ero gelosa. Non di papà ma di Niccolò, del fatto che lui potesse rimanere sul divano insieme a lei tutto il tempo, mentre io ero obbligata a uscire e affrontare il minaccioso mondo degli adolescenti di T.

Arrivai angosciata in piazza Marina il 18 settembre, certa di essere riconosciuta e bollata fin dal principio. Difatti fu così: varcai la soglia del Pascoli e subito un ragazzino alto due metri con tre peli di barba sul mento si piegò in due dalle risate. «Che scarpe c'ha quella!» indicando agli amici i miei anfibi viola di quattro numeri più grandi. Cercai la mia classe attraversando i corridoi a testa bassa, scansando gli sguardi altrui. Quando la trovai e presi posto – un banco neutrale, né davanti né in fondo – nessuno venne a sedersi vicino a me.

I miei compagni entravano e si conoscevano da una vita. Perché avevano fatto le medie insieme, danza insieme, nuoto insieme, l'asilo insieme. E io niente, avevo la maglietta dei Misfits. Si salutavano, si abbracciavano, sogghignavano: «Ma chi è?». Ricordai: *"Perdido en el corazón / De la grande Babylon / Me dicen el clandestino"*. Entrerà un altro straniero? Pregavo. Uno ancora più diverso, più sfigato, che potessero prendere in giro al mio posto.

Invece vidi entrare Beatrice.

Beatrice!

D'istinto sorrisi, le corsi incontro.

«Ciao» le dissi fermandomi a un passo da lei, emozionata.

E lei fece finta di niente.

Mi guardò: come se non mi avesse mai incontrata, mai raccontato di sua madre, del livido, mai abbracciata. Passò oltre dandomi le spalle. Salutò le compagne che già conosceva con tre bacini sulle guance e andò a sedersi al banco opposto al mio.

"Variabile": incerta, lunatica, capricciosa. No, stronza.

Era solo l'inizio, la prima delle mille angherie a cui mi avrebbe sottoposta. La stella variabile è tale perché è nera. Ha un lato opaco, spento. È già morta, sta per collassare. Ma intanto brilla, brilla. Perché l'altro lato è così luminoso che abbaglia, raggira. Io li conosco bene, entrambi.

Due mesi dopo, quando arrivò a minacciarmi pur di nascondere quella lettera sotto il banco di Lorenzo, mi sentii tradita così in profondità, gratuitamente, che pensai sul serio di rompere ogni rapporto. Appena la campanella dell'una e venti suonò, mi alzai in modo brusco, mi vestii, riempii lo zaino in fretta e uscii senza salutarla.

Lei mi raggiunse. Mi affiancò. Negare era il suo metodo. Sorridendo mi chiese: «Allora, oggi vengo da te a studiare?».

Cancellare. Glissare. Compiva un misfatto e lo sottraeva alla storia. Restava un buco. Lo riempiva subito con una bella proposta.

«Non ci sono mai stata a casa tua, prepariamo la verifica di latino?»

La solitudine, i fantasmi, la paghetta buttata nel serbatoio del Quartz per non andare da nessuna parte o l'ennesima rilettura di Sereni mi parvero meglio, più sicuri. Ma potevo tornare indietro?

Ero stufa di vivere nei libri.

*

Papà bevve l'ultimo sorso di caffè, afferrò il telecomando e interruppe Britney Spears che cantava: *Oops!... I Did It Again*.

Fasciata da una tuta rossa di latex, il seno strizzatissimo, le labbra provocanti: aveva solo cinque anni più di me. E io fingevo, mescolando lo yogurt, di aspettare che arrivassero i punk, i metallari, la gente seria, ma intanto ne studiavo gli ammiccamenti, le allusioni, realizzavo che si poteva essere anche così dentro un corpo femminile. Poi papà fece irruzione nei miei pensieri dicendo: «Dovrò fare un salto in pasticceria».

Lo guardai senza capire, scocciata per la drasticità dei suoi orari in fatto di televisione.

«Farvi trovare dei biscotti, magari qualcosa di salato.»

Compresi e avvampai come una miccia: «Non è una festa di compleanno per bambini, Paolo». Lo chiamai "Paolo". Il tono intriso di una tale cattiveria e volontà di soffocare gli entusiasmi, avvilire, fare male, che lasciava intendere anche il resto. Non ci sei mai stato ai miei compleanni, cosa vuoi: rimediare ora? È un po' tardi.

Lui, compassato come sempre, obiettò: «Dovrete pur fare merenda. A studiare viene fame».

Mi ricordò la mamma di un compagno delle elementari. La sua vita era un disastro: senza lavoro, divorziata, suo figlio menava tutti, eppure non aspettava che una festa per industriarsi. Era convinta che a forza di farcire torte, infilzare tartine con gli stuzzicadenti, gonfiare palloncini, avrebbe livellato le voragini.

«Perché non te ne torni all'università?» gli chiesi con astio.

«Ci tornerò, Elisa» depose il cucchiaino, «intendevo solo comprare qualche pizzetta, non aggredirmi.»

Mamma non portava un tubo, manco i tovaglioli. Dimenticava i soldi per farmi partecipare alle gite, ce li mettevano le maestre. Era onesta: aveva altro a cui pensare. Invece quella donna era sempre lì a scalpitare per salire sul podio di tutte le madri. E lui era uguale.

«Credi che Beatrice le mangi, le tue pizzette? Non ingurgita niente, neanche una mela.»

«Va bene, ha qualche intolleranza?»

«Non può ingrassare!» gridai rovesciando lo yogurt.

Papà arcuò un sopracciglio dietro le lenti degli occhiali: il limite era stato oltrepassato. Si alzò, posò la tazzina nel lavandino, la riempì d'acqua fino all'orlo affinché i residui di zucchero non la incrostassero. Arrabbiati, lo pregai in silenzio, litighiamo. Invece si asciugò le mani nello strofinaccio. «Vado comunque a fare un po' di spesa. La cucina puoi sistemarla tu, per una volta.»

Non avevo mai mosso un dito: nella casa di Biella perché vi regnava il caos e in quella di T perché aveva sempre sbrigato le faccende lui. Osservai la chiazza di yogurt sulla tovaglia, il lavello pieno e la lavastoviglie, oggetto sconosciuto. Proprio oggi, pensai. Chiusi gli occhi per domare l'incendio che mi divampava in corpo.

Lo sentii uscire chiudendo la porta più forte del solito. Ti ho aggredito, è vero, ma tu lo sai?, gli chiesi guardandolo oltre le tende mentre attraversava il parcheggio, l'andatura goffa di chi è alto un metro e novanta e non ci si è mai abituato; saliva sulla Passat chinandosi un bel po' per non battere la testa; era un uomo normale, persino ingenuo. No papà, tu non lo sai che a una festa di Carnevale erano tutti mascherati tranne me, e la madre di De Rossi mi ha guardata, ha increspato la faccia in preda a una falsa compassione, e a voce alta ha detto: "Certe donne, i figli, non li dovrebbero fare".

Tu non c'eri.

Mi decisi. Riempii il lavello d'acqua e detersivo, lasciai che i piatti si lavassero da soli. Afferrai la scopa, cacciai le briciole nella fessura sotto la dispensa. La tovaglia la scossi dal balcone sul cofano di un'auto e la appallottolai in un angolo. Andai a sedermi per terra, a gambe incrociate davanti alla porta d'ingresso, in attesa che Beatrice suonasse e varcasse la soglia esclamando: "Oh, che tristezza qui!".

Udii il motore del suo SR arrivare, spegnersi. Poco dopo il citofono mi fece sobbalzare. Finsi di non essere in casa. Ma c'era il Quartz parcheggiato là davanti, in bella vista. Bea mica la fregavi: insisteva. Allora le aprii. Lei comparve sul pianerottolo in calze a rete, minigonna e ombelico scoperto il 20 di novembre. Calpestò lo zerbino. Sollevò lo sguardo alle pareti dell'ingresso con stupore: «Quanti libri!».

Un pregio che avevo apprezzato persino io dopo il lungo viaggio da Biella. Le librerie erano ovunque, anche in cucina e in bagno, i volumi sfioravano il soffitto. Beatrice si avvicinò incuriosita agli scaffali: «A casa mia abbiamo *Il nome della rosa*, Oriana Fallaci e un altro che non mi ricordo». Si affacciò in salotto: «Ma anche qui è pieno! Ma di chi sono?».

«Tutti suoi.»

Andò a sbirciare in cucina: «Non ci credo!». Pareva divertita. «*Suoi* di chi? Del tossico?» Infilò la testa in camera mia, poi in quella che, per poco più di tre mesi, era stata la stanza di Niccolò. Insaziabile: «E qui cosa c'è?».

«No, lì non aprire, è lo studio di mio padre.»

Beatrice spalancò subito e accese la luce.

«Wow.» Rimase esterrefatta.

Il primo incontro tra lei e il PC fu, come prevedibile con il senno di poi, una folgorazione. I libri la facevano ridere, l'assemblato con processore Pentium 3 le impose all'istante ammirazione e rispetto.

«Questo è un computer, non quello di mio padre.»

«Be', il mio ci lavora.»

«Sì, anche il mio.»

«No» corressi con un guizzo d'incontrollabile fierezza nella voce, «intendevo dire che il suo lavoro è proprio l'informatica. È un ingegnere del software, insegna all'università.»

«Davvero?» Beatrice si voltò a guardarmi con interesse.

Era la prima volta che provavo orgoglio anziché vergogna per un membro della mia famiglia. Peccato si trattasse della stessa persona a cui addebitavo ogni colpa.

«Me lo vorrei far regalare, mi piacerebbe un sacco averne uno.»

«E poi cosa ci fai?» le chiesi scettica.

Bea rimase in silenzio: non lo sapeva.

«Accendiamolo» m'invitò con eccitazione.

«No, no.» Provai a mettermi di traverso tra lei e la macchina.

Bea mi scansò, si sedette alla scrivania di mio padre. Studiò la tastiera accarezzandone i tasti. Come se mi stesse proponendo i Caraibi o la luna, mi incitò: «Dài, andiamo su Internet!».

«Piantala» le risposi seccata. Provavo un'autentica avversione per quel cassone grigio, e m'innervosiva che lei ne fosse tutta presa.

Beatrice premette l'indice sul tasto di accensione. Con pachidermica lentezza il PC si mise in moto. Lo schermo da nero passò alla luce e, con mio stupore, i pixel si coagularono in un primo piano di mia madre: sfocato, al mare, i capelli sparpagliati dal vento sulle spalle nude. Era in topless? «Spegnilo!»

Bea indicò le lentiggini sul viso di mamma. «Ecco cosa posso farci, metterci dentro le foto: non sbiadiscono nel computer.»

Armeggiò alla cieca col cursore. Il suo istinto, o la predestinazione, la condusse subito sulla E di Explorer. Ce lo avevano spiegato, a scuola, a cosa serviva Internet: un professore di chimica che ne sapeva ancora meno di me, e nessuno lo aveva capito.

Beatrice cliccò due volte. Comparve una maschera per inserire il nome utente e la parola segreta. «Dimmi che ce li hai, Eli, ti prego!»

«Oh, quel foglietto, chissà dov'è finito…»

«Trovalo, trovalo!»

Mi pregava. Impaziente, come ne andasse della sua stessa vita. E, in effetti, anche se nessuna delle due lo sapeva, era proprio così.

Scocciata, mi alzai a cercare le istruzioni che papà aveva scritto a me e a Niccolò su un post-it mesi prima, con poche probabilità di trovarlo, o almeno era quel che speravo. Invece stava proprio lì davanti, appiccicato a una mensola.

Lo lessi: «Ghiandaia, questo è lo username. Marina, la password. Il numero, 056…».

Bea terminò di scrivere, inviò il comando e di colpo il modem prese vita, illuminandosi di rosso, di verde in tutte le spie, emettendo un impasto di suoni spaventosi, simili a una tubatura che venga sgorgata, al fax malfunzionante del tabacchino dietro la scuola, al decollo di un missile, e un *bee bee beep* che ci fece sobbalzare.

Il tutto durò trenta secondi, poi silenzio. "Sei connesso" apparve sullo schermo. Sul volto di Beatrice emerse un sorriso che era come un bagliore venuto dalle profondità di lei stessa, una segreta consapevolezza. Lo ripeto: era il 2000, abitavamo a T, mio padre era uno dei pochi ad avere in casa una connessione 56k. Lui e altri quattro gatti dell'università costruivano siti web che solo loro visitavano. Sono passati diciannove anni, l'altro ieri, ma è come se dicessi: tombe etrusche. Ricordo che considerai l'homepage di Virgilio come si guarda il fumetto manga di un compagno di classe emarginato, con un senso di superiorità infinito e la spocchia di chi legge Sandro Penna a quattordici anni. Non sospettavo minimamente di avere di fronte la rivoluzione, l'epoca sul punto di virare, la fine irreparabile di un mondo.

Bea invece, quel pomeriggio a casa mia, flirtò subito con la Storia. La intuì, se la prese.

*

«Bene, andiamo a studiare» le strappai il mouse dalle mani e affondai l'indice sul pulsante di spegnimento come se dovessi sprofondarlo sottoterra. Perché, mi chiedevo, se si erano lasciati così male, papà teneva ancora la foto di mamma davanti agli occhi ogni giorno? Spostai la sedia, costrinsi Beatrice ad alzarsi con la forza.

«Ehi, ho capito» sollevò le mani in segno di resa, «ma dovrò chiedere a tuo padre d'insegnarmi. Il mio, figurati, se torna dall'ufficio alle dieci di sera per lui è presto.»

«Fallo, sarà contento. Io e mio fratello siamo scappati ogni volta che ci ha provato.»

«Tuo fratello» Bea fece un sorrisetto, «dov'è?» Si voltò a destra e a sinistra accorgendosene, finalmente. «Dove sono tutti?»

L'assenza, come un demone evocato, rimbombò dal fondo di ogni stanza. «Se ne sono andati» risposi. Spensi la luce nello studio di papà, aspettai che lei uscisse per chiudere la porta.

«In che senso?»

«Mio padre è a comprarci la merenda. Mia madre e Niccolò sono tornati a vivere a Biella.»

Beatrice mi guardò ma non disse nulla. Gliene fui grata. Raccolse lo zaino lasciato in corridoio, mi seguì in camera, io girai la chiave sovrappensiero, forse immaginai solo di averlo fatto. Avevo appena scagliato nel nostro pomeriggio una sottrazione, troppo grande per essere gestita da due adolescenti. Ci togliemmo le scarpe con imbarazzo, sedemmo a gambe incrociate sul letto, l'una di fronte all'altra, le grammatiche di latino sulle ginocchia.

Bea prese in pugno la situazione: «Cominci tu o comincio io?».

«Tu» le dissi, «vai coi maschili in -ŭs.»

«*Lupus, lupi, lupo*» cantilenò, «*lupum, lupe, lupo.*»

Nessuno lo sa, ma Beatrice Rossetti era metodica nello studio. Matematica, greco, geografia: per lei non faceva differenza. Se doveva prendere 8, lo prendeva. Non ciondolava, non perdeva tempo come me a guardare un albero cercando le parole. Non gestiva un diario, bensì un'agenda: la palestra, l'estetista, il servizio fotografico, la sfilata, dormiva sei ore a notte quando andava bene e la sua media, insieme alla mia, fu sempre la più alta della classe. Ma questo non lo ha detto mai, che era bellissima e secchiona. Perché alla gente non piacciono le contraddizioni. In questo sì che era come me, che ascoltavo Marilyn Manson e leggevo Sereni. Entrambe, in verità, non potevamo piacere.

«*Lupi, luporum, lupis…*»

«Com'è quel platano?» la interruppi.

«Quale?» Mi osservò stranita.

«Quello fuori della finestra. Dammi un aggettivo, uno solo.»

Bea fece una smorfia, poi mi prese sul serio. «Triste» decretò.

Sorrisi: vedevamo il mondo allo stesso modo.

«Ma tu lo hai fatto davvero?» mi freddò subito dopo.

«Che cosa?»

«Il sesso.»

Smisi di sorridere. Quella parola l'avevo usata una volta sola, nella lettera. Ma un conto era scriverla senza sapere cosa significasse, un conto era dirla, ascoltarla, come fosse reale.

«Fammi vedere come sei fatta» mi chiese Beatrice. «Togliti le mutande, ho bisogno di capire se sei uguale a me.»

«Tu sei matta» risposi sconcertata.

«Per favore. Come faccio a sapere se sono sbagliata oppure no? Aiutami. Tu lo sai, lo hai scritto.» Non scherzava. «Ho scattato centinaia di foto in costume, so che effetto faccio. Ma nuda? Si capisce che sono vergine?»

«Non posso.»

«Perché? Siamo amiche. Se facciamo questa cosa, diventiamo migliori amiche. *Migliori*» ripeté. «Vuol dire che *dopo* siamo inseparabili, possiamo dirci tutto, è come un patto di sangue che non si potrà mai sciogliere. *Dopo*.»

Mi fissò. Sempre stata abilissima, Bea, a toccare le corde giuste per venderti qualcosa. La proposta mi allettava, ma quel *dopo* conteneva un prezzo troppo alto. «Come faccio a fidarmi?» Trovai il coraggio. «Stamattina mi hai minacciata.»

«Lorenzo s'innamorerà di te quando leggerà, te lo giuro.»

Ne dubitavo.

«Ascoltami. Non dobbiamo fare niente, solo guardarci.»

Mi alzai. Mi misi in piedi e avvertii l'ingombro del mio corpo, la sua presenza: arcana, rischiosa. Cominciai a slacciarmi i jeans piano, riluttante. Prima il bottone, poi la cerniera. Gliela stavo dando vinta l'ennesima volta. O forse anch'io in fondo, quella cosa lì, la volevo fare.

Beatrice si alzò e si abbassò la minigonna, la tolse. Stando attente a non incrociare i nostri sguardi, compimmo gli stessi gesti. Lei si sfilò i collant, io i calzini. Lei il perizoma, io gli slip. Poi mi prese per mano, come se dovessimo tuffarci da un trampolino altissimo. Mi condusse allo specchio rettangolare mai fissato alla parete, solo appoggiato. Trattenendo il respiro ci affacciammo sul nostro riflesso.

Due chimere. Per metà vestite, educate, composte. Due figlie. E l'altra? Cosa c'era in quell'altra metà?

«Siamo quasi uguali» concluse Beatrice stringendomi la mano più forte. Si voltò verso di me. «Tu l'hai rotto l'imene? Io ho provato da sola, ma non ci sono riuscita.»

«Come hai provato?»

«Con un assorbente interno di mia sorella.»

Che avessimo questo dentro, entrambe, questo luogo ignoto

e sbarrato, questo problema da risolvere senza capirne lo scopo, mi fece precipitare di colpo vicino a lei, vicinissimo.

Stavo per dirglielo, che era possibile. Che avevo mentito nella lettera e avevo tutto da imparare. Che dovevamo allearci e sbarazzarcene, del pudore. Sdraiarci, trovare la posizione, capire come funzionassimo. Ero lì lì per proporglielo quando sentimmo bussare, la maniglia della porta si abbassò di scatto: «È permesso?».

Trasalimmo. Fissai la chiave con terrore. Quella vibrò ma tenne, salvandoci. Ci fiondammo sui vestiti arraffando le mutande, infilandocele al contrario. «Un attimo, un attimo!» gridai a mio padre. Le calze, i jeans alla rinfusa, in preda alla stessa adrenalina di quando eravamo fuggite da Scarlet Rose con il bottino da quattrocentotrentaduemila lire. Era così che mi faceva sentire Beatrice. Figlia di nessuno. Quindi libera. Io.

*

È incredibile, ripensandoci, come si trovarono all'istante quei due.

Ancora oggi mio padre non si stanca di connettersi al web per seguire i successi di Beatrice. E lo capisco: ne è complice. Però si ostina anche a parlarmene ogni volta che lo chiamo, il che mi disturba. Viviamo lontani, abbiamo parecchie faccende importanti da risolvere al telefono – la sua salute, per esempio – ma lui mi finisce sempre lì, su Beatrice. Che ieri era Tokyo, oggi a Londra. Allora io perdo la pazienza, litighiamo, mi tocca ricordargli che non m'interessa un tubo dei suoi viaggi del cavolo, non siamo più amiche, rinfacciargli che una volta lui era tutto letture critiche e approfondimento, mentre adesso si perde dietro al glamour. Ma è meglio se mi calmo e torno a quel giorno.

Quando andai ad aprirgli, e papà poté sporgersi oltre la porta con le buste della spesa, quel che vide fu Bea scarmigliata con la gonna alla rovescia, due metri di gambe avvolte in reti sottili, e forse ne fu turbato, forse sorpreso. Con calore le disse una bugia: «Elisa mi ha parlato tanto di te, benvenuta».

«Salve» gli rispose lei civettuola, «sa che i computer m'interessano molto? Mi farebbe un corso?»

«Quando vuoi!» Papà alzò le sporte trionfale. «Intanto qui ci sono i viveri, ragazze!»

Credo fu questione d'istinto: Bea ne ha sempre avuto in quantità industriale e mio padre anche. Vivevano nel futuro, non avevano paura dei cambiamenti. Mentre io, coi miei libri di poesia e il diario col lucchetto, a quattordici anni mi ero già nascosta. Dietro le parole, dentro la carta. Restavo indietro, con timore e sospetto, a spiarli da una fessura. Era il mio destino.

«Datemi un minuto, poi venite in cucina.»

Papà richiuse la porta e Bea commentò: «Che figo che è».

Piantala di fare la smorfiosa! Avrei voluto sgridarla, ma mi trattenni. Andammo di là. Trovammo lui seduto sul piano cottura, il sorriso generoso in mezzo alla barba e, di fronte, il tavolo imbandito per la festa di compleanno che non avevo mai avuto.

Beatrice soffocò un giubilo infantile. La scena che seguì non si sarebbe più ripetuta: prese un biscotto e se lo ficcò in bocca intero. Afferrò una fetta di plum-cake e la finì in due morsi. Passò al salato: due pizzette. Una manciata di patatine. Le vidi le gote gonfie, gli occhi lucidi di piacere. «Non ditelo a nessuno» biascicò masticando. Poi si fermò, come rinsavita. Si pulì le labbra e il mento con il tovagliolo, imbarazzata. Disse che doveva andare in bagno e corse via. Immagino abbia vomitato ogni cosa.

Io rimasi sola con papà. Guardai, sulla torta, tremolare la fiamma di una candelina immaginaria. Mamma, pensai, non mi chiami da una settimana. Papà si avvicinò, compresi che avrebbe voluto abbracciarmi. Rubai una patatina e tornai in camera.

Quando Beatrice riemerse, aveva trucco, vestiti e capelli risistemati al millimetro. Tornammo a studiare, sul serio questa volta. Come quasi ogni giorno dopo la scuola per i cinque anni successivi: i capelli tirati su con le forcine, i dizionari sparsi sul letto, i polpastrelli macchiati di biro. Passammo due ore secche su *lupus*, *lupi*, e sui maschili in -ĕr, i maschili in -ĭr, i neutri in -ŭm. Poi, prima che se ne andasse, le domandai a bruciapelo: «Come si chiama?».

«Chi?»

«Quello con cui lo vuoi fare.»

Bea aveva appena riposto la grammatica latina dentro lo zaino. Represse un moto di sorpresa. «Nessuno.»

«Non ti credo.»

«Non posso avere un fidanzato, mia madre non mi lascia. Prima la moda, la scuola. Ha ragione, altrimenti finirò come lei: a fare la moglie di provincia.»

«Però vuoi perdere la verginità.»

«È da sfigate essere vergini a quattordici anni.»

Presi tempo, la lasciai fibrillare mentre si preparava, tentennava e non riusciva a chiudere la zip della tasca esterna dello zaino.

Qual è la prima regola per diventare scrittrici? Leggere. La seconda? Osservare. Con minuzia, acribia, le vibrisse tese allo spasmo, puntate come radar nel dietro, nel dentro, nel tradimento di un dettaglio.

«Chi ti ha truccato il motorino?»

La vidi sbiancare.

«Sei diabolica» mi accusò.

E questa era la regola numero tre.

I suoi non erano tipi da trafficare negli sfasciacarrozze. Di amici non ne aveva, le poche conoscenti false che frequentavano casa sua si scambiavano con lei ombretti, mica pezzi di marmitta. Bea, le sorrisi con soddisfazione, tu mi stai insegnando un sacco di cose.

«Ci siamo tolte le mutande» le rammentai, «rientra nel patto di sangue.»

Devi dirmelo: quello che gli altri non dovranno mai scoprire, che ci fa vergognare e ci piace da morire. La verità, il misfatto chiuso nel diario. La vita spaventosa sotto le buone maniere. Qui, in questo punto preciso, si sarebbero divise per sempre la sorte di Beatrice e la mia. Ma quell'inverno, quello della quarta ginnasio, eravamo entrambe invischiate negli stessi segreti.

«Se i miei mi scoprono, mi ammazzano.»

«Il nome.»

«Mia madre mi chiude in cantina una notte intera, ne è capace.»

«Il nome.»

Si torturò le unghie, le pellicine. Non me lo voleva dire.

«Te l'ha truccato lui il motorino?»

Annuì.

«Fa il liceo?»

«No, motocross.»

«E la scuola?»

«Non ci va.»

«Quanti anni ha?»

«Ventuno.»

«Uh là-là!» Mi divertivo.

«No, non hai capito quanto è pericoloso. Non si deve sapere, non esco più di casa, mio padre mi brucia.»

Era spaventata. La vidi debole, inerme. M'intenerì. Mi sentii potente. Potevo sopraffarla. Ero stronza anch'io, volendo. Potevamo farci bene e male, ci eravamo consegnate le chiavi per affondare l'una nella fragilità dell'altra. E le chiavi erano i maschi.

«Come si chiama?» Lo pretesi.

Beatrice si scheggiò lo smalto dell'indice con gli incisivi, un frammento di vernice rossa cadde su una piastrella bianca. Si arrese.

«Gabriele.»

9

Destinatario assente

Passarono i giorni. Ogni mattina m'infilavo nel parcheggio degli studenti e giravo, giravo; prima di fermarmi indugiavo ancora. Il vuoto nello stomaco, un formicolio sconosciuto che mi assillava dalle tempie all'inguine. Spiavo i motorini degli altri con la coda dell'occhio, il suo c'era? Erano giornate limpide, com'è frequente d'inverno nelle località di mare. Il litorale calmo fuori stagione, la luce fredda e chiara poggiata con grazia sul promontorio. La superficie della mia vita non si era incrinata di un centimetro. Gli orari, i tragitti: nulla era cambiato. I banchi e le aule si trovavano ancora al loro posto.

Vivevo con la tachicardia entrando e uscendo da scuola. La paura mi attanagliava le costole persino andando in bagno, pur sapendo che non lo avrei incrociato. Mi tenevo lontana dal secondo piano, dal cortile dei fumatori, e non desideravo altro che vederlo. Era un pensiero fisso. I sensi in allerta allo sfinimento. Beatrice mi pungolava col gomito durante le lezioni, mi stuzzicava coi punti interrogativi sul quaderno: "Allora?".

Allora niente. Avevo sul serio creduto che quella lettera potesse far accadere qualcosa? Lorenzo forse non se n'era neppure accorto. Le signore delle pulizie l'avevano trovata prima di lui e fatta sparire. Oppure aveva aperto la busta, spiegato il foglio, ed era scoppiato a ridere alla prima riga. L'aveva cestinata: canestro! Peggio, letta all'intera classe a voce alta. Sarebbero comparsi di lì a momenti sulla soglia della IV B i suoi amici a cantarmi: "Troia, troia!". A smascherarmi.

Dio, quale rischio avevo corso.

Ma non successe niente. Lorenzo passò una gran quantità di

tempo, anziché in aula, a discutere di politica nella sala docenti, gli intervalli a fumare con la solita cricca sulle scale antincendio. Informazioni ottenute clandestinamente da Beatrice che, contro la mia volontà, si ostinava a pedinarlo, origliare, chiedere in giro. All'una e venti lui usciva, volava via spensierato sul Phantom nero. Martedì, mercoledì, giovedì, venerdì e sabato.

La domenica la passai a letto a darmi dell'idiota. Chiedendomi dove fosse, cosa stesse facendo, con chi. Mentre mio padre puliva il binocolo con minuzia per il ritorno delle ghiandaie, e mancavano ancora tre mesi, io stavo sepolta in camera, ascoltavo *Adam's Song*, fissavo il soffitto e il mio corpo era in fiamme.

Non era il personaggio di un libro, Lorenzo, un amico immaginario. Era reale, aveva la ragazza. In quel momento, forse, passeggiavano insieme per il corso, innamorati, ufficialmente fidanzati. Oppure si erano nascosti dietro uno scoglio, sotto un lenzuolo, in una camera. Cosa combinavano? Si spogliavano? A questo pensiero impazzivo. Non io, ma il mio cuore, la mia pancia, le mie gambe, venivano attraversati da un'impazienza, da una necessità assoluta di vederlo.

Mi alzai, inventai a mio padre un appuntamento inesistente con Beatrice. Salii sul Quartz e andai a cercarlo.

Sul lungomare. Sugli arenili coperti di alghe. Alla spiaggia di ferro. Al porto. Accostando agli angoli delle laterali che sfociavano sul corso affollato dai coetanei. Li spiavo: impegnati in passerelle o in goffi tentativi di corteggiamento; assorti con i cartocci unti della friggitoria, le prime sigarette tenute male. Stavo dietro un muro, tagliata fuori. Ero la ragazza di nessuno. Pregavo di trovarlo. Solo, su una panchina. Se fosse accaduto, giuravo che avrei cacciato il coraggio di sedermi vicino, di baciarlo, qualsiasi cosa purché non tornasse più da quella Valeria. Cosa gli faceva lei? Di cosa era capace? Che stupidaggini mi passavano per la testa. Guidavo e l'aria gelida entrava nella visiera, mi feriva gli occhi. A ogni Phantom nero che incrociavo mi sentivo viva, troppo. Una sosta alla Esso, qualche litro di Super senza piombo, e via piangendo per una persona che non sapevo chi fosse, a parte Sereni.

Rientrai a casa in una tale tensione, quella sera, che mi vennero le mestruazioni in anticipo. Corsi in camera a cercare gli assorbenti: li tenevo nascosti nel cassetto della biancheria. Non li trovai, erano finiti. Tornai in corridoio dove avevo lasciato la borsa, aprii il portafoglio: era vuoto. Avevo speso tutto in benzina. Quante ore avevo guidato?

Papà emerse dallo studio. Mi vide stravolta: «È successo qualcosa?». Avrei potuto chiedergli semplicemente: "Mi daresti altri soldi?". "A cosa ti servono?" si sarebbe informato lui. Potevo dirgli la verità: "Devo passare in farmacia a comprare gli assorbenti. Ho quattordici anni, ho il ciclo, è evidente che ce l'ho, non sono più la bambina piccola che non hai conosciuto".

«Niente» gli risposi senza guardarlo. Andai in bagno e mi chiusi a chiave, raffazzonai del cotone, ne feci l'imbottitura per un fazzoletto di carta e lo sistemai alla bell'e meglio nelle mutande.

Mamma. La invocai sul water. Qui è un casino, io non ce la faccio.

Quando uscii in corridoio guardai il telefono, la cornetta. Non la sollevai. Se lei non mi avesse risposto, non avrei superato la notte.

La superai. Il lunedì fui certa che l'avessero trovata i bidelli, la lettera. Meglio così: non c'era niente di più patetico di un foglio nascosto sotto il banco. Era il genere di cretinata che fa chi non ha più una madre, bensì un'amica cattiva come Beatrice. La carta era un veicolo fragile, le parole un mezzo infido. Che motivo aveva un ragazzo come lui, rappresentante d'istituto, figlio di una famiglia in vista, per dare corda a una come me? Ripensai a Britney Spears che ancheggiava, sculettava. Io avevo un assorbente artigianale in mezzo alle gambe.

Trascorse un'altra settimana. Bea smise di domandarmi e di tallonare Lorenzo durante l'intervallo. La tempesta era passata: un evento meteorologico devastante, ma tutto interiore, poco più di una fantasticheria.

Il primo dicembre mi attardai fino all'una e mezza a finire un tema. Puntigliosa, volli rileggerlo due volte. Lo consegnai alla Marchi che mi aveva fatto il favore di aspettare: «Quanto scrivi,

Cerruti? Ho capito cosa vuoi fare da grande». Lei lo sapeva, io no. Uscii per ultima. C'era solo il Quartz nel parcheggio. Tirai fuori la chiave dalla tasca e, da lontano, vidi qualcosa di bianco appoggiato alla sella.

Rallentai. Avvertii due sacchi di sabbia al posto dei piedi. Il cuore, senza poterci fare nulla, cominciò a rimbombare come dentro una cassa toracica vuota.

Ci speravo. Non osavo sperarci.

Lo volevo con tutta me stessa. Ne avevo il terrore.

Era una busta. Chiusa.

Con la vista annebbiata dall'adrenalina, il respiro ridotto al minimo, le mani che tremavano, la aprii. Era un biglietto.

A matita, in corsivo, c'era scritto:

Domani alle 15
Alla fine di via Ripamonti inizia un sentiero sterrato. Lascia il motorino e prosegui a piedi. Troverai una radura a un certo punto, con al centro una grande quercia. Io ti aspetterò là.
Lorenzo

Richiusi. Infilai il biglietto in fondo allo zaino. Salii sul Quartz, misi in moto, accelerai. Non sentivo niente, sorridevo e basta. Le colline e il mare mi scivolavano accanto come se neppure esistessero. Planai sulle strade di T per tornare a casa come immagino si attraversi il paradiso.

*

«Mi ha risposto.»

Beatrice dall'altra parte della linea esultò: «Lo sapevo. Che dice?».

Raggomitolata a terra, chiusa a riccio sul ricevitore affinché neppure un singolo fonema arrivasse di là, in salotto, dove mio padre stava leggendo, sussurrai: «Vuole che ci vediamo, domani».

Il dove lo tralasciai.

«Cos'hai intenzione di metterti?»

Il pensiero non mi aveva sfiorata.

«Eli, sarà *determinante* quello che indosserai.»

«Ma io non ho niente.»

«Non puoi presentarti conciata da orfanotrofio come al solito. È un linguaggio, tu comunichi con gli abiti che scegli.»

Comunicavo a stento con la voce.

«Come devo fare?»

Non avevo un rossetto, un perizoma, un paio di tacchi. Di colpo mi parve inaffrontabile quell'appuntamento. Io e la realtà eravamo due categorie troppo impari. Realizzai che la sola ragione per cui Lorenzo desiderava vedermi erano le menzogne della lettera: aveva abboccato, si era convinto che io fossi esperta, spregiudicata, pronta. Che disastro.

«Devi passare da me prima di andare da lui. Compirò un sortilegio.»

«Non ci andrò...» La disperazione mi diede coraggio: «Sono vergine, non era vero niente di quello che ho scritto».

La sentii sospirare, restare in silenzio. Immaginai quanto sarebbe rimasto deluso lui scoprendo che ero un bluff. Se ne sarebbe andato mollandomi lì per sempre. Non sarei mai più uscita di casa.

«Ci vai lo stesso, bugiarda» m'intimò Bea. «Sei meno scema di quello che fai credere. Te la caverai. Poi non lo immagini di cosa sono capace io. Lo lascerai senza fiato. Valeria schiatterà.»

Funzionava così lei, doveva sempre convertire tutto in competizione, trovare un'avversaria da umiliare e annientare. Non stupisce che non fosse simpatica a nessuno. Io non facevo testo perché ero fuori gara. Eppure quel pomeriggio al telefono, ricorrendo a Valeria, mi convinse. Che potevo vivere anch'io, come lei, come tutti. Provarci.

Mi diede appuntamento l'indomani alle 14.10. «Mezz'ora: entri sfigata, esci diva.» Me lo garantì.

Io volevo mia madre, però. L'avevo sentita per una decina di minuti il giorno prima e avevo intuito che qualcosa non andasse. Aveva parlato in modo svagato, alcune frasi sconnesse, come se avesse bevuto. Anche papà era uscito a pezzi da quella telefonata, preoccupato quanto me. Le aveva strappato una possibilità: «Il Natale. Verrete? Per Elisa sarebbe molto importante trascorrerlo insieme. Potete rimanere fino a Capodanno, all'Epifania, quanto vorrete. Per favore».

«Cos'ha detto?» gli avevo domandato subito dopo.

«Forse sì» aveva risposto lui cercando di rassicurarmi, sforzandosi in un sorriso che gli uscì dolente.

Mi aggrappai al sì ignorando il forse. Era dura, avevo bisogno di lei. Ne avvertivo la mancanza a livello del costato, dei lombi, del suolo: mi sentivo precipitare. Se avessi potuto affacciarmi in salotto e trovarla là, sdraiata sul divano a fare zapping, le avrei raccontato di Lorenzo? Chiesto consigli? Mi sarebbe bastato sedermi sulle sue ginocchia e annodarle le mani dietro la nuca. "Mi vuoi bene?" Sentire la sua voce riempire un'affermazione decisa, inequivocabile.

Ma lei non c'era. C'era Beatrice.

Il 2 dicembre mi accucciai dietro il secchio delle ramaglie, all'angolo del garage, e attesi seguendo le istruzioni che mi aveva dato. Alle 14.10 la saracinesca si sollevò lo stretto necessario a permettermi di entrare, carponi, e si richiuse subito dopo. Bea mi accolse in accappatoio, il volto coperto da una maschera d'argilla purificante. Aveva una gran fretta. Mi fece cenno di seguirla, piano, senza fare rumore, ché in casa fervevano i preparativi per una trasferta. Ci chiudemmo in camera, allargai gli occhi al cospetto dell'armadio spalancato, colmo quanto due negozi compressi in un mobile solo. Lei mi fece accomodare su una sedia di fronte a uno specchio. Non disponeva di una scrivania, ma di una postazione per il trucco. Per guadagnare tempo aveva già allineato sul piano ombretti, fondotinta, matite, rossetti, a decine.

«Non voglio niente» esordii.

Bea indicò il mio riflesso, m'impose di considerarmi. «Ti vedi? Non hai nemmeno un brufolo» sentenziò. «Già solo per questo dovresti ritenerti fortunata e imparare a truccarti come si deve. Non startene nascosta, esci allo scoperto! "Io sono la più figa di tutte" devi dirti. "Lorenzo guardami, e poi muori."»

Sbirciai il mio volto scialbo, i colori sgargianti dei rossetti. Scettica obiettai: «Sembrerò un pagliaccio, io non sono come te».

«Tutti possono essere me.»

Su questa frase mi devo fermare. Beatrice l'ha detta davvero, sta qui: scritta sul mio diario. Mi sembra di averlo davanti, il suo volto impiastricciato di verde, eppure autorevole, fermo, mentre pronuncia quella che, con il senno di poi, mi suona la menzogna più sfacciata.

Tutti possono essere te, Beatrice? Prendi in giro? Le hai mai contate, le migliaia di ragazze nel mondo che ti imitano e ti inseguono e infallibilmente ti mancano? Le bambine che sognano di assomigliarti da grandi, e sarà impossibile. Peccato che tu non abbia potuto vedere me nel tentativo di farmi un selfie. Sappi che ci ho sempre rinunciato, perché ogni volta il paragone con te era troppo impietoso.

Comunque, torno a quel pomeriggio. Mi rannicchiai, rigida contro lo schienale, le mani strette ai braccioli. «Non voglio cambiare, solo sapere se vado un po' bene.»

«Non vai bene. Ti serve un blush.»

«Cos'è?»

«È questo.» Lo prese, me lo mostrò. «Non morde, è solo polvere da dare sugli zigomi.» Si era spazientita. «Questo è un gloss, e un rimmel: il minimo sindacale, se vuoi uscire con uno. Se no tornatene ad ammuffire nella tua stanza.»

«Lo illuderò.»

«Perché, con quella lettera cos'hai fatto?»

Mi arresi, chiusi gli occhi e la lasciai fare. Lei trafficò con le labbra, le guance, le ciglia. Da sotto arrivavano discussioni su chi avesse l'obbligo di accompagnare la sorella e chi potesse rimanere a casa, su quale borsa scegliere, sulla PlayStation da spegnere. Proteste, insulti, scoppi d'ira: "Bea, sempre Bea, non è giusto che perdiamo ogni weekend dietro a lei!". Non doveva essere facile neppure in quella casa, vivere.

«Adesso puoi guardarti.»

Non mi aspettavo niente, avevo solo appagato i capricci della mia amica. Però, quando mi vidi, provai uno stupore profondo.

«Sono stata brava, eh?» Beatrice mi strizzò l'occhio. «Dal primo istante che ti ho incrociata, ricordi? Al ristorante. L'ho capito: lei ha *qualcosa*. Ebbene, eccoti il qualcosa.»

Quanti anni avevo adesso? Diciassette, diciotto? Le mie labbra erano diventate allusive quasi quanto quelle di Britney Spears, i miei occhi bistrati di nero avevano perso i residui infantili. Sembrava sul serio che insinuassero: "Io sono la più figa".

«Ora pensiamo al resto, ché tra due minuti mi devo lavare la faccia. Alzati e fammi vedere come ti sei combinata.»

Mi tirai in piedi. Bea mi sistemò davanti allo specchio a figura intera, sotto una cruda pioggia di luci. Si mise seduta di fronte a me a studiarmi. «La felpa, tutto sommato, non mi dispiace.»

«È dei Pennywise.»

«Chissenefrega. È aggressiva, te la passo. Ma i pantaloni no.» Si alzò, mi girò intorno. «Non ti si vede il culo, e il culo è decisivo. Non mi lasci alternative.»

Non lo dimenticherò mai: con in faccia quella maschera che nel frattempo si era asciugata e le si crepava intorno alla bocca, sul naso, Beatrice prese la sedia, la trascinò di fronte all'armadio, ci salì sopra, cominciò a togliere dall'ultimo ripiano maglioni imbustati, una tuta da sci dell'infanzia, il body luccicante del saggio di danza. Finché li estrasse.

«Non puoi» la fermai.

«Te l'avevo promesso.»

«Sono tuoi, stanno bene solo a te.»

Beatrice mi fissò: «Li indosserai tu per prima, è giusto».

Adagiò sul letto la refurtiva. La ammirammo in silenzio per qualche istante. Ci abbagliava, ci stordiva, ci univa fin dentro le viscere, là dove stavamo cambiando.

Una voce imperiosa salì dalle scale. «Beatrice! Sei pronta?»

«Sì mamma!» gridò Bea. E, rivolgendosi a me: «Avanti, mettili!».

Non mi opposi. Mi tolsi i pantaloni di Biella, li lasciai sul pavimento, infilai *i* jeans. La metamorfosi avvenne.

Beatrice annuì. Lei era Frankenstein, io la creatura.

Mi afferrò un polso trascinandomi di nuovo giù, aprì la serranda del garage, mi spinse fuori. Io fuggii rasente i cancelli, le siepi, raggiunsi il Quartz imboscato tra villette più in là perché era venuto fuori che sua madre non "impazziva" all'idea che fossimo amiche. Distoglievo sua figlia dai veri obiettivi. Non sapevo vestirmi né pettinarmi. Quali cause torbide si nascondevano dietro il mio trasferimento? La nostra amicizia, entrata in clandestinità, era diventata ancora più irreparabile. E io non le avevo nemmeno detto grazie, pensai montando sulla sella.

*

Un capannone, una villetta isolata, più niente; boschi e campi. Avevo cercato sullo stradario dove si trovava via Ripamonti, l'avevo imparato a memoria: il limite della città, l'ultimo incrocio.

Quando lo raggiunsi, sterzai quasi in apnea. Risalii accelerando, rallentando, la corsia che s'inerpicava su una collina. Lecci, ginepri; era inverno e non c'erano fiori. Solo un odore pungente di foglie cadute. Non ero sicura che la strada fosse giusta. Ricordando, rimpiango quella sensazione: di avventura, di guidare irrintracciabili, senza GPS, telecamere, nessuno che potesse chiamare e interrompere la tua fuga.

La via si concluse in uno spiazzo liso dalle intemperie. E al centro, in piena realtà, stava il suo Phantom.

Parcheggiai, spensi il motore, scesi. Forse realizzai in quel momento che la vita al suo meglio, nei rischi, negli azzardi, è come una piccola morte.

Vidi il sentiero e m'incamminai coi jeans di Swarovski in mezzo agli sterpi, i capelli corti che mi ostinavo a tagliare sempre là, dal parrucchiere di Ferragosto; truccata come un'adulta. M'inoltrai. Le piante erano fitte, intricate e basse, lo sterrato un tratteggio di matita. Cosa ti aspetti che succeda, Elisa? Cosa vuoi? Ero ancora in tempo a voltarmi, a rinunciare. Ma io la dovevo perdere, la verginità. Solo questo sapevo. L'amore era un'astrazione, una vicenda oscura che intuivo complessa e tormentata. Il mio corpo stava qui, invece, ed era un fatto concreto.

La macchia si squarciò. Si spalancò una radura assolata, scoscesa, al riparo dal maestrale che tirava forte facendomi rabbrividire. La riconobbi subito, la quercia. Una sempreverde rigogliosa, così alta che avrà avuto cento anni. Sotto, la schiena contro il tronco, Lorenzo.

Mi vide e non si mosse.

Neppure io.

Avvertii la consistenza del suo sguardo, malgrado la distanza, simile a un dito che sfiora l'orlo dei vestiti, li solleva, come la mattina in biblioteca. Solo che adesso, nel raggio di chilometri, non c'era nessuno.

Ero libera di sparire. Da lui, insieme a lui.

Lorenzo si alzò, mi venne incontro. «Credevo non volessi più vedermi» disse quando mi fu davanti. Cinque, sei centimetri d'aria tra i nostri fiati. Ero viva, così tanto che, se lui mi sfiorava, esplodevo. E lui mi sfiorava, chiudeva la mia mano nella sua. «Vieni.» Mi portava via, nell'erba alta e lasciata andare, fino alla quercia.

Aveva sistemato un plaid accanto alle radici. Sparsi attorno c'erano uno zaino da montagna, un piumone arrotolato, una bottiglia di vodka alla pesca e due bicchieri di plastica.

«Lo so, non è molto romantico» commentò con il respiro spezzato, un rossore improvviso, alcune ciocche di capelli sudati incollate alle tempie. Aveva usato davvero quella parola: romantico?

Si sedette, prima sulle ginocchia, poi a gambe incrociate. Riconoscevo il suo impaccio, era uguale al mio. Lo stesso terrore di sbagliare, di respingere anziché sedurre. Ero rimasta in piedi senza voce.

«Ti prego, oggi parlami.» Mi sorrise cercando di non sembrare indifeso. «E siediti, se no mi fai sentire a disagio.»

Osservai la fantasia scozzese, le foglie cadute dentro, due formiche arrampicarsi sul bordo.

Riuscii a sedermi. Lorenzo m'indicò a ovest il margine della collina. Guardai e vidi il mare. Meno di un frammento, agitato, blu scuro. Mi tremavano le mani, le nascosi sotto il sedere. Gli Swarovski premevano pungendomi i palmi.

«Scusami se ti ho risposto così tardi. È che mi hai sconvolto con la tua lettera, mi sono sentito un coglione. Ne ho iniziate mille, ma nessuna era all'altezza. Le ho stracciate tutte.»

«Non fa niente» dissi, e subito me ne pentii. Non dovevo parlare: appena lo facevo, mi uscivano banalità estreme.

Il suo gomito urtò il mio, non apposta. Avvertii lo spostamento d'aria mentre si voltava, i suoi occhi posati sul mio orecchio. Mi girai anch'io e tentai di sollevare lo sguardo fino a lui. «Scrivi bene, lo sai?» Io deglutii. «Ti ho invidiata. Pensavo di essere bravissimo, prima di conoscerti. Hai ucciso i miei sogni.» Rise, poi si rivolse di nuovo al mare. «Non è colpa tua. Mio padre me lo ripete ogni giorno che scrivere non è un mestiere.»

Era doloroso. Stare lì, non conoscersi. Tutte le parole del mondo improvvisamente sciatte, inservibili. Volevo chiedergli di suo padre, di sua madre, se litigavano anche loro. Ma, al contempo, non m'interessava. Solo che mi toccasse desideravo, che sconfinasse placando il mio bisogno insensato di averlo vicino. Che fosse lui.

«Dài, apro la vodka.»

Lorenzo si allungò per prenderla. Io non l'avevo mai bevuta, ma avevo visto spesso mio fratello e i suoi amici tirarsi in uno stato pietoso tranguiando quella roba. Lui mi porse un bicchiere con le mani malferme. Era pieno più di metà. Io avvicinai le labbra, solo l'odore mi accartocciò lo stomaco. Nei vent'anni successivi non avrei più potuto avvicinarmi neppure agli scaffali del supermercato con sopra la vodka, alla pesca in particolare, ma il 2 dicembre del 2000 alle quattro del pomeriggio in cima a una collina l'assaggiai e mi sfuggì una smorfia. Lorenzo sorrise per incoraggiarmi. Aspettai che bevesse prima lui, poi riprovai e mandai giù un secondo sorso, più nauseante. E continuai, e Lorenzo anche. E dopo forse dieci sorsi mi lasciai cadere di schiena ridendo come una pazza.

Non avevo pranzato per la tensione. Lorenzo si sdraiò su un fianco e si sporse su di me. C'era ancora il sole, la luce si scioglieva tra i rami, diventava liquida, arancione. «Sei così bella.» Mi coprì la vista con il volto. «Lo sei» inumidì l'indice con la saliva, me lo passò su una palpebra, su uno zigomo, sulle labbra, «anche senza tutto questo trucco.»

Provai a difendermi. «Perché mi hai chiesto di venire qui?»

Lorenzo si rimise a sedere. Serio, mi rispose: «Volevo tornare e chiederti scusa per com'ero scappato, ma non ce l'ho fatta. Ci sono passato davanti tante volte, alla biblioteca, poi ho cominciato a notare un Quartz parcheggiato lì e ho capito subito che era tuo. Ti ho seguita quando facevi il giro delle spiagge, ti ho anche riaccompagnato a casa un paio di sere. Ma giuro che non sono pericoloso».

Lo immaginai guidare dietro di me mentre lo cercavo.

Avrei potuto piangere per quella rivelazione.

Riuscii a non cedere. «Perché?» insistei.

Allora Lorenzo prese un bicchiere, mio o suo non aveva importanza, mandò giù tutta insieme la vodka rimasta. Mi costrinse a sedere e a fare lo stesso. Io obbedii e rimasi senza fiato, la gola in fiamme, il cielo e gli alberi si mossero come una quinta di cartapesta.

«Perché sei diversa» mi disse ubriaco «da tutte le ragazze di T e da quelle che ho conosciuto in vacanza. Perché leggi, hai i capelli corti, gli anfibi con la punta di ferro. Perché mi attrai, però mi spaventi, e con te non riesco a controllarmi.» Mi afferrò una mano, me la premette in mezzo alle sue gambe. Non era mio fratello che giocava con la pipì. Era ingrossato, duro. Lo toccai.

«Sei fidanzato.»

«Lo sono.»

Ritrassi la mano. Respirai forte. Ricordai cosa dicevano nei film.

«Tu vuoi scopare.»

Lorenzo mi fissò, indeciso. Compresi che c'era della verità nella mia accusa. Sembrava più grande, aveva il pomo d'Adamo, la barba bionda rasata, la lampo dei jeans piena. Cose che io non avevo, non conoscevo, che mi facevano impressione, eppure mi adescavano.

«Scopare è una parola sbagliata» disse, e provò a baciarmi.

Perché? Io cosa volevo di diverso?

"Senza dubbi né rimorsi" avevo già deciso di consegnarmi, diventare un luogo in cui lui potesse perdersi, e io cambiare. Peccato non lo avessi ancora letto, *Menzogna e sortilegio*.

«Ho mentito» gli confessai. «Non l'ho mai fatto.»
Lo vidi illuminarsi: «Neanche io».
Il sole cominciava a ritrarsi verso la Corsica. Si alzava il vento.
Lorenzo mi bagnava la bocca di saliva e io ero felice in un modo
spaventoso. Di essere la prima. Di giocare ad armi pari. Mi tolsi
il giubbotto, la felpa. Li sfilai a lui. Mi sentivo libera mentre mi
toccava il seno, la mano spalancata dove nessuno era stato prima.
«Prendo il piumone» mi disse. «Finiamo la vodka.»
Lo guardai alzarsi, afferrare la bottiglia, estrarre qualcosa dalla tasca dello zaino. Eravamo d'accordo. Ero ubriaca, ma vigile.
Avevamo stipulato questo patto, in silenzio. Che mica era facile.
Perché lui era un maschio e io una femmina. Eravamo diversi e
dovevamo sforzarci. Ma io sentivo anche questo vuoto, dentro,
giù in basso, che non era un sentimento per una volta, ma un bisogno. E lui doveva entrarci. Togliermi questo peso. Non volevo
più essere una bambina, una diversa, un'emarginata. Pensai tutto
questo, poi Lorenzo tornò, srotolando il piumone sopra di noi.

*

Telefonai a mia madre quella sera.
Rientrai a casa alle sette e mezza e andai dritta in cucina. Senza lavarmi niente, neppure le mani, spalancai la dispensa. Trovai
un vasetto di crema alla nocciola, un pacco di fette biscottate.
Cenai così, abbuffandomi sulla tavola senza tovaglia, la televi-
sione spenta, gli occhi fissi sul motivo floreale delle tende. Papà
che seguitava a propormi una pasta, un'orata, un pasto decente.
Io assente.
Placata la fame tornai in corridoio. Con ancora addosso i
vestiti sporchi di terra, di erba, sollevai la cornetta. Composi il
prefisso 015, il numero. La linea era libera, otto squilli: li contai.
«Pronto?»
«Ciao mamma.»
«Amore, come stai?»
«Sto male.»
«Cosa dici?»

«Voglio che torni. Oppure vengo io, non me ne frega. Voglio che ci sei, che abitiamo nella stessa casa.»

Silenzio.

Papà si accostò allo stipite della cucina e lì rimase, impotente come una scopa. Non m'importava. Che sentisse.

«Torno a Biella domani.»

«Tesoro, io e tuo padre ne abbiamo già parlato. Abbiamo preso una decisione per il tuo bene.»

«Il mio bene un cazzo.»

«Elisa, tu devi studiare là, è importante per il tuo futuro. Devi vivere una vita normale, tranquilla, avere qualcuno che ti segua nei compiti…»

«Mi hai mollata» la interruppi, «ti sei liberata di me. Manco a Natale vuoi venire. Ma perché? Perché mi vuoi così poco bene?»

Scoppiai a piangere.

Mio padre provò ad avvicinarsi, lo fermai con una mano.

«Ti voglio bene, Elisa, non immagini quanto. Credi che per me sia facile non vederti gironzolare per casa? Che non sia una sofferenza allungare le gambe sul divano e non sentirti seduta lì, al tuo posto? Non comprarti i Fonzies, non guardare con te *Chi l'ha visto?* Credi che non mi manchi? Ero abituata a fare la spesa con te, a cenare con te, a sapere che eri di là a leggere. Tuo fratello non c'è mai, sono sempre sola.»

«Mai quanto me» le risposi con rabbia. «Non puoi metterti al mio stesso livello, sei tu la mamma.»

«Non sono stata un granché.» Udii la sua mezza risata, arresa, lontana cinquecento chilometri. «Ti ho creato un mucchio di problemi senza accorgermene, ma è colpa mia lo stesso. Non voglio rovinarti anche il liceo. Tuo padre è la persona giusta per crescerti.»

«Comodo!» m'infuriai. «Cosa me ne frega delle tue menate? Sono due mesi che non ci vediamo.»

«A Natale scendo. Te lo prometto.»

«Non mi basta. Non puoi smettere di essere mia madre.»

La sentii piangere.

Mio padre venne ad abbracciarmi.

10

Una ragazza normale

La bellezza fu per Beatrice, all'epoca di cui parlo, tutto fuorché una scelta. Se la natura l'aveva aiutata a spiccare, la perfezione richiedeva quotidiano e duro lavoro. Non poteva vestire comoda, rischiare che le s'intravedessero i brufoli – ricordo bene come evitava di esporsi alla luce frontale, al contrario di oggi, e in particolare a quella delle finestre. Se si concedeva un'ora libera, una sola, poi si sentiva in colpa. A quattordici anni era così esperta di cosmesi, trattamenti estetici e moda che avrebbe potuto dirigere "Cosmopolitan". Forse, e calco sul forse perché prima me lo confidò, poi ritrattò, sua madre l'aveva portata in Svizzera per un intervento di rinoplastica nel giugno del 2000, scelta sconsigliata da qualsiasi medico prima della maggiore età. Ma Ginevra dell'Osservanza era ambiziosa, aveva messo al mondo Beatrice con uno scopo: coronare un sogno. La villetta bianca, la BMW nera, il marito in carriera, la famiglia unita e la figlia bellissima che si sarebbe tramutata in stella grazie alla sua mamma. Da questo sogno Bea non aveva scampo.

Se sto provando a giustificarla, sia chiaro, la responsabilità è del mio inconscio. Io non la perdono. Non ne condivido l'assenza di scrupoli sul lavoro, l'egocentrismo forsennato, la pretesa che il mondo ruoti intorno ai suoi vestiti, alle sue cene, alle sue interviste, anziché concentrarsi sul pianeta in rovina, i crimini e le ineguaglianze.

Tuttavia sono collusa. Ripensando agli anni della nostra amicizia, mi rimprovero di aver recitato la parte della sorella minore, la stessa che ci portò fortuna da Scarlet Rose, senza ribellarmi.

E di non essermi limitata a questo ruolo passivo, perché io ho contribuito in misura decisiva a far diventare Beatrice Rossetti la divinità – o il mostro, come si affannano a definirla – che è oggi. Che sembra. Perché?

Perché lei mi voleva bene.

Mi difendeva, mi abbracciava, mi rivelava un segreto, e così mi fregava. La volta della secchiata, per esempio, che giorno era? Riprendo in mano il diario, quello col lucchetto. Lo sfoglio: il penultimo mercoledì prima di Natale. All'uscita da scuola Beatrice e io fummo sorprese da una delegazione di amazzoni dello scientifico. Nessuno la sa, questa storia, eppure io l'ho scritta e l'ho sottolineata in rosso.

Erano in cinque, in sella a scooter lucenti, i caschi sul volto, i capelli sciolti sparsi sulla schiena. D'improvviso apparvero e ci sbarrarono la strada, circondandoci.

«Dove credi di andare?» m'intimò una con fare da bulla spegnendo il motore. Io interrogai Beatrice con lo sguardo, incredula.

«Tu, Rossetti» intervenne un'altra, «te ne puoi pure andare. Ma la zoccola rimane.»

La zoccola ero io. Nessuno, prima di allora, mi aveva mai dato tanta importanza. I liceali del classico, anziché raggiungere i motorini e tornarsene a casa, fiutarono gli eventi. Si riunirono in gruppi di spettatori, ma tenendosi a distanza.

«Sciacquati la bocca» fu la risposta di Beatrice. «Chiama di nuovo zoccola la mia amica e ti faccio diventare bella con un ceffone.» Mi prese per mano, tentò d'infilarsi tra un parafango e una ruota posteriore, ma le amazzoni serrarono le file e si tolsero i caschi.

«Scansatevi» ordinò. Quelle non si mossero. Le passò in rassegna con disprezzo: «Dovreste usare più Topexan».

Alzare i toni non mi sembrava una buona idea, ma come facevo a dirglielo? L'aria era tesa di violenza. Io avevo paura.

«Rossetti, com'è che passa il tempo e sei sempre più stronza? È da quando ti conosco che te la tiri come fossi Miss Italia, ma non mi pare che tu l'abbia vinto.» Era una ragazza mora, sovrappeso, le sopracciglia folte e l'eyeliner pesante. «Ti preferivo quando facevi la pubblicità del Crystal Ball.»

Risate: delle cinque, ma anche, più lontano, delle nostre compagne di classe con la mano davanti alla bocca, e di tutte le ragazze del Pascoli false e vigliacche che mai avrebbero avuto il coraggio d'insultare Beatrice davanti, ma dietro posso solo immaginare.

Mi voltai preoccupata verso la mia amica. Bea era molto tranquilla.

Il campanile del duomo segnava le 13.30, il parcheggio dei motorini era ancora pieno. Solo i professori sembravano essersene andati. Le finestre dei palazzi erano sbarrate. Lo scirocco spazzava cartacce e buste di plastica dai moli, appesantiva l'aria di umidità, il mare muggiva coperto di foschia, le isole neppure si vedevano. In piazza erano rimasti solo adolescenti, come in un romanzo apocalittico.

«Ho capito chi sei tu» disse Beatrice illuminandosi. «Sei la cicciona con la sorella e la mamma ciccione, che al saggio di due anni fa si è ingozzata di Girelle, poi è rotolata giù dal palco» sorrise. «Non ti abbiamo più vista a danza, chissà come mai.» Il pubblico vacillò, passò subito dalla parte del più forte. Beatrice se ne accorse. «Tu sei l'amica culona di Valeria Lodi.»

Il nome mi gelò. Guardai la ragazza vilipesa scendere dallo scooter, avventarsi su Beatrice, che era più agile, quindi la schivò e le mollò uno schiaffo secco in piena guancia, un altro e un altro, crudele al punto da spaventarmi. Distolsi lo sguardo. In strada riconobbi la Marchi che stava per salire sulla Twingo. Era sempre l'ultima a lasciare la scuola, immagino perché apparecchiare per sé, prepararsi il pranzo da sola, non fosse facile neppure dopo anni. Si fermò, sbalordita, subito si diresse verso di noi. Dentro di me la ringraziai. Osservandola correre, però, il volto arrossato, le calze color tortora, non riuscii a non chiedermi se fosse ancora vergine oppure no.

Sedò la rissa all'istante: «Voi, da che scuola venite? Cosa siete venute a cercare al Pascoli?». Le amazzoni farfugliarono un chiarimento, un confronto, con voce e occhi molto bassi. Poi si rivolse a Beatrice: «Ho visto quello che hai fatto, avrai una nota sul registro».

«Perché? Fuori da scuola faccio quello che voglio.»

«Davvero?» La Marchi arcuò le sopracciglia, interessata. «Cos'è, sentiamo, che ti autorizzerebbe?»

«Non rispondere, ti prego» bisbigliai a Beatrice.

«Ascoltate anche voi» gridò la Marchi alla platea in piedi contro il muretto, seduta a fumare sulle panchine, «è in corso una lezione extra di educazione civica o, se preferite, di filosofia morale.»

Il grosso degli studenti scomparve. Si stava facendo tardi, il pranzo si sarebbe freddato, la filosofia morale o, peggio, l'educazione civica, non poteva competere con una scazzottata al femminile.

«Tu pensi di essere al di sopra della legge, Rossetti?»

Beatrice assunse la sua peggiore faccia di bronzo: «La legge vieta di mollare ceffoni? Dovrebbe avvisare i miei genitori allora, perché non lo sanno. E questa piazza l'ha pagata anche mio padre con le sue tasse».

La Marchi la considerò in silenzio, poi disse: «Ci sono leggi scritte, come la Costituzione, il codice civile, il codice penale. E c'è la morale non scritta che regola non solo la società, ma il senso delle nostre vite».

«Se non si vede» la sfidò Bea, «non esiste.»

«Allora domani leggeremo l'*Antigone*, e prima passa in presidenza.»

La Marchi se ne andò, spedita sul suo mezzo tacco, la solitudine che trapelava dalla gonna sotto il ginocchio, il cappottino dozzinale da insegnante sottopagata: mi apparve così impotente. Aprì la portiera, la richiuse, mise in moto. Beatrice commentò: «Se qualche volta ci scopasse, almeno, su quella Twingo».

I presenti ridacchiarono, persino la mora con le cinque dita stampate sulla guancia. A me dispiacque: nella Marchi mi rispecchiavo, vedevo me di lì a vent'anni. La consideravo un modello di tenacia, forza d'animo, la personificazione della sostanza che sempre dovrebbe trionfare sulla forma. Ma non trovai il coraggio di difenderla.

Basta, pensai, l'importante è che sia tutto finito.

Invece alle 13.45 comparve Valeria.

*

«Troia» disse scendendo dal motorino.

Le amazzoni mi avevano segnata a dito: È quella lì. E io avevo appena fatto in tempo a metterli a fuoco, lei e il suo Typhoon blu con la scritta "Vale '83" sopra il fanale anteriore. Aveva due anni più di lui, mi sorpresi a calcolare, tre più di me, mentre mi sforzavo di non correre verso il Quartz per non passare da codarda, ma anche di salirci sopra il più in fretta possibile.

Valeria Lodi, oh, aveva proprio la faccia della brava ragazza. Da quel che sono venuta a sapere di recente, dopo il liceo ha studiato a Pisa, è rientrata e oggi è urologa presso l'ospedale di T. È sposata, ha due figli. Già nel 2000 si capiva che avrebbe fatto tutto giusto nella vita. Poco trucco, capelli raccolti, il golfino rosa e i jeans puliti, senza strappi né stravaganze, sotto il cappottino beige. Però, quel giorno, aveva perso la testa.

«Me lo ha detto» sibilò afferrandomi una spalla e costringendomi a voltarmi, «quello che avete fatto sotto la quercia. Toccava a me, dovevo essere io, era il nostro posto. E tu hai distrutto tutto!» Le lacrime trattenute a stento, i lineamenti imbruttiti dall'odio: aveva diciassette anni e conosceva già il dolore della donna tradita. Mi fece pena, ero dispiaciuta, ma anche, in un angolo remoto e inconfessabile di me, fiera di essere io la femmina scelta.

«Non ho distrutto niente» provai a calmarla, «te l'assicuro.» Ma lei non aveva alcuna intenzione di ascoltarmi. «Perché» mi chiese «non te ne torni da dove sei venuta? Come cazzo sei messa? Guardati. Sei uscita dal riformatorio?»

«Piano!» intervenne Beatrice. «Lei è mia amica.»

Pensai che a T avessero dei modi di fare molto teatrali, che a Biella non avrebbero funzionato.

«Tu non c'entri» le rispose Valeria.

Bea continuò: «Non capisco perché t'incazzi tanto. Lorenzo

135

è innamorato di Elisa, non gliene frega più niente di te. Lasciali in pace».

«Non è innamorato di me» obiettai. Ma Valeria prestava attenzione solo a Beatrice che, imperterrita, di fronte ai rinforzi dello scientifico, agli ultimi spettatori del classico, con gusto andava avanti: «Pensi di essere arrapante? Che ti vesti come le bambine alla prima comunione, e forse oggi hai detto la prima parolaccia della tua vita? Vai bene per essere presentata alla mamma, non per farglielo venire duro. Mentre Elisa è punk, è ovvio che Lorenzo abbia scopato con lei e non con te».

Compresi cosa significasse avere Beatrice come nemica.

Avrebbe studiato Kant, la legge morale che sta dentro di te, Antigone e il suo scontro con Creonte in nome della *pietas* famigliare: avrebbe preso 8 in entrambi i casi. Ma lei di pietà non ne aveva. La comprensione gratuita dell'altro, il mettersi nei suoi panni, il perdono, di questa roba non sapeva che farsene. Perché Beatrice sapeva, a differenza mia e della Marchi, che sotto la cultura c'è la natura, e la natura è pulsione, sopraffazione, compiacimento del dolore altrui. È vincere e vaffanculo.

Valeria la fissò a lungo senza piangere. Provai un moto di solidarietà per lei, ma tutto quel che potevo fare e dire io era aria. Non ero già più la protagonista. Beatrice col cavolo che mi lasciava quel ruolo, anche solo per mezza giornata.

Valeria corse giù per la piazza e raggiunse il mare. Raccolse dal molo qualcosa, ci trafficò. Quando risalì, divenne chiaro che tra le mani teneva un secchio d'acqua pieno fino all'orlo, così pesante che le tendeva i muscoli del collo per lo sforzo, sgocciolando sulle scarpe da tennis.

Si dirigeva non verso le sue amiche, e neppure verso i nostri compagni che, come ciascun presente, sarebbero rincasati alle due passate trovandosi davanti i genitori furibondi e il piatto coperto da un altro piatto; ma verso di noi: Beatrice e me.

«Cosa vuoi fare?» le chiese Bea quando Valeria, ignorandomi, le arrivò davanti con il secchio tra le mani.

«Voglio vedere cosa c'è dietro» le rispose tremando, «com'è la tua faccia senza quel chilo di trucco. Cosa sei davvero.»

E lo fece. Una secchiata d'acqua di mare, così intensa che sarà stata almeno quattro litri, in pieno volto.

Arrivarono di corsa quelli della III A e della I C, quelle dello scientifico, persino chi era già salito sul motorino per andarsene: increduli, eccitati come iene dall'odore della carne. Il rimmel tenne, perché era waterproof. La matita e le decine di sfumature di ombretto sulle palpebre no. Colarono giù insieme al colore che rendeva più intense le sopracciglia. Il lucidalabbra svanì. L'effetto fu un generale rimpicciolimento sia degli occhi che della bocca. Le si formarono due occhiaie viola e profonde, come fosse stata malmenata. Ma il peggio fu il fondotinta: insieme al correttore, alla cipria, al blush e all'illuminante, si ritirò appiattendo gli zigomi, ingrossando il mento; soprattutto, svelando i brufoli. Non basta: i suoi capelli, finalmente liberi dalla parrucca e tornati lucenti, lisciati alla perfezione, prendendo umidità si erano subito increspati. Dalla massa disciplinata sfuggirono dei riccetti indomiti, gli stessi che avevo visto a casa sua per sbaglio.

Così come la bassa marea lascia dietro di sé bottiglie di plastica rotte, resti di assorbenti, pezzi di catrame, quella secchiata rivelò, di Beatrice, l'irriducibile normalità.

Valeria se ne andò senza commentare, la lasciò in pasto agli altri che sgomitavano per vedere come i turisti sui luoghi transennati dopo gli omicidi, i terremoti, e Beatrice restava lì, le spalle diritte, la testa alta, sovrappensiero. Il giaccone e i capelli fradici, lasciava che infierissero.

Dopo un po' cominciò ad avere freddo. Sparirono tutti, rimasi solo io con lei, sconvolta: «Perché mi hai difesa fino a questo punto?».

Beatrice non rispose. Lo sguardo fermo sulla linea sfocata che divideva l'acqua dall'aria, dove forse c'era la Corsica, forse Capraia.

«Un giorno» disse, «tutti quelli che hai visto qui oggi, inclusa Valeria, avranno un lavoro e una famiglia così tristi, vite così insulse, mentre io, Elisa te lo giuro, farò qualcosa di talmente incredibile che si saprà in tutto il mondo, e non si parlerà che di me, e questi poveracci mi avranno davanti agli occhi sempre, ovunque, e m'invidieranno. Così tanto che non riusciranno più a essere felici.»

*

L'indomani non venne a scuola. L'assenza di Bea fu la seconda notizia che si propagò dal primo al terzo piano raggiungendo ogni aula. La prima fu che Lorenzo Monteleone aveva sverginato Biella.

Rinserrata nel perimetro del mio banco, m'imposi di non sentire né vedere le chiacchiere, gli sghignazzi. Che fossi l'unica della terza media a non aver mai baciato un ragazzo o la prima a perdere la verginità tra le quarte ginnasio, non faceva differenza: rimanevo inaccettabile.

La Marchi entrò in classe con Sofocle sottobraccio, osservò la sedia vuota che avevo accanto. Attaccò lo stesso un panegirico sul significato della legge che ti chiede di fare la cosa giusta non per interesse ma per senso morale. Ascoltandola pensai: Chi credi di cambiare? Questi qui seduti intorno a me?

Però lei leggeva l'*Antigone* e io m'immedesimavo. Sola, messa al bando, prigioniera in fondo a una grotta. Non avevo compiuto nulla di straordinario, io, ma sapevo di contenere una disubbidienza, l'avevo ereditata. Era mia madre. Una natura disarmonica, anomala. E lo stesso valeva per Beatrice. Era come se ci portassimo dietro una colpa segreta, che però vedevano tutti.

"Io non potevo, per paura di un uomo arrogante, attirarmi il castigo degli dèi. Sapevo bene – cosa credi? – che la morte mi attende, anche senza i tuoi editti."

Che donna, come rispondeva al potere per le rime. Ma potevo assomigliarle? Anch'io avrei seppellito con tutti gli onori quel delinquente di mio fratello, lo avevo già aiutato a comprare il fumo. Ma il coraggio di andare contro la società per difendere ciò che mi appassionava, in cui credevo, lo avrei tirato fuori? Sofocle mi portò in Grecia, mi permise di sopravvivere per due ore. All'intervallo lo chiesi in prestito alla Marchi, che me lo diede con evidente soddisfazione, e il resto della mattinata lo passai a leggere tragedie di nascosto facendo finta di prendere appunti di scienze e di matematica. Gli altri erano entrati con i loro giudizi fin dentro le mie mutande, a sindacare là dove non potevo difendermi. Morivo di vergogna e, intanto, tornava a visitarmi l'antica sensazione che io non ero niente, quella che mi chiudeva la gola per non farci passare l'aria, e sotto il banco non c'era più il pavimento, ma un cratere. Attesi che i miei compagni uscissero con l'ultima campanella, quindi mi alzai e raggiunsi la finestra.

La aprii, mi sporsi coi gomiti sul davanzale. Osservai una petroliera diretta dove, a Genova? Un aliscafo la superava. Nugoli di gabbiani seguivano le scie dei traghetti da e verso il Giglio. Era come se ogni cosa avesse un tragitto, lo percorresse, mentre io restavo ferma. Quanto mi piacerebbe, pensai, non essere più me, essere uguale agli altri. Mi sporsi di più, appoggiai lo stomaco allo stipite, staccai i piedi dal pavimento.

E lo vidi.

Il parcheggio vuoto, con solo il Quartz e il Phantom nero. E, seduto sopra, Lorenzo, gli occhi azzurri puntati su di me.

Mi fece segno di no con la testa, con calma.

No?, gli risposi in silenzio. E allora cosa dovrei fare? Andare avanti così, a odiarmi per tutta la vita? Cosa vuol dire, vivere? Piacere? Essere amati? Sentirsi in diritto di essere un po' felici?

Non ero un'eroina greca, ma un'adolescente. Come tutti a quell'età, avevo una spiccata indole drammatica e riconoscevo nella morte un'alternativa semplice e immediata a un futuro insopportabile.

Ma non potevo buttarmi davanti a lui.

Richiusi la finestra di scatto, scocciata. Indossai il giaccone, lo zaino e corsi giù per le scale. Quando uscii, raggiunsi il Quartz passando davanti a Lorenzo senza guardarlo. Non ci eravamo più scritti né cercati dopo quel pomeriggio. Infilai il casco, misi in moto. A entrambi sarebbe risultato impossibile scambiarci una parola qualunque. Partii, dando gas nell'intrico dei vicoli, sbucando in piazza dei Martiri, scendendo verso il lungomare.

Dallo specchietto retrovisore, però, mi accorsi che Lorenzo mi seguiva. Accelerai, accelerò anche lui. Svoltai a sinistra, lui pure. Presi per il belvedere. La salita, le curve: mi tallonava stretto perché lo vedessi. Voleva che mi fermassi? Come potevo?

Era successo questo, sotto il piumone. Che eravamo nudi dall'ombelico in su e avevo paura. «Voglio guardarti» gli avevo detto scostando la coperta dalle nostre teste. Avevo visto riemergere i suoi lineamenti, le labbra, avevo avvertito l'istinto di leccargliele. Perché ero io, non lo ero più. Volevo scappare e, al contempo, che lui mi mangiasse.

Mi aveva tolto i jeans, quelli di Swarovski, li aveva gettati nell'erba come fossero stracci. Io li avevo osservati per qualche istante, sorpresa: Lo sto facendo prima di te, Bea, ci credi?

Avevo sentito le mani di Lorenzo sfilarmi le mutande. Un gesto che nessuno, eccetto mia madre quand'ero piccola, aveva compiuto. Ma erano importanti? L'infanzia, i Natali, le liti, le carezze prima di quel momento? Mi aveva chiesto di fargli vedere come mi toccavo. Vergognandomi avevo provato a guidarlo. Era troppo veloce, maldestro, ma c'era: con me, insieme. Mi aveva chiesto di fare la stessa cosa con lui e io avevo sbagliato, ero stata sul punto di rovinare tutto forse, forse no.

Non ero brava a parlare, figuriamoci a usare il mio corpo, che mi era estraneo però esisteva, desiderava, esigeva. Lorenzo era così bello che gli avrei perdonato ogni male, mi sentivo la bocca piena di confessioni esagerate. Mi sarei venduta, annullata, purché lui mi esaudisse.

Volevo essere come le altre. Anzi, più e meglio delle altre. Era un desiderio imperdonabile? Lui aveva allungato il braccio, recuperato dalla tasca dei jeans il preservativo. Quell'interruzione mi aveva fatta dubitare. Mi ero chiesta: Sei sicura? Dovevo. Allora lui era entrato, aveva spinto. E io, riversa a terra, con tutto quel cielo sopra la testa, il peso del suo corpo che mi schiacciava, avevo provato un dolore così forte, così ingiusto.

Mi ero sentita scendere le lacrime lungo le tempie.

Ricordai ogni cosa mentre guidavo. Quanto ero stata incapace. Non valevo niente. Si era accorto del male che mi faceva, anche se io avrei voluto nascondergielo, e non era stato bello neppure per lui.

Ero scappata. Mi ero nascosta dietro un albero a vomitare vodka provando un tale disprezzo per me stessa che avrei sul serio potuto buttarmi da uno scoglio, sotto un treno, ma alla fine ero montata sul Quartz, come al solito, e avevo ricominciato a perdermi per la città, come ora. Ma con addosso i jeans di Beatrice macchiati di sangue.

Controllai lo specchietto, Lorenzo mi pedinava ancora. Erano le due: mio padre questa volta si sarebbe arrabbiato. Rallentai, rallentò anche lui. Accostai, parcheggiai. Andai a sedermi sull'ultima panchina del belvedere. Mi abbracciai le ginocchia, guardai l'isola d'Elba.

«Ho lasciato Valeria» mi disse sedendosi accanto.

Io non mi voltai.

«L'ho lasciata per te.»

Pensai che lo amavo. E non m'importava se questo verbo era eccessivo, se non ne conoscevo il significato. Il corpo non c'entrava più, almeno non solo. C'entravano le parole, quell'idea di eternità che chiamiamo anima, per cui si scrivono poesie, si compiono gesta. Lo amavo per sempre con tutta me, non avevo bisogno di sapere altro, che mi promettesse niente, che mi tornasse indietro qualcosa. Io lo amavo.

«Non possiamo stare insieme» risposi.

*

Nelle stesse ore, in un bilocale affacciato su piazza Padella all'ultimo piano senza ascensore, Beatrice perdeva la verginità con Gabriele.

Non avrebbe potuto aspettare oltre: dodici giorni dopo di me erano già uno smacco. E mi viene da ridere se ripenso alle frecciatine velenose di chi insinuava che non si fosse presentata a scuola per la vergogna, l'umiliazione. Bea? Macché! Bigiò per intrufolarsi nei vicoli umidi della città vecchia, suonare il citofono con scritto a penna "Masini", e raggiungere il suo primo, forse unico amore nella mansarda in affitto, prima che lui cominciasse il turno in fabbrica.

Mi rendo conto, già a questo punto, di aver rivelato informazioni così sensibili che qualsiasi rivista di gossip italiana, francese, statunitense o russa mi pagherebbe oro pur di pubblicare. Non le cederei mai. Anche nel privato di questa pagina, quel che intendo riportare sono pochi ricordi funzionali al racconto. Tralasciando le fragilità e le tenerezze, i dettagli intimi che Bea mi ha raccontato: appartengono a lei e io voglio continuare a custodirli. Perché, a differenza sua, e come la Marchi, ritengo che la cultura sia una miracolosa liberazione dalla natura, e quel che non rende un soldo né fama serve, serve più del resto.

Le rampe di scale erano otto più una. I gradini in pietra, i muri macchiati di muffa. Salendole, Beatrice corse un grosso rischio, e rischiare, di lì in avanti, sarebbe diventata la sua abitudine preferita.

Abitava in questo vecchio palazzo di pescatori, Gabriele, insieme al fratello maggiore, con le pareti intrise di salsedine e poca luce. Dalla finestrella della sua stanza, nei giorni più nitidi, si vedeva l'isoletta di Montecristo. L'abbaino della cucina, invece, dava sulla piazza, che credo sia la più piccola d'Italia: grande quanto il mio salotto, così appartata che, se non ci vivi, non la conosci. I residenti l'avevano arredata con piante in vaso e stendibiancheria. La adoravo. Crescendo avremmo organizzato cene favolose tutti insieme in quell'appartamentino lassù, e trascorso i sabati sera più belli che io ricordi. Con Gabriele che strimpellava la chitarra cantando *Albachiara* e Salvatore, il fratello, che cucinava la carbonara e riempiva i bicchieri di vino rosso. Ma sto correndo avanti di almeno un anno.

Quella mattina di dicembre del 2000, il 14, com'è segnato sul mio diario, Bea bussò alla porta e Gabriele andò ad aprirle a piedi nudi, con i boxer e una maglietta addosso perché si era appena svegliato, e una sigaretta all'angolo sinistro della bocca perché lui appena si svegliava fumava. Beatrice era persa per lui. Sette anni di differenza: avrebbero potuto arrestarlo. Ma Gabriele era un bravo ragazzo. Preparò la colazione per entrambi, immagino fossero le nove, e guardarono un po' di cartoni giapponesi abbracciati sul divano, *prima*. Veniva da Livorno, pronunciava la *c* aspirandola così tanto che mi faceva ridere ogni volta. A sedici o diciassette anni si era stufato di studiare e trasferito a T dal fratello più grande. I genitori non è che fossero proprio due persone esemplari, e credo avessero interrotto coi figli ogni rapporto. Era povero in canna, con le mani bucate. Alcuni conguagli del gas, la quota d'iscrizione a un paio di gare, glieli pagò Beatrice, che guadagnava già bene da minorenne. Però la capivo: era bello da voltarsi per strada. Moro, gli occhi neri, le labbra sensuali, scuro di carnagione al punto che l'avresti scambiato per arabo o nordafricano. Fumava alla grande, come mio fratello. Si considerava un potenziale campione di motocross, ma per campare faceva l'operaio in un'industria che produce ancora oggi, pur ridimensionata, nastri trasportatori e cinghie dentate.

Ginevra avrebbe ucciso la figlia per molto meno.

Ricordo che ci fu un periodo in cui Beatrice, per immaginare di renderlo presentabile ai genitori e avere un futuro con lui, provò a convincerlo a diventare modello. "Ho i contatti" gli diceva, "un provino poi basta, ti fai fare due scatti, devi solo stare fermo". E lui niente. "Mi piace la figa" si giustificava ridendo, "mica il culo." Il linguaggio era questo. Di Beatrice apprezzava precisamente gli attributi di cui sopra. Le pareti di casa erano tappezzate di moto e tette. Salvatore lavorava sulle navi, anche lui di certe cose sentiva sempre la mancanza. C'erano donne nude ovunque, in ogni posizione. Ma con noi, ripeto, furono sempre gentili.

Dopo aver visto un pezzo del *Mio vicino Totoro* – Gabriele era fissato con Miyazaki – si spostarono di là, in camera sua. Il fratello era via, per mare. Avrebbero potuto abitare insieme da soli per una settimana, in una vita perfetta. Ma si erano accontentati, spogliandosi nella luce del mattino. Lui l'aveva aspettata per mesi, con pazienza, senza forzarla. E adesso Beatrice era uno spettacolo, non aveva alcuna intenzione di nascondersi sotto le coperte, anzi.

Tutti erano al lavoro o a scuola, il silenzio delle case intorno li avvolgeva come fosse domenica. Solo qualche vicina affacciata a innaffiare le piante, una centrifuga lontana, l'arrivo del postino, una telefonata al pensionato del piano di sotto. Avevano accostato un po' gli scuri, quando era arrivato il momento. Poi erano rimasti a letto tutto il tempo, ordinando una pizza a domicilio per pranzo, mangiandola seduti sulle lenzuola. Così fino alle quattro del pomeriggio quando, da una cabina telefonica, mi aveva chiamata: «Oggi ero da te, ok? Sto andando via da casa tua adesso». E aveva riagganciato.

Le era andata meglio che a me. Non troppo, nessun idillio, ma Gabriele era più esperto di Lorenzo e Beatrice il suo corpo lo sapeva usare; aveva questo imperativo categorico puntato alla tempia di dover piacere sempre, piacere e basta. Aveva smacchiato *i* jeans apposta. Non li aveva dati alla governante né lasciati nel cesto della roba sporca. Li aveva strofinati lei stessa di nascosto con il sapone di Marsiglia e lasciati sgocciolare nella vasca da bagno. Voleva indossarli anche lei nella mia stessa occasione, togliere la mia macchia per aggiungere la sua. A questo servì, in conclusione, il nostro furto.

In seguito, che io sappia, quei jeans da quattrocentotrentaduemila lire tornarono in fondo all'armadio, sull'ultimo ripiano, e lì rimasero sepolti.

La Liabel

Controllo l'ora: sono le due. Non ho riassettato casa né sbrigato le commissioni che avrei dovuto, non ho nemmeno pranzato. Scrivere mi ha smarrita in questo luogo, il passato, e ora, mentre mi alzo, sono così disorientata che quasi non riconosco la mia vita. Raggiungo la finestra, osservo i portici e i passanti senza vederli. Mi chiedo: Possibile che abbiamo fatto una rissa per Lorenzo, al liceo? Che siano arrivate in forze dallo scientifico per vendicare Valeria? Mi sorprendo a ridere da sola. Mi volto e mi sembra che la camera sia affollata dai motorini che girano in tondo, i capelli svolazzanti sfuggiti ai caschi, gli adesivi e le scritte sui paraurti. Certo che arrivare alle mani per un ragazzo, bisticciarselo a quel modo, come leonesse affamate... Scuoto la testa, apro l'armadio, cerco dei vestiti per uscire. Solo che, d'istinto, guardo di nuovo il computer rimasto acceso.

Non è vero che, se non lo racconti, non è accaduto. È accaduto eccome. E sono consapevole che è dall'inizio di questa storia che evito un capitolo, lo accenno poi lo salto, glisso e vado avanti, così lui continua a decidere al mio posto, a essere più forte. Adesso basta. Se mi sbrigo, in un'ora me ne libero e poi riuscirò persino a fermarmi al Baraccio per un toast prima di andare al lavoro; forse più leggera.

Non c'è solo dell'assurdità, purtroppo, ma anche del tragico nelle donne – e mi ci metto per prima – che si azzuffano e si dilaniano per un uomo. E dopo, fatalmente, quello se ne va illeso per la sua strada, libero di vivere la sua vita, mentre noi restiamo indietro, con un pugno di mosche in mano, piene di cicatrici.

Mamma e Niccolò se ne andarono da T per sempre la mattina del 6 ottobre del 2000, un venerdì, credo intorno alle dieci. Il giorno prima, nel tardo pomeriggio, mamma era così annoiata che le venne in mente di leggere. Niccolò non c'era, eravamo sole in salotto, io a studiare e lei a pensare. Si alzò dal divano a un certo punto, esaminò gli scaffali come chi non ha mai letto un libro – senza sapere dove sbattere la testa – e, tra le centinaia di volumi allineati in ordine alfabetico, scelse *Fiesta*.

Hemingway stava rincantucciato in edizione economica, ingiallita da decenni, e in quell'angolo sarebbe rimasto, se mamma non avesse deciso di disturbarlo. Se lo portò fra i cuscini, lo aprì, e subito le cadde fra le ginocchia una Polaroid.

Perché odio le fotografie.

Perché questa Polaroid, più sbiadita ancora del libro in cui era stata nascosta o dimenticata, ritraeva una ragazza con le trecce, a seno nudo. Era datata 23 aprile 1981, cinque mesi esatti prima del matrimonio di mamma e papà, e dietro c'era scritto: "P. amore mio, tua R.".

Stavo ripetendo l'alfabeto greco quando sentii mamma sibilare: «Bastardo» e m'interruppi. Voltai lo sguardo verso di lei e vidi che era impallidita, gli occhi sgranati su quella foto. A che servirà mai costringere la vita, una posa, un momento, dentro un'immagine che può solo essere fraintesa? Io non lo so, chiedetelo a Beatrice Rossetti.

Non svelerò l'identità di R. perché sarebbe irrispettoso, è diventata persino una ricercatrice famosa nel campo delle onde gravitazionali. Dirò solo che, come ricostruii in seguito, lei e mio padre erano stati compagni di corso all'università e, evidentemente, non solo questo.

«Eravamo già fidanzati il 23 aprile» disse mia madre, «da due mesi. E lui se la faceva ancora con questa!»

Usciva di rado in quel periodo. Dopo il litigio plateale di Ferragosto si era come spenta, l'ebbrezza adolescenziale di luglio era svanita lasciandola lì, in sospeso a quarantadue anni, irrisolta in una città non sua. Avevano provato a ricucire lo strappo, lei e papà, a smussare gli angoli, come si dice, ma siamo tutti fatti di angoli e di spigoli, quindi ci urtiamo. Andavano a cena al ristorante da soli, in gita la domenica in qualche oasi protetta, ma finiva che tornavano a casa litigando e la causa era sempre la stessa: i figli.

«Certo» commentò mamma quel giorno, «che mi pensavo? Io sono sempre stata il culo e le tette, lei il cervello.»

Papà voleva che Niccolò s'iscrivesse a una scuola: anche serale, anche privata. Mamma replicava che era inutile perché *lei* lo conosceva, *lei* sapeva quanto fosse difficile per lui trovare la sua strada visto che gli era sempre mancato il riferimento maschile. Papà incassava, si avvelenava, si mordeva la lingua, e contrattaccava: "Dove vuoi che vada senza un diploma? Continua a drogarsi. Perché non vuoi farlo parlare con uno psicologo?". "Te e i tuoi lussi da radical chic" lo rimproverava lei, lo prendeva in giro. Andavano avanti ore in camera da letto a discutere, a non dormire. Poi mamma trovò quella foto.

«Guardala, Elisa. Cento lauree, e zoccola rimane.»

Mi passò la Polaroid. Detestavo quando mia madre parlava sboccato. Era umiliante. Osservai il ritratto con imbarazzo, non volevo vedere le tette di nessuna, ma lei mi costringeva. «Io gliel'avevo pure chiesto: "Perché preferisci me a lei?". Non ero incinta quando ci siamo fidanzati, che motivo aveva per lasciarla? Ero sicura che mi prendesse per il culo, infatti avevo ragione.»

Posai la Polaroid, voltata, sul tavolo. Evitai d'incrociare lo sguardo di mamma perché non sapevo cosa dirle. La sua vita sentimentale non poteva rientrare nei nostri argomenti, non volevo sapere tutto di lei, invece lei si prodigava in particolari e io arrossivo.

Odio le foto, dicevo; di me in Rete ne circolano così poche che è come se non fossi mai esistita. Appena un collega o amico decide di scattarne una, io mi sfilo e mi nascondo. Ogni volta che vedo passare R., occhialuta e coi capelli ormai corti e ingrigiti, al telegiornale o in qualche programma scientifico, ripenso alle sue trecce da hippie, ai suoi capezzoli, e per quanto mi sforzi non riesco a prenderla sul serio.

Che la relazione tra mamma e papà fosse fragile me n'ero resa conto. Che li unisse un'attrazione sbagliata e infondata, anche. Non avrei mai voluto che tornassero insieme, ma ora vivevamo a T tutti insieme, eravamo quasi una famiglia, e non potevo permettere che si lasciassero.

Presa dalla disperazione le dissi: «Mamma, papà ti ama».

Lei scoppiò a ridere.

Quando lui tornò dall'università, lo investì di botte. Non avevo ancora aperto certi cassetti privati di mamma, ritrovato materiali del suo passato per me inimmaginabili, ma oggi la rivedo avventarsi su papà e realizzo quanto rock ci fosse nell'energia di quegli schiaffi. Il risentimento per aver rinunciato a un sogno barattandolo con una vita insieme a lui; lui che partiva per Parigi o Berlino, e lei che restava a casa coi figli a caricare le lavatrici. Altro che normale, fu una vita grama quella di mia madre. Perché poi non ressero, lui trovò una cattedra all'università, e lei finì in fabbrica, che era comunque meglio di stare a casa tutto il giorno con l'unico scopo di venirci a prendere a scuola.

La bassista che suona i Led Zeppelin sul palco, solo l'idea mi spezza il cuore. E quella Polaroid cretina lo spezzò a mia madre.

«Tutto posso sopportare, ma che tu sia stato sempre innamorato di un'altra no» gli rinfacciò quella sera, «è una menzogna troppo grande, vuol dire che vent'anni della mia vita sono stati una balla.»

Papà la osservava, stralunato, impotente. Come faceva a dirle che in realtà la menzogna era quella foto? La sua faccia provava chiaramente che avrebbe preferito innamorarsi di R., perché con lei le cose sarebbero andate assai più lisce. Invece l'amore lo aveva fregato, e continuava a fregarlo.

«Annabella, è solo una stupidaggine dei tempi universitari. Se stava lì, è perché non aveva importanza. Me l'avrà data lei come ricordo, che ne so! È assurdo.»

Ma mamma non volle ascoltarlo. Che R. fosse una donna in carriera, e lei nessuno: questa differenza pesava troppo. Se considero oggi il suo litigio con quella foto, e lo paragono al mio con Valeria e, soprattutto, a quell'altro infinitamente più grave che a un certo punto mi toccherà raccontare, mi rendo conto di quanto fossero insulse le contese per un uomo che mi hanno rovinato la vita. E quante questioni aperte con noi stesse, quante rinunce, ci riversassimo dentro.

Non cenammo. Niccolò arrivò tardi. Loro stavano ancora litigando. Mi chiese cosa fosse successo, glielo raccontai e lui rispose che andava a chiudersi in camera sennò lo menava.

Ci ritrovammo mio fratello e io – non certo per la prima volta – a mezzanotte in cucina coi crampi per la fame. Mamma e papà erano usciti alle undici e avevano preso la macchina. Erano spariti. La casa era piombata in un silenzio angosciante.

«Ho paura che non torneranno più» dissi a Niccolò mentre ci dividevamo una confezione di Buondì.

«Papà non mi sembra tipo da ammazzarla» rispose lui, «è più probabile il contrario.»

Quel che ricordo del seguito fu un sonno interrotto migliaia di volte. Mi svegliavo di soprassalto e correvo in cucina a scostare la tenda, pregando di vedere la Passat di nuovo parcheggiata sotto il nostro balcone. All'una, alle due, alle tre. Niente.

Rientrarono alle sei.

Udii il motore, poi il tintinnio delle chiavi, i passi in corridoio, la porta della loro stanza aperta e richiusa, e subito andai a origliare.

Le loro voci erano sfinite, come se avessero trascorso la notte a urlarsi controvento su una scogliera. Quello che papà disse a mamma alla fine, e che ricordo distintamente, fu questo: «Elisa deve staccarsi da te, avete un rapporto morboso che le impedisce di crescere. Ha bisogno di aprirsi agli altri, di un ambiente sereno, di ricevere stimoli e cultura. Niccolò lo abbiamo perso, non possiamo perdere anche lei».

Udii queste parole e mi sentii morire, dentro di me gridai disperata: No, mamma. Opponiti, ti prego!

Invece la sentii rispondere: «Hai ragione».

*

Alle dieci del mattino guardai scomparire dietro una siepe l'Alfasud caricata male e in fretta, con le valigie chiuse a metà, i borsoni accatastati contro il lunotto posteriore. Mamma alla guida, Niccolò accanto e Nessuno sui sedili posteriori. Mi staccai dalla finestra della cucina e mi rintanai in camera stringendo forte il suo pigiama a cuori.

Poco prima le avevo gridato: «Non puoi!» mettendomi di traverso tra lei e il trolley sbattuto sul letto matrimoniale. «Non lasciarmi sola!» vuotandolo mentre lei lo riempiva, «vengo con te!» «No» aveva risposto, fissandomi coi lineamenti tesi di quando non ragionava. Le avevo strappato di mano un pugno di reggiseni, li avevo scaraventati a terra. Lei mi aveva mollato un ceffone dei suoi, definitivo. Allora mi ero rannicchiata in un angolo a piangere, sulla sedia dove papà dimenticava sempre i pantaloni. Ma anche così, in lacrime, non ero riuscita a scalfire il suo proposito di tornare subito a Biella.

«Tu rimani!» mi aveva urlato come fosse una colpa. E tutto quel che ero stata capace di combinare io per limitare i danni era stato rubarle il pigiama da sotto il cuscino, usato da qualche notte.

Chiusa a chiave in camera mia, affondai il naso nella stoffa della sua maglietta, là dove il cotone rimane a contatto con la nuca. Con gli occhi murati di lacrime lessi l'etichetta: "Liabel".

Era un venerdì. Non ero ammalata ma non mi trovavo a scuola. Papà aveva telefonato all'università e annullato le lezioni. Non potevo credere che fossimo rimasti noi due. C'erano caldo e luce, fuori, alcuni scendevano ancora al mare a fare il bagno. Mi sentivo così fuori posto in quel mattino, in quella casa. Quale parola mi avrebbe scritto papà sul diario per giustificare la mia assenza? "Indisposizione"? "Influenza"? Poteva mai scrivere: "Abbandono"?

Il sole inondava la camera e m'infastidiva. I lavori di ristrutturazione nel palazzo accanto, i vicini sul balcone, i merli che saltellavano sulle siepi: ogni segno di vita mi dava sui nervi. Tirai giù la tapparella accorgendomi, mentre si abbassava, dell'esistenza del platano nel cortile sul retro. Un quadrato di cemento senza scopo, limitato su due lati dal condominio e sugli altri da una rete a strapiombo su un burrone. L'avevo visto mille volte, quell'albero, e non lo avevo mai considerato: era così superfluo. Calai l'imposta sul mio alter ego, sul mondo intero, come se avessi dovuto abbatterci sopra una scure. Accesi l'interruttore, la lampada a basso consumo gettò la sua luce fredda nella stanza, trasformandola in un bunker. Era ciò che volevo.

Osservai l'armadio bianco coi pomelli rosa, da cameretta romantica realizzata in serie per ragazzine, gli scomparti per le quattro stagioni di fianco e sopra il letto. Cosa dovevo farci con tutto quel dolore? Mica lo potevo tenere: mi scoppiava in gola. Spalancai le ante e tirai giù tutto a manate. Maglioni, camicie, jeans alla rinfusa. Ciascun cassetto lo presi e lo rovesciai: canottiere, mutande, pigiami. Quando non fu rimasto più niente all'interno, guardai la montagna di roba ammucchiata sul letto e trovai, finalmente, pace.

Affondai un braccio, pescai a caso con la punta delle dita i pantaloni di una tuta. "Brava, Elisa, vedi un po' se trovi la giacca uguale." "Va bene, mamma." Lo infilai di nuovo giù fino al gomito, tastai alla cieca, rinvenni una mutanda. "No, quelle non ci servono, cerca ancora." Mi sembrò di sentire l'odore della fabbrica. Di aver simulato l'esatta illuminazione al neon dello stanzone senza finestre. La gioia dei sabati pomeriggio allo spaccio aziendale, le ore di caccia alle taglie, ai rimasugli di campionario, piegate come mondine in una risaia, immerse in quelli che mamma chiamava "i cestoni da ravanare".

Ho vissuto gran parte della felicità, durante l'infanzia, ravanando in quei cestoni. Ancora oggi, quando passo da Biella, parcheggio di fronte alla fabbrica della Liabel, respiro ed entro. Anche se non mi serve nulla, tiro su un body per bambini, una canottiera di lana, per ritrovare il fantasma di quella perfezione: me e mia madre insieme. Senza papà, senza Niccolò, senza uomini. Inseparabili.

Beatrice, una volta che era triste, mi ha confessato che per lei i vestiti sono più che una maschera: un nascondiglio dietro cui salvarsi. Un'altra che invece era su di giri, mi ha detto che spalancando l'armadio e abbinando i capi più disparati si sentiva come una strega che produce pozioni e incantesimi potenti.

Per mio padre gli abiti non sono niente, un mezzo di sopravvivenza come un altro.

Per me credo significhino l'ombra delle mani di mia madre, il tessuto del tempo con lei.

Non ricordo quante ore trascorsi, quella mattina irreparabile, assorta nel gioco dei cestoni. Credo di essere andata avanti a oltranza finché papà bussò alla porta dicendo che "nonostante tutto" dovevamo pranzare, che anzi era opportuno "parlare". Assì, pensai, e di cosa? Intenzionata a lasciare lo strappo innominato, a saggiare la stoffa tra i polpastrelli, la qualità del cotone, come se mamma non se ne fosse mai andata. "L'affare, cerchiamo l'affare!"

Papà insistette e alla fine io aprii. Lui sgranò gli occhi sul putiferio. A me non andava di dare spiegazioni, a lui di fare domande.

Insieme, in silenzio, rimettemmo tutto a posto.

12

Il Natale del 2000

Due mesi e mezzo dopo, sabato 23 dicembre, papà e io sedevamo in silenzio su una panchina del binario 2, controllando più spesso del necessario sul tabellone degli arrivi l'Intercity proveniente da Genova. Era buio come fosse notte, accanto all'insegna della farmacia il termometro indicava un grado. I quattro binari della stazione di T erano appena più frequentati del solito e dal bar sfuggiva un profumo di pizzette calde che mi ricordava La Lucciola. C'erano dei bambini di là dalla ferrovia, giocavano a calcio sotto la luce di un lampione. Udii una voce femminile irrompere da una finestra: «Fa freddo, Tito, non sudare!» e pensai che mamma non ce lo diceva mai. Le madri degli altri si raccomandavano di continuo, invece, e io mi ero sempre chiesta come ci si potesse riuscire: restando fermi, correndo piano? Com'è che non si sudava? Mamma ci portava ai giardini e non voleva più saperne di noi. "Via" ci diceva, "lasciatemi respirare." Si sdraiava a prendere il sole, non ci guardava più, non parlava con le altre donne intente a sorvegliare e a impartire divieti. Forse sognava, mentre io mi dondolavo su un'altalena e Niccolò sudava alla grande.

"Ic 503 ore 17.47", mancavano undici minuti. Temevo che quel treno potesse svanire all'improvviso, arrivare ma rivelarsi vuoto. Non sapevo dove appoggiare le mani, i piedi, l'ansia. Papà sfogliava il "Corriere" e non doveva essere facile neppure per lui. A quale titolo l'aspettava? Era l'ex marito, il padre dei suoi figli, o ancora segretamente l'innamorato? Anche lui temeva che, all'ultimo, non fossero partiti?

Eravamo la metà noiosa di una famiglia mai esistita. Però ci eravamo impegnati. Negli ultimi pomeriggi dopo la scuola avevamo tolto la polvere dalle librerie, lavato le tende, ordinato in pescheria il menu di Natale e in pasticceria un panettone senza canditi perché a mamma non piacevano. Insieme, avevamo lavorato sodo per allestire quelle due settimane, renderle plausibili, discutendo la risistemazione dei letti.

«Mamma dove dorme?» mi ero informata subito.

«In camera mia» aveva risposto, «io posso aggiustarmi sul divano.»

«No» avevo ribattuto, «dorme con me. E Niccolò se ne torna nella sua vecchia stanza.»

Lui aveva scosso la testa. «Hai quasi quindici anni, Elisa.»

Già, ma non la vedevo da settantotto giorni. Erano le 17.39. Papà faceva finta di consultare il meteo. L'altoparlante annunciò un ritardo che per fortuna non riguardava noi. Riconobbi a distanza, appesi in edicola, i "Cioè" che a volte, in passato, avevo chiesto a mamma di comprarmi per capire cosa fosse il "petting" di cui tutte le mie compagne parlavano, e per i test che svelavano chi eri in base al trucco preferito. Il rimmel? Romantica. Il fondotinta? Insicura. Il rossetto? Determinata. Ne avevo studiato le pagine come fossero un trattato sull'adolescenza, ed era sempre finita che il "Cioè" me lo rubava mamma, i test li faceva lei. Quanto le piaceva barrare le caselle, leggermi il risultato: "Sembro insicura?". Quanto poco sapevamo di noi stesse.

Alle 17.44 smisi di guardare i bambini che giocavano a pallone, il volto teso di mio padre, quelli biondi e sorridenti che mi ricordavano Lorenzo stampati sulle copertine dei "Cioè". Mi volsi a nord. Fissai la galleria dove finivano i binari e cominciai a contare come nelle notti insonni: 1, 2, 3, per non franare nella vertigine delle domande, dei ricordi, nella consapevolezza di avere una storia senza sapere come uscirne. 120, 121, e i fari dell'Intercity bucarono il buio. Il muso verde, la decina di carrozze imbrattate, vecchio, sferragliante, eppure mi parve infinito, persino maestoso; come il primo che lei mi aveva portato a salutare, tenendomi in braccio nel 1987 o nell'88, alla stazione di Biella.

*

Ho scoperto per caso due mesi fa, a metà ottobre, mettendo ordine nella sua camera in via Trossi, che dai diciotto ai ventidue anni mamma, all'anagrafe Annabella Dafne Cioni, ha suonato il basso in un gruppo rock.

Non solo non lo sapevo, ma non lo avrei mai immaginato.

Se dovessi sintetizzare la sua biografia in base a quel che ho sempre visto e sentito, scriverei qualcosa come: "Figlia unica di una coppia attempata che non si è mai scambiata una carezza, almeno in presenza dei nipoti, Annabella era cresciuta a Miagliano, secondo Comune più piccolo d'Italia. Studentessa poco brillante e senza interessi, lasciò presto la scuola per sposarsi, fuggire, e metter su una nuova famiglia, disastrosa quanto quella d'origine".

Immagino i pomeriggi di noia nella cameretta con vista sulla strada, a Miagliano, le domeniche in piazza coi coetanei della parrocchia a far cosa? Tirare sassi? Al ginnasio fu bocciata, passò alle magistrali ottenendo lo stesso risultato. S'iscrisse allora a un liceo paritario, ma senza conseguire il diploma: a diciott'anni infatti esplose, mollò gli studi, e i miei nonni non poterono più nulla se non rivolgerle a stento la parola.

Nonna Tecla era matta, in senso letterale; l'altro personaggio che mi suggerisce l'esistenza di una tara, di una maledizione lanciata da chissà chi sulle femmine della nostra famiglia. Ma nonno Ottavio era peggio: maestro delle elementari nel paese vicino, severo e taccagno al punto da non aver mai fatto un regalo a me o a mio fratello, mai portato moglie e figlia al mare, mai dato il permesso a mia madre di uscire la sera. Feste, balere, pizzerie: tutto vietato. Su un'unica fissa non aveva lesinato: le lezioni di musica. Solfeggio, chitarra, piano. Dall'età di cinque anni mamma aveva l'obbligo di seguirle presso la scuola della signora Lenzi ad Andorno. Il nonno aveva acquistato persino un pianoforte a coda

155

affinché lei potesse esercitarsi a casa. Voleva la figlia musicista a tutti i costi, e il risultato fu che, appena maggiorenne, mamma si vendicò suonando gli AC/DC e i Led Zeppelin in reggiseno, la bandana e i pantaloni a zampa alle sagre di Camandona, Camburzano e Graglia.

Ma questo sono venuta a saperlo solo nel corrente anno, il 2019, aprendo il suo ultimo cassetto.

Il gruppo, tutto al femminile, si era battezzato Violaneve. Dai ritagli de "Il Biellese", "L'Eco di Biella" e "La Stampa" conservati in un raccoglitore, ho potuto farmi un'idea di quanto scandalo abbiano seminato su per le valli le quattro ragazze della band: disinibite, svestite eppure anche, a detta di diversi cronisti, talentuose, innovative e "destinate al successo".

Ho trovato centinaia di fotografie e negativi riposti dentro una scatola da scarpe. Molti scatti sono decentrati, sfocati, con porzioni di polpastrello sull'obbiettivo, ma in altri, professionali, i primi piani di mia madre risaltano per bellezza e per quell'aura sovrannaturale che appartiene alle persone famose. In uno mamma appoggia le labbra al microfono mentre suona e il suo sorriso è pieno, felice, come io non l'ho vista sorridere mai. In un altro è avvinghiata a un capellone con la barba, si baciano nella folla sollevando le bottiglie di birra.

Mi sono seduta a terra durante la scoperta, profondamente turbata. Incapace di distogliere lo sguardo dalla ragazza ribelle che aveva tredici anni meno di me adesso e stava su un palco, sotto i riflettori, come fosse per lei una cosa normale. Una sconosciuta che poteva essere Courtney Love o Janis Joplin, invece era mia madre. Ho rinvenuto anche una decina di VHS con le date e i luoghi dei concerti, ma non ho trovato, per ora, il coraggio di guardarle.

Perché forse era brava. Forse, se nel 1980 le Violaneve arrivarono a esibirsi a Torino al concerto del primo maggio, mamma sarebbe potuta diventare qualcuno e vivere una vita che resta, anziché sparire dietro di noi. Lei non ne parlò mai, ma, tenendo tra le mani le fotografie, le cronache e le lettere di quei quattro anni tra il '76 e l'80, mi sono resa conto di quanto tenesse a questa parentesi della sua vita. Lei, così disordinata, in quel cassetto aveva riposto ogni ricordo con criterio, senza polvere.

Quando la vidi scendere da una carrozza dell'Intercity, però, l'antivigilia del 2000, sapere chi fosse non m'interessava, anzi. Volevo solo riappropriarmene. E volevo la certezza che prima di me ci fosse stato il vuoto, che la mia nascita fosse l'unico evento significativo della sua vita. Mentre le andavo incontro, correvo e le saltavo al collo, mi sentivo tirannica e spietata.

Mamma mi abbracciò forte e a lungo. Niccolò scese trascinando giù due grosse valigie e papà, impacciato, provò ad aiutarlo. Li ignorai. Spalancai il cappotto di mamma, posai la testa sul suo maglione, l'orecchio sul seno a sentirle il cuore. Eravamo alte uguali, ormai, due corpi alla pari scissi in storie diverse, ma lei mi aveva cullata, cambiata, dato il latte, e quel passato era un luogo; come La Lucciola, il Mucrone, la Palazzina Piacenza, la Liabel.

Mi viene in mente adesso che il suo ritorno a Biella forse fu davvero per il mio bene: scaraventarmi a forza lontano da sé per impedire che le marcissi addosso, farmi nascere di nuovo. Ma allora questi pensieri non potevano sfiorarmi.

Ricordo lo sferragliare dell'Intercity in ripartenza per Roma, i bambini che lasciavano il cortile calciando la palla, e noi che ci avviavamo verso la Passat ridendo e facendoci il solletico, e poi ci stringevamo in tre sui sedili posteriori.

Papà guidò dalla stazione a casa, osservandoci dallo specchietto, come un tassista.

*

Il pomeriggio della Vigilia lo passammo ai fornelli. All'inizio freddi, urtandoci per sbaglio nell'aprire un'anta, un cassetto, chiedendoci scusa a occhi bassi, a disagio nel ritrovarci di nuovo in cucina insieme. Io, in realtà, ero felice. Loro tre molto meno, ma poi, con l'aiuto dei Rancid a volume medio-alto e di una bottiglia di vino stappata alle tre – l'idea fu di mamma: «Avanti, festeggiamo!» – tutti cominciarono a sciogliersi.

Il menu prevedeva risotto alla pescatora e frittura di pesce. Papà si diede un gran da fare dirigendo i lavori, mescolando qua e là, aggiungendo sale e peperoncino. Mamma si occupò di controllare i gusci delle vongole, se fossero aperti oppure no. Io ottenni il compito di preparare la pastella per la frittura, cosparsi ogni superficie di farina e albumi ma non venni rimproverata. Niccolò, a sorpresa, volle offrire il suo contributo. Pogando e cantando: «*I'm a hyena fighting for lion share*» mi rubò le uova, s'infilò il grembiule e impastò una torta di carote.

Non avevamo fatto l'albero, non dovevamo fingere, alle quattro eravamo già ubriachi. Forse, realizzai fermandomi a spiare papà, mamma e Niccolò che quasi si divertivano, potevamo stare bene solo così: deragliando, chiamandoci con un nome diverso da "famiglia". A cena il riso era scotto, la frittura molle, ma a nessuno venne in mente di lamentarsi. Stappammo lo spumante, finimmo il panettone, per la prima volta ci ritrovammo a parlare fino a tardi. Del sabato in cui mamma ci perse all'A&O e ci fece chiamare dall'altoparlante, ma noi eravamo già usciti con i Pan di Stelle sotto la giacca. Di quando Niccolò cadde dai calcinculo in terza elementare, si ruppe un braccio e poi fu una tragedia fargli portare il gesso. Del giorno in cui mamma venne a prendermi alla Palazzina Piacenza: «L'avevo lasciata lì due minuti, sai, per trovare parcheggio» e io le avevo scritto su un foglio "Mamma ti voglio bene" senza errori, a quattro anni e mezzo. Papà ascoltava, gli occhi lucidi, la vita che si era perso. Ma era qui adesso, con noi, e io mi resi conto che potevo perdonarlo.

L'indomani era Natale e ci alzammo a mezzogiorno. Organizzare il pranzo della tradizione a quell'ora non aveva senso, tanto più che fuori c'era il sole, il cielo era blu senza neanche una nuvola. Arrangiammo una colazione veloce e salimmo sulla Passat prima ancora di aver deciso una meta. Al primo semaforo mi venne in mente: «E se andassimo alla spiaggia di ferro?». Papà rispose che era un'ottima idea.

Arrivammo alle due. L'intero mondo era a tavola e noi, in quell'anfratto sperduto, ci riparammo dal vento. Stendemmo un telo sulla sabbia arenandoci come ossi di seppia, sdraiati alla luce senza dire niente, in uno stato di felicità e torpore che credo, finalmente, ci meritassimo.

Dopo un po' Niccolò e io ci liberammo di scarpe, calze e jeans, prendemmo la rincorsa in mutande verso il mare. Entrammo fino al ginocchio, ma balzammo subito via perché l'acqua era gelida; la rena invece era tiepida e ce la ficcammo nei capelli, in bocca, sulla schiena, mentre mamma e papà parlavano tra loro, di cose loro, sorridendoci e guardandoci giocare da lontano, come fanno i genitori normali con i propri bambini, anche se noi non lo eravamo più.

Credo sia stato il Natale più bello della mia vita. Mi risarcì di tutti i precedenti, forse.

Al rientro eravamo così affamati che cenammo alle sei e mezza spalancando il frigorifero e tirando fuori quello che c'era: avanzi, salumi, una mozzarella, e poi due fette a testa della torta di mio fratello, commentando più volte che aveva un sapore strano però era buona. «Cosa ci hai messo dentro, una spezia?» «Eh sì» rispondeva Niccolò di buon umore.

Da quando lo avevano assunto al Babylonia si sentiva realizzato. Staccava i biglietti, spillava le birre e, come amava ripetere: «Mi pagano per ascoltare i Misfits dal vivo!». Sarebbe tornato a Biella qualche giorno per il "grande rave di Capodanno". Si era rimesso insieme alla sua ex e tatuato il nome sul cuore del drago che alla fine, dopo decine di bozzetti, era diventato reale. Attese quella sera per mostrarcelo. Finita la cena si alzò da tavola, si tolse la maglietta e papà accusò il primo, lieve, giramento di testa.

Il drago sputava fuoco, era rosso e viola, partiva dalla spalla sinistra e finiva con la coda dentro l'elastico degli slip. Mamma, che lo aveva già visto, ne era entusiasta. Io pensai che fosse esagerato, ma dissi che era bello. Papà si sistemò gli occhiali sul naso e riuscì solo, sforzandosi, a increspare la fronte e annuire.

Sparecchiando, avvertii la sensazione di camminare sulle uova. Mi sembrò che fossimo tutti un po' sbadati: inciampavamo, ci cadevano le posate, ci sfuggivano risate senza senso. Ma fu solo quando ci trasferimmo in salotto e ci sedemmo sul divano davanti alla tele perché alle 21 cominciava *Pinocchio*, che accusammo i veri e propri sintomi.

Il grillo parlante aprì il libro, attaccò a raccontare della notte di pioggia in cui era sgusciato sotto la porta di Geppetto e, improvvisamente, il grillo era lì ed era qui, si muoveva sullo schermo e parlava dal soffitto. Papà incredulo si sporse su Niccolò, gli chiese frastornato: «Cosa cavolo ci hai messo, in quella torta?». Con gli occhi sbarrati, era incapace sia di arrabbiarsi che di tornare in sé. E mio fratello esilarato, all'apice della gioia, gli rispose: «Goditi 'sto viaggio, papà. C'erano sette grammi di super skunk» si baciò le dita, «favolosa».

*

Da Beatrice le feste si svolsero molto diversamente.

Un pomeriggio prima delle vacanze, a un'ora in cui a casa non c'era nessuno, Bea mi aveva detto di raggiungerla e avevo potuto vedere con i miei occhi l'albero alto due metri, i rami spruzzati di bianco carichi di addobbi e una valanga di luminarie in giardino e in salotto. Ero rimasta esterrefatta. «Chissà che bel Natale, qui da voi...» avevo commentato.

Bea si era lasciata cadere sul divano a peso morto, aveva sospirato: «Mica tanto». Mi aveva chiesto di sdraiarmi lì, accanto a lei, di appoggiarle la testa sulle gambe: era brava a fare i massaggi e voleva dimostrarmelo.

«Ogni anno mette gli stessi dischi» mi aveva raccontato eseguendo piccoli movimenti circolari dietro le mie orecchie, «*Stille Nacht* e Pavarotti. Li brucerei. Il giorno prima andiamo tutti da Enzo, pure papà e Ludo, e la mattina del 25 ci svegliamo alle sette come in caserma. Hai presente i vestiti più scomodi, gli ultimi che vorresti per stare in casa? Ecco, siamo obbligati. Velluto rosso e lana cotta, col riscaldamento a palla che ci fai la sauna. Ci schiera in salotto davanti alla porta ad accogliere i parenti con il sorriso. Che poi la metà li odia anche lei. E dobbiamo sforzarci di parlare gentile, se no mamma ci silura, ma di cosa?»

Io l'ascoltavo, pensavo che mi sarebbe piaciuto avere dei parenti e glielo dissi: cugini con cui confidarmi, zii allegri e giovanili che mi distraessero dalle beghe dei miei genitori; respirare quel clima di famiglia numerosa che si aiuta con i piatti, che fa avanti e indietro dalla cucina.

«Sì, in cucina ci sta Svetlana. A me dispiace che non possa passare le feste coi suoi figli in Ucraina, però sono anche contenta perché almeno posso andare da lei a sfogarmi mentre prepara.»

«Esagerata» mi ero messa a ridere.

«Ci sono i cappelletti, la lasagna, l'arrosto, e io ho il permesso di "piluccare": giuro, dice così mia madre! A tavola lei e zia Nadia fanno a gara a chi c'ha i figli più belli, più bravi, più sportivi, più intelligenti, tante di quelle balle...» Mi piaceva ascoltarla, avvertire le sue dita sulla nuca, sentirla dissacrare la famiglia perfetta di Ferragosto. «Tu non sai che genere d'inferno è, per tutti eccetto che per mamma.»

Devo ammettere che di simpatia per Ginevra dell'Osservanza non ne avevo. Mi aveva invitata a pranzo illudendomi, quando ci eravamo conosciute, e poi non solo non aveva mantenuto la parola, ma era andata a dire a Beatrice che sembravo una scappata di casa. Mi aveva bandita. Forse, penso oggi, era un po' gelosa. Perché in effetti gliela portavo via, la figlia: appena poteva era sempre a studiare da me. O forse temeva sul serio che potessi distrarla dalla costruzione del suo eccezionale futuro. Quanto si sbagliava.

«Tu non ci crederai» aveva continuato Bea quel giorno, che doveva essere il 20 o il 21 dicembre, «ma la cosa del Natale che odio di più è il momento delle foto. Mamma ha la smania» aveva smesso di massaggiarmi e mi aveva invitata a sedere per prestarle la massima attenzione, «le scatta tutte lei con la sua Canon che costa un milione, e fa fuori tipo otto o nove rullini. Ai parenti di mio padre concede tre scatti in croce, solo per salvare le apparenze, ma con noi ci va giù pesante. Ci piazza davanti al camino, seduti per terra intorno all'albero, se c'è la neve pure in giardino, con le statuine del presepe in mano, le candele accese, e non è mai contenta. Intere sessioni, e sempre prima di mangiare, ché dopo va via il rossetto e si vede la pancia gonfia sotto il vestito, e intanto abbiamo tutti fame. Poi è papà a doverle scattare a lei, allora apriti cielo. Non si mangia mai prima delle due, due e mezza.»

Questo mi aveva raccontato Beatrice, più divertita che seria in verità, e io avevo concluso che, nonostante tutto, i suoi Natali erano pur sempre migliori dei miei. Avevamo stabilito di lasciar smaltire il grosso dei festeggiamenti e vederci dopo Santo Stefano, in uno di quei giorni morti prima di Capodanno, trovarci in piazza del bastione, o fare una passeggiata in spiaggia insieme a mia madre: ci teneva a conoscerla.

Invece il 26 dicembre mi telefonò, alle nove e mezza del mattino.

Chiamò proprio mentre a casa mia papà urlava come un matto: «Ti rendi conto che ci hai drogati? *Drogati*, cristo santo!». E mio fratello nicchiava seduto al tavolo della cucina, giocherellando coi biscotti della colazione, provò persino a infilarsi le cuffie del lettore CD, ma papà gliele strappò scaraventandole contro il muro. Mai visto così furioso. Mamma si rosicchiava le unghie, nel frattempo, in disparte vicino alla finestra, in difficoltà sulle parti da prendere.

Quando il telefono squillò, quindi, l'unica in grado di rispondere ero io. Alzai il ricevitore, dissi solo «Pronto?» perché Bea non mi lasciò aggiungere altro: «Dobbiamo vederci».

«Oggi?» chiesi sorpresa, e impaziente di tornare in cucina per scongiurare che mamma litigasse di nuovo con papà e decidesse di tornare a Biella all'istante.

Beatrice mi rispose: «Subito, è *urgente*».

Non l'avevo mai sentita usare quella parola. Non puoi dirmi per telefono quello che devi, pensai, anche qui è in corso un'emergenza. Ma non glielo dissi: ascoltare il tono della sua voce mi era bastato.

*

Ci trovammo un quarto d'ora dopo al belvedere. Quando arrivai l'SR era già là e riconobbi lei di spalle, i capelli raccolti in una coda, seduta sullo schienale dell'ultima panchina in fondo; la stessa dove Lorenzo e io eravamo stati sul punto di fidanzarci.

La raggiunsi e subito mi sentii gelare. Il suo volto era sfigurato, aveva un livido vicino alla tempia. Il fondotinta e quel poco di rossetto che si era stesa sulle labbra erano espedienti inutili a coprire. I suoi occhi erano così gonfi che non era neppure riuscita a truccarli. Capii che aveva pianto tutta la notte.

«Cos'è successo?» le chiesi rimanendo in piedi.

Lei m'ignorò. Teneva d'occhio il fronte freddo in arrivo da ovest. Nuvoloni neri che gettavano ombre larghe quanto isole sul mare, e vento forte da piegare i rami.

«Avrei dovuto capirlo subito» mi disse, «perché papà e i nonni li ha proprio ignorati, al momento delle foto.»

«Chi? Cos'hai fatto alla fronte?»

«Anche a noi ne avrà fatte quattro o cinque senza nemmeno calibrare il fuoco. Ha chiesto a papà di non scattarle alcun ritratto, solo una fotografia insieme a noi. Ci ha abbracciati, e mi è sembrato che avesse le lacrime agli occhi. Ma sai quando non vuoi vedere? Ho sbattuto la testa contro il muro da sola per provare a non pensare.»

Parlava con voce calma, quasi neutra, come se stesse riportando fatti d'ordinaria amministrazione, noiose cronache d'altri.

«E quando papà aveva quasi messo via la Canon, d'improvviso ha detto che ne voleva ancora una. Con me.» Si voltò a guardarmi. «Da sole.»

Ripenso oggi al significato di quell'ultima foto con sua madre, al peso di quell'immagine nella storia di Beatrice.

Mi misi a sedere. Era straziante guardarla. Lei così imponente, bella persino da umiliata, da struccata, da normale, per la prima volta mi faceva pena.

Le sfiorai una mano e lei la ritrasse.

«Ha insistito per stappare lo champagne anziché lo spumante, prima del brindisi ha voluto fare lei il discorso di auguri. Ha detto che ci amava sopra ogni cosa, che i figli sono tutto e ti ripagano di tutto, che era certa saremo diventate persone importanti perché eravamo speciali. Non ha toccato cibo, non ha rivolto parola a zia Nadia, e.» S'interruppe.

«Dimmi.» Ero angosciata.

«Alle sei sono andati via tutti, pure Svetlana, e siamo rimasti noi sul divano a guardare la tele. Mamma ha preso il telecomando per abbassare il volume e ci ha chiesto: "È stata una bella giornata, vero?". Nessuno ha risposto.» Faceva fatica a raccontare adesso. «Io ho pure pensato: Ma vaffanculo te e 'sto giorno del cavolo. Poi ha abbassato ancora di più il volume, papà e Ludo hanno protestato. Lei ci ha guardati tutti e ha detto: "Devo dirvi una cosa". Le sono scese le lacrime, ma ha continuato a sorridere. "Non vorrei, ma devo dirvelo per forza." Ha detto: "Scusatemi, ho un tumore".»

Ho avvertito una faglia aprirsi, io, dentro il mio stomaco.

«Ha detto così, "scusatemi". E che ha questo tumore al seno, maligno, che domani la operano e glielo portano via, e poi dovrà fare la chemioterapia, la radioterapia...» Beatrice scoppiò a piangere. «E che ha aspettato a dircelo per non rovinarci il Natale.»

Compresi, col sesto senso infallibile degli adolescenti, che stava per cambiare tutto per sempre. Era la mamma di Beatrice, non la mia; era la loro vita a essere travolta. Ma cos'è un'amicizia? Non avevo vincoli di sangue né giuridici, diritti e doveri, ero semplicemente lì con lei su quella panchina a franare. La abbracciai più forte che potevo. Le asciugai le lacrime, provai a contenere la sua disperazione mentre lei si ribellava: «Non è giusto, Elisa» coprendosi la faccia con le mani, mordendosele per distrarre il dolore, «sta morendo».

«No, andrà tutto bene» tentai di rassicurarla, consapevole di mentire. Perché le parole a questo servono: a sperare, ingannare, abbellire e migliorare, ma la realtà è un'altra e se ne frega dei nostri desideri.

Tenni Beatrice stretta per attutire l'urto, provai a proteggerla con i muscoli e le ossa, a convincerla con il corpo che a me si poteva aggrappare: le avrei impedito di cadere, sarei precipitata insieme a lei. Le promisi in silenzio che avrei fatto di tutto pur di rivederla felice, un giorno; e forse l'amicizia è questa promessa.

«Ha detto che è già andata a scegliersi la parrucca e ne ha trovata una bellissima, che per l'estate sarà così in forma che torneremo a New York, che per l'ospedale vuole solo vestaglie di seta e farà girare la testa agli infermieri, ma sono cazzate. Lei non guarisce, lo so, lo sento.»

Mi prese a pugni, si alzò e rovesciò il suo motorino, il mio, prima di accasciarsi. Perché il peggio non sarebbe venuto dopo, era adesso: sapere, aspettare. Cosa? Quello che non puoi neppure nominare. Le finestre chiuse, la puzza di medicinali, il silenzio in cui crollano le stanze intorno a una malattia, lo svuotarsi graduale della gioia.

A spezzarti la vita è sempre una notizia, e puoi trarre un respiro profondo e rimetterti in sesto, dopo, credere che ci siano ancora margini di speranza, leggere nelle analisi miglioramenti dello zero virgola, convincerti che la soluzione possa ancora arrivare dall'ennesimo luminare interpellato perché non è possibile che la vita sia così brutta.

Invece lo è. E quella mattina ventosa di Santo Stefano al belvedere, con il mare buio e i traghetti che arrancavano verso l'Elba, Beatrice e io avevamo quattordici anni eppure lo sapevamo già, che il futuro è un tempo che toglie e non aggiunge.

PARTE II

Infelicità e percezione

(2003-2006)

13

"Un possesso per sempre"

Sono trascorsi due giorni dalla lettura di quei diari, e cos'è cambiato, in fondo, nella mia vita? Nulla. Però oggi ho inventato una scusa per uscire prima dal lavoro, senza motivo, solo perché mi andava. Poi sono passata di fronte alla lavanderia, ma non ci sono entrata, anche se avevo due giacche da ritirare. Ho persino lasciato scadere una bolletta senza sentirmi una fuorilegge.

Non mi riconosco, non sono io questa disubbidiente. La verità è che non penso ad altro che a noi due da ragazzine, alla T dei primi anni Duemila. Li ho soffocati così a lungo, i ricordi, che ora schizzano fuori come un geyser. E non sono sbiaditi né confusi, al contrario: sono troppo vivi.

Invece di prendere la strada di casa, mi allargo e finisco fuori rotta. Mi sento audace, per cui proseguo verso zone della città in cui non capito mai. Senza rendermene conto raggiungo la più aliena di tutte: Galleria Cavour. Mi fermo davanti alle vetrine dai prezzi esorbitanti, guardo scintillare gli abiti e i gioielli. Intravedo il riflesso di Beatrice affacciata accanto a me, che indica prima una borsa e solleva dubbiosa un sopracciglio, poi una sciarpa e questa, sì, la convince.

Quando scorgo un'enoteca, mi prende una voglia improvvisa di acquistare una bottiglia per brindare. Con chi? A cosa? Non ne ho idea. Ma sono le 17.30, ho tempo. Infilo la porta, chiedo un pinot bianco di quelli buoni, e mentre pago, mentre esco e m'incanto a guardare le luminarie, mi ritrovo a sorridere.

Pur non avendo amici con la A maiuscola, posso comunque contare su tre vicine di casa che condividono l'appartamento sopra il mio e mi sono simpatiche. Decido che lo berrò con loro, il vino, e torno indietro. Senza telefonare, senza ragionare. Sto diventando impulsiva come mia madre.

Suono il campanello e mi apre Debora.

«Stavate uscendo?» chiedo. «Disturbo?»

«Uscire noi? Ma non ci conosci?»

Le frequento da quando si sono trasferite qui, nel 2016 o '17. Ci passavamo lo zucchero, all'inizio, un uovo, quel che mancava in frigorifero la domenica sera coi negozi chiusi. Poi abbiamo cominciato a chiacchierare, abbiamo scoperto di venire tutte da fuori, di essere delle provinciali, e la somiglianza ci ha unite.

Mi tolgo il cappotto, la seguo lungo il corridoio buio e stretto, tipico di queste vecchie case del centro storico perlopiù affittate a studenti o a giovani che si arrabattano. Debora studia Antropologia fuoricorso e lavora part-time come promoter, credo abbia ventisette anni. Dev'essere rientrata da poco perché ha ancora il berretto della Nintendo in testa.

Sbuchiamo in cucina e troviamo Claudia e Fabiana sedute al tavolo, in tuta e ciabatte come sempre alla fine di una giornata di lavoro. Struccate, i capelli tenuti su con la pinza e una tisana fumante vicino.

«Ragazze, ho portato il vino» annuncio.

Loro si animano. Claudia vuota subito la tisana nel lavandino, spalanca la credenza, tira fuori i bicchieri.

«Cosa c'è da festeggiare?» s'informa. E io mi blocco perché non so rispondere. Il fatto è che nelle ultime quarantotto ore ho scritto cento pagine. Cento! Mi sembra impossibile, inaudito. Sono solo vecchi conti con me stessa, lo so. Però.

«Niente, è che è quasi Natale...» farfuglio.

«Il Natale più brutto del mondo» commenta Fabiana, «non posso manco tornare giù un giorno. Il 26 mi fanno lavorare, 'sti negrieri.»

Claudia mi passa un cavatappi. Io apro, verso: «Cerca qualcos'altro e licenziati» mi scappa. Non sono certo tipo da dare consigli azzardati, ma oggi sono un'altra Elisa: dinamitarda. «Manda tutto all'aria, torna in Puglia, reinventati.» Loro tre mi guardano un po' sorprese, e tacciono. Reinventarsi? A trent'anni, in questa Italia? Cosa sto dicendo?

La tv è accesa a volume basso. Brindiamo a noi e alla nostra sopravvivenza.

«Odio il mio capo» dichiara Claudia rilassandosi.

«Io l'ho sognato ieri notte, lo chiudevo nella cella frigorifera. Preferivo lavorare in salumeria con quell'altra megera» dice Fabiana, «almeno non mi fissava le tette.»

Debora si gode il vino, si accorge di avere ancora in testa il cappellino da promoter, lo afferra e lo lancia sul lato opposto della cucina. Distende le gambe sul divano. «Io invece voglio ammazzare il mio ex, che semina cuori sotto le foto ammiccanti di tutte le mie amiche.»

«Tu però ti trascuri» la rimprovera Claudia, «da quando ti ha lasciata sei un catorcio. Guardati! Hai un buco nei leggings.»

«E allora? Mica sono la Rossetti.»

Dovrei esserci abituata: in ogni conversazione a cui mi capita di partecipare, specialmente qui, all'interno 4, è inevitabile che a un certo punto venga scoccato il suo nome. E io, sistematicamente, abbasso lo sguardo, mi mordo le labbra per distrarmi dal brivido d'imbarazzo che mi percorre, e subito passa, certo. Ma è come se decenni fa avessi compiuto una rapina (ancora quei jeans?) e temessi di venire scoperta. È assurda questa paura, ma è anche perenne. Perché ovunque, ogni giorno, si parla di Beatrice. Tutti la additano come esempio, buono o cattivo poco importa. Sanno cos'ha detto, cos'ha fatto, come se li riguardasse nell'intimo.

Poi Debora fa un salto sul divano, afferra il telecomando, alza il volume. Fabiana e Claudia anche, sgranano gli occhi al televisore. Sullo schermo è comparso un ragazzo, un certo Daniele, abbronzato, col pizzetto ben curato e i capelli scolpiti dalla messa in piega. Se ne sta seduto sulla poltrona dell'ospite di non so quale trasmissione, e parla con voce rotta.

«Io però non ho capito» lo interrompe la conduttrice, «è vero sì o no che vi dovevate sposare?»

Il ragazzo ci guarda, noi a casa. Con emozione rivela: «Non

l'ho mai detto a nessuno, mai, Barbara, mi devi credere. Ma a Formentera, a Ferragosto, le ho chiesto di sposarla».

«E lei?»

«Lei mi ha detto sì.»

«Bugiardo!» esplode Debora.

«Un mese, due?» rincara Fabiana. «Quant'è che sono stati insieme, lui e la Rossetti? E si spaccia su tutti i canali come il promesso sposo.»

Si accaniscono contro il ragazzo palestrato, che ora piange. Loro li sanno tutti con precisione, i fidanzati o i semplici flirt di Beatrice. E io, che ne conosco uno solo, di colpo mi ritrovo a pensare a Gabriele.

Lui non l'avrebbe mai fatto, di piazzarsi lì, sotto un riflettore, a snocciolare bagni di mezzanotte senza costume, giorni interi senza uscire da una stanza d'albergo. In tutto questo tempo, Gabriele non ha mai svelato, non solo alla stampa, ma a nessuno che io sappia, di essere stato insieme a Beatrice. Non per un mese o due, ma per anni. Di più: di essere stato il primo. Al pari di me, ha mantenuto il più stretto riserbo, ha custodito il segreto. E mi sale in gola un fiotto di nostalgia, di complicità, di appartenenza, tale che mi alzo dalla sedia, tiro fuori la scusa che devo preparare la cena con urgenza.

Mentre fuggo lasciando il bicchiere a metà, penso che sto dicendo tante di quelle bugie, in questi due giorni, che è come se d'improvviso avessi un amante.

*

Apro la porta di casa, mi svesto e butto borsa, sciarpa, tutto alla rinfusa sul cassettone. Corro in camera, mi siedo subito davanti al computer e digito: "Gabriele Masini" nei principali social network. Ho dei profili anch'io, sì, ma sono vuoti: né una foto né una parola. Non servono a farmi trovare, solo a nascondermi meglio per stanare gli altri.

Un "Gabriele Masini" di T non risulta, e neppure un "Gabri Masini". Né uno, calcolo, di quarant'anni. Né uno con la passione per le moto – chissà poi se ce l'ha ancora. Sono tutti troppo vecchi o troppo giovani, biondi, castani, brizzolati. Il tempo stringe e io niente, non riesco a trovarlo. Ci rimango male, ma non sono sorpresa.

A Gabriele non è mai fregato nulla di mostrarsi. Anzi, non si è mai neppure fatto scattare un ritratto da Bea per quei provini a cui lei teneva tanto. Era bello come il sole, cento volte più di quel Daniele. La dico tutta: ben prima che Beatrice diventasse *la Mora* per eccellenza a ogni latitudine, lui a T, nei vicoli della città vecchia, era stato *il Moro*. Quello che usciva di casa con la tuta della fabbrica, e madri e figlie lo seguivano mute con lo sguardo. Avrebbe potuto schioccare le dita e finire in passerella, in televisione. Avere tutte le donne di questo mondo, mandare in frantumi matrimoni, farsi mantenere da ricche milanesi in vacanza in Toscana. Invece se n'era rimasto in un angolo a fumarsi le canne guardando Miyazaki, soddisfatto di questa vita non replicabile, non sdoppiabile, senza menzogne né sortilegi, insieme a una ragazzetta che, per quanto notevole, all'inizio era solo una verginella di quattordici anni.

Chiudo Internet e apro Word. Torno dal mio amante. Perché è vero, ce l'ho: è quello che sto scrivendo. Che non so ancora come si chiama – sfogo, diario, romanzo – ma le definizioni non sono mai importanti.

Ricordo uno dei pomeriggi in cui la Rossetti era di là da venire, e c'era solo Bea in bikini, sdraiata di fianco a me, sulla spiaggia vuota perché non era ancora cominciata la stagione. Lei prendeva il sole per "far asciugare i brufoli", e io, infagottata nelle consuete t-shirt larghe e lunghe come camicie da notte, ripassavo Tucidide. Il mare spalancato e irrequieto di fronte a noi, le isole e le navi all'orizzonte, la storia che, se la scrivi fedelmente, per Tucidide diventa "un possesso per sempre". Ma a un certo punto mi ero scocciata di studiare *La guerra del Peloponneso* per l'interrogazione dell'indomani e le avevo chiesto: «Come avete fatto a conoscervi, tu e Gabriele?».

Bea aveva spalancato i suoi occhi leggendari, resi dall'intensità della luce di un chiaro verde mela. «Hai presente l'officina di Damiano?» aveva cominciato. «L'estate scorsa avevo un problema ai freni dell'SR e l'ho portato ad aggiustare. Mamma era rimasta in macchina ad aspettarmi con il motore acceso. Io sono entrata e mi sono trovata davanti questo figo, Eli, *clamoroso*. Senza maglietta. Con le mani sporche di olio, steso sotto una moto, che aiutava Damiano. Quindi mi sono nascosta dalla vista di mia madre.» Penso: com'era facile a quattordici anni. Entravi in un posto – un'officina, una biblioteca, fa lo stesso – e subito cominciava una storia d'amore, di quelle devastanti per una vita intera.

Gabriele, col suo italiano sgrammaticato, la sua terza media arrangiata, credo avesse intuito al volo che in quella ragazzina c'era dello straordinario. Bea mi aveva detto che si erano guardati "e il mondo aveva smesso di girare". Poi aveva preso palesemente a ricamarci su, a inventare particolari, ingigantire i fatti, perché lei una cronaca non la sapeva raccontare, ma un romanzo sì, eccome.

Quel che ricordo bene – forse l'unico pezzetto di verità in quella storia – è che c'era Ginevra, la strega, in agguato dietro il finestrino oscurato, con l'aria condizionata al massimo, la piega perfetta e la smania di raggiungere al più presto la sua boutique preferita. Bea doveva cogliere l'attimo, lo sapeva, così era sgattaiolata nell'ufficio di Damiano, aveva strappato un foglietto a un bloc-notes. Ci aveva scritto su il suo nome, il suo numero di casa, specificando: "Fai finta di essere Vincenzo quando chiami, dello studio fotografico Barazzetti", e gli aveva dato appuntamento l'indomani dietro la scogliera della spiaggia dove ci trovavamo noi quel giorno.

«Scusa, tu hai dato appuntamento a lui?» le avevo chiesto incredula.

Beatrice si era messa a sedere e con serietà mi aveva guardata: «Se c'è qualcosa che brilla a portata di mano, perché non dovremmo afferrarlo?».

*

Però adesso mi sto perdendo, Gabriele mi ha preso la mano. Devo fare un po' d'ordine in questa narrazione e ritrovare la bussola.

"Seleziona" mi ammonirebbe Beatrice. E, in effetti, non posso mettermi a raccontare tutto il 2001, il 2002, l'intera nostra adolescenza.

"Seduci" mi intimerebbe. Ma qui sono sola con me stessa, non devo sedurre proprio nessuno. Riapro i diari, li sfoglio per un breve ripasso. Da quel Santo Stefano terribile al belvedere fino alla primavera del 2003 non è accaduto nulla che sia degno di nota. Per quanto mi riguarda, ho solo imparato a crescere senza mia madre.

C'era Beatrice a bilanciare il vuoto, a ingannarlo. Perché lei – e rendermene conto mi commuove – m'impediva di vivere da lontano come avevo sempre vissuto, e come ho ricominciato a fare dopo che abbiamo litigato. Ero convinta di odiarla. La odio ancora.

Eppure adesso mi sorprendo ad augurarmi di essere stata per lei, specialmente in quel 2003 disgraziato, la stessa forza di gravità che lei fu per me.

14
Il ritorno delle ghiandaie

Ti prego fa' che *lui* ci sia. Sapevo quanto fosse improbabile eppure, un istante prima di uscire da scuola, sperai di trovarmelo di fronte. Appoggiato al cofano della sua auto, la sigaretta a fior di labbra. Chiusi gli occhi, varcai la soglia trattenendo il fiato. Scesi due gradini e mi dissi che *forse* una possibilità c'era.

Li riaprii, e al suo posto trovai mio padre.

Odiavo l'11 aprile perché mi ribadiva ogni anno quanto fossi irrilevante, e che i miei desideri non si sarebbero realizzati. Papà era l'unico cinquantenne. Gli altri erano ragazzini freschi di patente, ansiosi di baciare con la lingua le fidanzate. Lui sostava come loro in doppia fila con le quattro frecce, ma coi capelli brizzolati e una barba alla Bin Laden che non era il massimo in quel periodo; teneva in mano una ventina di rose, sul volto il sorriso incerto di chi ha azzardato una sorpresa.

All'imbarazzo che avrei provato in qualsiasi giorno dell'anno, si aggiunse una delusione specifica, rancorosa e furente. Fui tentata di tirare dritto al motorino, ignorandolo. Ma potevo? Stava lì impalato, storto e indifeso in mezzo a quella gioventù. Quasi m'inteneriva.

Gli andai incontro. «Che ci fai qui?» Offesa.

«Ti porto in un posto» rispose lui porgendomi i fiori, «è pur sempre il tuo compleanno.»

Sì, ma non lo volevo festeggiare. In alcun modo: mi ero raccomandata. Niente candeline, pizzerie, lista d'invitati che non sarebbero venuti. Presi le rose evitando di guardarle. Erano rosse.

«Ti avevo detto no feste.»

«Infatti non lo è.»

Mi voltai a controllare chi ci stesse osservando: nessuno. Ma nel bel mezzo dell'adolescenza vivevo con l'ossessione che fossero tutti lì a esaminarmi ogni minuto. Non capisco, oggi, come riuscissi a conciliare un tale egocentrismo con la convinzione di non valere niente.

Le mie compagne scemavano verso il pranzo: chi radiosa insieme al proprio ragazzo, chi in sordina sul suo scooter. Nessuna si era accorta dei fiori, nessuna mi aveva fatto gli auguri.

«Pranzo fuori e poi sorpresa?» insisté mio padre.

La magra verità è che non avevo alternative.

Salii sulla Passat, abbandonai le rose sui sedili posteriori notando un bigliettino, ma non lo lessi. Papà mise in moto e io abbassai il finestrino: era una magnifica giornata di sole. Per distrarmi mi sintonizzai su Radio Radicale.

Nei due anni e quattro mesi trascorsi da che ho interrotto questo racconto, non è che non fosse successo niente.

Il 12 settembre 2001 ero scesa in edicola per la prima volta col preciso scopo d'informarmi. Il giorno prima, d'improvviso avevo scoperto la Storia e, insieme, di farne parte. Avevo visto i Boeing 767 centrare il fianco delle Torri Gemelle, i corpi lanciarsi nel vuoto dal centesimo piano, e acciaio e cemento polverizzarsi in una colonna di fumo nell'esatto istante in cui tutto ciò accadeva. Chi non era nato potrà anche cercare un video su Internet, ma chi era presente, come me, fu strappato dal proprio diario e scaraventato in una realtà gigantesca e spaventosa, che all'inizio si stentava a credere non fosse un film.

Non avevo mai letto un quotidiano, prima; non sapevo quale scegliere. Avevo preso "il manifesto" per il titolo: "Apocalisse". E, da allora, mi presentavo in classe ogni mattina con una copia sotto il braccio, che mi faceva sentire adulta e mi guadagnava persino qualche sguardo. Ogni giorno seguivo notiziari e approfondimenti con attenzione. Anche l'11 aprile 2003, mentre mio padre mi portava fuori città per festeggiare il mio diciassettesimo compleanno, ascoltai Radio Radicale e m'immersi nel dibattito sulla guerra in Iraq, su Bush, Saddam Hussein e l'esportabilità della democrazia, pensando con emozione che di lì a un anno avrei potuto votare. Coi piedi sul cruscotto e senza cintura, giocherellando senza farmi vedere col piercing che adesso avevo al centro della lingua.

Ero cambiata: non radicalmente, un po'. E, se ho lasciato in silenzio alcuni anni, lo ripeto, è solo perché scrittura e vita non coincidono. E perché, come mi ha insegnato Beatrice, il romanzo non ha pazienza coi giorni che sembrano vuoti, con la gestazione lunga degli eventi, coi corpi che si modificano in millimetri, in grammi. Lui pretende subito l'accelerata, la tensione, la scena madre.

La madre: tra poco ci arrivo.

*

Papà parcheggiò davanti a Cesari, una rinomata trattoria sulla spiaggia dalle parti di Follonica. Spensi la radio, attesi che lui scendesse, quindi mi sporsi verso le rose e decisi di leggere il biglietto.

"Tanti cari auguri Elisa" c'era scritto, "tuo papà."

Mi soffermai su "cari", su "tuo", sulla fatica contenuta in quelle due parole. Al romanzo non piacerà pure, ma avevamo passato centinaia di sere seduti vicini sul divano, io e lui, a guardare la televisione; e, quando l'uva era di stagione, papà me la faceva trovare sbucciata la mattina prima di prendere il treno; c'erano stati parecchi carrelli riempiti insieme al supermercato, notizie commentate a cena con un solo bicchiere di vino rosso a testa, e settimane e mesi in cui non era accaduto nulla, ma la cui somma forse qualcosa di straordinario aveva prodotto, se quel biglietto riuscì a emozionarmi così tanto.

Lo misi in tasca e corsi a raggiungerlo. Entrai al ristorante, lo vidi di spalle chiedere un tavolo per noi e, per un istante, pensai sul serio di abbracciarlo. Poi papà si voltò e io m'irrigidii.

Erano le due, i presenti stavano ordinando il dolce o zuccherando il caffè. Prendemmo posto in un angolo con vista mare. Gli stabilimenti erano chiusi, non avrebbero aperto fino a Pasqua. La spiaggia era nuda e discinta, senza ombrelloni. Diedi un'occhiata agli altri tavoli: erano tutte coppie oppure famiglie. Noi cosa siamo?, mi chiesi.

«Grazie.» Indicai l'auto alludendo alle rose.

Papà scrollò le spalle e finse di leggere il menu.

Ordinammo gli stessi piatti: spaghetti alle vongole e branzino al sale. Papà versò l'acqua e rimanemmo in silenzio per un po', lui a piegare il tovagliolo, io a sminuzzare un grissino. Poi si decise a parlare.

«Mi piacerebbe affrontare il discorso del tuo regalo.»

«Non mi serve niente.» Leggevo "il manifesto", le mie posizioni circa il consumismo erano molto severe.

«Forse, invece, è ora di cambiare il motorino.»

Sgranai gli occhi e lo fissai: non avrei mai creduto che sarebbe arrivato a propormi una cosa del genere. Risposi: «No, non avrebbe senso. Tra un anno prenderò la patente».

«Ma ti ha già lasciato a piedi tre volte!»

Mi sfuggì un sorriso. Forse fu il biglietto, forse il traguardo dei diciassette anni, fatto sta che glielo dissi: «Mi hai rimediato l'unico Quartz esistente a T, il più orrendo, quello per cui tutti mi hanno presa in giro, e non te ne sei manco accorto».

Anche papà sorrise: «Era un ottimo affare, robusto e sicuro».

Mi tornò in mente quel pomeriggio fradicio d'afa. Ci eravamo trasferiti a T forse da due settimane quando era venuto a bussarmi annunciando di avere una novità per me. Mamma chissà dov'era, Niccolò dormiva. Mi ero risolta a seguirlo giù per le scale e poi fuori in cortile solo per noia. Lui mi aveva indicato il Quartz orgoglioso. Io avevo considerato il paraurti ammaccato, il tubo di scarico arrugginito, e lo avevo trovato tanto brutto da sbalordirmi.

«"Grazie ma non lo voglio", così mi avevi risposto, "a Biella non ce l'ha nessuno." Per fortuna dopo è sceso tuo fratello e ti ha convinta a provarlo» si mise a ridere, «lui sì che ne era entusiasta.»

Arrivarono gli spaghetti. Mi chinai sul piatto e realizzai che adesso avevamo dei ricordi insieme, papà e io.

«Non lo cambio» conclusi. Quel catorcio aveva segnato l'inizio della mia indipendenza. «Avevi ragione tu.»

Lui tossì, si pulì gli angoli della bocca con il tovagliolo. Ma io feci in tempo a vedere che si era commosso.

*

Dopo pranzo ci rimettemmo in viaggio. Papà guidò per più di un'ora verso sud ostinandosi a tenermi segreta la destinazione. Uscì dall'Aurelia, imboccò una provinciale sgangherata. Abitazioni, cascine, distributori: ogni orma d'umanità scomparve e rimase solo un'arida piana di lecci. Quando il paesaggio divenne un acquitrino, mi preoccupai: «Dove mi stai portando?».

«Fidati, manca poco.»

Di lì a dieci minuti comparve un grande cartello marrone che annunciava il "Parco naturale di San Quintino".

Mi caddero le braccia.

«Ho pensato a tutto» disse papà spegnendo il motore.

Contai, nel parcheggio, due sparute auto oltre la nostra.

«Ti ho comprato un binocolo 8x42, un berretto con visiera e una tuta mimetica per non disturbarli.»

«Disturbare chi?»

«Gli uccelli.»

Stava scherzando? All'epoca vedevo il mondo bianco o nero: poesia contro matematica, natura contro cultura. Faccio un gran parlare di contraddizioni, adesso, ma ero la prima a non accettarle. In terza superiore consideravo le scienze materie da sfigati che collezionano insetti, mentre i poeti sì che avevano capito tutto.

Papà mi allungò un cappellino verde con scritto "birdwatcher" identico al suo. Mi ammutinai: «Vai tu, io ti aspetto qui così studio greco».

Papà scese, fece il giro della Passat e venne a spalancarmi la portiera: «Avanti» si era fatto serio, «sono stufo dei tuoi no. Sei chiusa, hai una mentalità chiusa, non va bene».

Mi trascinai fuori sbuffando. Lui aprì il bagagliaio e mi rifilò dei pantaloni e una felpa con il cartellino ancora attaccato, un paio di scarponcini da trekking altrettanto nuovi; tutto verde come il berretto.

Non mi mossi. Papà ultimava i preparativi risoluto: «Già è un pessimo orario, abbiamo poche probabilità di avvistare una ghiandaia. Cambiati e svuota lo zaino, prendi solo il binocolo e la borraccia, mi raccomando, lascia in macchina il resto. Forza!».

Il birdwatching lo rendeva fanatico. Mi guardai intorno e non vidi né bagni né bar in cui potermi spogliare. Risalii in macchina, armeggiai coi vestiti nuovi incastrata tra i sedili. Per quanto fosse prossima la nostra parentela, in mutande davanti a mio padre non ci volevo restare.

Uscii conciata come una paracadutista. Papà mi sistemò il berretto, m'intimò di parlare piano, al limite del bisbiglio, e per carità di non fare rumore. Poi c'inoltrammo in una foresta di sughere. L'aria era pesante di umidità. La specie obiettivo, come si dice in gergo, era questa ghiandaia marina tornata dall'Africa per riprodursi e nidificare. L'amore l'avrebbe spinta a smarrire la cautela e a uscire allo scoperto: dovevamo appostarci e aspettare. Nient'altro.

Io agli uccelli preferivo di gran lunga i gatti. Che, perlomeno, si lasciavano accarezzare e se li chiamavi venivano. Le ghiandaie, invece, stavano così nascoste che era come se nemmeno esistessero. Sostammo mezz'ora sotto un mirto, zitti, in piedi. Papà con l'udito teso, il binocolo inforcato, la concentrazione massima. Riconobbe un fratino, un occhione, mi sussurrò: «Guarda! Presto!». E io avevo *diciassette* anni: sarei dovuta essere altrove a fare ben altro. Non sapevo neanche come tenerlo, quel binocolo. Per mezzo secondo, forse, misi a fuoco una macchia.

Continuammo ad acquattarci sotto i mirti per un'eternità. Alle sei e mezza non avevamo ancora visto neanche l'ombra di una ghiandaia e io non desideravo altro che tornare a casa, ma papà era così infervorato che non osavo dirglielo.

Ci nascondemmo in un capanno per fotografare gli uccelli. Papà tirò fuori dallo zaino la sua nuovissima Contax N digitale con teleobiettivo – oggetto su cui vale la pena fermare l'attenzione perché in seguito giocherà un ruolo chiave – e immortalò decine di volatili rari a rischio estinzione, eccetto: la ghiandaia marina.

Tornammo al fiume. Ero stufa marcia di ascoltare cinguettii, uggiolii, ronzare d'insetti. L'assenza di parole mi annichiliva, il fango e le punture di zanzare non ne parliamo. «È un classico» commentò papà fermandosi sulla riva, «dichiararsi una meta e mancarla.»

Notò un fiore. Mise via la Contax e tirò fuori la Polaroid, la stessa che usava ai tempi d'oro per immortalare mia madre. Impiegò diversi minuti a decidere angolazione e luce. Lo sentii contare, come se quel povero fiore potesse ribellarsi. Poi scattò. La pellicola uscì incolore. Papà l'afferrò, la infilò nel taccuino. Ci avrebbe messo un quarto d'ora a svilupparsi, ma lui avrebbe aspettato ancora: di tornare a casa, di chiudersi nella camera matrimoniale dove da tempo dormiva solo, di sedersi sulla sedia con ammucchiate decine di pantaloni come ogni divorziato che si ostina a non rifarsi una vita sentimentale, e a quel punto l'avrebbe voltata. Pregandola di rivelarsi bella.

«Andiamo a casa adesso?»

«Aspetta, gliene faccio un'altra.»

«No!» Persi la pazienza. «È il mio compleanno, non il tuo.»

Papà si fermò a guardarmi, forse realizzò che si stava facendo tardi.

«Va bene, torniamo indietro.»

Ci voltammo e un frullio di ali ci sorprese. Un richiamo, una risposta da un albero vicino. Papà si precipitò sul binocolo, zummò. Un sorriso estatico gli si allargò sul volto, bisbigliò: «Eli, sono ghiandaie! Un maschio e una femmina».

Zummai anch'io, m'impegnai. Immobile, cessando persino di respirare, distinsi in fondo alle lenti il piumaggio azzurro, il becco nero, l'occhio vigile di una bellezza aliena, e arcana. Mi resi conto del prodigio.

E in quel momento mi squillò il cellulare.

Come uno sparo, fece il vuoto intorno.

Mi avventai sullo zaino, annaspai nel tentativo di zittirlo.

«Ma porca puttana!» gridò mio padre. Era la seconda volta dopo la torta alla marijuana che lo sentivo inveire. «C'era bisogno di dirtelo di spegnere il cellulare? Non ci arrivavi da sola? Ma cazzo! Sei ossessionata da quell'affare!»

Non lo trovavo. Nella tasca esterna, in quella interna, dov'era finito? La ghiandaia se n'era andata da un pezzo. Scomparsa a una velocità tale che forse avevamo solo creduto di vederla. Lo trovai. Papà mi fissava profondamente deluso. Io lo tenevo in mano e squillava ancora.

«È Beatrice» dissi per giustificarmi, «*devo* rispondere.»

Corsi a nascondermi dietro un tronco.

«Pronto?» Prendeva poco. «Bea, mi senti?»

«Ma dove sei? Ti sento malissimo.»

Quella mattina non ci eravamo viste: non era venuta a scuola, come accadeva spesso in quel periodo.

«Mia mamma ha detto che vuole parlarti.»

«Come?» Pensai di non avere capito.

«Mamma» calcò sulla parola proibita, «domani pomeriggio. Vieni, per favore.»

Mi parve incredibile. «Certo che vengo.»

Si era scordata il mio compleanno: lo pensai, anche se subito mi sentii in colpa. Con quello che stava passando: Elisa, vergognati.

«Auguri» mi disse, «oggi è stata una giornata pesante, ma non me l'ero dimenticato. Ti ho anche fatto un regalino.»

Mi vennero le lacrime agli occhi.

«A domani» le promisi.

«Alle tre al covo?»

«Ok.»

Misi giù. Controllai se mi fosse arrivato qualche messaggio, niente. Niccolò si era proprio scordato. Mamma mi aveva inviato un SMS alle otto prima di cominciare il turno, poi un altro a pranzo: andava matta, lei, per gli SMS, mi scriveva TVTB di continuo.

«Mettilo via» m'intimò papà quando rispuntai da dietro il tronco. Lui, naturalmente, detestava gli SMS.

«Spegnilo» aggiunse con rancore, «maledetta la volta in cui te l'ho comprato!»

Non lo spensi, lo silenziai. Era un Nokia 3310, di quelli che avevano tutti. Avevo pregato papà di regalarmelo, lo avevo implorato perché mi spacciavo per punk ma il coraggio di essere diversa mi mancava. E lui, pur contrario, il Natale precedente aveva ceduto. E adesso avevamo litigato.

Mi dispiacque. Sulla strada del ritorno non ci rivolgemmo la parola. Papà non avvistò più nulla, la pagina del suo taccuino degli avvistamenti con la data di quel giorno rimase mezza vuota. Mi sentii responsabile.

In auto non osai neppure accendere la radio. Mi tenevo il cellulare in tasca, inerte. Senza farmi vedere lo tastavo, ogni tanto lo sbirciavo: vuoi mai che s'illuminasse... Un messaggio, anche solo uno squillino! *Suo*, di *lui*. Perché papà non capiva quanto fosse *indispensabile* per me, almeno il mio compleanno, tenere la suoneria accesa?

Tornammo a casa e mi chiusi in camera. Prima di tutto: di togliermi le scarpe infangate e la felpa sudata, di lavarmi le mani sporche e di calmare la sete, accesi il computer. Il mio. Un altro portentoso dono di papà.

Impaziente, attesi che lo schermo si popolasse. Ogni cartella mi causava dolore e piacere, speranza e paura. Questo facevo, adesso, tutte le sere fino a mezzanotte. Finivo di studiare, di cenare, di guardare la tv insieme a mio padre. Poi mi nascondevo. Ma non ero più sola.

Alla voce "Documenti" erano salvati centinaia di file Word zeppi di aggettivi altisonanti, sostantivi in disuso, metafore più o meno imbarazzanti se lette oggi, ma che ai miei occhi di allora certificavano il fatto che ero una scrittrice. Mi ci avvolgevo, mi travestivo, m'inebriavo. Non avevo capito niente della scrittura, ma mi credevo seduttiva. Poi, c'era una cartella segreta. Protetta da una parola segreta. Si chiamava "Epistolario".

L'ho detto che ero cambiata: ero diventata tecnologica, non

scrivevo più biro su carta. Ero perfino connessa a Internet con l'ADSL, che non faceva rumore e non interrompeva le telefonate, anche se il fisso non lo usava già più nessuno. Però io non navigavo. Restavo ferma. L'altrove per me era il passato, non il futuro. E tuttavia, nella mia vita, si era formata una casella postale. Elettronica.

Mio padre, una domenica, mi aveva convinta a scegliermi un nomignolo e mi aveva registrata su Virgilio. Di tutto il web, adesso, io frequentavo quest'unico indirizzo, a cui mi raggiungeva una persona sola.

Ci scrivevamo ogni notte.

Cose irripetibili, pericolose.

E, se l'altro non rispondeva a stretto giro, il telefono vibrava di squillini. Sotto il cuscino, accanto al letto, continuava a squillare fino alle tre, alle quattro, a testimonianza del fatto che non potevamo dormire, che dovevamo pensarci, alzarci, scriverci ancora. E che quel Nokia era uno strumento di tortura.

Durante il giorno sapevamo ignorarci perfettamente. Ma alle 22.30 aspettavamo l'uno la lettera dell'altra. E tutto, da dietro lo schermo, diventava ammissibile: qualsiasi dichiarazione, qualsiasi atto. Arrivavamo a un punto, con le parole, che dopo non si poteva più prendere sonno. E dovevamo continuare. Con il telefono, con il computer.

Come una traccia remota mi riaffiora nella mente il suo indirizzo, e sorrido di tenerezza: moravia85@virgilio.it.

*

Io ero morante86, e avevo le tette.

Da che mi erano cresciute, a scuola mi chiamavano Elisa.

Nel giro di due estati mi ero alzata di cinque centimetri e dai jeans di mio fratello mi spuntavano, inequivocabili, culo e fianchi.

Aggiungo che nel 2003, a T, nessuno aveva un piercing sulla lingua: *nessuno*. Io potevo tirarlo fuori, giocherellare a batterlo sui denti e sentirmi sfacciatamente fica. Alle battute poco originali, e sempre le stesse, dei maschi: "Chissà come ti vengono bene i pompini, adesso", reagivo altezzosa con una smorfia e il dito medio alzato. Mi truccavo, leggevo "il manifesto" e non solo: Enzo mi aveva tagliato i capelli a caschetto, sminuzzato la frangia. Bea giurava ch'ero identica a Uma Thurman in *Pulp Fiction*. Una rivoluzione!

Però, rimanevo io.

Con la Palazzina Piacenza piantata nell'anima, il sangue svagato di mia madre, la nostra storia sbilenca, piena di buche: le tette non l'avrebbero risolta, e neppure i piercing.

Rimanevo una sfigata che passava i sabati pomeriggio su uno scoglio a leggere *Così parlò Zarathustra* fingendo di capirci qualcosa, e poi tornava a casa. Anziché uscire la sera, fare tardi ballando su un cubo, ubriacarmi, chiudermi in un cesso a fumare canne, a baciare qualcuno. Non qualcuno: Moravia, che ci giro intorno ma tanto si è capito chi è.

Anziché fidanzarmi con Lorenzo, lo avevo guardato tornare da Valeria, mettersi con un'altra, tradire anche questa, e non avevo mosso un dito per inserirmi nella vicenda. Fantasticavo e fantasticavo e fantasticavo, al porto, in fondo alla barriera, su un masso di granito alto e piatto. Il vento tra le pagine, tra i capelli, come un'eroina romantica. In fuga disperata dalla realtà.

Ero convinta di non poter superare il disastro di due anni prima sotto la quercia, la vergogna, l'insicurezza, la colpa inestirpabile di essere me stessa. Non vivevo nulla di quel che avrei desiderato: in macchina con lui al belvedere, la lingua in bocca, le cosce che si allargano, le mani che sfregano, le dita infilate. E che tutti sapessero.

Lui scopava, ormai sì, con le altre.

Ma era a me che scriveva ogni sera.

E ogni sera io gli rispondevo.

Lui era Moravia, io la Morante.

Che, tra parentesi, manco avevamo letto. Anzi, li avevamo scelti solo per l'aura di passione che evocavano le immagini di loro due insieme. Per le foto! Il colmo… Giocavamo a fare i letterati. In una stagione del web in cui tutti si chiamavano "gattina86" o "lore84", noi credevamo di essere diversi dagli altri, gli unici ad avere accesso alla verità. Eravamo pesanti, lo so, e pure un po' sfigati.

Aprii la posta quell'11 aprile con la sete e la pipì che mi scappava, senza poter aspettare un minuto, figuriamoci le 22.30. Ti prego, dio, fa' che mi abbia scritto. La pagina si caricò coi tempi insostenibili di allora. Con il cuore ovunque mi affacciai sullo schermo: "Hai 1 messaggio NON letto".

Si era ricordato. Provai una scarica di felicità violenta. L'orario della mail era le 15.05, l'oggetto: "Buon compleanno amore".

Non si era fermato fuori da scuola ad aspettarmi, non mi aveva portata via sulla Golf che gli avevano regalato i genitori per i diciott'anni. E perché mai avrebbe dovuto? Quelli erano i patti scellerati che avevo imposto io: solo parole, niente corpi.

15

Gin

Beatrice e io avevamo un posto, adesso: il "covo". Una villetta pignorata o sotto sequestro, chi lo sa, abbandonata alla polvere in fondo a via dei Lecci. Nessuno poteva entrarci, eccetto noi due. Quando arrivai, il 12 aprile, la trovai seduta su quanto restava di un divano: nuda gommapiuma. La testa reclinata sul cellulare tenuto tra le dita senza digitare niente; aspettava soltanto. Anche lei era cambiata, così in peggio che sono indecisa se descriverla oppure no. Perché desidero preservarla da un ritratto impubblicabile, ma anche prendermi una rivincita sul mondo là fuori: è così facile fingere. Mettersi in posa, sorridere. Alle Maldive, al proprio matrimonio, quando nasce un bambino. Esibirsi e sbatterlo in faccia. Ma gli altri giorni? Per le paure, le malattie, i funerali, come pensa di organizzarsi l'umanità? Sarò anche una sfigata e una bacchettona, ma lasciatemelo dire: alla vita serve la letteratura.

Quindi dirò com'era diventata Beatrice: brutta. Il fondotinta non le nascondeva più niente, né i brufoli né le notti insonni né la soglia massima del dolore, superata da un pezzo. Era ingrassata, colpa delle schifezze che ingurgitava in piedi davanti al frigorifero ora che nessuno le controllava più la dieta. Palestra finita, danza mollata, Enzo disertato da mesi. Nascondeva i chili sotto felpe e jeans larghi, indossava solo scarpe da ginnastica. Ci godrebbero non so in quanti a vederla in quello stato, ma le parole, a differenza delle immagini, hanno pietà e pudore.

Quando mi sentì entrare, alzò lo sguardo su di me e disse: «Le hanno cominciato la morfina. Ieri sera».

Rimasi in piedi. In quella stanza c'era un tavolo ma non le sedie, la metà del divano non sfondata non era abbastanza grande per tutte e due.

«Però lei non lo sa» continuò Bea in tono pragmatico, «quindi, mi raccomando, deve credere di guarire.»

Rimasi immobile.

Bea controllò ancora il telefonino: «Sto aspettando che l'infermiera mi dica quando si sveglia, così possiamo andare».

Di fianco c'era la cucina, con i resti di un forno e un pensile solitario a destra dell'orma di una cappa. Nel bagno mancavano il bidè e i vetri della doccia, ma sul lavandino, dentro un bicchiere, qualcuno aveva dimenticato due spazzolini.

«Hai paura?» mi chiese. «Chissà cosa ti vuole dire.»

«Ovvio che ho paura di tua madre.»

Bea sorrise. Raccolse in un elastico i capelli trascurati, regrediti al crespo riccio naturale, prima sempre, ferocemente, addomesticato. «Io invece ho solo paura che muoia. E non ha senso, perché tanto lo so che muore.»

Rimasi… Non sapevo far altro che *rimanere*: nella stessa posizione, inerte, in silenzio. La morte era una faccenda imbarazzante, a diciassette anni in particolare: il massimo della sfiga, della colpa, del vuoto. Anche Beatrice ne era consapevole, per cui provò a sviare: «Andiamo di sopra?».

Annuii e la seguii su per le scale. Un dettaglio che ho dimenticato di riportare è che al centro della testa le era cresciuto un capello bianco. Uno solo, ma che risaltava in mezzo alla chioma castano scuro come la ciocca di un'anziana. Mi chiedevo come avesse fatto a non notarlo, pure non avevo osato dirglielo.

Al piano superiore c'erano due camere da letto, di cui una, la matrimoniale, intatta. Mancavano solo i vestiti nell'armadio. Bea spalancò la finestra sul retro facendo entrare aria e sole; quella visibile dalla strada la lasciavamo sempre chiusa: se qualcuno avesse notato del movimento là dentro, chissà, forse avrebbe chiamato la polizia.

Era abusiva, la nostra amicizia. Ci lasciammo cadere sul letto tenendoci per mano, sollevando un quintale di polvere e affondando il naso nei cuscini, nella trapunta di raso, tra lenzuola usate non da noi ma ormai nostre. Di cosa sapevano?

Mi fermo, sollevo le dita dal computer, chiudo gli occhi per astrarmi dalla scrivania su cui scrivo, dalle pareti ordinate che mi circondano, e tornare ai fasci di luce di quella stanza, al pulviscolo sospeso come la neve di polistirolo nei souvenir, alla tachicardia che mi prendeva ogni volta.

Di anni, sapevano. Delle spore entrate attraverso le fessure, dei semi delle piante, di muffe e molecole antiche di ammorbidente, di pace dopo un litigio, dell'amore non visto di altri, del silenzio dove vanno a finire tutte le cose; dello shampoo che usava Beatrice.

Ci abbracciammo. Infilai un ginocchio tra le sue gambe, lei la testa tra il mio mento e una clavicola. Avremmo potuto rimanere così, chiuse l'una sull'altra a proteggerci dalla brutalità del mondo, per ore. Era la nostra casa "in via dei matti numero zero". Tutto là era giusto. A volte facevamo i compiti, altre ci addormentavamo perché io facevo tardi al computer e lei faceva tardi sulla sedia accanto al letto antidecubito di sua madre; altri pomeriggi preferisco lasciarli nel segreto, e che la tenerezza o l'indecenza di quei momenti invecchino con me, si disgreghino con me, senza testimoni.

Quel giorno Beatrice scoppiò a piangere. Si nascose il volto dietro le mani. Io gliele scostai e mi chinai a darle un bacio.

«Cosa vuol dire che muore?» Si asciugò gli occhi. «Non riesco a immaginare il futuro. Mio fratello, mia sorella, papà: cosa faremo? Non ci sarà più niente a tenerci insieme.»

«Ci sarò io.»

Lei non mi ascoltò nemmeno. «Non sono pronta, è troppo presto.»

Si voltò a guardare il muro mordendosi un labbro. Io ascoltai i pensieri che non aveva il coraggio di dire: "Non ci sarà al diploma, alla laurea, non ci sarà il giorno del mio matrimonio, in ospedale se avrò dei figli. Vedrò sempre un cratere al suo posto e non sarò mai più felice".

«Papà pagherà Svetlana per occuparsi di tutto, lui vive in ufficio già adesso. Costanza non tornerà più dall'università, neanche per le feste. E Ludo, lui ha quattordici anni.»

Ci mettemmo a sedere, l'una di fronte all'altra.

«Ci sono io» ripetei prendendole le mani. Ma Bea non poteva accontentarsi di così poco.

«Sai cosa vuol dire, *davvero*, che muore?» Mi fissò con le sue gigantesche, innaturali iridi verdi. «Che divento sola.» Pretese da me parole vere: «Sei tu quella che scrive, allora dimmelo bene. Divento sola, è così? Così tanto che non ho più niente, non so più cosa fare a Natale, e non ho più motivo per andare a scuola, qualcuno a cui gliene freghi qualcosa se prendo un bel voto».

«Non sola» la corressi, «orfana.» Racimolando il coraggio dell'intero vocabolario, andai avanti: «Non puoi pensare al Natale, alle domeniche, a tornare a casa e trovartela di fronte per dirle che hai preso otto. Non puoi fare confronti. Perché è vero che se ti volti indietro non trovi più niente. Ma davanti hai tutto, Bea. Tutta la vita da prendere».

I suoi occhi si riempirono di nuovo di lacrime.

«Non prendere, *perdere*.»

Si riempirono di lacrime anche i miei.

«Un giorno cambierà tutto. Te lo giuro, avrai la tua rivincita.»

«No, Eli» scosse la testa, «è la mia mamma.»

*

Era successo all'inizio di novembre: Ginevra dell'Osservanza, rientrando a casa con le buste della spesa, era caduta sul vialetto all'improvviso, senza inciampare su niente. Era andata giù come un sacco di patate e si era rotta il femore.

All'età di cinquantacinque anni.

Al pronto soccorso la prima cosa che le avevano chiesto era se fosse in cura, per quale tumore, e lei aveva risposto: "Sì, al seno, ma ora è tutto risolto". Erano andati avanti, lei, suo marito e i suoi figli, a ripetersi che senz'altro quel dolore alle gambe che lamentava di continuo era dovuto agli effetti collaterali dei farmaci. D'altra parte l'operazione era andata bene, il cancro portato via, i cicli di chemio e di radio conclusi, gli esami a posto: per forza doveva esser colpa dei farmaci.

Finché quella mattina, al pronto soccorso, una risonanza magnetica aveva trovato la verità: metastasi, a uno stadio così avanzato che si erano mangiate un'anca e parecchie altre ossa. Il femore si era polverizzato. Erano bastate due sporte a farlo collassare come una delle due torri l'11 settembre.

Non si sarebbe più potuta rialzare.

Di guarire, nemmeno a parlarne.

Beatrice andò fuori di testa, insieme al resto della famiglia. Si erano illusi, avevano creduto al lieto fine, ma la realtà adora infrangere sogni, o le è indifferente farlo. Ricordo la corsa in ospedale, accompagnata da mio padre, per raggiungere Bea. Il corridoio freddo al terzo piano, dipinto di giallo. Il nostro abbraccio, forte fin quasi a farci male, e di fronte, ma a distanza, i volti distrutti di Riccardo, Costanza e Ludovico.

Forse lo avevano detto loro a Ginevra, che ero stata una buona amica. Che, per l'intera durata del suo ricovero, cioè un mese, ogni giorno ero andata a sedermi fuori dalla sua stanza, su una sedia di plastica inchiodata al muro, a informarmi sulle sue condizioni e ad aiutare Beatrice coi compiti. E anche che, nonostante continuassi a non essere invitata a casa loro, mi ero presentata fuori dal cancello di via dei Lecci 17 ogni volta che ce n'era stato bisogno, a qualsiasi ora e per qualsiasi esigenza. E forse era per questo che il 12 aprile, nella sua ultima settimana di vita, Ginevra desiderava parlarmi.

Per perdonarmi. O condannarmi.

Non lo sapevo, ero terrorizzata, ma al contempo felice che mi riconoscesse un ruolo, che avessimo un'occasione. Visto che al mondo, così pazze di Beatrice, all'epoca c'eravamo solo io e lei.

«Che scema, devo darti il regalo!» Bea si riscosse, si pulì il nero del mascara colato con un fazzoletto di carta e si rimise in piedi. «Non indovinerai mai.» Aprì l'armadio e si mise a cercare. «L'ho nascosto qui da qualche parte, chissà se ti piace…»

Lo trovò, me lo porse: un pacchetto piccolo avvolto in più scotch che carta, senz'altro opera sua.

«Oh, mi dispiace rovinare un così bell'incarto!»

«Aprilo, stronza.»

Mi ci vollero i denti. Dentro trovai altra carta, poi altra e ancora altra.

«Ma c'è qualcosa o è solo uno scherzo?»

«Non riesci proprio a fidarti, eh?»

No, e con il senno di poi facevo bene. Persino in quel periodo tragico e convulso, in cui lei aveva i ricci marroni prosciugati dalle tinte pregresse e il blush dato a macchie sulle guance, sentivo che laggiù, nel fondale di tutto quel dolore, la creatura magica c'era ancora, sepolta ma vigile, depositaria di un potere inesauribile che di colpo avrebbe potuto risvegliarsi e prendere il sopravvento.

Continuai a scartare e alla fine trovai un piercing: verde fosforescente, bellissimo. Le saltai al collo entusiasta.

«Sono andata fino a Marina di S per trovartelo.»

«Grazie.»

«E già che c'ero, me ne sono preso uno nuovo anch'io. Guarda!»

Si alzò la felpa, la maglietta. Sulla pancia non più piatta e abbronzata come l'estate scorsa le brillava all'ombelico un brillantino fucsia.

«Fantastico.» Lo avevo toccato.

«Adesso cambiatelo anche tu.»

Corremmo nel bagno al piano di sotto, in cui era rimasto solo un pezzo di specchio, ma era sufficiente. Bea mi aiutò a lavarmi le mani per modo di dire, sul lavandino con una bottiglietta d'acqua. Svitai la pallina del vecchio piercing d'acciaio chirurgico color metallo, lo tolsi, per un istante lo guardai nel palmo della mano.

Ce l'eravamo fatto a Ferragosto. Perché il 15-08-2002 era il nostro secondo anniversario. Beatrice aveva scelto di bucarsi l'ombelico: fu sempre all'origine delle mode più diffuse; io invece la lingua, come i Maya e gli Aztechi. A Marina di S, nell'unico negozio di piercing nel raggio di chilometri, di nascosto dai nostri genitori. Avevamo ragionato su quali punti del corpo potessimo celare a casa, ma mostrare a scuola. L'ago ci aveva trapassate, avevamo sentito una scarica di dolore. Era uscito altro sangue, dopo l'imene intendo. La nostra amicizia, evidentemente, prevedeva l'uso spregiudicato della sofferenza. «Adesso sì che siamo punk» le avevo assicurato rimontando sul suo scooter. Lei aveva messo in moto. In due a settanta all'ora sulla Provinciale, come per il furto. Ci eravamo fermate a mangiare da McDonald's. Dopo cena eravamo tornate alla spiaggia di ferro per assistere ai fuochi d'artificio da dove non li guardava nessuno. Poi eravamo rincasate in punta di piedi, e né l'indomani né i giorni seguenti i nostri genitori si erano accorti di nulla. Però a settembre, al ritorno in classe, avevamo fatto un ingresso trionfale. Lei con una maglietta cortissima e la pancia nuda, io che le facevo la linguaccia ogni secondo. E tutti ci erano rimasti secchi.

Quando inserii il nuovo piercing e mi osservai in quel triangolo di specchio, pensai che gli altri potevano morire, ma noi no. E che forse eravamo destinate a qualcosa di grande, che sarebbe passato alla Storia. Oppure a qualcosa di minuscolo, per cui saremmo finite a invecchiare zitelle in una casa di riposo, dimenticate, ma insieme. E non faceva differenza: vincere, perdere. Purché quell'*insieme* sopravvivesse.

Stavo per rivelarglielo, quando le squillò il cellulare. Odiai la sua intromissione in quel momento. Ma Beatrice sembrava non aspettasse altro perché lo afferrò all'istante, e rispose: «Va bene, veniamo».

*

Entrai senza far rumore, come se là dentro ci fosse stato un bambino e avessi ricevuto la raccomandazione di non svegliarlo. Da sola, perché così aveva stabilito Ginevra.

Le tapparelle erano abbassate, i medicinali appoggiati ovunque, l'aria impregnata dell'odore acre di un corpo che non si alza, non si muove. Mi fu subito chiaro che la stanza dei ritratti era diventata la stanza del tumore.

«Vieni, avvicinati» mi sentii dire.

Era distesa su un fianco, nascosta dalle lenzuola e dal rigonfiamento del cuscino. Le andai incontro. Con fatica si girò per guardarmi in volto. La guardai anch'io e mi si arrestò il cuore. Ginevra era *irriconoscibile*.

Scheletrica, la pelle avvizzita e di un pallore spettrale. Pochi capelli bianchi arruffati sul cranio nudo, come se fosse invecchiata di colpo di trecento anni. Non c'era nulla, in quel corpo, della donna forte ed elegante che avevo conosciuto. La malattia lo aveva umiliato, in una misura che ancora oggi mi riesce difficile accettare. Eppure gli occhi presero a brillarle, quando le fui vicina, d'impazienza e di desiderio.

«To', ti sei fatta bella.»

Mi sforzai di sorridere.

«Dalla tua faccia, invece, capisco che io sono diventata orribile.»

«Non è vero...» mi uscì male, in un filo di voce.

«Senti, facciamo subito un patto: nessuna menzogna tra me e te. Me ne dicono già troppe qui, e io faccio finta di abboccare. Mica per me, ma per loro, così forse staranno meglio. Però tu sei intelligente e io non ho voglia di pentirmi di averti fatta chiamare. Non ho voluto neanche il prete, sappilo.» Riprese fiato. «Adesso siediti.»

Obbedii. Intravidi con la coda dell'occhio le pareti tappezzate di cornici, i ritratti sorridenti e luminosi di Beatrice e della famiglia intera. Distolsi lo sguardo.

«Non ci eravamo capite, noi due, ma adesso è tutto cambiato.» Provò a sporgersi. «Non ci vedo più molto, ma mi pare che tu abbia il rossetto.»

«Sì» mentii.

«Bene. Non è ocaggine, come certi pensano. È *dignità*. Bisogna presentarsi al proprio meglio, in qualsiasi circostanza.»

Sapevo che non distingueva più i colori. Nel giro di uno o due giorni sarebbe diventata completamente cieca. Le metastasi dalle ossa erano migrate al cervello e le stavano divorando il nervo ottico.

«Centrerò il punto: devi occuparti di Beatrice.»

Deglutii.

«*Tu* te ne devi occupare, perché senza di me non se ne occuperà nessuno. È fondamentale che non esca dal giro, che si affermi. Devi assicurarti che studi, che continui a lavorare nella moda, a fare sfilate, provini, pubblicità. Dopo il liceo deve andare a Milano, a ogni costo. Milano, Elisa. Me lo devi promettere.»

«Glielo prometto.»

«Ti sento titubante.»

«No, no...» Mi sentivo solo, infinitamente, a disagio.

«Ti sto dando fiducia, in un momento del genere. Non puoi tradirla.»

La sua voce, giuro che mi risuona nelle orecchie ancora oggi: quando mi distraggo, alzo la testa da un libro e mi assento, o quando faccio la doccia e chiudo gli occhi sotto l'acqua bollente; a volte in piena notte, così chiara che mi sveglia.

Il suo corpo era esausto, annientato, uno spettacolo che faceva piangere e difatti io tiravo su col naso di continuo e tossivo per ingannare il magone, ma la sua voce era la sua anima illesa. Conteneva una determinazione, una ferocia, che solo Beatrice ha ereditato e conserva nel cromosoma primo del suo DNA.

«L'hai vista come si è ridotta?»

«Sì...»

«Anch'io ho perso mia mamma presto, so come ci si sente. Beatrice è in gamba, è tosta, è come me. Di tutta questa banda qui» alzò la mano e roteò l'indice per aria, «lei è la sola che ha il coraggio di vuotarmi la padella. Però non deve fare la mia fine. Non deve sposarsi uno che la porta a vivere in un posto come T, dove non succede mai niente e anche tu alla fine evapori e svanisci. Uno che ti chiede di smettere di lavorare per poi cacciarti in un angolo e riempirti di corna. Elisa, giurami che non glielo permetterai. Non lo sopporterei.»

«Lo giuro.»

«Vedi, io ho fallito. Facevo delle foto da ragazza, meravigliose. Straordinarie. Altro che 'sta roba qua.» Indicò in modo sprezzante le pareti. «Tutti i fotografi di Latina mi dicevano: Gin, tu ti prenderai le copertine di "Vogue", di "Elle", di "Glamour" del pianeta. Sfilerai a Parigi, avrai una vita da film, da romanzo, da invidiare...» Chiuse gli occhi. «Sai che le ho bruciate tutte? Per rabbia.»

Rimanemmo in silenzio per qualche istante. Osservai di nuovo i suoi ritratti di moglie e di madre, distinsi le frustrazioni e le rinunce invisibili dietro quelle immagini.

«Portala da Enzo, per favore, dopo il mio funerale. Starà uno schifo all'inizio, ma tu rimettila a dieta. Costringila a truccarsi, accompagnala ai provini, fai le telefonate. La trovi lì, la mia agenda, lì.» M'indicò un cassetto, io lo aprii e la presi. «Ci sono tutti i contatti, fotografi, agenti: è il mio lavoro di una vita. L'unico. Tu chiama. Se Beatrice darà segni di mollare, intervieni. Dura, efficace. È così facile mandare tutto a puttane, oh se è facile, io lo so bene! Ma lei no, deve vincere. Perché io la guarderò da lassù» scoppiò a piangere «e voglio...» si mangiò alcune parole «libera, famosa.» Con le ultime forze si affrettò ad asciugarsi le lacrime, recuperò il tono che non ammetteva repliche: «Se non succederà, me la prenderò con te».

Poi non riuscì più ad andare avanti. Era stremata. Aveva dato fondo a ogni energia in questa conversazione. Era troppo ingiusto aver cresciuto una figlia con tutti i crismi per farla diventare qualcuno, e dover morire prima.

Mi alzai, provai ad abbracciarla. Non so dire perché, ma le volevo bene. Il suo corpo era così fragile che non capivo come fare. Goffa, le diedi un bacio. Lei si commosse, si confuse, mi accarezzò una guancia.

«Puoi tornare a trovarmi» mi disse prima che io uscissi dalla stanza, «forse faccio ancora in tempo a raccontarti qualcosa di quella Gin, la ragazza delle foto che ho bruciato. Mia figlia mi dice sempre che sei brava a scrivere.»

Rimasi così stupita che riuscii solo, disperatamente, a sorridere.

«Al prete non intendo confessarmi, non voglio nessun perdono celeste» rise. «Ma che Beatrice sappia qualcosa di me, qualcosa che non le ho mai detto. Be', porta un quaderno la prossima volta.»

16

Morante e Moravia

Rientrai a casa sconvolta. Mio padre era uscito. Accesi l'interruttore in cucina e mi sedetti a tavola da sola con l'agenda di Gin tra le mani. Accarezzai la copertina di pelle rossa, il segnalibro che sbucava dalla metà. Il primo istinto fu di aprirla, il secondo di buttarla. Il futuro di Beatrice mi sfrigolava sotto le dita e io mi sentivo spaventata, potente.

Rimasi a dibattermi immobile su quella sedia finché diventò buio, i motorini presero a strombazzare sotto le file di lampioni accesi, nel cortile condominiale si radunò un gruppetto di tredicenni tutte truccate, impazienti di essere accompagnate dai genitori chissà dove.

Allora mi decisi. Afferrai l'agenda, entrai in camera mia, salii su uno sgabello in punta di piedi e la spinsi in cima all'armadio, il più in fondo possibile, contro il muro. Tumulandola in una lana di polvere.

Era sabato sera. Io ero una pessima amica o, forse, la migliore.

Guardai l'orologio. A quell'ora Beatrice sarebbe montata sull'SR per fuggire da Gabriele. Era questo il suo bene: dieci chili in più, i brufoli, i capelli stopposi. Un antro di felicità in provincia con un operaio che, ne ero certa, non l'avrebbe tradita. Ginevra, le dissi a distanza, non sono per niente d'accordo con lei. Rivolsi un ultimo sguardo di verifica all'armadio: non trapelava nulla. Se davvero dovrà dipendere da me, mi promisi, Beatrice sarà libera. D'iscriversi all'università di Napoli, di Torino, a Ingegneria, a Medicina, di sposare Gabriele, farci dieci figli e rimanere nessuno.

Pensate che spreco, se fosse andata così.

O che poesia commovente.

Intanto, lei aveva un fidanzato e io no. Per cui tornai in cucina e aprii la dispensa in cerca di cibo. Persino mio padre era stato invitato a una cena o a un addio al nubilato: era stato evasivo e non avevo capito. A cinquant'anni si stava innamorando di nuovo?

Provai a leggere il giornale sgranocchiando un grissino.

E mamma, aveva uno? Impossibile dedurlo da tutti quei chilometri di distanza. Però la sera, da qualche tempo, chiamava meno. Niccolò mi aveva detto di averla sorpresa in un pub su per la valle, di quelli dove si beve forte, al tavolo con tutti uomini e lei la sola donna, a ridere col genepy in mano; e poi, un'altra volta, di averla vista scendere da una moto sotto casa, dare un bacio, solo che lui non si era tolto il casco.

Sfogliai "il manifesto" tentando di distrarmi. M'impegnai, ma niente: le guerre e le conseguenze del petrolio, le bombe a grappolo e i disastri ambientali il sabato sera non facevano presa. Il rumore del mondo era troppo forte là fuori. M'insinuava: "Se non esci, come pensi di esistere?". E attecchiva. Il mio Occidente colpevole, col suo capitalismo assassino, sbagliato e in declino, luccicava ancora. "Perché non ti diverti, Elisa? Sei pesante, sii leggera. A cosa credi che serva, la vita?"

Papà mi aveva lasciato in forno una parmigiana, me ne accorsi e andai a divorarne una porzione in salotto davanti a *Striscia La Notizia* solo perché lui me lo aveva vietato: sia di cenare sul divano che di guardare le veline. Le fissai, la bionda e la mora, scuotere le cosce, il sedere. Le implorai di non farmi più pensare a me e ai miei guai. Invece loro, con tutti quei capelli e quelle tette, non facevano che riportarmi là, alla stanza del tumore, alla ragnatela di fili bianchi sulla testa calva di Ginevra, la pelle grigia, le ossa sporgenti, le cellule cattive che si moltiplicavano a dismisura nel suo corpo facendone scempio.

La prima cosa a morire era la bellezza, dunque non aveva valore. Ma l'ultima?

Fu allora che mi ricordai di *quel* romanzo.

*

Erano trascorsi anni, tuttavia spensi la tv e presi a cercarlo con urgenza, aprendo cassetti, sbattendo ante.

Perché si legge?

Perché non rimane altro.

Nessuna vocazione nobile si annida nel gesto di aprire un libro. Parliamoci chiaro: chi ha potuto scegliere liberamente se diventare Beatrice o Elisa, protagonista o testimone, celebre o ignota, e se passare il proprio sabato in fuga con un ragazzo o dimenticata in una stanza, non ha mai avuto dubbi. Per leggere occorrono necessità e disperazione: è una cosa che si fa in galera, in solitudine, in vecchiaia, nell'emarginazione; quando né la tv né Internet riescono a distrarti dal fatto che nella vita si perde, e si perde tutto; e chi conosci ti sembra felice e tu ti consumi d'invidia; quando l'unica soluzione è farla finita e diventare un altro.

Così, quella sera tiepida di aprile, dietro l'unica finestra illuminata del palazzo, capii che era giunto il momento di *Menzogna e sortilegio*.

Lo ritrovai sotto il letto, nell'ultimo scatolone superstite del trasloco, sprofondato tra le musicassette, il walkman, gli anfibi viola. Passai un dito sui numeri di collocazione e d'inventario della Palazzina Piacenza. Come ci era finito un romanzo del genere in una biblioteca per bambini? Era stato messo lì per sbaglio, per me.

Lo aprii per l'ennesima volta, ma quella sera con una determinazione nuova. La poesia in esergo mi risultò al solito oscura. Mi sforzai di andare avanti e fu faticoso perché la narratrice mi era antipatica. Mi parve di conoscerla; quando scoprii che si chiamava Elisa e si definiva una "vecchia fanciulla" ne afferrai il motivo. Pure, superato il disorientamento del primo capitolo, il romanzo cominciò a fare effetto.

Mi svuotò di me, della mia storia, dissolse le preoccupazioni e iniettò desiderio. Fui trascinata altrove, in un'altra famiglia, in un altro secolo.

La sera divenne notte, mi ritrovai sudata tra le lenzuola insieme al libro. Papà non rientrava, nessuno mi guardava. Potrei dire che la lettura e il sesso sono la stessa cosa, ma chi ci crederebbe? Nel 2019? Che per godere serve l'invisibile?

Pedinavo Anna, la madre di Elisa, assistevo ai suoi incontri sconvenienti con Edoardo, origliavo la sua eccitazione, ficcanasavo nelle sue voglie, le più vergognose: di farsi marchiare, sverginare e rovinare da quell'Edoardo che era biondo come Lorenzo, gli stessi occhi azzurri di Lorenzo, e in pratica *era* Lorenzo. Cominciai a saltare frasi, a girare pagine in preda a un bisogno fisico di finire. Le parole della Morante – quella vera, non più la sua foto – erano così spudorate che non mi proteggevano dal mio corpo, mi ci facevano precipitare. L'inguine, i lombi, li sentivo infiammarsi e prendere il sopravvento. Arrivai a pagina centonovantadue, poi non ressi.

Chiusi il libro e afferrai il cellulare.

Scorsi la rubrica. Alla M lo trovai, Moravia.

Non dovevo più prendere il motorino adesso, cercarlo per tutta T con la certezza di mancarlo; avevo questa fortuna sfacciata di vivere l'epoca dei sortilegi.

Bastava una parola, una sola: "Vediamoci".

Un tasto, invia.

Lasciai cadere il telefono sul letto subito dopo, incredula. Corsi alla finestra mangiandomi le dita: cosa avevo fatto? Osservai il platano, la luna era piena e lo illuminava a giorno. Non risponderà mai, sarà chissà dove, chissà con chi. Il sabato avevamo stabilito di non scriverci. Perché lui usciva, viveva, e io no. Invece il telefono trillò e io sussultai.

Mi voltai: Possibile? Lo schermo era illuminato. Mi avvicinai piena di spavento. "Hai 1 messaggio ricevuto."

Mi aveva risposto: "Quando?".

Digitai, sbagliando più volte: "Adesso".

Passò meno di un minuto: "Dove?".

Mi venne in mente una follia: scappare di casa. Poi un'altra, ben peggiore. Lottando contro il numero limitato di caratteri per mantenere l'amata prosa con tutta la punteggiatura, gliela scrissi:

"Da me, prendi il motorino, non la macchina, e passa sul retro. Troverai una finestra al piano rialzato, con le tende blu: è la mia". Due minuti e la sentenza: "Arrivo tra mezz'ora". Impazzii. Mi guardai le mani, i piedi, intera allo specchio: ero brutta. Mi tolsi la tuta, il reggiseno, le mutande: orribile. Cos'avevo concluso qualche ora prima sulla bellezza? Che non valeva niente. Cazzate: era *tutto*. Mi passai il rossetto, sciolsi i capelli. Mi verniciai le unghie con lo smalto rosso che mi aveva prestato Beatrice, ma mi tremavano le mani e andavo fuori dai contorni. Aprii l'armadio, lo implorai: Dammi un abito magico che mi trasformi in un'altra. E in quel momento rientrò mio padre.

Cazzo, era una maledizione. Spensi la luce, m'infilai sotto le coperte. Un istante dopo papà schiuse la porta per affacciarsi. Cazzo, pensai di nuovo. Strinsi le palpebre e feci finta di dormire. Cosa avevo creduto: che mi lasciasse casa libera una notte?

Appena richiuse guardai l'ora: mancava un quarto all'una. Mi alzai e andai a girare la chiave nella toppa per sicurezza. Le tapparelle erano rimaste alzate, la luna rischiarava la stanza, mi permetteva di orientarmi senza andare a sbattere e fare rumore. Appoggiai l'orecchio alla porta per capire dove fosse mio padre: in corridoio. Vai a letto! E quello si avvicinava. Lo sentii prendere dei libri. Non leggere, vai a dormire! Ma lui tornava in cucina, apriva il frigorifero, si versava un bicchiere d'acqua. Il cuore mi batteva nelle tempie così forte, mi ero cacciata in un tale casino. Afferrai il cellulare e scrissi a Lorenzo: "Non venire". Poi feci una cosa inaudita: lo spensi.

Ficcai la testa sotto il cuscino, provai a calmarmi ripetendomi: Tanto non verrà, figurati se viene, non può venire. E funzionò perché, sfinita, mi addormentai.

*

Mi svegliai un'ora dopo di soprassalto a causa di un incubo. I capelli bagnati di sudore, infreddolita, nuda. Nella mente ancora quella sagoma nera aggrappata al davanzale, intenta a fissarmi.

Sgranai gli occhi: dalla fessura tra le tende qualcuno mi stava davvero osservando.

«Elisa» bisbigliò, bussando piano contro il vetro.

Mi coprii con il lenzuolo.

Bussò ancora.

Rimasi seduta sul letto, paralizzata, a fissarlo a mia volta.

Io ero in piena luna, lui contro.

Ne distinguevo i contorni: alieni, famigliari.

«Elisa.»

Mi prese il terrore che papà lo sentisse, quindi mi alzai di scatto, il lenzuolo avvolto intorno al corpo. Raggiunsi la finestra, la aprii piano. Mi ritrovai il volto di Lorenzo a un palmo dal mio.

Si teneva con entrambe le mani al parapetto, i piedi puntati al muro.

«Come hai fatto ad arrampicarti?»

«Sono salito sul motorino e sono saltato, non vedi? Ma poi il motorino è caduto e io adesso non ne posso più, fammi entrare.»

«Ma c'è mio padre» urlai sottovoce.

«Ti prego, ho le mani distrutte, i crampi da tutte le parti.»

Gli vidi gli occhi brillare, i capelli inargentati dalla luna. Sentii quell'odore che mi smarriva e non mi faceva ragionare.

Spalancai la finestra. Lorenzo fece un balzo, scavalcò, fu dentro. Io arretrai. Lo guardai reale e vivo, di notte nella mia stanza.

«Che ore sono?»

«Le due» rispose sgranchendosi.

«E tu da quanto eri lì?»

«Da un quarto d'ora, credo. Ti avrò chiamato trenta volte, ma avevi sempre il telefono spento. Neanche il casino che ha fatto il motorino ti ha svegliata.»

«Parla piano.»

Lorenzo fece un passo verso di me.

«Non ci sentirà, te lo giuro.»

Mi aveva guardata dormire. Era qui.

«Vai via.»

«Sei stata tu a dirmi di venire, Morante. E io ti avrei aspettata fino all'alba, se non ti fossi svegliata prima.»

Avevo un lenzuolo buttato addosso, rimasugli di rossetto.

«Con chi eri, cosa stavi facendo?»

Lui non rispose. Si guardò intorno: la tuta appallottolata in un angolo, i libri sulle mensole, la boccetta di smalto sulla scrivania, la mappa del Piemonte e la locandina di un concerto dei Rancid al Babylonia appese alla parete.

Gli rammentai l'accordo: «Dirsi tutto senza pretendere niente».

«Ero in fila per entrare al Sox. Sono tornato indietro subito, ho lasciato a casa la macchina e ho preso il motorino, come mi hai detto tu. E ho mollato anche i miei amici a piedi, a Follonica.»

«Per me?»

«Per te.»

Fece un altro passo, arretrai ancora.

Lorenzo indicò il computer. «Mi sono rotto, Elisa. È più di un anno che ci scriviamo. Ci siamo sverginati e mi hai detto vaffanculo, sei sparita. Poi hai trovato la mia mail e sei riapparsa. Mi hai detto che mi amavi, che potevamo stare insieme a patto che ci fosse in mezzo uno schermo. Ma io tra un anno ho la maturità, e poi me ne vado.»

«Dove?» domandai senza nascondere l'allarme.

«Lontano, a Bologna.»

«Bologna?» Di colpo mi ritrovai a soffrire. Un anno era come dire: dopodomani, la settimana prossima, subito, in confronto all'eternità che avevo in mente.

«E qui ci tornerò il meno possibile, lo odio questo posto. Tranquilla, non ci vedremo più.»

Mi strinsi nel lenzuolo: «Allora non ha senso che tu sia venuto».

Lui perse la pazienza: «Sai usare le parole solo per difenderti, o per illudere, che è la stessa cosa. Ma io non mi faccio più prendere per il culo da te. Resto qui finché tuo padre si sveglia, ci torno tutte le notti finché non inizi a dirmi la verità. Me lo devi».

Al pensiero che sarebbe arrivato un tempo in cui non lo avrei più incrociato per caso nei corridoi della scuola, spiato in biblioteca o in spiaggia; saputo lì, a leggere le mie mail piene di menzogne a un paio di chilometri di distanza, non mio, ma mio, mi sentivo franare e frantumarmi. Ero convinta che il presente si sarebbe fermato, come nella *Bella addormentata nel bosco*, per cento anni. E che un lontano giorno lui si sarebbe iscritto all'università del capoluogo, che avrebbe fatto su e giù col treno come mio padre, che non lo avrei mai davvero perso. Mi ero difesa, sì, ma solo perché lui era bello, e la bellezza era un muro, un confine invalicabile, militare.

«Allora sei qui per un addio.»

«No. Però quello che mi scrivi, adesso voglio vedertelo succedere in faccia. Voglio che teniamo gli occhi aperti, tutti e due.»

Mi scostò il lenzuolo, lo fermai. Lo fissai con improvviso coraggio: era così alto che mi sovrastava, con le iridi azzurro cielo, le ciglia lunghe, la barba rasata, era già un uomo, e tutti i principi delle favole, i protagonisti dei romanzi, l'Idiota di Dostoevskij e l'Edoardo di Elsa Morante, Bel Ami ed Edmond Dantès. Mi passarono nella mente i libri che avevo letto negli ultimi anni, mi sentii anch'io non Elisa soltanto, ma avventata come Emma Bovary, folle come la Karenina, fragile e testarda come Lucia Mondella, tutte queste donne insieme, grande e potente.

«Voglio essere l'unica» gli dissi. E lo baciai.

«Di più» staccandomi, «voglio che mi sposi.»

Lorenzo allargò gli occhi. Si trattenne, ma poi scoppiò a ridere. Io gli tappai la bocca, gliela accarezzai. «Non scherzo.»

«Sei fuori di testa» disse toccandomi il culo e i fianchi.

«Non puoi venire qui, prenderti il mio corpo, la mia anima, non puoi conoscermi e poi andartene, farti la tua vita come se nulla fosse.»

«Ho diciotto anni, tu diciassette!»

«Me lo devi giurare.»

«Ma che cosa?»

Lasciai cadere a terra il lenzuolo, presi *Menzogna e sortilegio* e lo aprii alle pagine a cui ero rimasta. Nuda, seduta sul letto, lessi a Lorenzo a voce bassissima: «*Non illuderti, sposando me, d'esser felice. Dopo che saremo sposati, io potrò andarmene a passeggio, a visite, a feste, e viaggiare per il mondo; ma tu dovrai stare ad aspettarmi, chiusa in casa*». Staccai lo sguardo per vedere la sua faccia: non era per niente colpita. Battei l'indice sulla carta: «Sta parlando di noi due!». E continuai: «*Non credere che, quando sarai grassa, invecchiata, io t'amerò meno; al contrario... Quella bruttezza sarà mia più della tua bellezza, e per questo motivo mi farà impazzire d'amore*».

Alzai la testa e lo guardai.

«È tremendo» commentò.

Chiusi il romanzo. Come se l'avessi letto interamente svariate volte, e anzi studiato per anni, con la strafottenza disperata di chi si sta giocando il tutto e per tutto, lo sfidai: «Tu puoi andare dove vuoi, a Bologna, a Roma. Puoi stare con chi vuoi, come già fai. Però, Lorenzo, io sono come Anna in questo libro. Ti aspetterò per sempre. E sono anche come Edoardo, perché non m'interessano le cose superficiali di te, quelle che vedono tutte» quanto mentivo!, «ma i segreti che hai scritto solo a me. Se tu dovessi rimanere sfregiato in un incidente, o ti dovessi ammalare in modo grave, o quando invecchierai e diventerai brutto per forza, io ti amerò comunque, anzi, di più. E conserverò per tutta la vita le tue lettere».

La notte era blu, non nera. Era piena di suoni: il mare, le foglie nel vento, gli animali notturni. Lorenzo era turbato adesso, non si aspettava una simile dichiarazione: così letteraria, così eroica, che oggi, a distanza di decenni, da una parte mi fa sorridere: era proprio una spacconata da ragazzina, ma dall'altra mi fa male. Perché quell'Elisa sciocca che si immolava pur di trattenere il suo primo amore era stata predittiva.

«Se tu rimani e lo facciamo, l'amore o una scopata non importa: resta comunque una parola che non rende cosa c'è in gioco. Da me dovrai tornare sempre: a trent'anni, a sessanta. Perché io sono stata la prima. E se adesso rischiamo di fare un figlio, di rovinarci, se ci guardiamo negli occhi come hai detto tu, dopo non dobbiamo più avere scampo.»

Lorenzo si alzò per baciarmi. Compresi di avergli fatto effetto. Ero stata brutale, sì. Ma per la me di allora non c'era niente di più brutale del desiderio, dei corpi, di quell'enigma complicato, temuto e voluto, che era il sesso. Volevo superare il ricordo di quella quercia, annientarlo. Dimostrargli che non ero più l'immigrata appena arrivata a T di quando ci eravamo conosciuti, che ero cambiata, ero cresciuta. Ignorando che invece era proprio la magia indelebile di quell'incontro in biblioteca, fantasticato da entrambi da bambini migliaia di volte, a tenerci ancora legati, e l'uno di fronte all'altra adesso.

Mi sdraiai. Lorenzo si tolse i vestiti e mi coprì con la sua schiena. Nel mio letto, con mio padre che dormiva due stanze più in là, il più sottovoce possibile, giurò che mi avrebbe sposata. Lo ripeté ancora e ancora. L'ultima cosa a morire qual era?

Ora lo sapevo: il segno irreversibile che imprimi in un corpo, la parola che rimane scritta.

17

Una rosa è una rosa

Non dovrebbero mai morire, le madri. Quando lo fanno, ti guardi indietro ed è come se non avessi più una storia, un posto, niente.

Ginevra se ne andò cinque giorni dopo il nostro incontro. Non ci fu per me alcuna "prossima volta" per tornare a trovarla con la biro e il quaderno e prendere appunti sulla misteriosa Gin delle foto bruciate.

I suoi funerali si tennero sabato 19 aprile in una mattina così profumata di magnolie e ronzante d'api, con tanta di quella luce e un cielo azzurro da stridere in modo insopportabile coi vestiti neri, l'auto funebre e la bara di mogano scuro caricata in attesa del cimitero.

Quando Beatrice vi si lasciò cadere sopra e l'abbracciò con tutto il corpo, io ero lì. Le vidi gli occhi arrossati e gonfi, il mascara colato sulla corona di rose bianche, il moccio al naso, i singhiozzi osceni che le deturpavano il viso, e le rimasi vicina sempre. Il padre, i fratelli, i parenti dietro e io accanto: la sua unica famiglia vera.

La Mercedes doveva partire, ma Beatrice glielo impediva. Si sarebbe tenuta di sua madre un'unghia, un capello, tutto purché fosse una presenza tangibile, che lei potesse stringere. Nessuno osava dirle qualcosa, né l'autista né il prete né le centinaia di persone presenti: conoscenti del marito, perlopiù, ma anche la nostra classe al completo accompagnata dalla Marchi, Lorenzo, Gabriele, Salvatore e mio padre. La osservavano in disparte commossi mentre lei si dibatteva feroce e non voleva saperne di separarsi, di lasciarla andare.

Le misi una mano sulla spalla. Dovetti parlarle piano, a lungo, ma alla fine mi ascoltò. Staccò prima la guancia, poi le braccia, il busto. Rubò una rosa dalla corona e se la mise in tasca. Fu uno strazio. Tale che, ricordandolo, mi manca la forza di raccontare. Prima di dire il resto, infatti, voglio tornare indietro un attimo per riprendere fiato, rimanere ancora un poco nel mio letto insieme a Lorenzo, in quelle prime ore di luce o ultime di buio che sono come un nascondiglio nel tempo: tutti dormono, nessuno ti vede e ti ascolta, e tu sei pienamente libero di essere.

Nella pagina di diario datata 13 aprile la me diciassettenne scriveva: "È stata la notte più felice della mia vita".

*

Lorenzo rimase fino alle sette, poi udimmo papà alzarsi, ciabattare in corridoio, chiudersi in bagno, quindi ci salutammo. Lui si rivestì, gli aprii la finestra. Mi diede un bacio sul davanzale dicendo: «Siamo fidanzati». Saltò a terra, rimise in piedi il Phantom e fuggì.

Appoggiata ai vetri, ascoltai il suo motorino allontanarsi finché nella domenica tornò il silenzio. Mi ripetei stupita quella frase, tenendomela sulle labbra rovinate dai baci: *Siamo fidanzati, fidanzati, fidanzati*, allo sfinimento.

Era sancito, da quel giorno *tutto* sarebbe cambiato: avremmo passeggiato insieme in corso Italia lasciandoci guardare; a scuola saremmo entrati e usciti per mano; ci saremmo dati appuntamenti segreti nei bagni tra una lezione e l'altra provando a fare l'amore in fretta per poi tornare in classe con l'aria spavalda e i capelli scarmigliati. Ogni venerdì e sabato lui mi sarebbe venuto a prendere con la Golf per uscire a cena. Finalmente avrei conosciuto il mondo: i ristoranti, le discoteche, i parcheggi in cui imboscarci dietro i vetri appannati, le spiagge in cui arenarci sotto una coperta.

Non ci saremmo scritti mai più.

Udii mio padre entrare in cucina, mettere la moka sul fuoco, e m'infilai un pigiama. Osservai le lenzuola: erano sporche.

Pensai che me ne sarei occupata io stessa più tardi, sentendomi per la prima volta non una bambina che si fa lavare la roba, ma una donna che sa gestire e custodire il proprio matrimonio. Pensai: Se sono incinta lo terremo. Decisi: Lo cresceremo insieme a Bologna studiando all'università. Poi tornai a letto perché papà si sarebbe insospettito vedendomi alzata così presto, e perché morivo di sonno.

Per tutta la notte, infatti, avevamo parlato, le bocche così vicine da sfiorarsi, e ripetuto l'amore piano senza smania, raccontandoci e spogliandoci di ogni segreto.

Fu quella notte che Lorenzo mi parlò per la prima volta di Davide, suo fratello.

Mi sorpresi ricordando quando Beatrice me lo aveva descritto, sulle scale antincendio della scuola, come figlio unico.

«È quello che credono tutti, almeno chi non ci frequenta da sempre. Perché i miei ormai non lo nominano più, si comportano come se fosse morto. Ma io ho il suo numero e di nascosto ci sentiamo.»

«Quanti anni ha?» chiesi incuriosita.

«Trenta.»

«È così grande? Dove vive?»

«Dove capita. È stato due anni in India, uno in Brasile. Però è a Bologna che torna sempre: ha mollato l'università a un solo esame dalla laurea, ma gli sono rimasti un sacco di amici.»

«È per questo che vuoi andarci anche tu?»

«Studiava Lettere antiche. È sempre stato una specie di prodigio. Sapeva recitarti l'*Edipo re* in greco a memoria, quand'era ancora al liceo si travestiva da Socrate e andava in giro per T a fermare la gente e porre domande filosofiche. Immagina un ragazzino con addosso una tunica ricavata da un lenzuolo che entra al bar sport e chiede ai pensionati del porto: "Cos'è la felicità?".» Si mise a ridere, e da quella risata intuii l'orgoglio che provava. «Quelli gli rispondevano cose tipo: "Vincere il Super-Enalotto" oppure: "Un bel culo". Allora lui si sedeva lì con loro e gli spiegava Platone.» Il sorriso sfiorì. «Quando ho detto ai miei che ho scelto Bologna mia madre è uscita dalla cucina e mio padre ha dato in escandescenze. Ho dovuto promettere, in compenso, che m'iscriverò a Ingegneria. Elettronica, energetica, non ho ancora deciso.»

«Ma è ingiusto» protestai, «volevi studiare Filologia.»

Lui rise: «Tanto sei tu la scrittrice».

La stanza gradualmente si riempiva di luce, il volto di Lorenzo riprendeva colori e dettagli: un neo sullo zigomo, una crosticina sul labbro. Non capivo come potesse arrendersi a diciotto anni.

«Perché i tuoi lo odiano tanto?»

«Per le canne.»

«Be', anche mio fratello…»

«E per i lavori saltuari, per quelle che loro chiamano "le fricchettonate" dall'altra parte del globo, mentre lui ha combattuto sul serio contro narcotrafficanti e caporali, ha insegnato a scrivere ai bambini analfabeti dei villaggi. Ma, soprattutto, non gli perdonano un'accusa a cui io non ho mai creduto. Davide non farebbe del male a nessuno, si rifiutava di uccidere persino i ragni o le mosche. Figurati se poteva aiutare gli anarco-insurrezionalisti in un attentato incendiario.»

Sollevai la testa, lo fissai con stupore.

«Ma i miei hanno dovuto sobbarcarsi le spese del processo, e comunque la cosa è finita sui giornali. Lui è stato, forse è ancora, un anarchico. A Genova, due anni fa, era in prima linea al G8, e mio padre, non so se lo sai, ma è il presidente della Regione. Davide lo hanno arrestato proprio mentre lui era in campagna elettorale, e anche se poi lo hanno scarcerato subito, però è stato uno scandalo di proporzioni bibliche. Abbiamo passato dei giorni, a casa mia, che non auguro a nessuno. Mia madre è pure magistrato. Non avrebbero mai immaginato di crescere un figlio che li potesse umiliare fino a quel punto. E lui non li ha mai perdonati per non avergli creduto. Per essersi preoccupati solo del nome.»

Cominciai a comprendere l'origine del suo buio: un fondo di arrendevolezza negli occhi. La condanna a rimanere il figlio buono venuto dopo quello cattivo. «Quindi non puoi sbagliare» gli dissi.

Lorenzo scosse la testa: «No».

«E non puoi ribellarti.»

«Mi sentirei in colpa.»

Gli accarezzai le guance, il mento, ripassai con l'indice i suoi contorni realizzando che, per i suoi sogni, avrei sacrificato i miei. Sentendomi dentro, irrazionale e potente, quella vocazione femminile al martirio che ha a che fare con millenni di schiavitù e con un corpo congegnato apposta per sopportare, tra lacerazioni, gravidanze e parti, il peso della felicità degli altri.

Solo che Lorenzo era davvero la persona giusta e da me avrebbe preteso sempre una cosa sola: la scrittura. In certi momenti particolarmente duri mi avrebbe spronata a leggere, a studiare, a diventare me. E io sono ben diversa da un risultato dell'evoluzione biologica o dalla Storia che ci ha sempre tagliate fuori. Mi asciugo le lacrime, salvo questa pagina e spengo il computer. Perché Lorenzo, come Beatrice, è un amore che mi ha ferita e poi non è passato.

*

Il cimitero dov'è sepolta Gin è quello piccolo e appartato a picco sul mare, tutto bianco, vicino al santuario della Madonna dei Pescatori, su quel tratto alto e ventoso di costa, libero da costruzioni, che si conclude con la spiaggia di ferro.

Mentre gli addetti alle pompe funebri tumulavano il feretro, a mezzogiorno del 19 aprile, Beatrice non stringeva mani, non ascoltava condoglianze e non rivolgeva la parola a nessuno, neanche a Gabriele.

Non piangeva nemmeno più.

Molti dei presenti alla messa se n'erano andati, inclusi mio padre, Lorenzo e le nostre compagne di classe, credo in segno di rispetto per l'intimità che richiede la chiusura di una tomba. Erano rimasti solo i parenti e gli amici più stretti a camminare nei vicoli di ghiaia.

Fu allora che notai, emarginato in un angolo, un gruppetto di persone vestite in maniera piuttosto eccentrica e decisamente male, con vistosi cappelli neri, abiti scuri ma trapuntati di lustrini e scarpe dai tacchi esagerati. Fu più forte di me: finsi di aver dimenticato il cellulare nel motorino, di dover tornare indietro, e mi avvicinai. Li ascoltai parlare, distinsi un inequivocabile, pesante, accento laziale. Mi si fermò il cuore.

Sì, erano loro. Li riconobbi a uno a uno: il fratello magrissimo malato di slot machine, le due sorelle maggiori "chiatte e invidiose", il padre ex ferroviere che fumava e tossiva a causa della bronchite cronica, la cugina estetista con le sopracciglia dipinte e i nipoti adolescenti, maschio e femmina, che giocavano indefessi al telefonino.

Ricordai i pochi aneddoti sulla famiglia di Gin che Beatrice mi aveva confidato. Rimasi nascosta dietro il cancello del cimitero e piansi le lacrime che non avevo versato in chiesa, durante l'omelia, né a casa due giorni prima, quando avevo ricevuto la notizia. Tutto quel che sua figlia era riuscita a carpire della vita di sua madre, da telefonate sottovoce origliate e dai litigi più aspri dei genitori, era questo: che Ginevra era cresciuta al primo piano di un casermone "non proprio in periferia, ma quasi", in un appartamento di ottanta metri quadri con un bagno solo in cui bisognava stringersi in sei. Poi, da ragazza, era diventata ufficialmente "la Gin" dei concorsi e delle sfilate. E c'erano state le famose "estati a Fregene": quelle che il marito le rinfacciava: "estati da puttana", mentre lei, che quando s'infuriava tirava fuori una violenta inflessione da ciociara, contrattaccava: "*Ce stavano* i pezzi grossi *de* Roma, politici, produttori, conduttori televisivi, tutti a *famme 'na* corte spietata, a *prometteme* la luna. E io com'è che *so'* finita con un avvocatuccio *de* provincia come te?".

Era lei, la più bella su cui la famiglia puntava "per sistemarsi", colei che la natura aveva destinato a un futuro di gloria come la Loren: bastava scegliersi l'uomo giusto. Invece, l'uomo si era rivelato sbagliato.

Lo osservai, Riccardo Rossetti. Al termine della messa si era impegnato nei saluti e nei congedi, il dolore composto, il nodo alla cravatta, il vestito stirato, perché la vita resta un evento mondano in cui la differenza la fa chi sembra forte e sa stringere alleanze, gestire rapporti. Ma adesso, solo accanto alla bara, si rendeva conto e piangeva.

Tornai da Bea e le dissi: «Ci sono i tuoi zii, c'è tuo nonno». Lei si voltò appena dalla loro parte: «Me n'ero accorta».

«Non ti va di salutarli?»

«No, non li conosco» rispose, con un disprezzo che mi suonò crudele. Insistetti: «Ma tua madre te l'ha raccontato, di quanto le pesava non poterli invitare a Natale perché tuo padre diceva che erano dei cafoni. Non poterti portare a Latina da loro, farti vedere dov'era cresciuta. Sono convinta» trovai il coraggio «che lei sarebbe contenta se tu andassi a salutarli».

Beatrice mi fulminò: «Sarà sempre così, d'ora in poi?». Tirava vento lassù, ci passavano sopra la testa stormi di gabbiani sospesi nell'aria come aquiloni. «Fare le cose che a mia madre sarebbero piaciute?»

Gli occhi, pur disseccati, le diventarono lucidi.

«Dài, andiamo a salutarli.» La presi e la trascinai.

I becchini ci stavano mettendo un'eternità a preparare il loculo. Beatrice si lasciò portare fino a metà strada. I suoi parenti, vedendola avvicinarsi e sentendosi finalmente considerati, si lasciarono andare alla commozione sorridendole distrutti e asciugandosi gli occhi con i fazzoletti. Ma Beatrice, anziché raggiungerli, si girò di scatto, voltando le spalle per sempre alla storia di Ginevra dell'Osservanza, il cui vero cognome, come avremmo scoperto anni dopo, era Raponi.

Altro non riuscimmo a sapere. "Se non rimane niente di scritto, non rimane niente" me lo ripeteva sempre Carla, attraversando i corridoi stretti tra gli scaffali della Palazzina Piacenza. E forse questo silenzio è peggio che morire.

Quel giorno Beatrice osservò la calce passata con la cazzuola, la lapide posata, il feretro fatto scorrere nel buco di cemento. Si aggrappò tutta a quegli ultimi istanti. Poi il loculo venne richiuso. Ginevra non c'era più.

Andarono via tutti, dopo. Solo Beatrice e io restammo al cimitero fino al tramonto. Suo padre aveva insistito non so quanto perché lei tornasse a casa insieme a loro, ma lei si era rifiutata, come già la mattina per andare al funerale. Avevamo preso il motorino, noi due. Così adesso eravamo libere di trattenerci lì, a vegliare il mare e le mura del cimitero.

«Posso venire a stare da voi?» mi chiese seduta a gambe incrociate su una tomba. «In quella casa non voglio più abitarci.»

«Penso che tuo padre, tua sorella e Ludo abbiano ancora bisogno di te» le risposi.

«Ti ho fatto una domanda.»

Era seria, a pezzi ma determinata. «Secondo te io posso svegliarmi ogni giorno, andare in cucina e non trovarla? Aprire un mobile e vederci dentro la tazza che lei usava, il profumo di Yves Saint Laurent che non voleva prestarmi? Entrare in una stanza qualsiasi e sentirci il vuoto, ricordare ogni minuto che lei non esiste?»

«Va bene» le risposi.

«Oppure andiamo a vivere tutte e due al covo.»

«Siamo minorenni, non credo ci lascerebbero.»

Dissi proprio così. Persino in un momento del genere io non riuscivo a disubbidire.

Il cimitero era deserto. Sulle tombe i fiori erano di plastica, sbiaditi e impolverati, oppure ridotti a steli rinsecchiti senza petali. Era scirocco, umido e caldo. Ci sdraiammo insieme sulla tomba che Bea aveva scelto, di una signora di cui non ricordo il nome, ma che era nata nel 1899. Guardammo a lungo, in silenzio, le nuvole passare e il loculo con vista di Gin, ancora senza nome e senza fotografia.

Bea mi disse: «Sono morta anch'io».

Io la strinsi e replicai: «Non tutta».

«Non voglio più andare a scuola, non voglio più vedere Gabriele.»

«E cosa farai?»

«Mi lascerò andare.»

Ora, Bea, il mondo cosa sa di tutto questo? C'eravamo io e te, il mare agitato laggiù sotto le rocce e il cielo sopra la testa. Quel giorno non sta scritto da nessuna parte e non ha testimoni oltre ai morti. A nessuno dei vivi sarebbe venuto in mente di portarsi die-

215

tro la macchina fotografica e tu stessa non ne avresti mai più voluto parlare. Pure, rimane uno dei più importanti della nostra vita.

Pensano di conoscerti, là fuori, di sapere tutto di te e tu glielo lasci credere perché il tuo lavoro è come la letteratura: menzogna – me lo hai insegnato tu stessa – e sortilegio. Ma la realtà è che non hanno idea di chi tu sia, si accontentano dello scintillio in superficie mentre a me rimane tutto il buio. Ti seguono su Internet e io ti ricordo. Loro hanno le foto, io ho te.

Su una sola cosa, infatti, di quel che oggi combini – feste esagerate, viaggi intercontinentali, abiti da migliaia di euro – siamo d'accordo: il silenzio assoluto sulla verità, sul passato e su di me. Sono felice che tu abbia voluto salvare dai commenti e dai pettegolezzi tua madre, la nostra amicizia, gli anni di liceo, la spiaggia di ferro, piazza Padella. O forse la tua omissione è solo dimenticanza?

In ogni caso, i nostri ricordi è bene che restino qui, nell'unico posto sicuro che conosco: un libro. Perché questa non è una favola.

È la nostra vita.

*

Rientrammo per cena. Parcheggiammo i motorini uno accanto all'altro nel cortile condominiale, salimmo la rampa di scale e filammo in bagno a lavarci le mani. Papà non ci fece domande. Aggiunse un piatto, un bicchiere, una sedia, e Beatrice rimase a vivere da noi per più di un anno.

Poco prima di mettersi a tavola aveva telefonato a suo padre e gli aveva detto che non sarebbe tornata: una decisione che non avrebbe mai potuto prendere se sua madre fosse stata viva. Gli aveva detto di sentire il bisogno di stare lontana dagli oggetti, dalle foto, dai ricordi, perché averceli davanti agli occhi tutti i giorni era una tortura che non poteva sopportare. Suo padre alla fine aveva ceduto, e anche questa era una conseguenza del fatto che Ginevra non c'era. Senza di lei erano diventati tutti un po' più liberi, e tutti un po' più soli.

Dopo cena papà tirò fuori dall'armadio lenzuola e asciugamani puliti, preparò il letto nella stanza di Niccolò che sarebbe diventata la stanza di Beatrice. Io le prestai un pigiama e un paio di mutande, il mio spazzolino e il pettine, perché lei era come un naufrago nudo in mezzo al mare. Poi però quella notte, e per quasi un mese, a luci spente s'intrufolò in camera mia e finimmo per dormire insieme. Nel sonno piangeva e mi abbracciava. Fu molto dura all'inizio, anzi, lo fu sempre di più via via che i giorni passavano e ribadivano la medesima assenza. Che la vita continua, è una bugia. Bea prendeva in mano il cellulare, scorreva la rubrica fino al numero di sua madre e realizzava che non poteva chiamarla nemmeno oggi, e neanche domani né dopodomani: mai.

Ci mise due settimane a tornare a scuola. La mattina non voleva alzarsi né fare colazione e io la costringevo. Poi mi truccavo apposta per far truccare lei, impiegavo tempo ed energie nella scelta degli abiti perché volevo che lei facesse altrettanto. L'agenda di Gin rimaneva nascosta in cima all'armadio; io non l'avevo mai aperta, mai nemmeno sbirciata, perché era come un oggetto radioattivo che doveva restare sepolto, pena il disastro. Ma le altre promesse le avrei mantenute tutte.

Per la dieta non ci fu bisogno d'insistere: perse i dieci chili messi su durante la malattia di Ginevra in pochissimo tempo. Semmai l'impresa fu convincerla a mangiare, e a uscire, a farsi tagliare i capelli da Enzo, a rivedere Gabriele e a tornare in palestra ad allenarsi.

Ogni domenica la accompagnavo a trovare suo padre che si era notevolmente abbrutito: passava così tante ore davanti alla televisione da dimenticare di radersi e guardarsi allo specchio. Vestiva ancora stirato e inamidato grazie a Svetlana, ma il suo volto era incolto e aveva messo su un'espressione forastica. Ludovico era diventato un bullo: alla fine dell'anno scolastico sarebbe stato bocciato. Costanza, anziché non tornare più dall'università come aveva previsto Beatrice, si era ristabilita a casa troncando gli studi. Dopo il pranzo faticoso e un paio di conversazioni stentate, Bea risaliva nella sua stanza e si portava via qualcosa: un CD, un libro, un paio di jeans e una maglietta. Entrava nella stanza dei ritratti e toglieva un album dagli scaffali. "Tanto" mi aveva detto una volta, "chi vuoi che li riguardi, oltre a me?". Prendevamo il caffè con loro e tornavamo in via Bovio.

Io avevo perso una madre e un fratello, ma avevo guadagnato un padre e una sorella. E devo dire che la cosa, quando il lutto si affievolì, cominciò a piacermi. Mi divertiva litigare con Beatrice per la doccia: lei ci metteva ore; andare a fare la spesa insieme al supermercato decifrando la lista scritta da papà; studiare fianco a fianco fino a tardi; pulire insieme le nostre stanze; sparecchiare insieme; guardare la tv insieme. Solo il venerdì e il sabato ci dividevamo e ciascuna se ne andava col proprio fidanzato. Ero stata bandita da casa sua, e adesso ero diventata la sua casa. Fu un periodo straziante ma anche misteriosamente bello, che ci unì in un modo che credevo senza ritorno.

Col tempo, e soprattutto grazie a un'idea di mio padre, vidi Bea ricominciare a studiare con impegno, iscriversi di nuovo a danza e, come ho preannunciato, riprendere a uscire con Gabriele. Però.

C'era quella rosa, che aveva strappato dalla corona di sua madre prima che lo sportello dell'auto funebre venisse chiuso. Una rosa bianca che avrebbe legato a un filo e appeso al buio dell'armadio affinché seccasse e rimanesse: tangibile, nascosta.

Fu l'unico oggetto che Beatrice fotografò per anni. Anche se ormai si era irrigidita ed era divenuta uno scheletro, lei riempì diversi album di Polaroid sfocate, un'intera galleria pallida della medesima rosa. Prima di farsi fotografare decine di volte ogni giorno dalla sottoscritta, e parecchio prima che i ritratti del suo volto in altissima definizione inondassero il pianeta quanto la plastica – sempre identici nel sorriso, nello sguardo, immutabili come quel fiore – nel suo armadio c'era la sua radice. E, forse, c'è ancora.

18

Il blog

Credo sia stato per distrarla che papà se ne venne fuori con l'idea del blog. Vedere Beatrice buttata sul divano tutto il giorno a guardare film in bianco e nero, chiusa a qualsiasi proposta di tornare in vita, era doloroso anche per lui.

Quando cominciarono le vacanze estive, ci ritrovammo di fronte una montagna di tempo vuoto, inerte. A giugno finimmo le versioni di greco e di latino, la lista di romanzi da leggere dettata dalla Marchi, persino gli esercizi di fisica e matematica. Dopodiché restavano ancora due mesi, e arrivò l'assedio dell'anticiclone africano.

Non che rappresentasse un grave problema per noi: Beatrice si rifiutava di uscire, il 30 giugno eravamo pallide come due svedesi e al mare non ci eravamo mai nemmeno avvicinate. Ma l'estate del 2003 immagino se la ricordino tutti. Bisognava sdraiarsi, in certe ore pomeridiane, bagnati sulle piastrelle del pavimento per trovare refrigerio. Era la prova che "il manifesto" del 12 settembre aveva avuto ragione: l'apocalisse era iniziata, e stava inesorabilmente continuando.

A metà luglio Bea accettò di scendere in spiaggia, ma solo alle sette del mattino quando non c'era nessuno. Ricordo le nostre nuotate fino all'ultima boa, le bracciate che rompevano il silenzio e l'acqua immobile, pulita prima dell'assalto dei bagnanti. Sostavamo a riprendere fiato aggrappate al galleggiante, guardando le isole cristallizzate nell'umidità senza dire una parola. Alle nove gli stabilimenti balneari cominciavano a riempirsi, e noi sparivamo dentro casa.

Non la lasciai mai. Litigavo con Lorenzo perché voleva portarmi al Giglio, all'Elba, ma io non me la sentivo di separarmi da Beatrice. Mi vedevo con lui sotto casa, mezz'ora, un'ora, come fossi agli arresti domiciliari. Poi tornavo a seppellirmi insieme a lei per giornate intere. Le porte e le finestre chiuse per non far entrare l'afa, le tapparelle abbassate come se fosse sempre notte: non lessi mai così tanto come in quel periodo e, devo dire, anche Bea ci diede dentro.

Romanzi di media lunghezza come *L'educazione sentimentale*, li bruciavamo in due giorni. Per finire *Guerra e pace* ne impiegammo nove. Leggevamo l'una davanti all'altra sul divano, le gambe intrecciate e i ventilatori puntati contro. In mutande e reggiseno, colavamo lo stesso sudore. Finito un libro ce lo passavamo, se ci colpiva tiravamo a discuterne fino a mezzanotte. Ma, a dispetto della mia unica fede politica e religiosa, tocca ammetterlo: Beatrice, i libri, non la salvavano.

Li divorava, sì, ma solo per non pensare. Non permetteva loro di scalfire la sua corazza, d'insinuare in lei un dubbio, un cambiamento. È come se avesse deciso fin dall'inizio che tra le pagine ci fossero solo fandonie, mentre la verità stava altrove: nelle azioni, in ciò che ha un impatto concreto e possibilmente enorme sugli altri. In ciò che si vede.

Per me era la norma passare le estati in quel modo: tutti al mare, nudi a esibirsi, e io rintanata a chiedere aiuto all'arte. Ma per Bea no: per lei quello era sempre stato il tempo dei concorsi, delle sfilate in bikini sui litorali, dei flash e dei trafiletti sui quotidiani locali. Insieme a sua madre era morto ogni contatto con il piccolo mondo della moda in provincia. Soprattutto, erano morti la motivazione e il desiderio. Non è che non avessi pensato – non sottovalutatemi – di tirar fuori l'agenda e spezzare il letargo. Però, vedete, io ci speravo sul serio che lei, senza sua madre, cominciasse ad assomigliarmi.

Arrivò agosto, i romanzi lasciarono posto ai DVD. Beatrice si rannicchiava a consultare non ricordo quale storia del cinema: le era venuto lo schiribizzo per il classico, l'imperituro. Forse aveva bisogno di un linguaggio più strutturato, adesso che la vita l'aveva colpita così duramente. O forse, sotto sotto, non aveva interrotto i suoi piani e faceva parte anche questo del suo percorso di formazione. Del suo istinto di autodidatta geniale: per realizzare l'estetica che interessava a lei, ossia l'icona, occorreva cimentarsi con "roba impegnata".

Quindi mi spediva da Blockbuster ad affittare western di Sergio Leone, l'intera filmografia di Fellini, persino qualche capolavoro del Neorealismo, e io filavo sul Quartz in costume da bagno per le strade deserte nel dopo pranzo, l'asfalto arroventato e la luce assordante che picchiava sul casco. Rientravo con tre film alla volta che vedevamo subito, uno di seguito all'altro.

Ma era chiaro che così non potevamo continuare.

Due giorni prima di Ferragosto papà entrò in salotto con determinazione, mise in pausa *Mamma Roma* e lasciò cadere sul divano una domanda apparentemente innocua: «Perché non aprite un blog?».

Io neppure mi voltai. Forse sbuffai, roteai gli occhi con la solita spocchia prevenuta che riservavo alle trovate di mio padre. Ma l'animale magico che dimorava in Beatrice staccò lo sguardo dall'inquadratura disperata di Anna Magnani e lo posò su di lui. «Un blog? Cos'è?»

«Una sorta di diario» rispose lui con trasporto, «che però non serve a nascondersi e a ripiegarsi su se stessi. Ma a raccontarsi agli altri, conoscerli e creare reti; ad aprirsi al mondo.»

Bea perse subito interesse: «Scrivere a me non piace».

Io mi alzai per recuperare il telecomando e mandare avanti il film. Poteva finire lì. Beatrice sarebbe potuta tranquillamente non diventare il fenomeno planetario che è oggi. Ristabilirsi dal dolore, sì, ma in altri modi, e rimanere mia amica.

Invece papà s'intestardì: «Mica devi scrivere poemi omerici! Potreste aprirlo insieme, parlare di voi, della vostra città, dei film che state guardando, e scambiarvi consigli con altre ragazze che vivono lontane».

«Papà» riavviai il lettore DVD, «ti prego.»

Lui oscurò lo schermo piantandosi davanti: «Potreste fare amicizia con persone che abitano in Sicilia, in California, in Cina!».

Bea, come me, non lo stava più ascoltando. Anna Magnani era tornata a passeggiare nella notte infinita, tra due file di lampioni, sempre più sola. Poi mio padre aggiunse *quella* parola: «Si possono anche pubblicare le *foto*. Io lo faccio, nel mio blog sugli uccelli».

E questa volta l'animale magico non si limitò a un bagliore nello sguardo, ma riemerse intero, maestoso e temibile come il mostro di Loch Ness, come Scilla e Cariddi. Si alzò in piedi: «Fammi vedere». Si voltò a guardarmi: «Questa cosa la facciamo insieme». E io avrei voluto risponderle: "No, te lo scordi". Ma i suoi occhi erano tornati fulgidi come dopo il furto.

Entrammo nello studio. «Io guardo e basta» ripetei non so quante volte. Papà fece accomodare Beatrice sulla poltrona a rotelle, la sistemò di fronte al nuovo computer: un portatile. Lo accese. Io rimasi indietro; dalla porta socchiusa potevo ancora sentire il pianto di *Mamma Roma*. Poi papà accese anche il primo, forse unico all'epoca, router Wi-Fi della città, e l'enigma che ogni ragazza tenta di risolvere consultando i motori di ricerca, il rebus di cui i giornalisti si affannano a venire a capo, si compì.

"Come ha cominciato Beatrice Rossetti?"

*

L'inizio fu, e questo non lo sa nessuno, "Il blog di Bea&Eli".

Appena papà ebbe ultimato la registrazione e costruito l'homepage, Beatrice aveva già ripreso colore, la sua voce era tornata svelta, imperativa, e non la finiva più con le domande: «Come si fa questo?», «A che serve quello?». La meccanica del desiderio aveva ripreso a fare *clic*, insieme al mouse.

"Bea&Eli" l'ho volutamente rimosso, ma se mi concentro riesco ancora a mettere a fuoco quanto fosse brutto: lo sfondo di un triste giallo paglierino, i caratteri lilla slavato, vantava persino un sottotitolo simpatico nelle intenzioni: "Due amiche che litigano sempre". Papà fu un insegnante comprensivo; per illustrarci lo scopo dei blog ci mostrò non il suo, ma quelli dei suoi amici, professori o informatici nerd che parlavano perlopiù di figli: le notti in bianco, lo svezzamento. E a me lo scopo dei blog continuava a sfuggire. Poi ci mostrò il "diario" pubblico di un signore che raccontava, giorno dopo giorno, la sua malattia. Ma Bea s'incupì. Allora lui migrò su uno dedicato alla scrittura: «Questo è per te, Elisa». Infervorandosi a spiegarci come da quello si potesse passare ad altri mille, interagire, commentare, aggiungere link perché l'anima di Internet, a suo dire, era questa: il legame.

«Come si mettono le foto?» lo interruppe Bea, impaziente. «Blog di moda ce ne sono?»

Papà la osservò esitante: «Immagino di sì».

La vedemmo correre in camera, tornare carica di album. Li sfogliò famelica, trovò quel che cercava: un ritratto in cui spiccava per quantità di trucco, la fascia sul petto di qualche concorso di bellezza. Lo sfilò dalla plastica, lo tenne per aria come una bandiera, e solo allora, di fronte alla perplessità di mio padre, si rese conto che non poteva infilare quell'oggetto direttamente nel computer.

Sto parlando, sì, dell'altro ieri, ma è preistoria. Papà dovette tirare fuori la macchina fotografica digitale, fare una foto alla foto, connettere cavi, caricare l'immagine, ridurla, e tutta una trafila che per pietà risparmio, ma che io e Bea eseguimmo, nei mesi a venire, migliaia di volte.

Quel pomeriggio, dopo credo mezz'ora, mio padre riuscì a sistemare un ritratto di Beatrice nello spazio del blog intitolato "Chi siamo". Le domandò con quali parole volesse presentarsi e lei candidamente rispose: «Diciassette anni, tosta, segni particolari: bellissima».

Scoppiai a ridere. Papà tentennò: «Forse, troverei una definizione più sobria».

«Allora facciamo… Segni particolari: disinibita!»

Vidi papà in seria difficoltà.

«Ma se devo catturare l'attenzione…» protestò lei che, a differenza di mio padre, gran professore di Internet, aveva già capito. «Paolo sintetizzami così: "La più bella e invidiata della scuola". Mentre sotto la foto di Elisa ci scrivi: "La secchiona".»

«Ehi! Io non metto proprio nessuna foto» intervenni arrabbiata, «e secchiona scrivitelo tu, visto che hai tutti 9.» Che lei, orfana di madre e senza altri amici a parte me, non potesse essere "la più invidiata" evitai di dirlo.

«Invece è divertente, siamo due amiche che litigano, no? Siamo diverse, siamo opposte!»

Incompatibili, inconciliabili, aggiungerei oggi.

Perché tu sei una traditrice e io no.

«Non sono il tuo zimbello, non ci sto a fare il diario della strafica e della sfigata!»

Papà prese in mano la situazione, piegò Bea a un più mite: "Ho diciassette anni, frequento il liceo classico e la mia passione è la moda", e costrinse me a pubblicare almeno, al posto della faccia, un'immagine sfocata della mia libreria con la laconica spiegazione: "Amo leggere", che buttata lì così suonava mogia come una pubblicità progresso.

Cosa scrivemmo su quel blog? Oh, non ricordo: stupidaggini di sicuro. Di me non dicevo mai nulla, avevo già il mio diario, ma aiutavo Bea a infarcire di metafore le sue menzogne, e lei smaniava per accendere il PC di papà ogni giorno, corredando sempre i suoi finti segreti con una fotografia.

All'inizio usò i ritratti che le aveva scattato la madre, ma in seguito, nella stragrande maggioranza dei casi, gli scatti erano miei. Grazie alle generose paghette dell'avvocato Rossetti, ricominciò ad andare dal parrucchiere ogni tre giorni e a comprarsi vestiti nuovi apposta per piazzarsi di fronte alla Contax che ci prestava mio padre e ordinarmi: «Conta fino a tre, poi immortalami». Ma non basta: si rivolse anche ai fotografi di T per servizi in spiaggia o in studio, in bikini o in abiti da cerimonia. E quelli ci rimanevano sempre di sasso quando lei chiedeva loro di non svilupparle, le foto, ma di metterle su CD.

Impiegavamo ore per caricarle sgranate su "Bea&Eli", e "Bea&Eli" non lo visitava nessuno, i post rimanevano senza commenti, e se qualcuno per caso ci capitava, la domanda più frequente era: "Perché si vede solo Bea? Dov'è Eli?" oppure: "Eli, cosa ti piace leggere? Ma come fai a essere amica di un'oca del genere?". Per quanto oggi possa suonare incredibile, quando cominciarono a diffondersi i blog erano territorio di conquista non per quelle come Bea, ma per quelle come me. A chi navigava nel 2003 non fregava nulla di bellezza o di vestiti: erano aspiranti scrittori, oppure "amanti di qualcosa" come mio padre, che desideravano condividere la propria passione, persone in vena di esplorazioni e amicizie. L'imperativo era scoprire, non mostrarsi.

Che "Bea&Eli" dovesse risolversi in un fallimento era fisiologico. Eppure, Beatrice non smise mai di entusiasmarsi.

Anzi, rinacque. La sua cura era stata trovata, e faceva effetto. Non le importava del numero di visitatori o delle critiche di narcisismo che riceveva, di rado, al posto del silenzio. Era come rapita e ammaliata da un dialogo segreto con lo schermo, che allora mi appariva oscuro e ridicolo insieme, e che ancora oggi fatico a comprendere. Stava cercando sua madre? Oppure cercava se stessa? La Beatrice che io mi ero impegnata a soffocare con tutte le forze, sottraendole l'agenda, sommergendola di romanzi russi e film d'autore, stava trovando comunque il modo di tornare a galla?

Solo mio padre e io potevamo essere così sprovveduti da credere che quello fosse un passatempo innocente. Era un'arma letale, invece.

A Bea sarebbe bastato che i blog fossero soppiantati da strumenti meno somiglianti a vecchi giornali, per prendersi il mondo, aspettare che la tecnologia si mettesse in pari con lei.

"Come si diventa Beatrice Rossetti?"

Allenandosi con quindici anni di anticipo.

*

Ma torniamo un istante al giorno della fondazione del blog. Uscimmo dallo studio di papà ch'era notte. Bea si chiuse in camera al telefono con Gabriele, su di giri. Dopo più di un'ora corse da me per annunciarmi: «Siamo tornati insieme. Andiamo tutti da lui a Ferragosto, invita anche Lorenzo».

E, a dispetto di "Bea&Eli", ora si spalanca uno dei ricordi più belli che possiedo, tale che mi domando: Com'è possibile che alla fine sia successo quel che è successo? Passammo l'intero giorno seguente unte d'olio in cima alla scogliera, esposte al sole come due telline. Ci ustionammo. Tornate a casa, ci aggirammo in topless coperte di Foille, con papà che cercava di non guardarci. Non riuscimmo a dormire. Il 15 mattina cominciammo subito i preparativi: impacchi, maschere, intrugli; a papà fu interdetto per ore l'uso del bagno. Barricate dentro, Bea si occupò in egual misura del suo corpo e del mio, impegnata a fondo a ristabilire "lo splendore". Ci limammo le unghie, assottigliammo le sopracciglia, ci passammo la spugna tra le scapole, le natiche, le ascelle, incastrate insieme nella vasca, combacianti.

Alle otto di sera montammo sui motorini e finalmente planammo sul lungomare. Facendo lo slalom tra le auto, salendo persino sui marciapiedi, sfrecciammo superando tutti. Lei davanti, io dietro. Le vedevo vorticare sulle spalle i capelli di nuovo piastrati alla perfezione, la schiena nuda, l'occhiolino rivolto a me nello specchietto retrovisore. Davo gas provando a raggiungerla senza riuscirci, convinta che la vita sarebbe stata, per sempre, quella corsa.

Arrivate in piazza Padella, mollammo il Quartz e l'sr e divorammo le nove rampe di scale due gradini alla volta. Dopo tutta la morte che avevamo respirato, avevamo fame. La porta era aperta, in cucina c'erano Salvatore, Gabriele e Lorenzo a petto nudo in pantaloncini corti. La tavola era ingombra di bottiglie di vino, sul fuoco si aprivano le cozze. Era Ferragosto, il nostro giorno. Beatrice e io ci levammo le scarpe e i vestiti, corremmo in costume da bagno dai nostri fidanzati.

All'inizio fu strano per me e Lorenzo baciarci davanti a loro, e credo anche per loro davanti a noi. Non era mai capitato di vederci tutti insieme, e Lorenzo e Gabriele non avrebbero potuto essere più diversi. Pure sembravano già amici. E poi, c'era tanto di quel vino: bastarono un paio di bicchieri a far perdere a me e a Bea qualsiasi pudore.

Prima di cena, ricordo che mi affacciai alla finestra che dava sul porticciolo. Nella città vecchia tutte le finestre erano spalancate, le luci accese e le tavole apparecchiate nelle cucine o sui balconi. Osservai alcuni bambini scorrazzare tra le lenzuola stese su un tetto, un circolo di donne sventagliarsi con i grembiuli aperti sulle cosce, famiglie sconosciute sistemare le sedie e riunirsi. Poi tornai con lo sguardo alle banchine del porto, le stesse dove mamma e Niccolò erano andati in cerca di fumo tre anni prima, e mi accorsi che non c'erano più. Né i loro fantasmi né la mia nostalgia. Adesso io appartenevo a T.

Il suono del citofono irruppe e tornai dentro. Era arrivata Sabrina, la fidanzata di Salvatore, che lavorava alla Upim e aveva più di trent'anni, una *vecchia*, secondo noi. Ci prese subito in antipatia, me e Beatrice, a ragione: eravamo ubriache, moleste ed esibizioniste. Ci passavamo cubetti di ghiaccio tra le tette per far sorridere i ragazzi, fingevamo che ci cadesse il sopra del costume quando in realtà ci scioglievamo i lacci di nascosto. Erano idee di Bea, io la imitavo solo. Le andavo dietro provando l'ebbrezza di somigliarle.

A metà cena lei e Gabriele si alzarono. Senza cercare scuse, si chiusero in camera. Io guardai Lorenzo alzandomi a mia volta e lui mi seguì in bagno. Perché un'amicizia assoluta pretende anche questo: che si faccia l'amore nello stesso istante con una parete di mezzo.

Fu allora, contro quelle piastrelle verdi, che mi attraversò un pensiero: Sarebbe bello se rimanessimo a T per sempre, senza finire la scuola. Se questa notte restassimo incinte tutte e due e poi loro ci sposassero, vivere accanto per tutta la vita, tu nell'appartamento sopra e io sotto o viceversa. Non partire, non scrivere, non tentare alcuna impresa. I nostri figli che crescono insieme come fratelli, e noi a casa tutto il giorno a fare niente. Indivisibili, anzi di più: identiche.

Dopo, seduti sul tetto a guardare i fuochi d'artificio, anziché la mano di Lorenzo cercai quella di Beatrice. La strinsi. Il centro storico, le isole, il bastione risplendevano di verde e di rosso a intermittenza. Ero felice. Avvicinai le labbra all'orecchio di Bea e le chiesi: «Siamo inseparabili, io e te, è vero?».

Lei non rispose. Forse non sentì, c'era troppo baccano.

Fatto sta che quando riscendemmo in mansarda a prendere gli asciugamani per il bagno di mezzanotte, anzi, quando eravamo già pronti per uscire, impugnò il cellulare e all'improvviso disse: «Facciamoci una foto per il *mio* blog!».

Impietrimmo. Gabriele, Salvatore e Sabrina non lo sapevano neanche, cosa fosse un blog. Lorenzo, a grandi linee. Nessuno di noi, eccetto Beatrice, possedeva un telefono con fotocamera integrata. Era l'ultimo regalo, o meglio l'ultimo disperato tentativo di suo padre di ricucire un rapporto con lei. Me lo ficcò in mano, mi spiegò come fare. Diede per scontato che dovessi essere io, quella tagliata fuori. Ci rimasi male, così male che ancora mi rimprovero di non avere capito.

Com'è possibile che sia successo quel che è successo? Era ovvio. Avevo tutti gli elementi davanti agli occhi, ma non volevo vedere.

Ho ritrovato su Internet le prestazioni di quel telefonino: 0,3 megapixel. L'immagine che ne uscì era una nebulosa. Ma lei volle pubblicarla lo stesso, il giorno dopo, sul *suo* blog. Sarebbe stata la terza immagine dopo i due ritratti scattati da Ginevra.

Io andai a sfogarmi sul diario invece, scrivendo peste e corna di "Bea&Eli", che per fortuna ebbe vita breve. Ma fu quella "&" che cominciò a separarci.

*

Mi fermo un istante a valutare la diciassettenne che sono stata, quella che sperava d'invecchiare a T insieme a Bea, sformata dai parti e nullafacente, e non so se provare rabbia o tenerezza.

Certo, i sogni sono pesanti da realizzare. Lo so bene io che, a differenza della Rossetti, il mio l'ho fallito.

Però oggi ho un lavoro che mi piace, sono una donna indipendente e ne vado fiera. Quella fantasia di arenarci a T sacrificando ogni ambizione era solo una suggestione letteraria da quattro soldi, nonché la prova che sono cresciuta anch'io, come tutti, in un mondo dove vincono i maschi. Per realizzare che una donna ha un valore di per sé, una voce, sono dovuta diventare adulta.

Ma qual è la mia?

Mi alzo, vado allo specchio dell'ingresso, mi osservo. Sono una persona così ordinaria, somiglio davvero alla Marchi. Ho la fronte spaziosa, il naso sottile, le lentiggini sbiadite e la pelle che d'inverno è di un pallore lunare. Anche le mie labbra sono sottili. Provo a sorridere: ho denti normali, piuttosto dritti, ma piccoli; non ho fossette, nei, nessuna peculiarità. Sto meglio seria.

Siccome scrivo da giorni come una dannata, non ho avuto tempo di truccarmi. Ma anche quando mi trucco, è giusto un velo perché altrimenti ho paura di sembrare... Chi?

Ho le ciglia e le sopracciglia rosse come i capelli. E i capelli sì: spiccano. Li porto lunghi appena sopra le spalle, sono mossi e folti, di un rosso così riconoscibile che mi viene da domandare con rancore: Non toccava alle rosse il ruolo di personaggio speciale? Di strega, di fata, di regina?

No, perché sembro grigia. La magia è sempre appartenuta a Beatrice. Era lei che sfiorandomi mi rendeva interessante. Lei che irradiava un bagliore di stelle intorno. Mi tornano in mente quei jeans, scintillanti come una bacchetta magica. Sono stati così importanti per me, nella mia testa, e adesso chissà dove sono finiti: nella spazzatura? In cantina? In dono a qualcuno? O sono ancora là, sull'ultimo ripiano in via dei Lecci?

Anche se li avessi qui, a portata di mano, non potrei farci più nulla.

*

Prima di chiudere questo capitolo, c'è ancora un ricordo del Ferragosto 2003 che voglio riportare, a futura memoria.

Ci calammo nel mare, Lorenzo e io, in un'insenatura buia, lontana dai lampioni e dagli altri. Erano le due o le tre di notte. Lui mi prese la mano e mi disse, nell'acqua nera, testuali parole: «Come fai a fidarti di lei? Non ti accorgi di come ti tratta? Ti umilia, ti usa. Si crede chissà chi mentre tu vali cento, mille volte di più. È solo un fenomeno da baraccone».

19

Restituzione di una vista

Alla fine dell'estate mi telefonò mio fratello.
«Mettiti seduta» esordì.
Non gli diedi retta, però mi spaventai. «Cos'è successo?»
«È impazzita, si è bruciata il cervello, è andata fuori di testa.»
«Niccolò, dimmi cos'ha fatto.»
«Si sposa.»
Sedetti, o meglio, mi accasciai; l'intero mio corpo, i pensieri, l'anima rovinarono. Mio fratello continuava a parlare ma io non lo sentivo più.
«Papà lo sa?» riuscii a domandargli.
«Certo che no, mamma vuole che glielo dici tu.»
«Io? Ma quando, quando si...»
«Tra due settimane, il 13 settembre. Non ce la fai a chiedermi con chi, vero? Fai bene. Sto già preparando gli scatoloni: piuttosto che vivere con quello, mi ammazzo. Adesso devo salutarti, cia'.»
Mi mollò lì, a centinaia di chilometri, morta su una sedia, seppellita da un cumulo di macerie. Come, mamma si sposava? Cosa voleva dire? Perché non me l'aveva detto lei? Continuavo a essere la figlia di serie B. Mi venne da piangere. Piansi. Niccolò mi aveva lasciata sola, tramortita da quella notizia, e dover essere io a darla a mio padre mi suonava come l'estremo supplizio.
Ancora oggi, ogni volta che a Biella succede qualcosa, Niccolò tira su il telefono e mi scaraventa nell'angoscia. Alla fine tocca sempre a me, che vivo lontana, chiedere permessi al lavoro, salire in auto, accorrere a salvare nostra madre.
L'ultima volta che sono andata su, nell'ottobre scorso, mi sono infuriata. Lui era di nuovo disoccupato, con l'ennesimo piercing

in faccia, la cresta blu, i denti marci. Gli ho detto: «Hai quasi quarant'anni e guarda: il frigo è vuoto, la casa fa schifo, non è possibile». Mi ha risposto: «Hai ragione, vado a fare la spesa». Alle nove di sera passate non era ancora tornato. Sono salita in macchina e ho fatto il giro della città, dei paesi: Pralungo, Tollegno. Dopo due ore l'ho ritrovato al tavolo di un bar ad Andorno, addormentato, due sporte dell'A&O dove da bambini andavamo a rubare i Pan di Stelle afflosciate sotto il tavolo; due bottiglie di vino sopra, vuote.

Ma restiamo nel 2003. La mattina dell'annuncio ero sola in casa. Mio padre era partito all'alba per l'università, Beatrice era andata da Enzo. Rilessi tutti gli SMS recenti di mia madre alla ricerca di un segno, di un tentativo: forse aveva provato ad accennarmelo ed ero stata io a non voler cogliere. Macché. I suoi messaggi erano tutti dello stesso tenore: "TVTB topino mio", "Pulcino ti penso", "Mi manchi", il grado zero del linguaggio, il vuoto pneumatico. Questo era, il nostro rapporto: una gigantesca presa in giro. Non ci vidi più. Andai in corridoio, tirai su la cornetta e la chiamai sul telefono di casa, nel vecchio appartamento di via Trossi da cui mi aveva estromessa per potersi rifare una vita.

Mi rispose e le urlai: «Cosa aspettavi a dirmelo?».

La sentii esitare. In sottofondo riuscii a distinguere una voce maschile, prepotente e antipatica, che le chiese: «Chi rompe i coglioni a quest'ora?». Erano le dieci, le undici del mattino. Non le sei.

«Sono tua figlia, diglielo! Lo sa che esisto?»

«Amore» provò a interrompermi.

«Amore un cazzo! Non cercarmi mai più. Ti odio.»

Misi giù. Staccai la presa del telefono dalla corrente, spensi il cellulare, montai sul Quartz e guidai disperata fino alla spiaggia di ferro. Là trascorsi ore a guardare le navi passare, giurandomi che non avrei mai messo al mondo dei figli. Solo quando cominciai ad avere fame, tornai a casa. In cucina trovai Beatrice con il rossetto nero, una parrucca viola e le ciglia finte. Lavava un cespo d'insalata sotto l'acqua del rubinetto. «Che ti è capitato?» mi chiese preoccupata appena mi vide.

«Mia madre continua a rovinarmi la vita.»

*

La sera, quando papà rientrò, non trovai il coraggio di dirglielo. Fatta eccezione per qualche rara cena tra colleghi, infatti, non usciva mai. Se il telefono squillava, ora sapevo che si trattava sempre di lavoro: avevo origliato. Trascorreva le ore nel suo studio a preparare lezioni o a scrivere articoli accademici. Si stanava da lì solo per cedere il posto a Beatrice e al suo blog maledetto. Si occupava di noi, che però a casa passavamo sempre meno tempo e ad avvistare ghiandaie e fratini non ci volevamo andare. Leggeva, puliva, stirava, faceva la spesa. A cinquant'anni era ingrigito e ingrassato. Era solo da stringere il cuore.

La sera successiva, a cena, Beatrice si comportò nel modo che le riusciva meglio: fece di testa sua. Senza avermi prima interpellata, domandò a mio padre a bruciapelo: «Paolo, di' la verità: sei ancora innamorato di tua moglie?».

Mi cadde la forchetta di mano. Papà, dopo un istante di smarrimento, si ricompose: «Non lo è più, siamo divorziati da sei mesi».

Li aveva contati.

«Sì, ma tu provi ancora qualcosa per lei?»

«Bea, piantala.»

«No, Eli, piantala tu di trattarlo come un bambino.»

Mio padre ci osservava stralunato.

«Oppure hai un'altra? Ti piacerebbe innamorarti di nuovo?»

Papà tossicchiò. «Non credo di trovarmi più nell'età...» si confuse.

Aveva fatto sparire la foto di lei dallo schermo del computer, nascosto i ritratti in un album segreto. Non la nominava, al telefono non aveva mai nulla da dirle. Ma lei, lo compresi in quell'istante, era la sua inguaribile malattia.

Perché? Mi chiedo oggi, e forse se lo chiederà anche qualche lettore: un uomo così posato, così ragionevole, studioso, com'era possibile che si fosse smarrito dietro a una matta? La verità è che non lo so. Posso solo azzardare supposizioni.

Mio padre perse entrambi i genitori in un colpo solo a causa di un incidente stradale all'età di sedici anni. Di sicuro la disgrazia ha influito: i vuoti lo fanno sempre. I nonni che non ho conosciuto, so per certo dai suoi racconti e dalle foto che mi ha mostrato, erano due persone molto in vista. Lui architetto di una certa fama, pur locale. Lei – e questa mi pare davvero una meraviglia su cui forse, quando finirò di scrivere questo libro, o diario, o sfogo, varrà la pena indagare – era un'attrice di teatro. Un'anima artistica, sfuggente, così insolita in una città senza grilli per la testa e schiettamente piemontese come Biella. Chi lo sa, forse il fantasma di quella donna morta così presto, il suo mistero, ha scavato un angolo indifeso, ferito e docile, in lui.

«Papà» gli dissi quella sera con la voce che tremava di rabbia, «te la devi togliere dalla testa. Ti devi trovare un'altra: colta, intelligente, alla tua altezza.»

Papà mi guardò senza capire. Io prendevo tempo. Perché, per spezzare il cuore a un uomo che invecchia, di fegato ce ne vuole.

«Diglielo, avanti.»

«Fatti gli affari tuoi, Beatrice.»

«Dirmi cosa? Adesso mi avete stancato, tutte e due.»

Chiusi gli occhi per trovare le parole giuste: le più lievi, rispettose e calme. Ma lei mi bruciò sul tempo, sganciò l'ordigno, come gli americani il 6 agosto su Hiroshima. Perché il primo piano, l'inquadratura saliente, il ruolo fondamentale doveva sempre essere il suo.

«Annabella si risposa, Paolo.» E, con quel suo italiano infarcito di frasi fatte che usa ancora adesso, sia sui social che nelle interviste, aggiunse: «È l'ora di voltare pagina».

Aprii gli occhi e vidi mio padre impallidito, annichilito, soffrire; stritolare in silenzio il tovagliolo come già al ristorante La Sirena. Beatrice scattò in piedi e corse ad abbracciarlo al mio posto.

«Ci siamo noi, ti aiuteremo ad andare avanti.»

Desiderai ammazzarla. Strapparle i capelli, strangolarla.

«E a conoscere nuove persone, a dimenticare.» Gli diede un bacio. A mio padre, sulla fronte. Il bacio che io non ero mai stata capace.

Lui se ne stava immobile all'altro capo del tavolo, intontito. Mi fissò e mi chiese: «Con chi?».

«Non lo so.»

«Dimmelo.»

«Giuro, è la verità. Lo sa Niccolò.»

Papà si alzò. Lasciò la tavola com'era, il suo piatto mezzo pieno, di riso, di spaghetti, non ricordo. Afferrò il portafoglio, le chiavi della macchina, uscì sbattendo la porta senza dire né dove andava né quando sarebbe tornato. Guardai la Passat allontanarsi a tutta velocità, quasi sbandando. Mi staccai dal vetro, andai da Beatrice e le mollai un ceffone. Dritto e forte, in piena faccia. Lei urlò. Ma io urlai più forte: «Perché glielo hai detto?».

«Non è un idiota!»

«Tu cosa c'entravi? Cosa ne sai di lui, di mia madre, di noi? Questa non è casa tua, non è la tua famiglia!»

Tenendosi una mano sulla guancia arrossata, Beatrice sbiancò appena di stupore. Ma si ricompose subito. Dignitosa, severa, sibilò: «*Tu* eri l'unica famiglia che mi era rimasta».

Uscì anche lei. Afferrò le chiavi dell'SR, la borsa e sparì sgommando in fondo a via Bovio. Io sparecchiai, caricai la lavastoviglie, spazzai a terra. Poi presi una sedia e la trascinai di fronte alla finestra della cucina. I capricci di mia madre continuavano a raderci al suolo.

Li aspettai entrambi non lo so per quanto, e nessuno dei due si decideva a tornare.

Allora mi sentii in colpa, e futile. L'eterna comparsa nelle vite degli altri. Mi convinsi che avessero una storia, che si stessero baciando in quel momento, o peggio. Chi non avrebbe voluto una fidanzata come Beatrice, un'amante come Beatrice, una figlia come Beatrice?

Su quella sedia, con la fronte incollata ai vetri, la immaginai avvinghiata a mio padre e fantasticai che morissero, entrambi; oppure di morire io, far correre una corda intorno al tubo d'acciaio per la tenda della vasca, e soffocarmi. Gelosia è una parola che non voglio usare in questo libro: sarebbe troppo comoda per lei. Però è vero che un sentimento infernale, il peggiore di tutti, mi montò nell'addome come uno tsunami, travolse tutti gli organi e mi sfinì.

Mi trascinai in camera, crollai nel sonno. Alle tre o quattro del mattino udii mio padre rientrare. Qualche ora dopo la luce del giorno invase la mia stanza, mi svegliai di soprassalto e corsi in quella di Beatrice: lei non c'era. Il letto intonso, i vestiti appesi alle grucce, la trousse dei trucchi sulla scrivania insieme ai compiti per le vacanze e, sul mio cellulare, né un messaggio né uno squillo. Chiamai subito Gabriele, incurante che fossero le sette. Infinite volte richiamai e m'intestardii finché lui mi rispose: «Sì, è qua. Ma non vuole più vederti».

Oggi, mentre scrivo, so che tra Beatrice e papà non poté accadere nulla; mi sembra folle anche solo averlo pensato. Eppure, la peggiore parte di me, sorda all'evidenza, alla razionalità, al buon senso, si tiene stretta la convinzione: che quella notte, tra loro due, qualcosa d'irreparabile si sia consumato. Un sodalizio, un patto segreto che sanciva la mia fine.

Io ero la figlia di riserva. Lei del desiderio.

*

Papà attese due giorni, poi venne a bussarmi.

«Dobbiamo andare a riprenderla.»

«No.»

«Elisa, ho stretto accordi specifici con suo padre e intendo rispettarli. Vestiti, ti aspetto in macchina.»

Fui obbligata a guidarlo fino a piazza Padella; lui che fissava il parabrezza senza dire una parola, come congelato, io curva sul sedile del passeggero a controllare il cellulare. Una volta arrivati, mi aggrappai alla cintura di sicurezza e insistei per rimanere in auto.

Papà spalancò la portiera: «Vieni anche tu, invece». Si era visibilmente incupito da quando gli era stata data "la notizia". Non credo che avesse chiamato mamma o Niccolò per saperne di più o per ostacolare il matrimonio. Di fatto, non sorrideva, non ascoltava, sprofondato in un mutismo violento. Non lo riconoscevo più.

Al citofono si annunciò: «Sono il padre di Elisa».

Lo scortai controvoglia fino all'ultimo piano. Lui suonò il campanello e io mi nascosi dietro la sua schiena.

Gabriele aprì, ma non ci chiese di entrare. Beatrice si affacciò in reggiseno e perizoma, strafottente. Non mi guardò nemmeno. Però dovette ascoltare papà che le intimava: «Rivestiti. Non puoi vivere qui, sei minorenne. Tuo padre si fida di me e io sono responsabile di quello che ti succede. Raccogli la tua roba e vieni via con noi».

Né lei né Gabriele protestarono. Lui andò a prepararsi una moka in silenzio mentre lei s'infilava un paio di jeans così aderenti che sembravano sul punto di lacerarsi in mezzo alle natiche; poi si spazzolava con cura, senza fretta, raccogliendosi i capelli in una coda di cavallo, studiandosi di fronte allo specchio. Papà e io aspettavamo nervosi sul pianerottolo. Era insostenibile, per me, reggere il peso di quel litigio. Beatrice era lì, a un passo, e mi ignorava. L'intero suo corpo era un manifesto di rancore eretto nei miei confronti. E io la odiavo, la detestavo, ma avrei dato non so cosa per mezzo sguardo benevolo. Invece niente.

Diede un bacio a Gabriele. «Ti chiamo presto.» E si costrinse a seguirci, altezzosa e triste.

Fu sulla Passat che mi inflisse il colpo di grazia.

«Paolo, portami in via dei Lecci, per favore.»

Affogai. Papà rallentò, accostò senza battere ciglio. Attese di poter fare inversione a U verso le colline.

«I miei vestiti e il resto verrò a prenderli un altro giorno» aggiunse Bea con calma. «Adesso voglio solo tornare dalla mia famiglia.»

Calcò su *famiglia*. Come se quella parola fosse la lama di un coltello e lei volesse non solo piantarmelo tra le costole, ma anche girarlo e rigirarlo. Io ero seduta dietro e lei davanti. Sono certa che mi abbia guardata nello specchietto retrovisore mentre pronunciava l'ultima sillaba, quasi sorridendo, con quei suoi occhi verde abissale che oggi mi tocca subirmi in decine di pubblicità di ombretti, rossetti, creme giorno, e che in quel momento scandivano precisi: "Crepa, brutta stronza".

Non avevamo mai litigato così, al punto di separarci. Sbattuta su quel sedile avvertii un principio di crisi di panico che mi riportò indietro: a quell'inverno, a quella mattina, agli scaffali ordinati per generi letterari della Palazzina Piacenza. Vidi Bea scendere dalla Passat, suonare il citofono, farsi aprire il cancello. Incedere di spalle sul vialetto senza voltarsi, sculettando dentro quei jeans come nell'inquadratura finale di un film. La guardai sparire dentro casa sua e realizzai che io, senza di lei, non ero niente.

*

Mi aggrappai a mio padre, alla sua presenza. Ma ricordo la prima settimana di settembre del 2003 come una delle più dolorose della mia vita.

Mamma mi telefonava ogni giorno una ventina di volte e io non le rispondevo. Il suo matrimonio, o meglio: il suo tradimento, era passato in secondo piano, eclissato dall'assenza di Beatrice.

La casa intorno risuonava vuota, desolata e angosciante come all'indomani della fuga di Niccolò e mia madre tre anni prima. Papà era così a pezzi che usciva dal suo studio solo per mangiare o andare al lavoro. Io valevo talmente poco che tutti mi abbandonavano.

Anche Lorenzo era via: in vacanza a Cortina coi suoi. A sentire lui, nel resort di lusso in cui lo tenevano prigioniero, si annoiava a morte. Ma io ero diventata sospettosa, diffidente. Lo immaginavo, la sera nel bar della hall, fare conoscenza con altre ragazze annoiate e affascinanti quanto lui, smaniose di sfuggire al controllo dei genitori per nascondersi in qualche spogliatoio o anfratto dietro le piscine. Così passavo le giornate attaccata al telefono, a schivare le chiamate di mia madre e ad aspettare quelle di Lorenzo. Lo tenevo acceso sempre: tutto il giorno, tutta la notte. A tavola accanto al piatto, a letto accanto al cuscino. Mentre leggevo, mentre mi lavavo i capelli. In attesa spasmodica che la suoneria irrompesse nella mia vita deserta.

Dopo un po' smisi di leggere, mangiare, lavarmi. L'anima consegnata in blocco al Nokia 3310. Giocavo a *Snake*, aspettavo e basta: che Lorenzo rientrasse dall'escursione in quota dove non c'era campo; che finisse di cenare al ristorante. In una tensione continua e insostenibile con l'altrove. Finivo il credito in mezza giornata, cercavo monete nelle tasche e nei cassetti, anche quelli di mio padre; rubavo; correvo al tabacchino ad acquistare una nuova ricarica che poi bruciavo subito, in meno tempo ancora. E tutto per sfiancare Lorenzo con domande cretine, e illudermi di controllarlo. Credo fui sul punto di perdere anche lui. Ma quel che agognavo davvero, segretamente, era un messaggio di Beatrice.

Ogni volta, quando leggo sui giornali che "la Rossetti" è stata attaccata da questa o quella collega, da quel giornalista, persino da quel politico, mi viene da sorridere prevedendo come lei – non subito: tempo qualche giorno – gliela farà pagare. In una misura che sarà sempre sproporzionata e definitiva. Perché Bea è fatta così: le piace massacrare.

Me, mi massacrò. Non la conoscevo ancora bene come oggi, quindi speravo che, prima o poi, mi avrebbe scritto o cercato in qualche modo, anche astruso: un bigliettino lasciato sul davanzale della finestra, un adesivo attaccato al motorino. Mi riducevo a ispezionare la sella, le tapparelle, a guardare sotto lo zerbino della porta, elemosinando un segnale di resa. Entravo nella sua stanza, mi sdraiavo sul suo letto, mi passavo sulle labbra i rossetti che non era ancora venuta a riprendersi. Tenni duro una settimana, poi capitolai.

Scorsi la rubrica fermandomi sul suo nome. No, Elisa, non farlo. Ma la verità è che lo desideravo. Mi tornavano in mente le frasi terribili che le avevo rivolto: era colpa mia, avevo sbagliato io; condannarmi era il pretesto per porre fine all'astinenza. Le feci uno squillo, una sera. Anzi meno di uno, mezzo. Ero senza soldi, ma non era questo il punto: nessuna telefonata o SMS, nessuna articolazione verbale, neppure abbreviata o storpiata con delle x e delle k, avrebbe reso l'idea di quello che volevo dirle. Il contenuto di quella comunicazione era impossibile, indicibile, scandaloso, e quindi coincideva precisamente con mezzo squillo.

Tenni il telefono stretto tra le mani fino a stritolarlo. Lo fissai implorando una risposta: subito, adesso. Facciamo pace!, la pregai.

Lo schermo rimase nero, il corpo del cellulare inanimato. Mi consumava, quell'oggetto, non riuscivo a staccarmene. Era diventato il sonar di tutti i miei vuoti e dei pieni, un amplificatore dei sì e dei no che ricevevo, degli o e degli 1, ti accetto, ti rifiuto, ci sono, non ci sono, Elisa perde, Beatrice vince. Il silenzio ingigantì, mutò in scherno.

Mi fece patire due giorni, la strega. Poi, una notte, mentre rigiravo la testa sul cuscino, lo schermo illuminò la stanza come l'atterraggio di un ufo. Controllai: "1 chiamata persa". Di chi? "Bea". Mi misi a sedere. Lessi, rilessi e rilessi quel nome. Ne misurai lo strapotere nella mia vita. Le risposi subito. Lei anche. Squilli, squilli, squilli, all'infinito.

Avevamo fatto pace.

*

Bea citofonò la mattina dopo alle otto e mezza. Io mi buttai giù dal letto con gli occhi ancora chiusi perché lo sapevo, che era lei.

Spalancai la porta. Rimanemmo un istante sospese a guardarci come fossero trascorsi anni e non ci riconoscessimo più. D'istinto le chiesi: «Ci vieni a Biella con me?». Lei, sorridendo, annuì.

Ci abbracciammo. Aderendo con i seni, il bacino, le gambe, sfiorandoci le labbra volutamente. Sedemmo al tavolo di cucina, io preparai il caffè, lei le fette biscottate con la marmellata. Eravamo moglie e moglie. Mi tenne compagnia sul bordo della vasca mentre facevo la doccia. Separarci ancora, anche solo per cinque minuti, sarebbe stato impensabile. Riempimmo gli zaini fino all'orlo e, senza conoscere gli orari, chiedemmo a papà di portarci in stazione.

Era mercoledì 10 settembre. Papà parcheggiò di fronte all'ingresso e insisté per aiutarci con gli zaini. Ci accompagnò in biglietteria: c'era un Intercity per Genova che sarebbe partito di lì a venti minuti, potevamo salire su quello, cambiare a Porta Principe, prendere il Regionale per Alessandria e poi cambiare di nuovo a Novara. Un viaggio interminabile che, lo capisco ora, fu il nostro modo di riappropriarci l'una dell'altra, d'inaugurare una nuova stagione per la nostra amicizia. La peggiore, ma non potevo saperlo.

Papà pagò i biglietti d'andata e il ritorno obbligatorio per domenica: il lunedì successivo sarebbe iniziata la scuola e non ci avrebbe permesso di rientrare più tardi. Ci diede cento euro a testa "per ogni evenienza", ci comprò due panini al bar, "il manifesto" e "Donna Moderna". Si raccomandò al binario: «Qualunque problema, chiamate. Salgo sulla Passat e vengo a prendervi immediatamente. Mi raccomando, Elisa, se noti qualcosa di strano...».

L'Intercity arrivò. Lui salì con noi per aiutarci a sistemare i bagagli, ci diede altri soldi, non riusciva a salutarci, aveva gli occhi lucidi che tremavano. Infine, compiendo un enorme sforzo su se stesso, quando l'altoparlante intimò agli eventuali accompagnatori di scendere, ci lasciò andare. Le porte si richiusero, il treno partì. Beatrice e io osservammo papà e T rimpicciolire fino al nulla. Poi ci fissammo negli occhi.

Eravamo libere, per la prima volta.

Sedevamo di fronte in uno scompartimento vuoto, come nell'incipit dell'*Idiota*: "Due passeggeri si erano ritrovati al finestrino, uno di fronte all'altro" non ricordo l'intera frase, "entrambi desiderosi, finalmente, di mettersi a parlare". Ma noi di parole in quel momento non ne avevamo. Eravamo puro desiderio. Scoppiammo a ridere, continuammo come pazze, per il solo fatto di essere su un treno senza genitori, io e lei. Ci attraversò lo stesso fremito, la smania, la fibrillazione. Il mondo sconosciuto di là dal finestrino, e ogni cosa che conteneva: il mare, i paesi, i campi, era nostro.

Beatrice si alzò, tirò le tende. Solo gli estranei potevano crederci diverse, solo fidandosi dell'esteriorità. Ma la verità si compie all'interno, senza testimoni. Pensai che il male lo avevamo già attraversato, decisi che di lì in avanti sarebbe stato tutto un crescendo e un risarcimento. «Ti porterò a vedere la Palazzina Piacenza» le dissi con emozione, «e la mia vecchia scuola, e Oropa, e la Liabel.» L'idea che Beatrice e Biella coincidessero era come una salvezza. «Ci faremo un tatuaggio, un altro piercing, fumeremo una canna!» E Bea sorrideva entusiasta a quei progetti che a diciassette anni suonavano grandiosi.

Poi arrivò il controllore, mi interruppe. Mostrammo i biglietti e rientrammo dal futuro. Passammo un'infinità di tempo in silenzio a guardare fuori i cambiamenti del paesaggio. La Toscana inarcarsi, inasprirsi, diventare Liguria. Il cambio a Genova fu rocambolesco: l'Intercity aveva accumulato ritardo, e noi non eravamo pratiche di stazioni, tutti quei binari, i tabelloni, gli altoparlanti ci disorientavano. Corremmo a perdifiato, non perdemmo la coincidenza per un pelo, e poi Alessandria, Novara. Quando riuscimmo a salire sul Minuetto, piccolo convoglio a metano, due carrozze soltanto, che ancora oggi collega Biella col resto del pianeta, eravamo sudate, felici, sfinite. E io vorrei restituirmi scrivendo l'emozione di quel viaggio, ingannarmi per riviverla. Ma la verità è che il lutto per un'amicizia finita non si risolve. Non c'è modo di curarlo, rielaborarlo, chiudere e andare avanti. Rimane lì, piantato in gola, a metà tra il rancore e la nostalgia.

Quando arrivammo a Biella San Paolo, dopo sette ore e quattro treni, il sole era basso nel cielo e la luce rosa. Scesi senza aspettare Beatrice. Uscii nel piazzale, rividi la fontana e La Lucciola dall'altra parte della strada. Sollevai lo sguardo alle mie montagne e le indicai una per una, nominandole ad alta voce come facevo da bambina: il Mars, il Mucrone, il Camino, le Mologne. Mi voltai indietro: Beatrice stava sopraggiungendo. Non c'entrava niente con la mia storia, però mi aveva riportata a casa. Era la prima volta che lei vedeva Biella, io che ci ritornavo.

Lasciai lo zaino cadere a terra.

Erano passati tre anni.

Scoppiai a piangere.

20

Sally

Christian Ramella, il secondo e ultimo marito di mia madre, sui documenti ufficiali risultava Carmelo; ma lui, in un passaggio particolarmente delicato della sua vita, aveva intuito che Christian l'avrebbe tolto dai guai permettendogli di spiccare "il grande salto". La prima volta che lo vidi, il 10 settembre del 2003, portava i capelli ossigenati raccolti in un codino, indossava scarpe da ginnastica verde fluo coi calzini di spugna e una camicia hawaiana; aveva quarantasette anni.

Sulla carta d'identità, avrei scoperto in seguito, alla voce "professione" si era fatto scrivere "artista". Precisamente, era un cantante di pianobar piuttosto in voga nelle balere tra Cerrione e Gattinara, con la faccia abbronzata su manifesti talmente chiassosi da oscurare quelli di Moira Orfei e dei politici locali. Più di tutto, avrei scoperto anche questo, Christian amava Vasco. *Albachiara*, *Siamo soli* le interpretava mettendoci il cuore, alternando pianola e chitarra. Ma non disdegnava nemmeno il repertorio classico che in provincia è sempre andato forte: Ricchi e Poveri, Baglioni, Dik Dik. Con *Anima mia* faceva alzare le persone da tavola alle sagre, le costringeva a lasciare i tortelli a metà per cantare a squarciagola insieme a lui ondeggiando le fiamme degli accendini.

D'intestata a sé credo avesse solo l'Harley-Davidson con cui rombava per le valli disturbando il sonno degli anziani, i cervi, mettendo in pericolo i figli degli immigrati che stavano ripopolando le vecchie case e che giocavano a pallone per strada. Il resto lo spendeva tutto in lampade abbronzanti, sbiancature di denti, scarpe da ginnastica all'ultima moda e alcol, tanto alcol. Sono certa che, per l'intera durata del matrimonio, fu mia madre a mantenerlo con i turni al cappellificio. «Sono un sognatore» amava definirsi lui, «mi bastano una coperta di stelle e un cuscino di felci in riva a un torrente.» Non posso dire che fosse una cattiva persona. Mio fratello lo odiava perché non ha mai risolto il complesso di Edipo, e per via dei Cugini di Campagna. Ma io, superato l'impatto iniziale, arrivai a capire. E persino a volergli bene.

La sera del 10 settembre, quando rientrai dopo anni, mi tolsi le scarpe per sentire di nuovo il freddo delle piastrelle di casa mia. Presi a ballare dentro ogni stanza riconoscendo i mobili superstiti al trasloco del 2000. Mi affacciai alle finestre da cui avevo esercitato lo sguardo a cogliere orizzonti e dettagli: campi e trattori, cielo e storni, tetti di fabbriche in lontananza, la ferrovia, più niente. Trascinai Beatrice stringendole la mano, come se lei potesse condividere la mia emozione di fronte a una mensola su cui stavano, impolverati, i miei sussidiari delle elementari, due Barbie coi capelli tagliati. Infine uscii sul balcone e me lo trovai davanti.

In mutande. La camicia sbottonata sul petto villoso e un crocifisso appeso al collo. Beveva una birra dondolandosi su una sedia da campeggio, lo sguardo perso fra il granturco e i binari che svanivano all'orizzonte. Ammutolii. Niccolò era passato in stazione per allungarmi le chiavi di casa poco prima, ma non mi aveva avvertito che ci avrei trovato dentro il futuro sposo. Lui distolse lo sguardo dall'ultimo Minuetto in arrivo, increspò le sopracciglia e mi studiò con attenzione.

«Porca miseria, sei uguale a tua madre» concluse. Provò a sorridermi, benevolo e impacciato. Tirò giù i piedi dalla ringhiera, fece per alzarsi dalla sedia instabile e rischiò d'inciampare. «Piacere, io sono Christian. Con l'*h*.»

Rientrai in cucina. Avevo la tachicardia. Non potevo credere che mamma si fosse innamorata di un tipo del genere: coi capelli tinti pieni di gel, una catena d'oro da malavitoso e le scarpe di moda tra i ragazzini della mia età. Era decisamente adatto a lei, visto da fuori, ma il paragone con papà era davvero impietoso.

Beatrice si mordeva il labbro inferiore per non ridere, era esilarata. Ricordo che la guardai con astio e le chiesi: «Cos'è che ti diverte tanto?».

«Ma l'hai visto?»

Eravamo andate a nasconderci all'ingresso per non farci vedere né ascoltare; non sentendoci sicure, confabulavamo a bassa voce.

«È incredibile, sembra uscito da quel romanzo... Come s'intitola? Quello che abbiamo letto quest'estate.»

«Piantala.»

«Ha una tinta color ocra che vira al verde pisello. Dài che lo sai, come s'intitola quel libro, con quel personaggio palestrato...»

«Graziano Biglia.»

«Esatto! È l'uomo più cafone che abbia mai incontrato nella realtà.»

Anche io. Però, se mamma aveva deciso di sposarlo, sentivo il dovere di difenderlo: «Che importanza ha di che colore si è tinto? Pensa alle tue, di debolezze. Sei la solita stronza».

Rientrò mio fratello e si arrestò di colpo sulla porta. Teneva arrotolato in spalla il materasso gonfiabile su cui avremmo dormito Bea e io, e tra le mani un compressore. Alla stazione, dal finestrino dell'Alfasud, non si era neppure sporto per salutare Beatrice o degnarla di un'occhiata. Ora la mise drasticamente a fuoco. Il suo sguardo giudicante scandiva accuse precise: consumista, omologata, schiava del sistema. Lei, al contrario, lo sogguardò allusiva e ammiccante; era mio fratello, aveva una ventina di piercing in faccia più altri due sui capezzoli che affioravano dalla stoffa di una maglietta che sembrava rósa dai tarli. Da una vita lei fantasticava di stuzzicarlo.

«Dov'è mamma?» gli chiesi.

«Credo giù, a innaffiare le rose. Ma prima aiutami.»

Mi mollò in braccio il compressore. Entrammo in camera sua tutti e tre scansando i posacenere pieni di mozziconi, bottiglie vuote, calzini appallottolati, cilum. Io gli diedi una mano a gonfiare il materasso, cercai nell'armadio lenzuola pulite, provai a fare spazio il più lontano possibile dal letto di lui. Bea non mosse un dito, invece, e continuò a fissarlo sogghignando mentre Niccolò si sforzava d'ignorarla.

Andai via lasciandoli soli.

*

Il palazzo in mattoni di sette piani ch'era stato il mio mondo da bambina mi parve rimpicciolito e invecchiato. Scesi le scale veloce aggrappandomi al corrimano, sbucai dalla porticina di ferro che dava sul cortile: quello sconfinato dell'infanzia, in cui la mia solitudine aveva potuto mutarsi in gioco, lettura, fantasia, dal momento che mamma aveva sempre da fare, Niccolò amici maschi più grandi che mi snobbavano, e in tutto il condominio non vivevano altri bambini.

Ebbene, quel cortile immenso era diventato un buco. Lo attraversai misurando la distanza irrecuperabile che il tempo aveva imposto tra noi. Intravidi qua e là antiche me saltare la corda, mescolare pozioni di foglie, sedute sul muretto in compagnia di un libro preso in prestito in biblioteca. Poi, tra i fantasmi, riconobbi mia madre. Di spalle, intenta a bagnare i fiori.

Da quanto non la vedevo? Da Pasqua: più di quattro mesi. Ogni volta che mi aveva chiesto di andare a trovarla perché a causa del lavoro – o di Christian? – non poteva muoversi, mi era mancato il coraggio.

Indossava una salopette blu, il cappello di paglia con cui si proteggeva dal sole per non accentuare le lentiggini. Innaffiava con una sistola di gomma il roseto e le piante di pomodoro nell'orto che si era ritagliata nel cortile condominiale. Mi fermai a guardarla giocare: spruzzava l'acqua in aria disegnando cerchi, l'avvicinava alla bocca per bere. Non era mai cresciuta, eppure mi parve più gracile, la schiena un poco incurvata. A quasi trentaquattro anni ho accettato che passiamo la vita a decifrare chi dovremmo conoscere meglio: i genitori, i figli, restando gli uni per gli altri un mistero. Ma a diciassette anni no.

«Mamma» la chiamai.

Si voltò sorpresa. Non le parlavo dalla telefonata in cui le avevo dichiarato il mio odio. Che sarei venuta a Biella con Bea l'avevo scritto solo a Niccolò due minuti prima di salire sul treno: forse lei non ci aveva creduto. Chiuse il rubinetto, mi corse incontro e io dovetti sforzarmi di non fare altrettanto. Una parte di me avrebbe voluto abbattersi sul suo seno ancora una volta, ma l'altra ci vedeva bene e rimpiangeva una madre diversa.

Una madre *normale*: responsabile, pacata, rassicurante, che sapesse farmi le trecce e preparare le torte. Una donna che non fosse una donna e non avesse difetti, altra missione all'infuori di me: crescermi, ruotarmi intorno per tutta la vita. Né passioni né amanti, né segreti né abissi. Sempre e solo la parola giusta, il sorriso pronto, in mia funzione. Si può chiedere a una persona un sacrificio del genere? No, perché è impossibile. Di più: è ingiusto. Ma all'epoca resisteva in me un tiranno spaventato, un moccioso. Mi lasciai abbracciare senza muovere un muscolo, paralizzata dalle contraddizioni. La amavo, la rifiutavo. Mi faceva pena e rabbia. Era una povera donna, una divinità sovrumana.

«Grazie» continuò a ripetermi tempestandomi di baci, «non sarei mai riuscita a sposarmi felice senza di te.»

«Mamma» mi staccai per fissarla, «devi proprio?»

I suoi occhi erano segnati da rughe di dispiacere che non avevo mai visto, eppure le iridi rilucevano esaltate come quelle dei neonati appena venuti al mondo o dei poeti prima di morire. Nel mio studio ho una foto di Mario Luzi nel 2005: aveva lo stesso sguardo di mia madre quel giorno, di assoluta aderenza al creato, di laico fanatismo per cielo, terra, animali e piante.

«Ho già rinunciato, Elisa...» Si commosse, non terminò la frase. Io non sapevo nulla delle Violaneve all'epoca, ma oggi sono sicura che alludesse a questo.

«Voi siete grandi ormai, e io ho questo lavoro al cappellificio Cervo che mi fa sentire utile. So cucire le fodere dentro i cappelli, non immagini come! Però non mi basta.»

«Da quanto lo conosci?»

«Da prima di Natale.»

«Nove mesi, mi stai dicendo?» le chiesi sconcertata.

«Ma canta e suona così bene» protestò accalorandosi, «devi sentirlo! Non so vivere in altro modo, ho bisogno di fare follie ogni tanto. Se no, mi sento soffocare.»

Cosa potevo ribatterle? Che le sue follie, poi, le pagavamo tutti?

«Per favore» m'implorò, «stai dalla mia parte.»

La aiutai a raccogliere i pomodori per la cena, a scegliere le rose per il bouquet tra i boccioli più promettenti e non ancora dischiusi. Immaginai papà solo a T, disperato. Avrei voluto chiamarlo e dirgli: "Tu almeno hai potuto divorziare. Pensa a me, che non potrò mai".

Rientrammo in casa. Mamma mi trascinò in cucina e pretese che io e Christian facessimo conoscenza. Lui stava guardando Telebiella in attesa che mandassero un servizio sulla sagra di Graglia dove si era esibito, spiegò, sabato scorso.

«Visto che bella figlia che ho?» gli chiese mamma. «In pagella ha tutti 9 e 10.»

«È un fiore» rispose lui, «raro e profumato come te.»

Mamma arrossì, gli diede un bacio sulla bocca. Io mi sentii morire, ma resistetti. Presi posto sulla sedia che m'indicò lei: in mezzo. Christian si alzò per aprire il frigo stipato di birre; ne tirò fuori una per me, una per mamma e la terza o quarta per sé. Mi accorsi subito che aveva qualche problema col bere, senza arrivare però a immaginarne le dimensioni. Anche perché l'alcol non lo rendeva né violento né triste: esagerava solo con le metafore scadenti. Mi chiese quale musica ascoltassi e se mi piacesse Vasco. Risposi che non lo conoscevo perché gli unici CD in mio possesso erano quelli che mi passava Niccolò. Lui sospirò: «Italiana, bisogna ascoltare musica italiana. Nessun Paese può vantare i cantautori e i poeti che abbiamo noi».

Lo presi in parola e gli domandai quali poeti gli piacessero. Lui nicchiò, titubò, poi concluse: «Neruda». Lasciai perdere. La conversazione si spostò sull'altro suo versante di competenza: i motori. Quando gli rivelai che il mio mezzo di trasporto era un Quartz rimase a lungo interdetto: «Ma se hanno smesso di produrlo, tanto era brutto!». Però mi elargì comunque consigli per aumentarne le prestazioni.

Sbirciavo mamma: era radiosa, estasiata da quel tavolo a tre. Allora mi sforzai d'ingollare sorsi di Peroni, sopportai di vederli flirtare, repressi l'imbarazzo e il disagio pur senza mettere a fuoco perché dovessi impegnarmi a renderla felice dal momento che lei mi aveva dato in eredità solo problemi.

Oggi invece, ogni volta che torno a Biella e la vedo soffrire, peggiorare, sono orgogliosa del comportamento che ho tenuto quel giorno. Di non averle rimproverato alcuna mancanza e anzi, di aver compreso che in realtà non mi doveva nulla: la sua vita non mi apparteneva. Pure mi aveva dato da mangiare e messo il termometro nel sedere, come aveva rinfacciato a papà quel Ferragosto famoso; mi aveva coccolata e si era giocata un sacco di sabati e domeniche libere per occuparsi di me e farmi sentire la sua difettosa presenza.

Quando finii la birra, mi girava la testa. Beatrice dov'era? Mi alzai da tavola e d'istinto, forse perché ero un po' ubriaca, accarezzai la mano di mia madre. Un accesso timido di gratitudine nonostante tutto. Lei ricambiò il gesto, sorridendomi con una dolcezza che ancora ricordo.

Avevamo cominciato ad accettarci.

*

Tornai in camera, vidi che il materasso era stato coperto dalle lenzuola e sistemato accanto al letto di mio fratello anziché dove avevo indicato io. Sopra sedevano Niccolò e Beatrice a gambe incrociate, troppo vicini, intenti a consultare sul serio o per finta una biografia di Sid Vicious; i Sex Pistols in sottofondo.

Nessun rossore o capello fuori posto. Lui le spiegava i rudimenti del punk, parafrasava *Anarchy in the U.K.* e lei ascoltava interessata. I sorrisini obliqui, gli sfioramenti dei gomiti e delle ginocchia li notai subito. Quei due erano così falsi e bugiardi che non dubitai avessero combinato qualcosa, in spregio a me e ai rispettivi fidanzati.

Ne fui turbata? No.

Ero abituata a vedere Beatrice trionfare là dove io fallivo, e a sedurre uno dopo l'altro i membri della mia famiglia. Capivo cosa ci trovasse in lei mio padre: la curiosità, l'intraprendenza. E Niccolò: al netto dell'adesione al Capitale, "un gran bel pezzo di fica". Ma la domanda inevasa restava una: lei cosa ci trovava in loro? In un nerd cinquantenne e in un punk fannullone? Mentiva, nel blog, millantando un fidanzato modello anziché operaio, serate nei locali esclusivi dell'Elba e di Castiglioncello anziché nella mansarda di piazza Padella; studiava i rotocalchi coi reali e le celebrità in copertina per rivederne i look e gli atteggiamenti, ma poi si appassionava ai borderline, agli sfigati, a tutte quelle categorie di vinti la cui capostipite, è chiaro, sono io.

Non vedrete mai, oggi, la Rossetti pubblicare una foto in compagnia di persone non dico in difficoltà, ma comuni. Quando diffonde un'immagine che non ritragga unicamente il suo viso, accanto, potete starne certi, e comunque in posizione defilata, ci sarà sempre un attore di Hollywood, una supermodella, un regista di fama internazionale. Eppure, capite – e questo è uno degli enigmi che vorrei sciogliere – l'unica vera amica che ha avuto è stata la qui presente. La signora Nessuno.

Ma stavo dicendo della sua tresca con mio fratello.

La prima sera che dormimmo in camera di Niccolò, in piena notte li sentii infilarsi in fretta i vestiti e sgattaiolare fuori, ma ero così stanca che mi riaddormentai. La seconda notte invece mi alzai non appena ebbero richiuso la porta d'ingresso, corsi ad affacciarmi alla finestra del salotto che dava su via Trossi. Li colsi in flagrante: fuggire insieme sull'Alfasud, sbaciucchiarsi tra i sedili, partire in quarta nella strada vuota in direzione delle montagne. La terza notte fu quella del matrimonio, quindi avevo altro a cui pensare. Rientrarono sempre poco dopo l'alba. La mattina dormivano fin oltre mezzogiorno o l'una. Così io passavo ore a camminare in giro per Biella, in pellegrinaggio alla Palazzina Piacenza, alla scuola media Salvemini, alle elementari San Paolo, ricucendo i ritagli del mio passato, sedendomi a gambe incrociate sull'erba o sul bordo di un marciapiede, in silenzio di fronte ai luoghi in cui il tempo mi aveva seppellita. Da sola anziché, come avrei voluto, con Beatrice.

Non le chiesi mai dove se ne andasse di notte insieme a Niccolò; cosa combinassero è facile immaginarlo. Non glielo domandai per non darle soddisfazione. Intuivo che stesse usando lui per colpire me, e dopo sedici anni non ho cambiato idea, pur continuando a non afferrarne il motivo. Ma quel che davvero mi sconvolse in quei giorni fu l'incontro tra Beatrice e mia madre.

Non riesco a immaginare due persone più agli antipodi. Mamma così trasandata, inconcludente, priva di forza di volontà, e quell'altra un Caterpillar, le unghie perfette, un'ambizione sterminata. Eppure a cena, quando le presentai, fu come se si folgorassero. Mamma intimidita da tanta sofisticata eleganza, Beatrice intenerita da una madre che, se fosse stata la sua, l'avrebbe cresciuta libera di risolversi in un fallimento. Si tesero la mano, si sorrisero. Avvertirono che quel contatto formale non era sufficiente, quindi si diedero anche un bacio sulla guancia.

Ne fui gelosa? Sì, assolutamente.

Aiutai Christian ad apparecchiare pur di non guardarle mentre si rivolgevano un mucchio di complimenti ripetendosi: «Ma Elisa non me l'aveva detto che eri così bella», «Ma Elisa avrebbe dovuto avvertirmi che eri così giovane» eccetera eccetera, in un crescendo urticante per la sottoscritta, manchevole e omissiva.

Cenammo tutti insieme: Niccolò e Bea che fingevano di non essersi baciati poco prima nel bagno con la scusa di lavarsi le mani; Christian che alzava il volume ogni volta che su Telebiella o Telecupole passava il servizio di una sagra dove lui aveva cantato; mamma realizzata, finalmente, soddisfatta della sua vita; io fuori posto come sempre.

Mangiammo la solita pasta al burro e parmigiano della mia infanzia – mamma non solo non sapeva preparare le torte, ma nemmeno un sugo, che so, una frittata – e l'insalata di pomodori dell'orto. Bevemmo duecento birre. Dopodiché Beatrice, tutta carina, se ne uscì con una proposta: «Annabella, lascia che sia io a truccarti sabato».

«Oh» si meravigliò mamma, «in realtà, pensa, devo ancora comprarmi il vestito.»

A Bea non parve vero: «Ma ti aiuteremo Eli e io! Conosco già tutte le nuove collezioni. Domani mattina? Anzi, meglio pomeriggio».

Il giorno dopo, ossia la vigilia del matrimonio, mamma salì sull'Alfasud con Beatrice e mise in moto. Io le guardai svanire dalla finestra del salotto. Non ce l'avevo fatta ad andare con loro ai grandi magazzini, negli spacci industriali, tra i cestoni da ravanare che erano stati la mia esclusiva felicità da bambina. E loro, devo dire, non è che avessero insistito più di tanto: «Elisa, allora vieni?». Al mio secondo no, rancoroso, infantile, loro, spensierate, mi avevano lasciata a casa.

Quindi mia madre andò con lei anziché con me a comprare l'abito da sposa. È un fatto che non digerirò mai. Certo, è colpa mia: mi sarei dovuta sforzare e non temere il confronto con Beatrice. Ma quali consigli potevo dare, io? Che ne sapevo di abbigliamento?

Mentre Bea giocava a essere me, usurpando il mio posto, io andai a trovare Sonia e Carla. Le abbracciai e le ringraziai in silenzio per avermi salvata, almeno in parte. Carla ormai era andata in pensione, Sonia aveva i capelli grigi. Mi buttai su un grande cuscino, circondata da bambinetti di quattro o cinque anni, e rilessi le fiabe di Basile.

Tornata a casa, mamma venne da me su di giri e insisté, insieme a Beatrice, per farmi vedere in anteprima il vestito. Cedetti solo per non lasciar intuire quanto mi avessero ferita. Mamma chiuse a chiave la camera matrimoniale. Bea aprì divertita l'armadio con fare circospetto. Lo estrassero da una custodia. Era verde. «Non deve vestire di bianco per forza, è il secondo matrimonio» precisò Beatrice, «e il verde pone in risalto i suoi colori, del viso e dei capelli.»

«Allora? Ti piace?» mi supplicò mamma, emozionata.

Strinsi i pugni e risposi, con tutta la tristezza che sentivo in corpo: «Sì, è veramente bello».

*

Mamma e Christian si sposarono sabato 13 settembre alle
17 nella sala comunale di Andorno. Testimone della sposa, io.
Dello sposo, un suo compagno d'avventure in motocicletta. Gli
invitati erano una ventina: nessun parente, solo amici. Ricordo
i vestiti sgargianti di paillettes delle signore, i jeans strappati al
ginocchio e le canottiere di alcuni signori. I presenti avevano
un'età compresa tra i quaranta e i sessant'anni, per cui gli unici
giovani saremmo dovuti essere Niccolò, Beatrice e io. Tuttavia,
per compostezza ed educazione, sembravamo i più vecchi.

La caciara cominciò subito. Insieme al riso fu tirato e spruz-
zato di tutto: gavettoni, panna montata, popcorn. Il mezzo degli sposi era naturalmente l'Harley di Christian, adornata di
palloncini e adesivi a forma di cuore. Il rinfresco si tenne in
una trattoria di Rosazza. Polenta concia e spezzatino di cervo
il menu, damigiane di vino rosso e spumante rosé le bevande
per il pasteggio. Credo di non aver mai visto Beatrice divertirsi tanto: conversava amabilmente con chiunque, mangiava e
beveva senza centellinare le dosi; quell'umanità ubriaca e così
poco famosa era come se la rasserenasse. E anche io, devo ammetterlo, a dispetto dei patemi, la ricordo come una gran bella
giornata.

A metà della cena Christian si alzò e raggiunse la postazione tastiera e voce allestita per l'occasione. Sistemò il microfono:
«Uno, due, tre, prova». Tossicchiò e con solennità chiese silenzio. «Lasciatemi dedicare una canzone a mia moglie.»

Lei arrossì sentendosi chiamare di nuovo, per la prima volta,
in quel modo. Tutti tacquero in attesa. Persino l'allegra gestione
famigliare del ristorante si fermò e si ricompose. Vennero abbassate le luci.

Christian chiuse gli occhi e intonò *Sally*:

«"Sally cammina per la strada senza nemmeno /
guardare per terra
Sally è una donna che non ha più voglia /
di fare la guerra"».

Non l'avevo mai sentita, fu toccante. Certo, quando la riascoltai nella versione originale di Vasco ne compresi appieno il valore. Ma quella sera Sally era mia madre, e Christian, concentrato, senza sbagliare una nota, il solo in grado di rivelarmela. Vidi mamma asciugarsi le lacrime, il trucco che Bea le aveva steso sul viso colare e dissolversi mentre lui cantava: «"Forse la vita non è stata tutta persa"». M'intenerì quella donna: Sally/Annabella, sbagliata e innocente. Mi sorpresi a guardarla passeggiare dentro una storia per nulla facile che non avevo capito, che avevo travisato o mi era sfuggita. L'applauso che seguì fu fragoroso, non finiva più. La tavolata si alzò in piedi all'unisono come dopo una sensazionale prima alla Scala.

Poi avvenne qualcosa d'inaudito, di così inaspettato che né io né mio fratello, sul momento, riuscimmo a comprendere.

Christian tornò a sedersi, baciò mia madre con passione, dopodiché fu lei ad alzarsi. Nello stupore generale si accomodò alla tastiera. Visibilmente scossa, indecisa, ma non impacciata, armeggiò con le basi.

«Dài, mamma!» le urlammo subito io e Niccolò. «Ma cosa fai? Mica sai suonare, tu!» Lei ci ignorò. Accarezzò i tasti, si lasciò attirare, avvicinò le labbra al microfono. Dichiarò: «Anche io voglio dedicare una canzone a mio marito».

Christian non parve sorpreso. Oggi capisco che lui, a differenza nostra, sapeva. La incoraggiò con un paio di fischi. Lei si confuse, all'inizio, sbagliò e stonò per l'insicurezza, o per i decenni trascorsi. Ma poi la eseguì tutta, *Stairway To Heaven* dei Led Zeppelin, cantandola e suonandola sempre meglio. Un'altra Annabella, sconosciuta ai suoi figli, completamente libera, ritornava dal passato. La applaudirono commossi, lei pianse. Le chiesero il bis e lei accontentò il suo pubblico. Niccolò uscì a fumare sbattendo la porta. Io forse andai in bagno, non so, in ogni caso fuggii. Perché mi fu chiaro, in quel momento per la prima volta, che a farla felice non eravamo stati solo io, mio fratello e mio padre. C'era sempre stato *altro*.

A tarda notte traslocammo al Babylonia. Niccolò, fu questo il suo regalo di nozze, ci fece entrare gratis tutti quanti. Era sabato: il parcheggio era affollato di auto targate Milano e Torino e all'ingresso la fila pareva interminabile come in alta stagione fuori dagli Uffizi. Io avevo l'età per entrare adesso, e qualcuno con cui uscire. La mia amica Beatrice sembrava sbucata da un telefilm, tutti si giravano a fischiarla.

Voglio ribadire un concetto: forse non era *bella*. La bocca, se la osservate bene in certe foto, è leggermente storta. Gli occhi favolosi, se non truccati alla perfezione, sporgono un po'. Però si è sempre comportata come se lo fosse, e noi abbiamo sempre abboccato.

Al Baby si beccò degli "Oooh!" plateali, ma anche degli sfottò. Mentre io avevo la solita maglietta con la A di anarchia, anche se per il matrimonio avevo osato indossando una minigonna e un paio di sandali – bassi –, lei come al solito aveva esagerato coi tacchi, la seta, la messa in piega: era decisamente fuori luogo. Non riesco a ricordare il colore dei suoi capelli: era già diventata mora, o era il periodo del biondo platino, o era tornata castana con i colpi di sole?

Qualcuno suggerirà di controllare nell'album di nozze. Ebbene, non esiste.

Quel che ricordo, invece, è che inoltrandosi insieme a me nella ressa di creste, catene e borchie, mi sorrise elettrizzata: «Credo di averlo sempre sognato, questo posto. Fin da quando me ne parlasti in bagno a casa mia, in quarta ginnasio». Guardandosi intorno: «È meraviglioso».

In realtà era solo un capannone isolato in mezzo ai campi, nemmeno a Biella città, ma a Ponderano: tremila abitanti. Però ci venivano a suonare dalla California e le auto partivano dai capoluoghi cariche di adulti e adolescenti per ascoltare i Blink-182, i Misfits, i Casino Royale o gli Africa Unite. Fu una leggenda, il Baby: la prova che anche in provincia i desideri si avverano, e che il centro del mondo, se vuoi, lo puoi spostare.

Quella sera suonavano i Punkreas; conoscevo tutti i brani di *Paranoia E Potere* a memoria, così pogai sotto il palco urlando e sudando come una dannata. Intravidi Niccolò e Beatrice allontanarsi, però ero ubriaca e non me ne fregava niente. Quanto mi piaceva infrangermi contro gli altri, cantare insieme a degli sconosciuti le stesse canzoni, riempirmi gli occhi di luci stroboscopiche e le narici di marijuana fumata negli angoli bui di nascosto. Quanto mi dispiace, ora, di non essere più capace di lasciarmi andare a quel modo.

Pogai per ore, finché mamma mi afferrò per un braccio e mi gridò all'orecchio: «Vieni fuori! Devo dirti una cosa, solo un attimo».

Frastornata, la seguii. Fuori la notte era tiepida, la campagna immota. Il capannone del Baby pareva vibrare e rintronare a causa della musica, ma il silenzio, il vento e le cicale adesso erano più forti.

Andammo a sederci sul cofano dell'Alfasud, alla luce tenue della luna. Mamma estrasse una canna già rollata dal pacchetto delle Marlboro, l'accese e me la passò. La presi anche se non fumavo. Un tiro bastò a sciogliermi e a confondermi. Intorno a noi le lucine accese dentro gli abitacoli mostravano coppie intente a baciarsi, amici a scaldare l'hashish. Mamma disse: «È stata una giornata perfetta, grazie».

«E di cosa?» ribattei vincendo l'imbarazzo.

«Di avermi fatto da testimone nonostante tuo padre sia un altro, e di essere venuta a Biella nonostante... A volte lo so che mi odi.»

«Non è vero, non lo pensavo sul serio quando l'ho detto.»

«Elisa, non devi spiegarmi niente. Tua nonna veniva a prendermi in piazza a Miagliano quando mi calavo giù dalla finestra per vedere il mio primo fidanzatino, e mi trascinava a casa tirandomi per i capelli davanti a tutti. Se prendevo un brutto voto, cioè sempre, erano cinghiate. Le mestruazioni me le ha spiegate la mia compagna di banco perché lei mi insegnava solo a riconoscere i funghi cattivi da quelli buoni e a far castagne nei boschi. Io lo so cosa significa vedere i tuoi genitori come i peggiori nemici, ci ho messo anni a perdonarli. Ma adesso so quanto è difficile fare la madre.»

Non riuscivo più a fumare, lasciavo che la brace cadesse piano a terra mentre il profilo di mamma risaltava alla luce della luna, bello come non l'avevo mai visto.

«Perché me lo dici?»

Il fatto che fossimo entrambe ubriache e fumate credo facilitò quella conversazione, che rimane un unicum nella mia vita.

«Perché oggi mi sento felice, e non voglio più odiare nessuno né scaricare le colpe sugli altri. E perché voglio dirti.»

Mi prese la canna, fece un ultimo tiro. Si voltò a guardarmi.

«Che mi sono sentita spesso una madre di merda, incapace, sbagliata, e forse ho combinato un mucchio di casini. Ma ti assicuro che ti ho sempre voluto bene.»

*

Alle tre del mattino, a concerto finito, cominciò un DJ set con brani a volte ballabili, a volte techno. In pista erano ormai rimaste poche persone, e l'unica coppia che si teneva abbracciata, le guance appoggiate l'una all'altra, erano Christian e mia madre.

Li osservai da lontano, seduta su una sedia, ricordando le parole di *Sally*: "Forse davvero non è stato poi tutto sbagliato". Mio fratello e Beatrice chissà dov'erano, gli invitati al matrimonio spariti. Ero di nuovo sola in un angolo, ma adesso non mi sentivo vuota né marginale: ero testimone. Li guardavo ballare e capivo che quel colpo di testa era stato la miglior decisione possibile, che i fine settimana in giro per ristoranti, pizzerie, sagre e Feste dell'Unità insieme a Christian, ad aiutarlo con i cavi e l'amplificatore, ogni tanto con la voce, dandogli il cambio alla tastiera, erano il risarcimento di una vita. E che Christian, a differenza di papà, era l'uomo per lei.

Infatti furono felici, per tredici anni.

Poi, nell'autunno 2016, Christian se lo è portato via la cirrosi. Mamma lo ha curato instancabile fino all'ultimo, si è licenziata e ha dedicato tutta l'anima a vegliarlo. Ma lui è morto lo stesso e lei non si è mai ripresa.

Dovetti occuparmi io del funerale perché mia madre non era in grado nemmeno di alzarsi dal letto. Fu così che scoprii il vero nome di Christian sulla carta d'identità, e la professione di "artista" – con le Nike Air verde fluo e il codino biondo. Ma, ripensando a come rideva mamma insieme a lui, a come si divertivano nelle balere della Valle Mosso, mi viene da dire che un artista lo fu davvero e che la vita è strutturalmente ingiusta, altrimenti non finirebbe.

Il lusso di scrivere è salvare, dice qualcuno, così adesso, anziché alzarmi dalla scrivania, preparare qualcosa per cena che è tardi, resto un altro po' al computer, indugio in quel momento pieno di bellezza in cui li vidi ballare, lui con una specie di smoking, lei con il vestito verde a balze, al Babylonia, la pista mezza vuota, le luci sempre più basse. Scrivo una frase in cui Carmelo non può morire, mia madre soffrire e il tempo proseguire fino a qui, dove mi trovo: sola, in silenzio. Il presente.

L'imbalsamatrice

«Però come si diventa Beatrice Rossetti? Non ce l'ha mica spiegato!» «Già, *perché* la Rossetti sì e altre centomila no? Cos'ha fatto lei di tanto speciale?» L'aula è stipata di ragazzine che hanno la nostra età ai tempi del liceo. Alzano le mani, minacciose, si agitano sulle sedie, *pretendono* una risposta. Poi sbuca una piccoletta dalla chioma rossa, più arguta delle altre, e mi smaschera: «Ma non vedete? Non lo sa nemmeno lei!».

In realtà io lo so, ma non riesco a spiegarlo. Ho la risposta incastrata in gola, grido e la voce non esce, è puro sforzo. Da un precipizio sotto lo sterno sento risalire la crisi: afferra lo stomaco, schiaccia i polmoni. Le studentesse si sollevano tutte insieme, una massa di Erinni dai capelli tinti, si scaraventano contro di me. Mi sveglio.

Credo sia il mio sogno più ricorrente da un paio d'anni a questa parte, ossia da quando Beatrice fu ospite di una trasmissione televisiva molto seguita e dopo non si parlò d'altro che di lei, in tutta Italia. Sui giornali, dal parrucchiere, al bar; di fronte al distributore automatico di bevande calde i miei colleghi scomodarono persino Merleau-Ponty e *La fenomenologia della percezione*. Io zitta, stupita da un tale accanimento: in quell'intervista, in fondo, Bea non aveva detto nulla, né di sé né di politica; non una parola sui flussi migratori, le tasse, le questioni che raschiano le viscere. Eppure la sua comparsa là, in prima serata, le aveva attirato addosso una montagna di odio. Che non era invidia né risentimento, né scherno né disprezzo. Ma un fastidio ancora più profondo.

Al proposito ricordo una mattina, in autobus: due signore dell'età di mia madre, distinte, consideravano con ferocia una rivista sulla cui copertina campeggiava il volto di Beatrice. Una delle due le ficcava un dito in un occhio e commentava schifata: «Chi va dietro a questa qui è solo un pirla». «Già» rincarava l'altra, «è tutta fuffa.» Andarono avanti così, con accuse e giudizi neanche fosse un'assassina. Io mi ritrovai a origliarle, mio malgrado, a ribattere loro in silenzio: Sì, questo potrei dirlo io, al massimo. Ma a voi che torto vi ha fatto? «Niente, non sa far niente, non comunica niente!» Quando cominciarono a chiamarla «troia», con la voce educata, il cappottino, la manicure, sentii l'impulso irresistibile di alzarmi e piantare una scenata; di difenderla, la mia peggior nemica. Davvero non so perché non perdoniamo chi si ribella, chi ha successo. Oppure lo so, ma la paura è un argomento troppo vasto, e questo non è un saggio. Quelle due dovevano smetterla subito, cambiare tono, idee. Avrei voluto gridare e fare giustizia. Invece rimasi muta, a strapparmi coi denti una pellicina.

Da quella notte *il niente* divenne il mio cruccio principale: lo dovevo smontare, per me, prima di tutto. Capire se, dietro l'immagine ritoccata in copertina, ci fosse ancora una persona.

*

Quando Bea e io tornammo da Biella, il 14 settembre 2003, trovammo papà buttato in cucina, in pigiama, gli occhiali con la montatura rotta tenuta insieme dallo scotch. Non era venuto a prenderci in stazione. Aveva i pantaloni macchiati di caffè, la barba incolta, gli occhi così rossi e gonfi, come se non avesse dormito mai, nemmeno un'ora in quei quattro giorni.

Spinse verso di noi con un piede un grosso scatolone contenente tutta la sua attrezzatura per fotografare gli uccelli, comunicandoci che a lui quella roba non serviva più. Non una domanda su Biella, il matrimonio, mamma, l'altro figlio. Aggiunse solo che, d'ora in poi, non avremmo più potuto utilizzare il suo computer né entrare nello studio perché lui doveva dedicarsi a *una certa sua cosa*, anima e corpo. Ma che dentro lo scatolone avremmo trovato, parole sue, «tutto il necessario».

Bea e io trascinammo il pacco in camera mia e chiudemmo la porta. Sollevammo piano le ali di cartone, riconoscemmo subito la sagoma della Contax, il cavalletto ripiegato, il teleobiettivo. Trattenemmo il fiato. Capii che mi sarei dovuta preoccupare, andare di là, da papà, e affrontare la questione. Ma non ne avevo voglia. Sono i genitori, pensai, che devono bussare, domandare, rompere le palle: non i figli. Bea rimestava entusiasta, estraeva meraviglie: «Guarda, anche il portatile ci ha dato!». E, in effetti, fu proprio quello scatolone, o la depressione di mio padre, insieme al fondotinta antiacne, il lucidalabbra al sapore di mela e tutte le lampade di casa accese sul suo volto, ad avverare il sortilegio di Beatrice.

Dimentico me stessa: dalla fine di quel settembre, per l'intera durata della quarta e quinta superiore, credo di averle scattato qualcosa come due milioni di foto. E se all'inizio, con la Contax in mano, mi venivano i crampi ed ero proprio imbranata – per non parlare di lei, che si metteva in posa accanto a una scopa o in ghingheri in ciabatte – col passare dei mesi cominciammo a diventare bravine, e poi brave.

A esercitare il controllo, anzitutto, su ogni singolo elemento che potesse vantare il diritto di entrare nella foto. Smettemmo già in inverno di scattare a caso, a mitraglietta, morse dall'urgenza di rivedere tutto, vagliarlo e lanciarlo nel cyberspazio. Prendemmo tempo. Inaugurammo una pratica che, ancora oggi, mi fa sorridere: la "riunione preliminare", in cui discutevamo con acribia, sedute sul mio letto, i confini tra luce e ombra, rivelazione e mistero. Il succhiotto di Gabriele: ombra. I resti di un pianto – francamente eccessivo – per un 7 in latino che lei pretendeva un 9: ombra. Il volume dei seni accentuato dal nuovo reggipetto: luce. Il rossetto "rouge ipnotic": luce immane. Ogni dettaglio diventava la punta di un iceberg: non raccontava, bensì *alludeva* a un segreto. E su questo fronte la mia consulenza era decisiva: «Bea, se inclini la testa e fissi il platano… To', tieni 'sto foglio che sembra una lettera. Ecco, *suggerisci* l'idea che ti sei appena lasciata». Verificavo in camera: «Con questa luce, viene molto bene». «Ma non sarà triste?» si preoccupava lei. «No» la rassicuravo io, diabolica, «farai empatia, si chiederanno cos'è successo, si rispecchieranno in te.»

In base all'ora e alla posizione del sole, spostavo mobili, sostituivo poster. Era questo che mi piaceva: non fotografare, escogitare. Bea valutava gli abiti nel suo armadio, si concentrava per creare abbinamenti sempre nuovi con gli stessi vestiti, visto che i soldi che le passava suo padre erano quattro o cinquecento euro, non miliardi. Nel frattempo io studiavo le pareti, inventavo scorci, ambientazioni ora trasgressive, ora nostalgiche: incipit del romanzo che non trovavo il coraggio di scrivere.

La verità? Mi divertivo. Perché in quella lontana epoca sperimentale noi due eravamo un team: lei il personaggio, io l'autore. Perdevamo ore a orchestrare una singola foto, il segmento avulso di una storia che soltanto io conoscevo. Le nostre compagne di classe uscivano a rimorchiare, a fare shopping, a pomiciare, e noi chiuse in casa a regolare luci, a ripassare il trucco. «Hai il naso lucido, va' a rimetterti la cipria.» Severe, professionali.

La nostra amicizia divenne un cantiere. Smontando tende, impilando sedie, cambiando qualcosa come dodici abiti all'ora, allestivamo le prove per lo spettacolo permanente in cui la vita di Bea si sarebbe trasformata. Esageravamo con le piume, le borchie. Ricordo persino uno scatto in lingerie, per quanto obliquo e fuori fuoco. Ma dovevamo osare, potevamo, a T, in provincia di Livorno.

Questo, le due signore dell'autobus, non lo sanno: il nulla non fu privo di tenerezze. Come quell'inverno, cos'era? Gennaio 2004. Durante la notte era caduta una tonnellata di neve. Appena sveglie, Bea e io ci affacciammo, mute di stupore di fronte a tutto quel bianco. Ogni rumore era attutito dal gelo. Bea mi abbracciò: «Se mi metto là, in bikini e scarponi da sci, non è una bomba?».

«Dove?»

«Sotto il platano.»

Era il nostro unico albero.

E voi direte: che cretinata. Invece, come mi hanno mostrato le mie vicine di casa, tale celeberrima Kendall Jenner sarebbe arrivata alla stessa idea geniale nel suo giardino innevato a Los Angeles, con ben quattordici anni di ritardo.

Corremmo in bagno senza neanche fare colazione. Lei si truccò, io ripulii l'obbiettivo. Uscimmo. Beatrice sprofondava, nuda, nella neve. Si chinava, ne appallottolava un po', me la tirava in faccia. Papà ci osservava da dietro i vetri scuotendo la testa. Cosa fanno, quelle due? Le sceme.

Poi si mise in posa. Inquadrandolo bene, il platano poteva sembrare Cortina, Sankt Moritz. Lei statuaria e io che tremavo. Era solo un gioco, il *nostro*. E io mi prestavo perché lo credevo innocente, perché la vedevo felice. Imparavo a gestire, inconsapevolmente, una creatura irreale, ma viva. Sconosciuta, amata.

Ero l'ultima persona al mondo a immaginare le conseguenze del mio amore.

*

Il 22 febbraio Bea compì diciott'anni.

Alle nove e mezza m'infilai nel suo letto e la svegliai. Era domenica, avevamo un'intera giornata per noi.

«Lasciami stare» mugolò lei, voltandosi, «voglio dormire.»

La sera prima era uscita con Gabriele, a cena al Garibaldi Innamorato e poi chissà dove fino alle quattro del mattino. Ora toccava a me.

«Dài, che sei maggiorenne!» La tormentai con il solletico. La stanza era gelida, i vetri coperti di condensa. Mi alzai per tirare su le tapparelle, spalancai la finestra per far entrare il sole. «È una magnifica giornata» le annunciai, «ti regalerò un servizio fotografico grandioso.»

Bea aprì mezzo occhio, mi sbirciò: «Solo questo mi regali?».

«Perché? Gabri cosa t'ha fatto?»

Estrasse una mano da sotto il piumone, agitò l'anulare su cui brillava una luce verde: «Oro bianco e smeraldo: tre stipendi».

«Ah, vi siete proprio fidanzati» commentai senza trasporto.

Lei aprì finalmente gli occhi: «E tu?».

Stronza, pensai. «Io non ne ho neanche uno, di stipendio.»

Andai in camera mia, tornai con un pacchetto rettangolare. Beatrice si mise a sedere, lo soppesò con lo sguardo. «Che palle, un libro.»

«Aprilo almeno.»

Stracciò la carta, ne emerse l'edizione rilegata di *Anna Karenina* più bella che avessi mai trovato, insperatamente, nel fondo dell'unica, buia e polverosa libreria di T, frequentata solo da pensionati e da sfigati come me. Mi era costata un mese di paghette.

«E io cosa dovrei farci, con questo mattone?»

Da quando era tornata a vivere, aveva smesso di leggere.

«Sei ingrata, guarda la dedica che ti ho scritto.»

«"A Beatrice"» lesse ad alta voce, «"mia amica, mia sorella, mia vita. Per sempre."»

Sorrise, i capelli arruffati e il pigiama rosa.

«Anche tu, *per sempre.*»

Più tardi montammo in motorino e guidammo fino alla spiaggia di ferro. Lo ricordo bene perché fu l'ultima volta. Tirava vento, il parcheggio era vuoto. Mollammo lì l'SR e il Quartz e ci calammo in un sentiero ricoperto di eriche giù per la scogliera. Non c'era nessuno eccetto i gabbiani che veleggiavano sulla costa, le ali ferme nel maestrale; i traghetti arrancavano in lontananza verso l'Elba; la luce era perfetta.

Raggiungemmo le miniere. Tirai fuori dallo zaino, oltre alla Contax e al cavalletto, una coperta di lana. Dissi a Beatrice di togliersi le scarpe, lei obbedì perché le piaceva concedersi alle mie fantasie. Mi diceva che io avevo qualcosa in più dei fotografi, che scattavo peggio ma sapevo cavarle fuori *il potere*. Finché mi permise di trascinarla ogni tanto dentro i resti di una fabbrica abbandonata, di una vecchia scuola, scavalcando reti, divieti, io potevo fare di lei la mia Anna Karenina, la mia Madame Bovary, la mia Sonja Marmeladova.

«Togliti anche i calzini» le ordinai. La avvolsi nella coperta come un neonato. La spettinai, le rovinai con le dita umide di saliva la matita nera intorno agli occhi. «Ora sdraiati contro quella roccia, in posizione fetale. Fai finta di essere l'unica sopravvissuta.»

«A cosa?»

«A Černobyl', a un'alluvione, alla fine del pianeta.»

«Ma quanto sei drammatica!»

Prese a ridere: libera, sguaiata. Non si fermava più. E io le ho conservate tutte, quelle foto, sviluppate e impubblicabili, incollate al diario con la Vinavil. Invecchiate, come sanno invecchiare gli oggetti: a forza di ditate, consumati dagli attriti.

Quando risalimmo sugli scooter, era mezzogiorno. Anziché tornare a casa, decidemmo di pranzare Al Bucaniere. Avvertimmo papà con una telefonata e lui non fece una piega. Era completamente assente in quel periodo: che ci fossimo o no, era la stessa cosa; si era persino scordato il compleanno di Beatrice.

Però, se ci ripenso, era quasi bello vivere così: libere e dimenticate.

Sedemmo a un tavolo io e lei sole, come due adulte. Ordinammo una bottiglia di vino, quella che costava meno, e due margherite. Ero talmente felice di noi che mi parve che tutto il passato – il mio distacco da Biella, i colpi di testa di mia madre, la morte della sua – avesse avuto come scopo superiore la nostra amicizia.

Quindi le dichiarai il futuro: «Andremo a Bologna, Bea».

Lei, che sorrideva sovrappensiero con il bicchiere in mano, trasalì.

«Lorenzo si trasferirà là, a settembre» le spiegai, «ma io non posso raggiungerlo senza di te. Devi venire, Bologna è una città stupenda, noi siamo inscindibili.»

Divenne pallida. Ma io, nel fervore d'imporle i miei progetti, non me ne accorsi. Non volevo accorgermene. Avevo così fame di crescere, ero così ingenua: «Abiteremo insieme, tutti e tre, andremo insieme a lezione. Io m'iscriverò a Lettere, e tu? Hai deciso?».

Il suo sguardo era cavo. Si era come svuotata di ogni parola, sogno, desiderio; era regredita a una forma d'esistenza rudimentale. Cominciò a dondolarsi sulla sedia, come un bambino sprofondato nell'abbandono. Il suo volto si chiuse, gli occhi incantati su qualcosa che non ero io, che non apparteneva al mondo. «Me lo chiedi sempre» cantilenò, «cosa vuoi fare da grande? Cosa vuoi fare da grande? Cosa vuoi fare da grande? Ma io che ne so, non chiedermelo più. La pastorella? La principessa? Cosa vuoi che ti risponda?»

«Bea!» Mi spaventai, allungai la mano per afferrare la sua e riportarla qui. Lei tornò in sé. Bevve un sorso di vino, alzò le spalle con noncuranza: «Economia? Giurisprudenza?».

Portarono via i piatti delle pizze. Come al solito lei ne aveva mangiata meno di mezza. Avevo rotto qualcosa: l'atmosfera di prima, intima e spensierata, non c'era più. Mi alzai con la scusa di andare in bagno, mi affacciai in cucina per chiedere se avessero un dolce che assomigliasse a una torta. Le arrangiai una sorpresa per rimediare.

Poco dopo si presentò un cameriere con un medaglione di cioccolata infilzato da diciotto candeline. «Esprimi un desiderio» la esortai. Bea si fece seria, mi fissò a lungo come se quel desiderio mi riguardasse.

Poi soffiò, io applaudii, corsi a baciarla. A un centimetro dal suo volto la implorai: «Promettimi che andremo via insieme».

«Manca più di un anno...»

«Giura. Se mi tradirai, ti odierò per tutta la vita.»

Lei sorrise. «Non ne saresti capace.»

*

Papà non usciva più, se non per andare al lavoro. Fatta eccezione per le camicie, non stirate, che si obbligava a indossare per varcare la soglia d'Ingegneria con un minimo di decenza, infilava solo vecchie tute acetate consunte all'altezza dei gomiti e delle ginocchia, dentro cui marciva. Spesso non si dava nemmeno la pena di cambiarsi: rimaneva in pigiama direttamente. La sua barba superò quella di Osama Bin Laden, le sue unghie divennero lunghe, cambiò odore. Come una casa disabitata su cui lentamente si arrotolino muschi e rampicanti, rovinò.

Arrivò la primavera, tornarono le ghiandaie. Ma lui non riempiva il bagagliaio della Passat, non visitava ogni domenica un parco naturale diverso. Buttò via il binocolo, anzi, e se ne stette semplicemente lì, seppellito nel suo studio, piazzato su Internet. Farneticava concetti tipo: «Il web salverà le democrazie, libererà i popoli dall'ignoranza». Credevamo studiasse, Bea e io, convinte che si dedicasse a una ricerca monumentale sulla rivoluzione del web e i suoi effetti benefici per l'umanità. Macché. Come scoprii di lì a poco, era solo impegnato a chattare, giorno e notte, a conoscere persone nuove, donne; a inseguire invano l'illusione di mia madre.

Di fatto, ci mollò. Cucinavo io per tutti, Bea apparecchiava e sparecchiava. Dovevamo chiamarlo cento volte prima che si degnasse di stanarsi e sedersi a tavola con noi. E, quando accadeva, non spiccicava parola. Sovente si portava il piatto alla scrivania con la scusa che doveva *lavorare*. Ci prendeva per il culo. L'adolescente era lui e noi quelle che mandavano avanti la baracca. I suoi vestiti sporchi sedimentavano ovunque formando montagne. Attaccò a fumare, a cinquant'anni, appestò ogni stanza. Infine ci tirò in casa una nuova piattaforma di blog e pagine personali che in America stava spopolando.

Non chiedetemi di fare pubblicità ai giganti di Internet: non ne hanno bisogno. Oltretutto non ne varrebbe la pena: qualsiasi trovata sia andata per la maggiore nel 2004, è certo che nel 2019 sarà morta, come solo sul web le cose riescono a morire – *completamente*, senza lasciare tracce nell'anima di nessuno. Se le signore dell'autobus e le Erinni dei miei sogni esigono una risposta alla domanda: "Quale mistero si nasconde dietro il clamoroso successo della Rossetti?", la più facile è che fu tutta colpa di quella piattaforma, e di mio padre che ogni sei mesi procacciava a Bea un nuovo modo per "fare amicizia, aprirsi al mondo, squarciare orizzonti".

Il risultato fu che ci affossammo in camera pure noi.

Beatrice prese a dirmi dei no: alla spiaggia di ferro, alla cartiera abbandonata, al covo. Smise di farmi da personaggio. Perché adesso le foto si potevano caricare molto più facilmente, e lo spazio per pubblicarle era così vasto. Le parole vennero relegate in posizione accessoria, ridotte alla citazione che "fa fico".

Per Beatrice, me ne rendo conto, fu la svolta.

Scelse un colore accattivante per lo sfondo: rosa cipria, un titolo da best seller: "Diario segreto di una liceale". Che, naturalmente, di segreto non aveva un accidente. Erano solo un sacco di balle concertate con me, sparate a effetto, pruriginose, e se il tono che sto usando vi suona traboccante di astio è perché la ripercussione immediata di quel secondo blog fu il licenziamento del primo.

"Bea&Eli" fu condannato. Uscì una mascherina in alto a destra con la domanda: "Vuoi eliminare il tuo blog?". Due opzioni tranchant: sì, no. Ma certo, rispose Beatrice, voglio annientarlo subito, disintegrarlo. Non m'interpellò, cliccò e basta. Tanto: io non ci scrivevo mai, non contavo niente. Mi elise. E a me, paradossalmente, dispiacque.

Il nuovo blog, per quanto si parli ancora di numeri risicati, aveva più giro. Nelle case degli italiani, persino in provincia, cominciavano ad affacciarsi sempre più addetti di telefonia mobile che installavano router ADSL. Sul web circolavano meno aspiranti scrittori di mezza età, più giovani determinati al successo: con la musica, le provocazioni, in reggiseno e mutande. Bea cominciò a tenere in conto le reazioni degli altri: negative, positive, poco importa. L'essenziale era che gli internauti, arrivati a lei, smettessero di navigare. Addio scialli neri, trucco rovinato, futurismo e fotoromanzi.

Ora, quando alzava la testa dai compiti e mi chiedeva: «Eli, facciamo due foto?», io rabbrividivo. Perché non era più un gioco, ma una tortura. Avevo già un morto nella stanza accanto, e adesso mi si ammalava pure lei. Aveva capito con quale sorriso veniva meglio, quale espressione, profilo, frontale. Calcolato le preferenze, tirato le somme. Bisognava rispettare, quindi, rigidi parametri di felicità e bellezza, una nitidezza specifica che rasentava l'impossibile.

«Bea, ma è troppo finto!» protestavo.

«È questo che funziona, non le tue stronzate artistiche!»

I drammi lasciavano il posto a sorrisi senza storia, a freddi calcoli di luci, aride discussioni sugli abbinamenti. Anziché la Karenina mi toccava mettere a fuoco una Barbie. Mi rompevo le palle, mi annoiavo a morte. Ma lei ci teneva. E io? La amavo.

Ben presto cominciò a chiedermi foto anche fuori da scuola,

dal parrucchiere, al bar mentre fingeva di assaggiare un cornetto che poi mangiavo io. Se non avevo la Contax dietro, mi diceva di usare il cellulare: il suo, ché il mio era sempre di quelli anti-diluviani. Vedeva un'altalena e ci si sedeva: «Fammi una foto!». Saliva sul motorino: «Dài, scatta!». Comprava un pacchetto di cicles, saltava una pozzanghera, qualunque stupidaggine e giù foto e foto. Quella pratica di congelamento sistematico della vita diventò la sua ossessione.

Poi la sera, dopo cena, faceva mezzanotte a esaminare e scartare le immagini del giorno appena trascorso. Si studiava come se valutasse una sconosciuta, una di cui non fidarsi. Se la prendeva con me: «Ha un'ombra sulla fronte, come hai potuto non accorgertene!» «Questa ha un pezzetto di qualcosa fra i denti!». E quella terza persona era lei, o forse non lo era già più.

Io, anziché stroncare il morbo sul nascere, lo lasciai dilagare. Peggio, ci misi del mio. Avete presente l'efficienza, la millimetrica precisione con cui la Rossetti, ovunque e in qualsiasi momento, afferra il proprio telefono o quello di un fan, lo volta verso di sé e incenerisce l'obbiettivo? Fateci caso: la rotazione del polso, la posizione delle dita, l'altezza del mento, la luce, ciascun elemento concorre a un solo fine: il mito di Beatrice. Ci volle un feroce allenamento. La sua spontaneità fu la conseguenza del mio rigore. Lei ci era andata giù pesante con i giudizi sulla mia scrittura e io le restituii il favore.

Ma c'è un'altra risposta, meno superficiale del blog, e me ne accorgo adesso. Riguarda quell'istante di estraneazione in pizzeria: "Cosa vuoi fare da grande? Cosa vuoi fare da grande? Non lo so, cosa vuoi che ti risponda?".

Era il 17 aprile quando, per la prima volta, Bea mi chiese l'agenda.

*

«L'ha data a te?»

Raggelai. La frase era ellittica e il soggetto non veniva pronunciato da tanto di quel tempo da risultare *innominabile*.

Forse allargai gli occhi, spero di non essere sbiancata. In ogni caso, Bea non se ne accorse. «So che è assurdo» continuò, «ma le sto pensando tutte. Ho rivoltato casa, Eli. Ho chiesto ai miei fratelli, a mio padre, persino a Enzo.» Scosse la testa. «È sparita.»

Ricordo la consistenza del mio silenzio, vischiosa.

«Eppure non può averla buttata: dentro c'erano tutti i contatti, gli indirizzi, i numeri di telefono ottenuti a forza di cene, feste, inviti, regali... Era *il lavoro di una vita*!»

Sedevamo l'una accanto all'altra davanti al PC in camera mia, di ritorno da un servizio fotografico particolarmente ben riuscito, al porticciolo turistico di Punta Ala. Avevamo finto che uno degli yacht ormeggiati fosse nostro, e la ciurma, visto che il proprietario russo non c'era, ci aveva fatte salire e dato una mano con la recita.

«La vedi questa?» S'indicò sullo schermo. «Se arrivasse alle persone giuste, tornerei a sfilare. E poi i concorsi, le pubblicità: spaccherei.»

Ricordo il battito vigliacco del mio cuore, la bocca impastata, la tentazione improvvisa: Glielo dico? Prendo una sedia, ci salgo ed estraggo l'agenda dalla polvere? Ti perdonerebbe, Elisa, ne sarebbe così contenta. Cosa ti costa?

No, tuonò il mio corpo. La coscienza, forse la paura. Mi s'intorpidirono le mani per la tensione, balbettai un paio di banalità. Mi rivedo là, addossata allo schienale, infima. Tanto più che ormai ne sono certa: se gliel'avessi restituita, Bea avrebbe partecipato a un paio di sfilate e poi di lei non ne sarebbe stato più niente. Qualche trafiletto su gazzette locali, una fascia da miss da appendere al muro in un salotto normale, pagato col mutuo. Invece rimasi zitta.

Beatrice si considerò i capelli mesciati di rosa, la gonnellina e il top a righe bianchi e blu, alla marinara, i piedi nudi e il sorriso lieve a prua di quella barca che, se ricordo bene, si chiamava *Black Star*. Infine commentò: «Sembro felice».

«Sì» mi affrettai a confermarle, «stai benissimo.»

«Oggi è un anno.»

Un anno? Non capii. Beatrice chiuse gli occhi, si sforzò di trattenere le lacrime. Un anno da cosa? Quando lo compresi, che stava alludendo alla morte di sua madre, mi odiai. Le afferrai una mano; la sua era calda, la mia gelata.

«Però sembro felice, è vero?» Si voltò a chiedermi conferma. I suoi occhi erano murati di pianto adesso. Non cercava più di sorridere, di dissimulare. Andò a buttarsi sul mio letto, fissò proprio l'angolo destro del soffitto, quello sopra il nascondiglio. Per la prima volta dal funerale, in un discorso che non ho mai dimenticato e che m'impegnerò a riportare qui integralmente, Beatrice mi parlò di Ginevra.

«Quando ha scoperto che papà le metteva le corna, è stato prima di conoscere te alla Sirena. Io ero in terza media, Costanza al liceo, Ludo» calcolò «alle elementari. Stavamo di sopra a giocare. Era giugno, però pioveva. Ludo aveva tirato fuori il Twister perché voleva buttarlo via, e Costanza glielo aveva strappato di mano, si era messa a fare la stupida. Ci stavamo aggrovigliando sui cerchi blu e rossi, hai presente? E a un certo punto abbiamo sentito un casino, tonfi e urla folli, disumane. Allora siamo corsi di sotto tutti e tre, e abbiamo trovato mamma così...»

Non le veniva la parola. «... abbandonata. Era crollata a terra, in cucina. Teneva le gambe talmente storte che sembrava se le fosse rotte. Stringeva fra le mani il cellulare di papà» sorrise con disprezzo, «lui se l'era dimenticato sulla mensola del bagno. Continuava a ripetere: "Lo sapevo, lo sapevo, lo sapevo". Si era tagliata un polpaccio con un pezzo di piatto. Me lo ricordo ancora, il sangue che le macchiava le calze di nylon. Quelle nere, velate, con la riga dietro come Marilyn Monroe. Era brutta.»

Lo disse e s'interruppe, stupita di essersi lasciata sfuggire una simile oscenità. Si corresse: «Mamma è sempre stata elegantissima, giovane anche a cinquant'anni. Ma era come se fosse invecchiata. Come se il viso, i capelli, la forza dicessero di colpo... la verità. Ci ha visto e non ha fatto niente per coprirsi, nascondersi. Anzi, ci ha gridato: "Vostro padre mi tradisce con una ventenne, capito? Va a scopare con una ragazzina". Come se fosse colpa nostra».

Beatrice si mise a sedere, non riusciva a stare ferma. Prese a camminare a vuoto per la stanza, come un animale in gabbia che non sapesse dove andare.

«Non era in sé, per forza. Altrimenti non l'avrebbe mai detta, mia madre, una parola come *scopare*. Mi sono sentita morire; immagino anche Costanza e Ludo. Immagino che, dopo quella parola, non siamo più stati gli stessi. Comunque. Mamma non ci ha evitato i dettagli: gli alberghi, le pause pranzo, i pompini, gli orgasmi. Solo che noi eravamo i figli: non potevamo ascoltarle, quelle cose, ma neppure andarcene. Ce ne avrà letti venti, trenta, di quei messaggi. Ce li ha letti tutti, secondo me. E io pensavo: Basta, mamma, mettilo via quel cellulare. Però ora la capisco: non aveva altri che noi. Né amici né nessuno, un'intera vita dedicata alla famiglia, e noi non lo sapevamo neanche, cos'era un pompino. Intuivamo solo che implicava un disastro. Alla fine si è alzata, ha disintegrato il cellulare contro il muro, poi ha vomitato nel lavandino. Ha preso la scopa e ha cominciato a ripulire. Allora Costanza è uscita piangendo e l'abbiamo sentita fuggire in motorino, Ludo è andato a chiudersi in camera. E io sono rimasta con lei.»

Perché?, mi domandai. Perché proprio tu sei rimasta? E perché mi stai raccontando tutto questo? Io te le ho risparmiate, le volte in cui mia madre mi mollava e tornava col fiato che puzzava di alcol, e quando ha perso la testa e mi ha fatto la cicatrice. Ma Bea aveva appoggiato una tempia allo stipite della finestra, guardava fuori senza guardare niente.

«Le ho chiesto: "Vuoi lasciare papà?". Lei aveva appena finito di spazzare. Non mi ha risposto subito. È andata prima a sistemarsi i capelli, si è rifatta il trucco, e poi, quando è tornata quasi giovane, mi ha risposto: "Stai scherzando?". Sorridendo attraverso lo specchio. "Sono cornuta, non sono mai arrivata a nessuna copertina, niente Miss Italia, eh: lui voleva 'tre figli minimo'. Ma chi lo sa, Beatrice, chi lo sospetta? Andiamo in giro in Mercedes, no? In vacanza in Sardegna, siamo anche stati al Billionaire a fare l'aperitivo..." Si è data il rossetto, ha schioccato le labbra in un bacio così forte che me lo ricordo ancora adesso e ha detto: "La realtà non ha la minima importanza. È come veniamo percepiti, che conta: come ci vedono gli altri, cosa lasciamo loro immaginare. Io sembro felice, no? Felicemente sposata. E tu, a volte, mi sembri perfino una figlia perfetta".»

Si voltò di nuovo a guardarmi. Riconobbi, sotto la bella maschera di trucco, viva e informe, la sofferenza. Che era più antica di quanto credessi, connaturata prima ancora della nascita. Proveniva da Latina, dagli anni Cinquanta, da quel film di Luchino Visconti con Anna Magnani: *Bellissima*. E giù fino a Medea, fino alla notte dei tempi.

«Non mi ha mai accettata, Elisa.» Indicò da lontano, con indifferenza, la propria immagine. «Non ho avuto il tempo di dirglielo, nemmeno il coraggio, ma è così. Solo quando mi fotografava, quando mi chiedeva di rimanere immobile, di stare zitta, non respirare, non esistere, solo in quei momenti io mi sentivo *amata*. O quando sfogliava gli album di Natale, delle vacanze estive e diceva in estasi: "Oh, come sei bella!". Non a me, a quell'altra. Che chi cazzo è?» mi chiese con rabbia. «Un fantasma? Un'illusione impressa nella pellicola? Non sono io, questo è certo. Io sono la figlia vera, rompicoglioni, brufolosa, coi ricci crespi. Mentre quella è la figlia ideale, la figlia che lei aveva sempre sognato.»

Si calmò, come se si fosse riavuta da una grande febbre. Si asciugò le lacrime, si guardò intorno per riorientarsi. Quindi tornò a sedersi accanto a me, in un paio di mosse pubblicò la fotografia in cui il vento le scombinava i capelli rosa sulla *Black Star*.

Io ero paralizzata. Respiravo male, i polmoni faticavano a espandersi perché sopra c'era il macigno che vi aveva piazzato lei. Lei fissava lo schermo, invece, con aria di sfida. Aspettava che il mondo là fuori si facesse sotto coi commenti, come il gatto coi topi: acquattata, distante.

"La 'realtà' non appartiene definitivamente a nessuna percezione particolare" scrive Merleau-Ponty in *Il visibile e l'invisibile*, "*sempre*, in questo senso, essa è *più lontano*."

Nel giro di un'ora arrivò una decina d'insulti: "A chi l'hai data?", "Sei solo culo e niente cervello", "Povera narcisista". Non gliene fregava niente, a Bea: aumentavano i visitatori, la invidiavano. Solo questo contava. Da ogni provincia, da ogni Paese, le correnti carsiche del web conducevano già, in nuce, alla sua illusione, l'universo cominciava a disporsi intorno alla sua menzogna, mentre la verità restava *lontano*.

Da allora – e lo capisco adesso, purtroppo – non fece altro che mascherarsi, costruirsi, imbalsamarsi. Del resto, il cambio d'epoca, insieme all'avvento dei nuovi mezzi di comunicazione, lo avrebbe preteso da ciascuno di noi. Lei fu solo la migliore. Ogni strato in più di fondotinta, ogni nuovo abito o gioiello era un velo di dimenticanza, una distrazione, una copertura. La lapide posta a sigillare...

Quello che non abbiamo il coraggio di dire.

E tu dillo, Elisa, visto che sei qui, e lo conosci bene.

Il rifiuto.

22

Un amore provinciale

È da un po' che trascuro i ragazzi, e non è giusto. «Deve reintrodurre il maschile nella sua vita, Elisa» mi ha esortata la psicanalista tre mesi fa, «si sta avvitando a vuoto intorno alle stesse figure femminili che la bloccano. Le soffocano la voce, la *sua* voce! Deve liberarsene.»

Era talmente vero che in analisi non ci sono andata più. Sul momento non volevo ammetterlo, risalivo via Zamboni imprecando: Ha fatto tanti di quei danni, il maschile, nella mia vita. E i cento euro che do a lei, dottoressa, mi servono: mica guadagno milioni come la Rossetti.

Poi è successo quel che è successo, e mi sono ritrovata a scrivere. Senza le ambizioni letterarie che covavo da ragazzina, solo pressata dall'urgenza di capire e prendere una decisione. Ma se mi affaccio qua e là sulle pagine che ho buttato giù giorno e notte, me ne rendo conto: Beatrice, sua madre, la mia, sono ovunque, dilagano nella mia anima come una pianta rampicante. È spaventoso. Devo reintegrare i maschi subito, riprenderli dove li ho lasciati: in attesa che Bea e io tornassimo da Biella, in quarta superiore.

L'infedele, è ovvio, non si fece scoprire: ricominciò a dormire il sabato notte nella mansarda di Gabriele come nulla fosse, a uscire con lui, a giocare al fidanzamento. Poi, nei momenti di noia, s'inviava messaggi con mio fratello. Lo so perché li ho letti di nascosto mentre Bea era sotto la doccia. Contenuti al limite del pornografico: ti farei questo, ti farei quello; lui sgrammaticato, lei che bluffava. "Ti ho sognata..." Pose censurabili frammiste a dichiarazioni d'amore, contrastato quindi eccitante. Arriva-

274

rono a sparare certe boiate: "Troviamoci a metà strada: a Parma o a Firenze" – manco la geografia sapevano – "e sposiamoci!".

Però lui stava a Biella e lei a T. Mio fratello era già uno scansafatiche, con la patente ritirata per guida in stato di ebbrezza, mentre Bea si allenava a diventare la fervida capitalista che è oggi. Nel giro di qualche mese gli scambi di SMS si diradarono, i brividi per lo squillino notturno si smorzarono. Alla fine lui la chiamava e lei gli spegneva il cellulare in faccia, s'infilava sotto le mie coperte sbadigliando per dare a me la buonanotte. E io ci godevo: Niccolò, cosa ti credevi, di prendere il mio posto?

Quanto a me, nell'aprile 2004 mi presentai al consultorio e chiesi al ginecologo di turno di prescrivermi la pillola. I diciott'anni erano finalmente arrivati senza che cambiasse un accidente: vivevo con papà, andavo a scuola, Lorenzo non mi aveva regalato alcun anello. Non mi rimaneva che dare un senso alla mia nuova età con una conquista farmacologica e femminista che però, nella mia testa, assumeva il significato opposto al progresso: tenermi il fidanzato.

Contavo d'ingrassare, di subire contraccolpi violenti alla salute, così da poter legare Lorenzo indissolubilmente a me tramite il senso di colpa prima che lui partisse per l'università. Quando glielo comunicai: con enfasi, calcando sull'inesorabilità di doverla prendere ogni sera senza dimenticarla mai, paventando rischi di trombosi, lui non fece una piega. Si limitò a esprimere sollievo per non dover più infilare preservativi e cambiò argomento. Non colse il valore epico: l'esclusività del mio corpo consegnata a lui. E neppure la malcelata speranza che, una volta a Bologna, attorniato da ragazze meno provinciali, soffocasse il desiderio di tradirmi rammentando: Elisa prende la pillola, non posso.

«Tornerò ogni due settimane» mi promise.

A maggio, con l'esame di maturità ormai prossimo, mi capitava di scoppiare a piangere e implorarlo: «Ma non puoi ogni weekend? Due settimane sono esagerate!». Disperata: «Voglio venire con te, lasciare il liceo, lavorerò mentre tu andrai a lezione».

«Eli» rideva, «a volte mi sembri cretina.»

Ancora oggi, se torno a T e mi fermo a parlare con qualcuno che ha frequentato il Pascoli in quegli anni, Lorenzo è invariabilmente ricordato come "il bello della scuola". Il campione di nuoto, diplomatosi con cento centesimi ma "tutto fuorché secchione", le poesie civili pubblicate sul giornalino, il re indiscusso nel proclamare scioperi, protestare in piazza, biondo come Brad Pitt; e stava con *Biella*?

Era un enigma per chiunque, compresa me. E non c'è niente di peggio di stare con una persona che credi di non meritare. Ero pronta a rinunciare al diploma, a svegliarmi alle quattro del mattino per scaricare frutta al mercato o digitare scommesse sui cavalli alla Snai, a tornare a casa massacrata dai turni ma forte abbastanza per pulire, cucinare e accoglierlo con tutti gli onori al rientro dalle lezioni a Ingegneria. Un futuro a cui persino mia nonna si sarebbe ribellata, e io lo invocavo.

Poi, diciamola tutta, cosa dovevo sacrificare: una fulgida carriera? Ma per favore. Non sono mai stata Beatrice, io. Tutta questa urgenza di conquistare le attenzioni del mondo, non l'ho mai sentita. L'umanità non avrebbe perso niente se io mi fossi ritirata in casa a stirare. Mi sarebbe bastato continuare a leggere ogni tanto, tra una lavatrice e l'altra, un bel romanzo. Invece Lorenzo mi spronava: «È la tua amica sottosviluppata che finirà al massimo al *Grande Fratello* a far vedere il culo, e alcolizzata quando si spegneranno i riflettori. Ha in testa solo cazzate, e poi ha le tette finte».

«Non sono finte, il naso lo è.»

«Chissenefrega. Sei tu, Elisa, quella con il cervello. Diventerai il primo presidente donna della Repubblica. Fonderemo un partito, io e te, faremo la rivoluzione come Marx e Lenin.»

Balle a parte, studiava come un dannato. Prese a chiudersi in biblioteca ogni pomeriggio, sabato incluso, e io con lui. Non tornavo più a casa per pranzo: tanto, chi c'era ad aspettarmi? La mummia di mio padre? L'altra mummia di Beatrice che mi ossessionava con le foto? Entrambi fossilizzati su Internet tutto il giorno.

Dopo la scuola Lorenzo e io facevamo una rapida sosta alla

pizzeria al taglio di via Pisacane, poi, dalle 15 fino a orario di chiusura, stavamo chini sui tavoli, gomito a gomito, in sala lettura. Siccome io finivo sempre prima di studiare, passavo il resto del tempo a curiosare tra gli scaffali, cercando i romanzi che mi facevo consigliare dalla Marchi. Risale a quel periodo la scoperta che gli scrittori, per diventare bravi, non dovevano necessariamente morire. Potevano anche rimanere in vita, come Roth, McCarthy e, soprattutto, Agota Kristof.

Quando cominciai la *Trilogia della città di K.* mi sentii subito franare in un luogo troppo conosciuto. Era una prima persona plurale, la voce narrante. Esprimeva una simbiosi, l'impasto voluttuoso e letale tra due persone. La mia ex analista esulterebbe oggi, se tornassi da lei portandole questa prova. Rilessi quel romanzo non so quante volte, incantata dalla morbosità dei due gemelli che compivano gli stessi gesti, pensavano gli stessi pensieri, e ogni volta che arrivavo alla pagina in cui si separavano, scoppiavo a piangere. No, questo non capiterà mai, a me e Beatrice. Noi invecchieremo insieme, mi ripetevo. Perché, vedete, io la criticavo già allora, ritenevo ciò di cui si occupava lei – mutande, ombretti – pura evanescenza, mentre ciò che appassionava me – l'indagine letteraria dell'animo umano – quanto di più elevato al mondo. Pure, lei aveva questo potere: brillare, apparire come ogni ragazza sul pianeta avrebbe desiderato. E, insieme, contenere il buio che solo io sapevo, uguale al mio.

Verso sera tutto quello studio esagerato ci faceva esplodere i corpi, a me e a Lorenzo. Ci alzavamo d'impulso e finivamo nei bagni a spogliarci. Era casa nostra, la biblioteca di T. Un luogo dimenticato dalla società, dove non veniva nessuno, al massimo qualche pensionato a sfogliare il giornale, mezzo sordo. Potevamo pure urlare. Perché Settembre 2004, nella mia testa, coincideva con l'Apocalisse: la prospettiva di rimanere a T senza Lorenzo mi annientava. Non ho mai creduto nell'amore a distanza, specialmente quello provinciale, cresciuto in spazi angusti, abituato alla frustrazione. La grande città lo avrebbe travolto, spazzato via. E più il tempo della separazione si avvicinava, più io trascinavo Lorenzo nei bagni, gli scrivevo versi d'imbarazzante passione. Non pensai ad altro, trascurai il resto, e per la prima volta alla fine dell'anno la mia media scolastica fu inferiore a quella di Beatrice.

Accompagnai Lorenzo a tutte e tre le prove scritte restando ore fuori dal Pascoli, a cavalcioni del Quartz, la faccia contro il mare; sicura, senza di lui, di non valere niente. Andai ad assistere all'orale: la brillante esposizione di una tesina su "Il comunismo tra filosofia e storia". Ascoltai orgogliosa il mio piccolo Togliatti proclamare la necessità di una società libera e giusta, in cui tutte le differenze esteriori venissero abolite: di genere, di classe, e solo la creatività potesse trionfare. Anche la politica, come l'amore, in provincia è una cosa fragile, vera ma ingenua. Si diplomò col massimo dei voti e io c'ero, naturalmente, all'affissione in bacheca dei risultati, allacciata a lui come una first lady. Dopodiché, si spalancò l'estate.

L'ultima insieme: ne ero sicura.

Mi consacrai a lui, giorno e notte. In spiaggia, in pineta, ogni sera in un paesino diverso dell'entroterra: Sassetta, Suvereto. Trascorremmo tanto di quel tempo al sole, senza ombrelloni né crema solare, che mi riempii di lentiggini ovunque e poi spellai. Avevo sempre i capelli impastati di sale. Non tornavo più a casa, neppure a dormire. Ci buttavamo sui sedili reclinati della Golf ridotta a un porcile, lungo i canali di scolo in mezzo ai campi, coi finestrini abbassati per il caldo, la paura che venisse qualcuno a spiarci nottetempo, le zanzare che ci mangiavano vivi. Però, che malattia stupenda.

Finimmo a vivere in costume, a lavarci i quattro stracci che avevamo addosso intrufolandoci nei campeggi, confondendoci coi turisti, approfittando di servizi igienici degni di questo nome. Ripassavamo a casa solo per chiedere soldi, e per darci una lavata seria. In queste occasioni, ne approfittavamo per razziare le dispense, per caricare una lavatrice di mutande. Campavamo di pizze mangiate nei cartoni e ghiaccioli, di bottiglie di vino rosso a due euro. «È solo un anno, Elisa, cosa vuoi che sia? Poi mi raggiungerai.» Facemmo il bagno di notte nei laghetti caldi di Saturnia, ci ustionammo a Cala Violina. Ogni tanto dimenticavo la pillola: importava qualcosa, dal momento che a settembre mi sarei ammazzata?

Il 30 agosto 2004 completammo l'InterRail del Lazio e della Toscana a dieci euro di benzina al giorno, e il primo settembre Lorenzo salì sul treno per Bologna. Io mi ripresentai a casa come un reduce: il copricostume bucato, la faccia bruciata dal sole, lo stesso odore addosso di uno scoglio ricoperto di alghe. Feci giusto in tempo a buttarmi sotto la doccia, a infilarmi qualcosa di pulito. Poi Beatrice convocò me e mio padre in cucina. Ci guardò bene in faccia. Lei elegante, coi tacchi alti, le unghie laccate, i capelli freschi di piega. Mio padre e io, due relitti.

«Vado a convivere con Gabriele» ci comunicò. Sorridendo aggiunse: «Sono maggiorenne adesso, nessuno me lo può impedire».

*

Morii. L'assaltai mentre infilava il portatile regalatoci da mio padre e la Contax nell'ultima valigia, l'afferrai alle spalle, non sapevo se picchiarla o abbracciarla. Lei mi allontanò. Allora aprii un trolley già pronto e glielo rovesciai sul letto, come con mia madre ai tempi.

«Non puoi abbandonarmi, non puoi abbandonarmi!» le gridai in lacrime. «Non puoi, anche tu!»

Lei, calmissima, mi chiese: «E tu dov'eri? A maggio, giugno, luglio, agosto?». Me li rinfacciò con le dita: quattro mesi. «Sono scesa al mare da sola, tutti i giorni. Ogni volta che ti ho chiesto una foto, tu stavi correndo da lui.»

«Ma era la nostra ultima estate!»

«Balle. Mi hai fatto spendere tutti i soldi dal Barazzetti» (il fotografo più famoso di T) «e ora sono in rosso. Mi son dovuta ridurre a scattare le foto da sola, così» mi fece vedere, «tutte storte, a prendermi la mira a caso come una scema, per mandare avanti il blog. Se era per te, lo chiudevo.»

«Ma Lorenzo è andato a vivere a trecento chilometri di distanza!»

«Bene, io a quattro o cinque.»

Traslocò sul serio. Mio padre e il suo divennero furie. S'inventarono di tutto per convincerla a ripensarci: vacanze studio a Londra, computer nuovo, Canon micidiale. Lei niente. Riccardo arrivò a offrirle più soldi mensili per rientrare a casa, sua o nostra poco importava. E, quando capì che le sue proposte non la scalfivano, minacciò di tagliarle i viveri, di non passarle più nemmeno un euro. Il tutto in diretta davanti a me e a mio padre, che l'aveva subito chiamato intimandogli di accorrere, di far presto ché la figlia era impazzita. Riccardo la prese per un braccio, quel giorno, la scosse come i genitori degeneri che squassano i neonati credendo di farli smettere di piangere. «È un operaio, cristo! Che genere di futuro pensi di avere con lui? Puzza di marijuana, va in giro con una Renault 4 che neanche i marocchini! Se potesse vederti...» Lasciò la presa e la fissò con disprezzo. «Saresti la vergogna di tua madre.»

Calò il gelo: sul volto di Beatrice, sul mio, su quello di mio padre. Le stanze si riempirono di neve e ghiaccio, e di silenzio. Dopo qualche minuto si udì il rumore di un'auto sgangherata: Gabriele parcheggiava sotto casa nostra il suo rottame e apriva le portiere, il bagagliaio. Beatrice lo vide attraverso la finestra, raccolse in fretta le sue valigie. Non salutò nessuno, nemmeno me.

Dopo quella frase, chiuse ogni rapporto con suo padre.

Lui provò a rimediare, in seguito. Le accreditò per mesi e anni bonifici generosi che lei rispedì sempre al mittente; la invitò ogni Natale e Pasqua festeggiati in famiglia, senza l'amante. Provò a telefonarle e persino a scriverle lettere su carta profumata. Finché la Rossetti figlia divenne mille volte più ricca del padre, e le cifre dell'avvocato si fecero ridicole rispetto al suo tenore di vita: oggi è capace di prendere un aereo per Abu Dhabi all'improvviso, solo perché le è venuta voglia di cenare in Medio Oriente. Allora credo che lui abbia smesso. Forse, in seguito, è stata addirittura lei a pagarlo per stare zitto: con la stampa, i media; o per raccontare solo, se interpellato, favole di felicità familiare. Ma sono ipotesi, sto millantando.

Quel che è certo è che nell'autunno del 2004 Beatrice divenne povera, parecchio povera, per sua scelta. Proprio lei che, pur non essendo nata nella ricchezza, non aveva mai dovuto rinunciare a nulla, si ritrovò a vivere in affitto con l'unico stipendio da operaio di Gabriele. Il fratello Salvatore era andato ad abitare con Sabrina in un altro quartiere. E loro rimasero nella mansarda dei budelli, l'angolo più bello e complicato della città, il più degno di un romanzo, con le case decrepite e ammuffite, il profumo di kebab, una babele di dialetti.

Decisione folle, all'apparenza, quella di Beatrice. Ma, se un po' la conosco, so che l'idea di essere l'unica della scuola a convivere con il proprio ragazzo la seduceva troppo, ben più degli abiti firmati. Sapeva già, forse, nel fondo magico di sé, che di quelli avrebbe potuto permettersene a bizzeffe, in futuro. Lo aveva giurato a me di fronte alla vetrina di Scarlet Rose, la prima volta che eravamo uscite insieme. Poteva anche vivere in quaranta metri quadri per un po', fare la spesa centellinando al discount: tutta esperienza. E non tornò indietro.

Il mio ultimo anno di liceo, quindi, iniziò nel peggiore dei modi. Alle otto arrivavo a scuola e Lorenzo non c'era. Gli occhi, per istinto, mi correvano a cercare la sua Golf nel parcheggio dei professori, a indovinare la sua possibile sigaretta nel cimitero dei mozziconi nel cortile interno, a implorare il suo profilo sulle scale antincendio. L'intero edificio divenne un estraneo contenitore di assenza.

Anche arrivare in motorino senza Beatrice mi dispiaceva. Ero abituata a fare colazione con lei, la pipì con lei, le curve del belvedere e la rotonda di via degli Orti con lei tutte le mattine, e ora mi toccava sedermi sola al mio banco. Beatrice arrivava sempre in ritardo, sfilava altezzosa in mezzo alla classe con tutti gli occhi puntati addosso, prendeva posto accanto a me senza salutarmi. Spiata dai compagni con morbosità, rovistata da capo a piedi: era un fatto clamoroso che dormisse in un letto matrimoniale, che facesse l'amore col suo fidanzato ogni notte. Al confronto, credo ci sentissimo tutti dei poppanti. Ricordo anche che, in quel periodo, come per marcare le distanze, si presentava in classe in tailleur; e io mi chiedevo dove le prendesse, quelle giacche vistose, quei pantaloni ricercati, adesso che non aveva più soldi.

Il primo giorno di scuola, mi son dimenticata di dirlo, era venuta lei a sedersi vicino a me, alla solita coppia di banchi dei quattro anni precedenti. E io, mentre si avvicinava, mi illusi: Allora siamo ancora amiche. La guardai. Mi limitai a questo perché mi ero fatta furba: la stella variabile mi aveva già scottata più volte. Difatti lei non ricambiò lo sguardo, abbassò il suo. Posò lo zaino a terra. Non mi rivolse parola. Io nemmeno. Già convivi, pensai, poi fai pure la stronza.

Né quel giorno né i seguenti cedemmo. Anzi, andammo avanti settimane a stare bene attente a non sfiorarci con i gomiti o i piedi. Riempivamo i nostri quaderni di equazioni, di Novecento, di Ragion Pura e Ragion Pratica, di aoristi – sempre siano maledetti – e, alla prima pausa, giù a smanettare sui nostri Nokia convulsamente. Lei, non sapevo con quale intento. Io per verificare se Lorenzo, dal versante opposto della Penisola, avesse risposto al mio ennesimo messaggio.

Avevamo entrambe la testa lontana: la mia a Bologna, la sua, come scoprii andando a sbirciare sul blog, alla *fashion week* di Milano. Mi fa spavento constatarlo: ce l'avevo lì tutti i giorni a prendermi appunti accanto, sentivo il calore emanato dal suo corpo, il rumore della sua matita sul foglio, però, per sapere qualcosa di lei, dovevo già connettermi a Internet.

Portava a scuola "Glamour", "Donna Moderna", studiava le passerelle durante la ricreazione. Poi, la sera, la beccavo sul blog vestita allo stesso modo delle indossatrici. Voleva stare là: sulla carta, frusciare tra le pagine. Adesso lo capisco: si era abbonata alle riviste di sua madre, quelle in cui lei avrebbe voluto vederla un giorno – Ginevra ignorava che le edicole, nel giro di pochi anni, sarebbero state decimate dal "futuro" – e si autopubblicava sul web solo per ripiego, perché non c'erano altre strade, a T; perché non aveva niente eccetto il computer regalatole da mio padre, la Contax e la linea Internet che aveva costretto Gabriele a installare.

Non serve dirlo, lo so, ma resto convinta che se non avessimo avuto la sfiga di crescere nel bel mezzo della rivoluzione digitale, forse ci saremmo separate lo stesso, come i due gemelli della *Città di K.*: una avrebbe superato il confine e l'altra sarebbe rimasta indietro; ma non nel modo traumatico in cui avvenne. Forse, oggi saremmo ancora amiche: non come da adolescenti, certo, ma come due che ogni tanto si scrivono una mail, si trovano per un caffè. Lei lavorerebbe in un negozio tipo Scarlet Rose, mi farebbe un po' di sconto sui jeans, e io le passerei qualche buon libro. Due donne comuni, una vita tranquilla. Anche se poi non potrei scriverci sopra un romanzo.

*

A metà ottobre trovai il coraggio di bloccare la Marchi: «Prof, mi scusi» la chiamai all'uscita da scuola, mentre lei filava verso la sua auto al solito passo spedito. «Potrei farle leggere qualcosa di mio?»

Lei si fermò, si voltò a scrutarmi. Avevo provato quella frase allo specchio centinaia di volte. L'avevo editata, modificando sostantivi e verbi fino a raggiungere un compromesso dignitoso tra significante e significato, scartando "alcune pagine", "certi componimenti", "darle in visione", "chiederle consigli circa". Ero terrorizzata all'idea che lei leggesse, pure erano mesi così dolorosi e vuoti, senza Lorenzo, senza Beatrice, che non mi restava altro che la scrittura.

La Marchi si accigliò: «Cosa intendi per *qualcosa di tuo?*».

Stringevo tra le mani una cartellina gonfia di fogli A4 scritti al computer in Times New Roman, stampati male da casa, con la cartuccia dell'inchiostro mezza finita. «Poesie» risposi.

Lei sospirò, come se quella parola implicasse un peccato e, insieme, una noia mortale. Mi pentii subito di quell'azzardo, sprofondando nell'imbarazzo. Ma poi lei disse: «Va bene», quasi affabile. Allungò una mano verso di me: «Dammi pure le tue opere. Le leggerò stasera dopo aver finito di correggere le vostre versioni».

«Grazie» risposi consegnandole la cartellina. Con voce malferma e piena di speranza aggiunsi: «È la prima volta che le faccio leggere a qualcuno».

«Oh, sono lusingata della tua fiducia. A domani.»

Si allontanò e io la seguii con lo sguardo. La vidi salire sulla Twingo arancione, sbattere le mie poesie sui sedili posteriori. Lorenzo, a volte, tornava ogni tre, anziché ogni due, settimane. Stavamo insieme ventiquattr'ore risicate durante le quali lui pontificava di serate nei centri sociali, di epiche giornate in facoltà e aule occupate, di biblioteche: «Elisa, non puoi capire! L'Archiginnasio ha i soffitti affrescati! Af-fre-sca-ti! E sono alti tipo sei metri!». E io? Come potevo competere con quei racconti? Cosa c'era a T di eccitante? Le alghe? I gabbiani? Quali novità? L'unica era che adesso avevo la patente, ma non la macchina; quindi in definitiva non era successo niente. Mio padre la Passat non me la prestava. Quando ci ritrovavamo in cucina, a cenare insieme da soli, l'assenza di Beatrice ci soverchiava. Papà mi rimbecilliva con le sue tirate sempre più deliranti: «Questione di un paio d'anni e voteremo con un *clic*, comodamente da casa. Avremo accesso libero a ogni tipo d'informazione. Scaricheremo enciclopedie, filmografie, tutto lo scibile umano sarà gratis e a portata di chiunque. È come Prometeo, il web, ci libererà!». Peccato che lui sembrasse un carcerato: la barba ispida, la tuta lisa, le cornee bruciate dalla luce blu dello schermo. Si era completamente ritirato dalla realtà e, se provavo a farglielo notare, lui accusava me di non interessarmi al "futuro", di trincerarmi nelle mie solite posizioni retrograde: «Resterai la sola a leggere su carta, a usare i piccioni viaggiatori per comunicare».

«Non uso i piccioni, papà.»

«Ma sei l'unica al mondo a non chattare, a non avere un blog!»

Capite perché mi aggrappai alla sagoma della Twingo, quella mattina, finché non la vidi svoltare e sparire, riponendo in Alda Marchi ogni fiducia di cambiare la mia vita, che era un disastro completo. Avevo bisogno di sapere che, anche senza un blog, mi restava comunque il diritto di abitare questo mondo.

La mattina seguente la Marchi m'ignorò. Si limitò a riconsegnarmi la versione con un 8-, senza sorridermi né lanciarmi un'occhiata speciale, senza sussurrarmi cose del tipo: "Ho letto, sono straordinarie!" o anche solo: "Ti aspetto all'intervallo così ne parliamo".

Lei mi piaceva: aveva così tanta cultura. Ti spiegava l'*Edipo re* come se lo avesse conosciuto personalmente, e sorretto con le sue stesse braccia nel momento del crollo emotivo. Ti dava da leggere non il solito Pirandello, ma roba trasgressiva e tostissima per un adolescente come *Underworld* di DeLillo. *Underworld* a T! Dovevi ordinarlo presso la libreria L'Incontro di via dei Martiri, che più triste e respingente non si poteva, e ti arrivava forse dopo quindici giorni. Avrei dato non so cosa perché io e la Marchi ci trovassimo in un bar a parlare di letteratura, che lei diventasse la mia nuova migliore amica, soppiantando quell'altra persa dietro ai cappotti e agli stivali col tacco. Invece passavano i giorni e la Marchi non mi diceva niente. Era come se non fossero mai uscite dalla mia stanza, quelle poesie, mai esistite. E Beatrice e le sue frivolezze mi mancavano.

Di farle uno squillo questa volta non se ne parlava: sarebbe risultato banale; i cellulari erano diventati come le forchette, ormai, come le vanghe e i phon, attrezzi senza alcun appeal. Una lettera scritta a mano, però, e lasciata sotto il banco, peggio che mai: roba troppo vecchia, eccentrica, sentimentale. Ma figuriamoci se io – io! – potevo scriverle un commento sul blog.

Mi rimaneva una sola opzione: il Quartz. Un pomeriggio di novembre, prima che facesse buio, guidai fin quasi a piazza Padella e nascosi il motorino dietro un cassonetto. Scesi, attraversai un paio di strade di corsa, circospetta, rasente le portiere e i cofani delle auto, mi acquattai sotto casa di Gabriele, dietro uno stendipanni, e mi stupii vedendo le imposte della mansarda chiuse, l'SR da nessuna parte.

Anche Beatrice, come me, aveva la patente ma non la macchina; guidava quella di Gabriele ogni tanto, quando non serviva a lui per andare al lavoro. Cercai il suo motorino nei paraggi, poi più lontano, setacciai ogni angolo dei budelli. Eppure eravamo zeppe di compiti, pensai. Se volevamo passare con cento alla maturità, occorreva farsi il mazzo fin dall'inizio dell'anno. Possibile che non fosse a casa a studiare? Tornai alla mia, delusa. Accendere la luce in cucina, buttare il manuale sul tavolo, sottolinearlo senza di lei mi metteva una tristezza infinita. Così l'indomani, nel primo pomeriggio, tornai a perlustrare i dintorni di piazza Padella in cerca dell'SR e, ancora una volta, non lo trovai. Arrivai perfino a suonare il citofono, decisa a scappare non appena avessi sentito la sua voce. Ma nessuno rispose. Rimasi lì intontita per dieci minuti, a insistere con quel pulsante a vuoto: Dove ti sei cacciata, Beatrice?

Il giorno dopo, senza starci tanto a ragionare, la pedinai. All'uscita da scuola saltai il pranzo, le lasciai un po' di vantaggio, poi cominciai a inseguirla in motorino. Prima con cautela, poi alla disperata. Lei correva come al solito, a razzo. Non stava affatto tornando a casa, si dirigeva nella direzione opposta. Mi seminò più volte, ma sempre, benedicendo il traffico, la ripescai. Col cuore che mi rimbombava nel casco, bassa dietro i furgoni, pregavo di non perderla di vista. Quando imboccò la via del porto, mi chiesi: Dove cristo stai andando? Bea lo superò, attraversò il quartiere di palazzoni squadrati, il centro commerciale nuovo. Raggiunse la prima periferia. Svoltò tra i capannoni. E io dietro. Rallentò. Inchiodai giusto in tempo per nascondermi dietro l'angolo di una carrozzeria. Beatrice aveva parcheggiato di fronte alla vetrina di un magazzino. Si era tolta il casco e si era seduta sull'SR a mangiare un pacchetto di cracker. Appena lo finì, corse dentro come se fosse in ritardo e salutò la commessa.

Mi avvicinai sconvolta. In vetrina spiccavano bizzarri manichini cotonati e vestiti di paillettes. Uno indossava un camicione hippie, un altro un abito da sposa dei più pacchiani. Su un altro ancora riconobbi il tailleur anni Ottanta a scacchi bianchi e neri che Bea aveva messo l'altro giorno a scuola, e persino in una fotografia sul blog. Allora alzai lo sguardo e lessi l'insegna: DONNA VINTAGE, diceva, NUOVO, USATO E CERIMONIA. Sbirciai l'interno: era enorme, zeppo di roba, sembrava più un bazar che un negozio. Poi distinsi Beatrice riemergere: si era raccolta i capelli, aveva infilato un gilet verde con sopra scritto qualcosa. Non potevo credere che lavorasse là dentro.

Trascorsi tutto il pomeriggio fra quei capannoni, con lo stomaco vuoto che brontolava, nascosta dietro questa o quella macchina, rimbambita dall'incredulità. Di studiare non se ne parlava: non ci sarei riuscita. La spiai mentre aggiustava le calze a un manichino, cambiava disposizione a una fila di scarpe, serviva clienti, riceveva ordini e sollecita li eseguiva. Chiunque oggi accusi Beatrice di non aver mai lavorato un giorno in vita sua, si sbaglia. Posso assicurare che si dava un gran daffare da Donna Vintage. In breve tempo le venne affidato l'allestimento della vetrina: già allora aveva un talento esagerato nel tessere abbagli per attirare la gente. E in seguito persino il contenuto pubblicitario dei volantini. Ma questo l'ho saputo dopo.

Quel giorno rimasi lì fino alle sei. Presi confidenza con il luogo: oltre al bazar e alla carrozzeria, c'erano altre vendite all'ingrosso, magazzini di mobili e ferramenta, un bar che si chiamava Il Nespolo e che si riempiva via via che i lavoratori smontavano il turno. Poi fu Beatrice a smontare. Uscì, ripartì a razzo in motorino. E io di nuovo dietro, all'inseguimento. Tornò a casa questa volta. Era buio, vidi la finestra della mansarda accendersi, la sua sagoma apparire e sparire attraverso i vetri. Immaginai che stesse attaccando ora a fare i compiti. Quindi rincasai per cominciare i miei, e divorare qualunque cosa avessi trovato in frigo.

Comunque, non intendevo cedere per prima.

Persino quando, una mattina in classe, la vidi con la matita spuntata nel bel mezzo di appunti importanti, in cerca famelica di un temperino, soffocai il desiderio di prestarle il mio.

Le invidiavo Gabriele, era questo il punto. La lontananza di Lorenzo, la paura di perderlo, mi avevano incattivita. Poi accadde che un venerdì all'uscita da scuola, a distanza di quasi un mese, la Marchi mi restituì la cartellina di poesie e al mio fragile sorriso di stupore rispose: «Cerruti, tu sei una ragazza saggia, composta, attenta, hai capacità d'analisi e di critica che apprezzo e che senz'altro ti torneranno utili all'università, ti condurranno verso qualche professione di rilievo, di responsabilità. Ma non possiedi doti creative».

Il suo tono era neutro. La sua era una semplice constatazione: non malvagia, obiettiva. «Mi dispiace, ma le tue composizioni sono molto mediocri, mancano del tutto di originalità. O risultano grigie e piatte come quella intitolata *Un platano*, dove hai provato a scopiazzare Ungaretti, oppure gridate, eccessive, prive di igiene ed efficacia lessicale, come quella melensa poesia d'amore. Non dici nulla, Elisa, in quei fogli. È solo narcisismo inutile buttato lì. Mentre nei temi in forma di saggio sai eccellere.» Ora sorrise, comprensiva, forse accennò persino a una carezza sulla spalla. «Io non sono una che illude, lo sai, sono una che tempra. Metti da parte le tue velleità letterarie e concentrati sulla maturità.»

Troia.

Brutta zitella frigida.

Non ti scopa nessuno, a te, si vede.

Schifosa. Frustrata.

Crepa.

Una catena d'insulti sessisti, i più violenti che potessi concepire, detonò senza che io potessi farci nulla, in silenzio, nella mia testa. Lo capisco ora: ero già invischiata in pieno nel rancore per quella tradizione di ruoli gregari, umiliazioni e sogni infranti che finisce per armarci le une contro le altre con ferocia. Ogni sillaba rintoccò come una campana a morto nel mio cuore, mentre io, in apparenza, ero ancora viva, e annuivo mansueta, di buon grado. Deglutii, respirai, ripresi in mano la mia cartelletta. Salutai la Marchi con educazione: «Arrivederci, professoressa».

Piazza Marina si svuotò di studenti e io ero ancora lì, come un palo, centrata in pieno da una bomba atomica. Avvertivo le mie cellule disintegrarsi a una a una, fin dentro il nucleo.

Quando fui sicura che non ci fosse più nessuno, salii sul Quartz e piansi come non avevo pianto mai. Poi misi in moto e, rischiando la vita sulla Provinciale, senza casco e senza vedere niente a forza di lacrime, guidai fino a Beatrice.

Mi piazzai di fronte a Donna Vintage e attesi.

Tempo cinque minuti, lei mi vide e si spaventò. Dovevo essere diventata nera di mascara, gli occhi gonfi come palloni. Chiese il permesso alla titolare, sollevò l'indice come a dire: Solo un minuto.

Corse fuori preoccupata: «Tuo fratello, tuo padre? Sono morti?».

«*Io* sono morta!» gridai, scoppiando di nuovo a piangere.

Beatrice cambiò subito faccia: «Tu sei viva, cretina, e io devo lavorare». Delusa e scocciata: «Se devi dirmi qualcosa, aspetta le sei».

Tornò subito dentro, scusandosi molto con la principale. Riprese a mettere a posto i maglioni. Se avessi avuto qualche soldo, sarei entrata a comprarmi un reggiseno o una canotta per il puro gusto di sapere come se la cavava a servire. Ma avevo solo cinque euro e, nonostante tutto, fame. Entrai al Nespolo, chiesi di scaldarmi un toast. Mi buttai su un tavolo e ci rimasi, la testa tra le mani, finché Beatrice, finito il turno, venne a sedersi di fronte a me.

«Non siamo più amiche» mi rimproverò, «non puoi venire a cercarmi solo perché sei in crisi. Vai da una psicologa piuttosto.»

«È da un mese che ti seguo in motorino.»

«Lo so. Credevi che non me ne fossi accorta?»

«Certo, cosa può mai sfuggire a te, l'onnipotente?»

Si alzò, ordinò due Negroni, tornò al tavolo coi bicchieri traboccanti di alcol e ghiaccio. Me ne allungò uno: «Allora, questa tragedia?».

«La Marchi ha detto che le mie poesie fanno schifo. Non ho alcun talento per la scrittura, sono finita, uno zero.»

«La Marchi deve trovarsi qualcuno che la scopi, lo sanno tutti. E poi, serve a qualcosa il talento?» Bevve, accavallò le gambe. Gli avventori del bar la guardavano, la fissavano, bisbigliavano di lei. «Questi tailleur qua, guarda come fanno figura.» Si tastò il bavero della giacca, saggiò la stoffa. «Sono usati, non valgono niente, al negozio me li prestano: io li metto un giorno, ci faccio le foto, poi li restituisco. È questo che serve: sbattersi, adattarsi, tirare fuori i coglioni. Segnatelo da qualche parte in quel tuo diario del cavolo, che ho cominciato vendendo roba usata. Forse ti tornerà utile, un giorno.»

Hai sempre avuto ragione.

«E sai quanti sono i visitatori unici al mio blog, adesso?» Distinsi un bagliore nei suoi occhi, un fuoco verde. «Tremila cinquecento sessantadue. Quasi *quattromila*, Elisa!»

Presi il Negroni, lo finii d'un fiato, rischiai di vomitare. Mi trattenni. «Questa cosa che io sono una fallita e tu macini solo grandi risultati non mi aiuta, Bea, devo dirtelo.»

Lei strinse gli occhi a fessura: «Mi hai fatto incazzare, quest'estate, non sai quanto».

«Riesci a perdonarmi?»

«Non penso.»

«Ho bisogno di te, Bea. Che ricominciamo tutto da capo.»

«Da capo? Va bene. Allora esci, il Negroni te lo pago io. Ma tieni acceso il cellulare.»

Mi costrinse ad alzarmi. Prima di andare alla cassa, mi accompagnò fuori. Io tornai al motorino senza capire. Poco dopo mi squillò il telefono, sullo schermo lampeggiava il suo nome.

Risposi: «Che stronzata è?».

«Ci vieni in centro con me domani? È sabato e non lavoro.»

Mi venne da ridere: «Come l'ultima volta, che poi siamo finite a Marina di S a rubare dei jeans?».

«No, questa volta dico sul serio.»

«E cosa ci andiamo a fare in centro, io e te?»

«Le vasche, no? Come tutte le ragazze normali.»

Mise giù. Mi voltai e Beatrice era uscita dal bar. Fu più forte di me: le andai incontro, attratta irresistibilmente, indifesa. Lei sorrideva: come le piaceva vincere.

Ci gettammo una dentro l'altra, così forte che riesco ancora a sentirmi addosso le sue braccia.

23
Le regine del mondo

Mancano ancora un paio di episodi su cui vale la pena riflettere.

Poi, cara Elisa, ti tocca: dire addio al Pascoli, alla finestra con dentro il mare, al girovagare pazzo in motorino, la prigione da cui smaniavi di fuggire, e invece. Lo ha già scritto la Morante: "Quella, che tu credevi un piccolo punto della terra, fu tutto".

«Leggete *L'isola di Arturo*» ripeto sempre alle ragazzine. «Il futuro procede per sottrazioni; non aumenta nulla, solo la nostalgia.» Loro, lo vedo, sogghignano, non mi credono. Penseranno: "Senti 'sta sfigata" come io lo pensavo della Marchi, "parla così perché non ha combinato granché nella vita". In effetti, da quando ho cominciato a buttare giù queste pagine, ogni volta che mi incrocio allo specchio vedo la mia vecchia prof d'italiano, latino e greco. Senza accorgermene, ho pure scelto i suoi stessi occhiali da lettura quadrati con la montatura verde.

Però non è vero che non ho combinato granché.

Trovo folle che per risultare degni di stima occorra guadagnare milioni, indossare mutande firmate e passare le giornate a fotografarsi. Io accumulo sul frigorifero pile di multe. Non so parcheggiare e, per quanto sia ligia alle regole, non mi si può chiedere di rispettare ogni divieto di sosta: sono troppi. I miei capelli avrebbero bisogno di una rinfrescata, ma chi ha tempo per il parrucchiere? Ho una lavatrice da svuotare, tre da caricare. Mi alzo ogni mattina alle sei nei giorni feriali per sbrigare il grosso in casa e presentarmi al lavoro. Mi sbatto. Finisco di lavorare e corro a fare la spesa. Attraverso mezza città in macchina oltre i limiti di velocità, quattro giorni su sette per arrivare puntuale agli allenamenti e alla partita. Smaltisco le mail sul telefono sotto un lampione, cosa che odio. Mi annoio. Chiamo mia madre e mio padre e ascolto le loro lamentele: sono invecchiati, lui ha il diabete, lei la depressione, e io, sotto il profilo della responsabilità, è come se fossi figlia unica. Giusto mezz'ora trovo per me: per entrare in libreria, la mia preferita, un attimo prima che chiuda; quella che fa angolo alla fine di via Saragozza, e il libraio non è niente male. Ma io non gli ho mai chiesto consigli, anzi: scelgo a fiuto un nuovo romanzo. Poi, sulle tribune, amo diventare un cowboy di Philipp Meyer, un orfano in fuga di Richard Ford, mentre tutti intorno a me gridano o smanettano sui cellulari, girare le pagine, accarezzarle, senza sentirmi una snob per questo. Difendo il mio sacro diritto a sedermi sugli spalti del campetto di viale Fancelli e, anziché sbracciarmi come gli altri, leggere in pace.

Il mio presente è un casino e non brilla. Non m'invitano ai party, non frequento circoli. Dopo cena è raro che abbia le forze per qualcosa di diverso dallo sparecchiare e morire sul divano – tranne in questo periodo, perché sto scrivendo. Però, ritengo la mia vita *dignitosa*.

Di più, la considero il meglio che potessi costruire dopo quel che mi accadrà tra due capitoli.

Una parte di me vorrebbe morire prima, e non uscire mai dall'adolescenza. Ero così convinta che quando sarei andata a vivere da sola, e avrei studiato quel che mi pareva, in una città degna di questo nome, avrei risolto tutto. Ebbene, crescere è una fregatura.

È lunedì, guardo l'orologio: ho solo un paio d'ore. Allora dimentico l'Elisa attuale, il suo timido velo di rossetto rosa, i due di numero capelli bianchi sulla tempia sinistra. Prima che arrivino le sette e mezza voglio indugiare un altro po' insieme alla vecchia Eli, alla Bea non ancora famosa, laggiù, in quell'ultimo scampolo di felicità del 2004.

*

L'appuntamento era alle tre al faro, in piazza A.

Qui non la menzionerò: è troppo famosa, e tutti capirebbero all'istante quale città è T, se srotolassi per intero il suo nome. Pure, che si tratta di una terrazza a picco sul mare, edificata sulle rocce, con le panchine di pietra spruzzate dalle onde nei giorni di vento e l'arcipelago lì davanti, che se allunghi la mano ti sembra quasi di toccarle: il Giglio, Capraia, l'Elba; questo lo devo scrivere, altrimenti non si comprenderebbe perché gli adolescenti di T andassero in massa a fidanzarsi là.

Lo aveva stabilito Bea, il luogo, per dimostrarmi che faceva sul serio. In quattro anni di amicizia non mi aveva mai portata in centro, mai esibita. A scuola era un conto: ci andavano quattro gatti, al classico, e tutti mediamente sfigati. Ma di fronte alla cittadinanza vera: i maschi belli dell'Itis, le ragazze di vent'anni che andavano già all'università e tornavano per il fine settimana, le vecchie conoscenti di sua madre con lo smalto impeccabile e la messa in piega, passeggiare tirandosi appresso Biella poteva risultare controproducente.

Il fatto che avessi guadagnato qualche centimetro in più e la terza di reggiseno mi aveva migliorato la vita, ma non salvata. L'onta di essere diversa, introversa, la sola frequentatrice della libreria L'Incontro sotto i sessant'anni, non particolarmente simpatica né bella né niente, me la portavo scritta in faccia. E temo che non me ne libererò mai.

Così, se vogliamo proprio analizzare questa storia fino in fondo, anche Lorenzo che mi giurava amore eterno in macchina, sui sedili posteriori della Golf arenata in mezzo ai girasoli, alle cicale, senza altro testimone fuorché la Natura, in corso Italia mica mi ci portava. Dalle panchine di piazza A, dove si decidevano i matrimoni, mi teneva alla larga. Agli amici e ai parenti non mi aveva presentata: ero una da nascondere.

Ma – e bisognerà ricordarlo quando verrà il momento – Bea ha sempre avuto più fegato di Lorenzo. Quindi, il 20 novembre 2004, aveva stabilito il nostro trionfale ingresso in società, e io ero così emozionata mentre l'aspettavo in anticipo di un quarto d'ora, seduta sull'unica panchina libera da coppie intente a pomiciare: degna, finalmente, di esistere sotto il sole. Che poi era ben pallido, quel sabato, perché tirava uno scirocco tremendo. I contorni dell'Elba, confusi nell'umidità, non si riconoscevano quasi. Le mura della città vecchia, le chiese e i palazzi emergevano appena come bassorilievi sotto un cielo bianco e grave. L'aria sapeva di sale. I capelli della gente, le giacche, i giornali, le buste di plastica volavano gonfiandosi e increspandosi. Contro questo paesaggio incolore e vagamente apocalittico, alle 15 in punto si stagliò Bea.

Saettante come l'Apollo dei poemi, riconoscibile da un chilometro, il punto di fuga verso cui confluivano, magnetizzati, tutti gli sguardi.

Sia chiaro: pure lei continuava a non essere amata. Lo avrebbe voluto disperatamente quanto me, ma sembrava più antipatica e spocchiosa di quanto non fosse, e in aggiunta si vestiva in un modo… Tra me e lei restava tuttavia una differenza: che lei si vedeva e io no. Bea si materializzava in un luogo e ne modificava la temperatura. Io volevo solo essere diversa da quel che ero, mentre lei era l'abbaglio che tutte le ragazze del mondo eccetto me, già allora, avrebbero desiderato ostentare.

Quale abbaglio? Sbrigativamente mi verrebbe da dire: piacere, irradiare bellezza. Ma Bea non ha mai mietuto consensi, anzi: ha sempre diviso. Era bella come potrebbero esserlo in tante, coprendo i brufoli e con qualche ritocco. Ma dove risiedeva davvero il suo potere? Perché è di questo che stiamo parlando: del fatto che a lei non fregava nulla del giudizio degli altri, che teneva tutti per le palle, che incuriosiva e attraeva perché conteneva un irresolubile enigma.

Ho scritto poco fa: "tutte le ragazze del mondo eccetto me".

Sollevo la testa dal computer e mi chiedo se sono stata sincera.

Mi rivedo quel giorno: bassina, il cappuccio tirato sopra la testa, la felpa su cui mi ero stirata un termoadesivo con la falce e il martello, le Gazelle ai piedi, i jeans larghi perché, anche se il mio sedere non era male, mi vergognavo a mostrarlo. Pure delle tette mi vergognavo. Mi sentivo in colpa ad avercele. Temevo che mi avrebbero liquidata come una poco di buono se fossi andata in giro scollata. Avevo paura: di qualunque sguardo potesse posarsi su di me e fraintendermi. Allora mi rincantucciavo sulla panchina, rintanandomi sempre più nel giaccone di mio fratello, per farmi piccola, invisibile, mentre quell'altra, figuriamoci, ingigantiva a ogni passo. Monumentale.

Beatrice sfilava verso di me paralizzando la piazza, come se avesse un riflettore puntato contro, file di telecamere da far saltare in aria. Dio, com'era conciata: con una minigonna di pelle, giuro, che le copriva l'inguine e basta, una camicetta di seta nera mezza trasparente, mezza sbottonata, che si vedeva mezzo reggiseno, una palandrana color cammello lunga fino ai piedi, naturalmente aperta, e un cappello a tesa larga da cui spioveva una chioma favolosa, biondo platino, coraggiosamente piastrata in spregio all'umidità.

Sembrava uscita da uno spaghetti western, o da "Playboy", o dalla festa di Carnevale della scuola. In fondo, si vestiva già come adesso. Ma stiamo parlando di T, trentacinquemila abitanti, quindici anni fa. I pensionati del bar La vecchia marina posarono i mazzi di carte e si voltarono esterrefatti, incapaci di proferire aggettivo.

«Hai esagerato» le dissi appena mi si sedette accanto.

«A te invece, al prossimo compleanno, ti regalo un'armatura.»

«Ah, ah» feci finta di ridere.

In effetti, ci aveva provato a prestarmi dei vestiti, a nobilitarmi. Ma poi non aveva insistito più: io restavo una causa persa e, d'altra parte, in quelle condizioni, la facevo risaltare.

Indossava questo paio di stivali di vernice con il tacco a spillo, e se li ammirava compiaciuta: «Il mio primo stipendio, Eli, guarda come l'ho investito bene».

Erano strepitosi. Li osservai persino io con un certo appetito, subito castrato. Non avrei saputo camminarci, sarei apparsa ridicola con quei cosi, ma il punto era un altro: la colpa. Non ci vedevo un simbolo, ma una merce. Il tempo perduto di persone sfruttate, la loro fatica sottopagata, il Capitale, cioè il male, la menzogna per cui devi volere sempre di più, solo di più, e non impari mai a perdere. Come se non bastasse, quei tacchi allusivi mi ribadivano la subordinazione delle donne al desiderio maschile, la schiavitù millenaria di metà della popolazione mondiale.

Sono sempre stata pesante, lo so. Ma anche il mondo lo è.

«Sei mezza nuda» la rimproverai, «com'è possibile che tu non stia gelando?»

«Il freddo è uno stato mentale.» Beatrice si alzò e si guardò intorno con aria di sfida. «Facciamo vedere a questa città chi cazzo siamo.»

C'incamminammo, lei sovietica e io mogia. Lei mettendo una gamba affusolata davanti all'altra, convinta, e io perplessa invece, gli occhi bassi, le orecchie tese a captare risatine. L'adrenalina mi era già passata, era subentrato il pentimento, la convinzione che avrei fatto meglio a restare nascosta. Là tra i negozi, nella ressa dei coetanei, era come trovarsi nel folto di un bosco, di notte, in mezzo ai lupi. I ragazzi dello scientifico erano alti come Lorenzo, la barba appena accennata, i jeans sotto al culo come esigeva la moda. Io li sbirciavo, non osavo nulla di più per timore di essere riconosciuta e derisa. Solo adesso mi rendo conto: ero io quella che avrebbe desiderato piacere, ai maschi soprattutto, quindi si castigava e si vestiva da maschio. A Bea premeva solo scatenare reazioni, affondare le altre ragazze una dopo l'altra a colpi di tendenze, di *presenza*. Perché lei era in guerra, sempre e ovunque. E l'epica della sua anima venne fuori tutta, quel pomeriggio.

Provo a sedermi, sola con la mia memoria. Come l'unica spettatrice in un cinema vuoto, riavvolgo la pellicola di noi due che risaliamo corso Italia. Siamo solo due ragazzine, una travestita da diva e l'altra da tapina. Ci teniamo per mano, sbilanciate. Lei scalpita in avanti, io indietro. E non riesco a soffocare un moto di tenerezza, straziante e materno, per quelle due. Dove credete di andare?, vorrei chiedere loro. Avvertirle: non passateci davanti alla friggitoria, si ammassano solo stronzi, là. Nessuno ci avrebbe dato una lira, nemmeno a Bea: bella quanto si vuole, ma così orfana; e provinciale.

Avanzavamo in bilico sui sampietrini, come al fronte. Bea mi stringeva la mano più forte in prossimità della sala giochi – l'ultima ancora in piedi in Europa –, della gelateria Top One ribattezzata "Il topone", delle panchine dove sedeva chi contava davvero: le belle e i belli. Anche lei le avvertiva: le occhiate, le frecciate. Solo che io sarei voluta fuggire e lei si eccitava. Era la prova del fuoco: non una foto da esporre ai commenti sul blog, ma la vita vera, gli sputi in faccia, le adolescenti di T che mica te lo mandavano a dire, che facevi schifo, te lo strillavano davanti a tutti.

Arrivammo alla friggitoria e si scatenarono.

«Hai il culo basso, Barbie, è inutile che sculetti.»

«Oh, bellissimo il cappello. Ma le mucche dove le hai lasciate?»

«Ciao, Brufolo Bill!»

Tenevano tra le mani cartocci bisunti di patatine, di pizzette, e attaccavano perlopiù lei, forse esitando a sparare sulla croce rossa. Ma qualcuno lo scrupolo non se lo poneva e sparava lo stesso: «La nana comunista dove l'hai presa? A Bergamo, a Brescia?».

«La polentona, vuoi dire?»

«Pelo rosso, sì.»

«Poveraccia, Lorenzo il Magnifico la cornifica con tutta Bologna.»

Io giù a soffrire, a incassare mazzate in apnea, cuore e saliva bloccati, l'incapacità assoluta di deglutire. Erano crudeli. A distanza di tempo provo a mettermi nei loro panni: la vita in provincia era dura, senza ambizioni, senza sogni. Sapevano già a diciott'anni, le stronze, che sarebbero rimaste là per sempre a invecchiare dentro matrimoni sbagliati, col lavoro precario, i soldi contati, i vestiti che stingono dopo tre lavatrici; e i parenti di sopra che ficcano il naso, tutti che sparlano e giudicano, ma cosa ne sanno? A cucinare ogni sera coi bambini che frignano, la noia mortale, i litigi, i quiz in televisione, e mai il sollievo di un imprevisto che ti prende e ti porta via. Capisco perché punivano chi, come me e Bea, credeva di potersi permettere un destino migliore.

«Chi cazzo vi pensate di essere?» ci gridarono quel giorno in piazza Gramsci. «Cosa siete venute a fare qua, la sfilata? Non vi caca nessuno, scimmie, tornate al circo.»

Mentre io morivo, Bea si divertiva. «Gli farò mangiare le mani, vedrai» sussurrò strizzandomi l'occhio una volta superato il vortice di Scilla e Cariddi: quel buco puzzolente dove si diceva friggessero nell'olio esausto dei motori. «Quando correranno in edicola a leggersi le mie interviste, quando accenderanno la tv e mi vedranno inquadrata a tutto schermo, *quando staranno tutto il giorno a fare la posta al mio blog*, ah, Eli, che soddisfazione!»

Ci godeva già allora, in anticipo di anni, con quel cappotto di terza mano che le svolazzava ai lati tipo mantello. Si è sempre sentita famosa, Bea, anche quando non era nessuno. Perché aveva quei quasi quattromila seguaci nell'iperuranio, e una smania di radere al suolo T, di vendicarsi di tutto, di non so bene che cosa.

«E io, Bea?» Mi fermai e glielo chiesi espressamente. «Io che ruolo avrò, quando tu sarai in televisione?»

Si fermò anche lei. Interruppe la passerella e mi considerò con tanta serietà da farmi sentire importante.

«Tu sarai la mia manager, Elisa. È una responsabilità che non affiderei a nessun altro. Ti occuperai di ogni aspetto: soldi, comunicazione, gestirai la mia immagine, la inventeremo insieme. E poi, è una promessa: avrai il tempo per scrivere poesie, romanzi. Sarai la mia manager scrittrice: una cosa che non si sarà mai vista.»

Le credetti. Lei scandì questa promessa, che era più di una proposta di matrimonio, più di una dichiarazione d'amore, e io ne fui certa.

«Ti coprirò di soldi» si entusiasmò, «saremo così ricche che torneremo a T in Ferrari e andremo a sederci là.» Indicò un tavolino del bar Corallo, il più chic del corso, con gli occhi che leggevano il futuro. Le scintillava lo sguardo, la voce, mentre ci descriveva: «Vestite Versace dalla testa ai piedi, con le borse di Prada, ordineremo Cristal e ce lo faremo aprire con la sciabola. Poi» mimò il gesto di portarsi alle labbra una flûte «lo berremo davanti a tutti, e tutti ci scatteranno foto, invocheranno il nostro nome, creperanno d'invidia, e io e te saremo *le regine del mondo*».

Me lo giurò in fila alla gelateria, prima che io ordinassi un cono pistacchio e crema e lei una bottiglietta d'acqua. Non mi ci vedevo su una Ferrari, e tantomeno a sciabolare Cristal, però questi erano dettagli: io volevo solo restare nella sua vita per sempre.

Più di una sorella, di un marito, più di sua madre.

Diventare la fonte segreta della sua luce, il suo specchio magico.

Avevo appena assaggiato la crema, quando Bea bevve un sorso d'acqua, riavvitò il tappo, mi fissò come se fino a quel momento avessimo scherzato: «Adesso» concluse, «andiamo a fare due foto».

*

Mi trascinò in mansarda. La vita col suo vociare confuso, le spallate, le zaffate di profumo da quattro soldi, l'aveva già stufata. Poteva archiviare il discorso e tornare a quel che la faceva sentire bene: imbalsamare se stessa. Ce ne andammo in fretta e in centro non tornammo mai più.

Entrammo in casa sua. Bea lasciò cadere a terra la borsa, lanciò i tacchi per aria, si sfilò la camicia, si piazzò davanti alla finestra a controllare la qualità della luce, che era poca: si stava facendo sera, il sole era bianco e annegava nell'umidità.

«Perché ti sei spogliata?» le chiesi.

Era freddo là dentro. Altro che stato mentale: non avevano i termosifoni, solo una stufa che però era spenta. Bea sistemò le tende tirandole agli angoli. «Non sai da quanto ho in mente questo scatto.»

Sparì nella camera matrimoniale, riemerse con la Contax in braccio. «No» sospirai, «ti prego.» Quando se l'era portata via durante il trasloco, io ne ero stata ben felice: non la volevo più vedere, più saperne di fotografie. Ritrovarmela fra le mani quel giorno mi fece ripiombare da futura manager alla solita mansione: gregaria, accessoria. Tornai l'attrezzista.

Mentre Bea si aggiustava il trucco, feci in tempo a guardarmi intorno. Gabriele non c'era: si stava ammazzando di straordinari, sabati e domeniche compresi, per pagare il Wi-Fi alla fidanzata. La cucina e quella specie di salottino in cui ci trovavamo erano ridotti a un bordello: un perizoma penzolante da un bracciolo, pentole sporche impilate sui fornelli, due dita di polvere, un libro di scuola e un preservativo usato sul pavimento. Peggio del letto di mio fratello con le stesse lenzuola da sei mesi. Bea ignorò il mio sguardo scandalizzato, si limitò a fare ordine nella porzione di stanza che intendeva inquadrare.

Si sganciò il reggiseno.

«Ma che fai?»

Mi rispose con sufficienza: «Non vedi? Una foto in topless».

«Sei fuori di testa.»

«Tu una beghina.»

«Come ti giudicheranno? Cosa penseranno di te in topless su Internet, che ti vedono tutti e manco ti conoscono! Diranno che sei una puttana.»

«Sai cosa me ne frega» sorrise, con magistrale strafottenza.

«Non puoi far vedere le tette.» Mi arrabbiai, posai la Contax sul tavolo. «Mi rifiuto, io 'sta foto non te la faccio.»

Allora Bea si spazientì e venne vicino a me: «Ehi, io non ocheggio al Bagaglino, che ti credi? Sono *fine*. E non voglio fare sesso a nessuno, voglio fare i soldi. I capezzoli si devono solo intravedere. Ce l'ho già in mente: bianco e nero, sfocatura, leggermente sovraesposta. Voglio fare un'icona di me stessa».

«Ti giudicheranno comunque, e male.»

«Oh, con 'sta storia dei giudizi, Eli, basta! Sempre lì a pensare agli altri. Ma chi sono questi altri? Te lo sei mai chiesta?»

Rimasi zitta.

«Tu pensi che siano tutti felici, amati, filosofi pieni di cultura con famiglie favolose? Pensi veramente che stiano meglio di te?»

Mio malgrado sussurrai: «No».

«Stiamo tutti male, Eli, *tutti*, allo stesso modo.» Allargò le braccia, si mise a ridere. «Diranno che sono scema? Pace. Troia? E lasciaglielo dire. Se gli fa comodo, che male c'è? Hanno paura della mia libertà, me la invidiano, questa è la verità. Penseranno che spacco, che sono qualcuno, che ho una vita folle per il solo fatto che la racconto con gli effetti speciali come l'11 settembre. Io mi metto in luce, guardatemi!» I suoi occhi presero fuoco. «Sono qui, sono nuda. Chissà, forse ho appena scopato, forse ho solo letto un libro. Chi sono?» Sorrise. «È a questo che servono, le mie tette. All'immaginazione. A suggerire una vita che non esiste ma che tutti vogliono.» Si voltò, aggiustò la tenda sfuggita al gancio. «Quindi» si raccomandò, «le devi sfocare il più possibile.»

Io la vedevo, nitida e chiara, la sua infelicità. In quel momento compresi che l'avrei sempre aiutata a celarla, e che tutto quel che Beatrice avrebbe fatto nella vita sarebbe stato, in fondo, confondere le acque. Restare al sicuro dietro la percezione degli altri. Rendersi inconoscibile.

Le chiesi: «Ha senso?».

Mi rispose: «Perché qualcuno dovrebbe conoscere la realtà? Nessuno la merita, eccetto te».

*

Sono le sette e mezza: devo andare. Non c'è nulla di peggio d'interrompere un ricordo estratto con fatica dalla rimozione, ma chiudo Word e mi affaccio alla finestra: è buio pesto, piove. Immagino il traffico che troverò sui viali. Infilo l'impermeabile, le scarpe, afferro in fretta le chiavi della macchina che è sempre la Peugeot 206 diesel che mi regalò mio padre nel 2005, per andare e tornare da Bologna più spesso, perché città e provincia sono così mal collegate.

Mi butto sul sedile e guido. I tergicristalli stridono sui vetri, freno ogni cinque minuti. Accendo l'autoradio per distrarmi, ma parte a volume esagerato il solito CD di Sfera Ebbasta che parla di soldi, di Gucci, di canne e, anche se il ragazzo mi è simpatico, vorrei spiegargli un paio di concetti di Marx e di Gramsci.

Squilla il cellulare, lo estraggo subito dalla borsa in allarme. Poi vedo che è Rosanna. Abbasso Sfera e le rispondo: «Pronto?».

«Elisa» esordisce, «te lo sei ricordata che oggi toccava a te, vero?»

«Per chi mi ha presa? Sto arrivando, anzi, sono praticamente già qui» mento. «Goditi il tuo aperitivo.»

Lei ride. «Comunque, a buon rendere il favore. Anche tu meriti di uscire una sera ogni tanto.»

La rassicuro: «Tranquilla, non mi ricordo neanche più come si fa».

Il traffico è fermo. Sfera canta: "Noi veniamo fuori dal niente / Facciamo i soldi dal niente e dovunque". Non riesco a togliermelo dalla testa quel pomeriggio con Bea in mansarda. Ci aveva visto lungo, lei, mentre io a diciott'anni ero già decrepita. Mi proclamavo tanto femminista ma poi, se vedevo un'altra ragazza con le tette di fuori, mi veniva il nervoso e la giudicavo subito male. Ero io quella che si annullava per Lorenzo, che s'infagottava e si frustrava e si puniva perché non sapeva come gestirlo, come perdonarlo, il mistero di essere una femmina.

«'Fanculo» inveisco. Il semaforo diventa verde, affondo sull'acceleratore, rischio di tamponare la Citroën davanti. Perché aveva ragione Bea, su *tutto* no, ma sulle tette sì. E quella foto uscì così bella che divenne immortale.

Restammo ad ammirarla in silenzio sullo schermo del computer per dieci minuti buoni e io arrivai a chiederle se non fosse il caso di seppellirla in una cartella con la password, di criptarla, oppure stamparla e nasconderla in una cassaforte, dimenticarne la combinazione.

«Tu sei matta» mi rispose. «La pubblichiamo eccome, la facciamo fruttare.»

Ridemmo di ogni singolo insulto medievale apparso sotto quella foto e ci sentimmo, a braccia conserte al di qua dello schermo, più forti del mondo. Perché gli sconosciuti riversavano le viscere sulle tette di Bea e i contatori impazzivano salendo alla velocità del suono, il web intero correva da noi, Bea diventava Beatrice e io anche, cambiavo.

Dopo quel pomeriggio cominciai a scegliere pantaloni della mia taglia, magliette meno accollate. M'imposi di non trascinarmi dietro il mio corpo come una condanna, ma di considerarlo per quello che era: un aspetto, non principale, non secondario, del mio linguaggio.

Riconosco i fasci di luce bianca dei riflettori stagliarsi sopra i tetti, contro la notte; ci sono. Non perdo tempo, parcheggio come mi viene: in divieto di sosta, chiudo la portiera e corro senza ombrello sull'asfalto bagnato. Penso: Quante immagini sul web emanano un bagliore e si distruggono senza trasformarsi nemmeno in cenere? Quante illusioni si dissolvono, dal niente al niente? Invece quella foto in topless è rimasta: è tuttora una delle prime che compaiono digitando il cognome Rossetti sui motori di ricerca. Tre milioni e cinquecentomila risultati, e quello scatto è lì, con le sue tende ingiallite di fumo, il pavimento schifoso, la stufa arrugginita, e mi viene quasi da sorridere con orgoglio perché l'ho scattata io, mica Alfred Eisenstaedt.

A dire il vero, Bea provò a farla sparire insieme all'intero blog quando cominciò a diventare famosa. Ma quell'immagine – misteri della Rete – non volle cancellarsi. Fu ripresa da mille giornali e se ne parla ancora oggi. La Rossetti non è tipo da spogliarsi, credo che quella sia la foto in cui le sue tette si vedono meglio. Ma non è questo: è che quel bianco e nero è così *reale*. S'intuisce, sullo sfondo, una stanza che non è la solita suite di lusso, ma un luogo di commovente modestia. Ed è visibile *lei*, bella come il sole, ma non ancora ridotta, semplificata, irrigidita in maschera. È Bea, l'anomalia della sua esistenza sfuggita al controllo. È la mia amica triste, arrabbiata, opaca, con gli orecchini della bancarella, i vestiti presi in prestito.

È ancora una persona viva.

*

Arrivo, ho i capelli fradici. Il presidente ciondola all'ingresso, sembra aspettare proprio me perché appena mi vede, dice: «Signora, le devo parlare».

Io però non ho voglia, non oggi. Scappo: «Volentieri, la prossima volta. Ho una telefonata urgente, mi scusi».

La pioggia aumenta, ma sul campo ridotto a un pantano continuano a correre. Prevedo una lavatrice in più e probabili bronchiti il giorno di Natale. Raggiungo gli spalti, individuo una postazione isolata, al riparo dal tifo. Nessuno mi saluta, ci sono abituata. Non ho ancora imparato a farmi accettare, né smesso di avere paura: degli altri genitori, soprattutto. D'altra parte, non m'importa nulla del calcio e non ho mai capito cosa sia un fuori gioco.

Cerco con gli occhi Valentino. Lui si è fermato in mezzo al campo e mi sta cercando a sua volta. Lo ricorda sempre quando tocca a me anziché a Rosanna, la mamma di Michele, venirli a prendere. Ci scambiamo un cenno di saluto, che è il solito sorriso sbrigativo. Niente smancerie, niente effusioni: per carità.

Io lo so cosa pensa: Mamma non si rende conto di quanto sono bravo a calcio. In effetti è così: m'interessa molto di più che vada bene a scuola, che impari a ragionare con la propria testa. Se poi dovesse proprio finire in serie A, me ne farò una ragione. Ma spero che non accada.

Mi riparo sotto la tettoia e comincio *La vita bugiarda degli adulti* di Elena Ferrante. Questi sono gli unici momenti che ho per leggere quello che mi pare. Ogni tanto alzo la testa, però, e lo guardo. Lui ci tiene, forse vorrebbe qui un padre a dargli indicazioni, incitarlo, motivarlo. Invece ci sono io.

In silenzio gli dico: Poteva andarti peggio. Una come tua nonna, come madre, ti assicuro che ammazza. Valentino finisce di scartare l'avversario, tira in porta, non è gol. Mi guarda di nuovo e allarga le braccia: è sereno. L'unica cosa che credo di avergli insegnato è a perdere. Gino, l'allenatore, non fa che ripetermi quanto il suo talento vada coltivato – penso che anche il presidente poco fa intendesse ribadirmi il futuro promettente che io non sto aiutando. Ogni volta, ribatto che tre allenamenti e una partita a settimana sono troppi, che io sono una madre lavoratrice, e mi tocca tentare incastri funambolici con le altre madri per venirli a prendere a queste ore infami d'inverno, che mica si possono far tornare coi mezzi pubblici da soli, alle otto e mezza, alle nove di sera. O siamo noi troppo apprensive? Cosa vogliono dire, i dodici anni? Sono ancora infanzia, o già adolescenza?

«Ma i nonni non ce li hai, 'sto ragazzo? Altri parenti?» mi aveva chiesto una volta Gino, e io mi sono arrabbiata: «Ha me, e vi dovete accontentare».

Mancano dieci minuti alla fine, sospendo la mia vita e me ne vado a Napoli insieme alla Ferrante, oltrepasso la soglia delle parole, mi dissolvo dove tutto, anche il dolore, assume un senso. Ma intanto penso: A parte Rosanna e un paio di altre, non ci invitano mai ai compleanni. Eppure Vale è così socievole. Forse sto compiendo gli stessi errori di mia madre. Forse sono io, adesso, la mamma che tutte evitano.

L'allenamento finisce, resto sugli spalti a leggere un altro po'. È abbastanza grande da farsi la doccia da solo ormai, rivestirsi e rifarsi il borsone. Quando mi viene incontro insieme a Michele, profumato di shampoo e coi capelli ancora mezzi bagnati, sento l'istinto forte di abbracciarlo, di dirgli che se non si asciuga meglio gli verrà l'otite. Ma mi trattengo. Non ha più l'età per lasciarsi abbracciare, tanto più davanti al suo amico.

Saliamo in macchina, accompagniamo Michele a casa. Quei due accendono subito Sfera e confabulano fitto tra loro. Quando si congedano, incrociano le braccia, si battono i pugni sul petto, tutta una trafila al posto di un saluto, che io non capisco perché ai miei tempi non usava.

Rimasti soli, Valentino mi chiede cosa c'è per cena.

«Boh» rispondo. Il frigo è vuoto, la scrittura mi ha inghiottita al punto che ho dimenticato di fare la spesa. «Una pizza?»

Lui giubila, mi ricorda me e Niccolò quando potevamo pasteggiare a patatine. Poi si fa pensieroso, traccia con il polpastrello sul vetro appannato geroglifici a me preclusi.

«Ma'» trova il coraggio, «perché non posso venire a Biella con te a Natale?»

«Perché è deciso. Staremo insieme a Capodanno.»

«Che palle» sbuffa e ritenta, «Capodanno lo volevo fare qui coi miei amici, lo sai.»

Certo che lo so: non parla d'altro da un mese.

«Quando sarai più grande.»

«Ma io sono già grande!»

Spengo il motore, l'autoradio, estraggo la chiave dal cruscotto. Sotto la luce gialla dell'abitacolo lo osservo e, forse per la prima volta, realizzo: è cresciuto. Non abbastanza per rimanere a Bologna da solo tre o quattro giorni, ma i suoi lineamenti sono cambiati: hanno perso l'infanzia. Ed è più alto di me di dieci centimetri buoni.

«Il prossimo anno» gli prometto, e mi lascio odiare.

La strada è un torrente, scendiamo e attraversiamo di corsa. C'infiliamo nella pizzeria d'asporto all'angolo di via Fondazza. Ordiniamo. Nell'attesa, io guardo fuori dalla vetrina la città sommersa dal monsone, mentre lui si distanzia e, appoggiato a uno sgabello, estrae il cellulare.

Ero riuscita a proibirglielo fino alla scorsa primavera, ho cercato anche di dissuaderlo dall'uso dei social network, ma lui non vedeva l'ora. Lo spio mentre scivola nello schermo. Vorrei trattenerlo. Lo scruto cadere, assentarsi e non riesco a fare a meno di chiedermi, col cuore in allarme, se persino mio figlio vada a controllare la pagina di Beatrice.

24

La moda funeraria

È l'una e non riesco a dormire. L'approssimarsi del Natale mi mette di cattivo umore, e poi non ho più voglia di scrivere. Solo l'idea di raccontare quel primo anno di università, il più terribile di tutti, e l'alba in cui crollai esausta su un marciapiede di via Canonica sbucciandomi le ginocchia, mi blocca. Non sarò mai in grado di finirla, questa storia.

Perché è la mia.

Sprofondo sul divano, impugno il telecomando e prendo a saltare da un canale all'altro al solo scopo di stordirmi. Inciampo in un documentario sulle piramidi che mi sembra abbastanza soporifero, quindi mi fermo e abbasso il volume per non svegliare Valentino. Dorme beato, lui, nella stanza che fino a un annetto fa era tappezzata di dinosauri, mentre ora ci sono immagini di Sfera Ebbasta che fuma e la locandina di Massimo Pericolo al Baraccano – concerto che gli ho vietato, ma lui fa un po' come me con i manifesti del Babylonia da ragazzina: rattoppa i desideri. Prima di andare a letto, al solito, mi ha consegnato il cellulare. Io l'ho spento e portato in cucina insieme al mio, due armi deposte nella custodia del centrotavola: che almeno la notte sia sacra. Ora sbadiglio, seguo a intermittenza l'edificazione delle tombe senza poterne immaginare la fatica, comincio quasi ad assopirmi quando, all'improvviso, le immagini virano violentemente dall'Egitto alla Toscana. E rivedo Baratti.

I pini marittimi dai tronchi piegati dal vento, i rami tesi in un abbraccio vuoto. Il golfo racchiuso in un semicerchio perfetto, in cui ci saremo tuffate mille volte. Populonia, l'acropoli su cui eravamo salite per tenere in pugno il Tirreno come un antico etrusco di vedetta. Gli scogli di Buca delle Fate, raggiungibili per un intrico di lecci così ripido e fitto che quando ci toccava risalire in pieno agosto, abrase dalla luce e dal sale, avremmo preferito morire. Quei paesaggi mi passano davanti agli occhi e non solo li conosco: appartengo loro. Come a mio fratello, a mio padre, a mia madre. Come a Beatrice.

Mi rimetto a sedere, mio malgrado a ricordare. La gita scolastica, i tumuli, le grotte. Sono le ultime reminiscenze lievi, luminose. Era ancora il 2005 quando, alla fine di luglio, andammo a vedere insieme i risultati di maturità. Ci diplomammo entrambe con cento e lode, le uniche della classe se non della scuola, e ci odiarono tutti a sangue: i tre maschi sparuti che chissà che brutta fine avranno fatto, le vipere delle nostre compagne sempre con le mamme appresso. Bea e io ci abbracciavamo saltando e urlando, glielo sbattevamo proprio in faccia. Tanto, non le avremmo riviste più. Non avevamo nessuno ad accompagnarci, noi, ci bastavamo a vicenda. Eravamo orfane e ci eravamo adottate. Il liceo era finito, *per sempre*: saltammo sui motorini sfilandoci i vestiti e guidammo in bikini fino alle necropoli. Parcheggiammo, ci buttammo subito in mare. La notte ci addormentammo in spiaggia stremate dalla felicità e dall'alcol, ciascuna col proprio fidanzato, al chiuso delle coperte, ma accanto. Libere, finalmente. O così credevamo.

Ormai sono sveglia. Mi dico che, almeno la Vigilia di Natale, potrei concedermi il lusso di dormire fino a tardi. Che, arrivata a questo punto, potrei davvero non aprire più il file intitolato "romanzo". Non sono una scrittrice, io, ho un altro lavoro. Sogni e realtà non coincidono mai perché non possono. Sono tredici anni che rimuovo questa amicizia, la sigillo con gittate di cemento e mi comporto come se non fosse mai esistita. E quel che è morto deve continuare a morire: non ha senso giocare a riesumarlo, illudermi di riportarlo in vita con le parole.

Però il documentario non fa il suo lavoro: anziché sedarmi, mi eccita. Parla del ferro ora, illustra la fiorente attività metallurgica di Populonia nel VII secolo a.C., le massicce estrazioni all'isola d'Elba e come, due millenni dopo, si rese necessario scavare sotto stratificazioni infinite di minerale prima di poter rinvenire le tombe. Riempie lo schermo la celeberrima necropoli di San Cerbone. L'avevamo visitata con la Marchi all'inizio della primavera per allenarci all'elaborazione di una tesina in forma di saggio, in vista della maturità. Sorrido: la mia s'intitolava *Nascita della siderurgia*. Mi ero proprio appassionata ai quartieri industriali dell'antichità, allo sfruttamento delle miniere isolane. E Bea? Su cosa l'aveva scritta, lei? Non ricordo. Anzi, sì: su come gli etruschi usavano ingioiellare i defunti. Che ridere! Rido sul serio, sola nel salotto del mio appartamento in affitto in via Fondazza. Mi tornano in mente certe scene buffe alle prese con quegli *elaborati*, come li definiva la Marchi; che poi bisogna essere proprio matte per interessarsi alla vestizione dei cadaveri.

Smetto di ridere, di colpo, mi si gela il sangue.

Corro in cucina, raggiungo il centrotavola dove sono riposti i cellulari. Riaccendo il mio, mi connetto a Internet, cerco la pagina ufficiale di Beatrice, l'ultima immagine che ha pubblicato: bruni ricci selvaggi sotto un maestoso cappello, leggera inclinazione a sinistra del viso, sorriso socchiuso. Scorro la galleria: tolto il cappello, è identica alla precedente, a una di sei mesi fa, a un'altra di due anni prima. Risalgo fino al 2013: Bea è sempre uguale a se stessa. Come la rosa essiccata nell'armadio. La mia mente si ferma, diventa buia, un cortocircuito, un *clic*, ed ecco nitida nella mia memoria, protetta da una membrana di plastica, la prima pagina della sua ricerca. Il titolo: *La moda funeraria*.

Rivedo me, delusa: «Bea, ma perché?».

Quanti argomenti potevamo scegliere a diciannove anni, in piena fioritura: gli scambi commerciali coi Greci e i Fenici, la religione, la scrittura, gli affreschi, quanta vita si poteva indagare?

«Perché proprio i morti?»

E lei in biblioteca, con lo sguardo spiritato, mi aveva risposto: «Tu lo sai cos'ho scoperto, Eli? Lo sai?».

Il ricordo riemerge come un geyser. Scuoto la testa, non ci credo: come ho potuto non pensarci mai, in tutti questi anni? Un collegamento così semplice: vita, morte. Vado in salotto, spengo il televisore, spalanco la porta della mia camera, accendo l'abat-jour e guardo la scrivania, il computer. Accidenti, mi tocca ricominciare.

*

Doveva essere fine marzo o inizio aprile. Dopo la gita scolastica alle necropoli, Bea venne da me a scrivere la tesina. Per l'occasione, mio padre mise la testa fuori dall'antro cavernoso in cui si era murato, trascinò le ciabatte in cucina e ci sorprese intente a consultare torri di magnifici libri presi in prestito in biblioteca.

«Ma questo è il Mille e Ottocento!» proruppe e cominciò a tossire.

Fumava due pacchetti di sigarette al giorno. Per arginare la vergogna che mi causa il ricordo di lui in pigiama alle sedici e trenta, dirò subito che in quel periodo papà raggiunse la vetta dello struggimento e della consunzione. Si era pure fidanzato con una signora di Catanzaro, Incoronata, che non aveva mai visto, ma passava le notti a chattare con lei come un ragazzino. «Papà» lo avevo ammonito una volta, «non puoi innamorarti di una persona che non conosci.» «Perché?» mi aveva risposto lui inacidito. «Conoscere implica una compresenza dei corpi nello spazio e nel tempo?»

Mi alzavo alle due, alle tre del mattino per andare in bagno e lo sentivo battere sui tasti ridendo da solo. Il fantasma di nonna Regina – così si chiamava, sua madre – lo istigava ancora, credo, a cercare riparazione inseguendo donne imprendibili dalle storie melodrammatiche e dall'apparenza sibillina. Solo di recente credo sia guarito, un po' perché ormai ha sessantasei anni, e un po' perché la signora che da qualche tempo frequenta è sul serio un'attrice, forse la migliore della piccola compagnia amatoriale La brigata dei sogni, e lui può accompagnarla a teatro e sedersi in prima fila ad applaudirla.

Tornando al pomeriggio della tesina, quando papà comparve, Bea lo osservò accigliandosi, immagino chiedendosi come potesse continuare a lasciarsi crescere quella barba che, incanutita, lo faceva assomigliare a Dostoevskij. Tra l'altro – sia detto per inciso – a Incoronata, la fidanzata calabrese, mandava foto di sé di dieci anni prima, le guance belle lisce, e quando lei gli chiedeva di usare la webcam lui trovava sempre una scusa.

«Ragazze, perché state sfogliando quei libri?»

«Perché sono i più importanti saggi sull'Etruria» risposi piccata e, per provare a ricordargli chi era, aggiunsi: «Scritti da professori universitari».

«E Wikipedia? E le centinaia di siti, film, documentari, gallerie fotografiche che potete scaricare? Non è una tesi accademica che dovete scrivere; quella robaccia che state consultando è vecchiume di T, la più triste biblioteca del mondo. Per oggi vi cedo volentieri la mia postazione.»

Beatrice scattò in piedi: non le pareva vero di usare il Mac nuovo di zecca di papà. Lo seguì nello studio, spalancò le finestre per cambiare aria, vuotò le montagne di mozziconi dai posacenere nella spazzatura. Io li raggiunsi col muso. Li osservai andare a caccia di riassunti di dubbia provenienza, zeppi di errori grammaticali, gomito a gomito come due invasati. Ero incazzata nera: a me nel suo studio non mi faceva mai entrare, mai aiutata con le ricerche, poi arrivava Bea e subito eccolo presente, sollecito, interessato.

«Posso dire che la *Storia degli Etruschi* di Mario Torelli mi sembra un po' più approfondita?»

«Ah, Elisa, tu e *la poesia della carta*» mi scimmiottò, «rimarrai l'unica analfabeta digitale del pianeta.»

«Benissimo» risposi, «fonderò una setta per i cinque o sei superstiti sfigati che vorranno ancora un libro per amico.» E me ne andai, tornai da Torelli: Editori Laterza 1981, pagine ingiallite, lustri di viva archeologia rappresa in quelle parole, e intanto quei due cliccavano, ridevano e cazzeggiavano nella stanza accanto. Con il buio Bea rientrò in cucina, venne a sedersi vicino a me, un pacco di fogli stampati tra le mani. Me li mostrò estasiata: erano tutte immagini di sepolcri.

«Le donne venivano inumate con gli specchi» mi raccontò, «i profumi, le creme e i gioielli più preziosi, guarda» mi indicò un paio di orecchini, «voglio trovarli uguali, fare una foto distesa con gli occhi chiusi e le braccia incrociate sul petto.»

«Stai delirando.»

«Sarà una superfoto: inaspettata, scioccante!»

«Bea, per favore, limitati a cercare informazioni.»

Lei mi afferrò l'avambraccio e me lo strinse: «Non hai capito niente, tu. L'unica informazione che interessa, sul mio blog, sono io».

Un decennio dopo, sui quotidiani più importanti del Paese, avrei letto analisi come: "Da una marginale provincia italiana in cronico ritardo tecnologico, la Rossetti ha precorso da sola il futuro del web e vi si è posta al centro". Ancora: "La giovane laureata in Statistica ha intuito, prima dei cervelloni di Palo Alto, che la direzione della Rete non sarebbe stata l'universale accesso al sapere, ma porre se stessi come il solo sapere plausibile". Un critico particolarmente acuto scrisse addirittura questo: "Rossetti anticipò, e per certi versi inaugurò, quella perversione dei social network divenuta ormai dominante: la chiusura al posto dell'apertura, il narcisismo in luogo dell'incontro, un fetale e morboso ripiegamento su (falsi) se stessi". Infine, la mia sentenza preferita: "Beatrice Rossetti è l'algoritmo letale".

Sono tutti articoli che ho ritagliato e accumulato nel corso del tempo in una cartellina nominata BR. Perché io c'ero, nell'anticamera della Storia, e me la ricordo bene Bea qualche giorno dopo, con due dita di fondotinta antiacne in faccia, due patacche d'oro ai lobi, due pomelli sulle guance ripresi da un manuale online di tanatoestetica, a implorarmi l'ennesima foto. Che naturalmente scandalizzò, inferocì, surriscaldò e fece salire ancora di più i contatori.

Che razza d'informazione sei tu?, avrei voluto ribatterle in cucina con Torelli in mano, liberandomi dalla sua morsa. A chi può importare come ti vesti e ti trucchi? Da etrusca, da odalisca, rimani una ragazzina, non hai detto né compiuto nulla di straordinario. Fai il liceo, lavori in un negozio dell'usato, sei senza famiglia, sei una storia triste.

«Posso farti almeno notare» le chiesi con astio, «che il Carnevale è finito e se ti travesti da etrusca ti rendi ridicola?»

«Mi rendo *iconica*, cosa vuoi saperne.»

Già: non ero abbonata a "Vogue", non seguivo *America's Next Top Model*. Pretendevo che Al-Qaida, Bush, Putin e i precari equilibri politici mondiali mi coinvolgessero più di qualsiasi frivolezza. Ero venuta su con due genitori opposti, che però avevano un denominatore comune: l'estetica non esiste. E, se proprio deve esistere, contiene una colpa – civetteria, disimpegno?

La parola *iconico*, quindi, che cominciava a spopolare nel vocabolario della moda, nel mio cervello inchiodato alla Cultura evocava raffigurazioni sacre di divinità, i fantasmi dei defunti. Ma era proprio di morte che stavamo parlando, da un sacco di tempo, anche se io me ne sono resa conto solo questa notte.

*

La stesura della *Moda funeraria* impegnò Bea per una decina di giorni, durante i quali mi ammorbò con particolari non richiesti sull'allestimento sfarzoso delle tombe: «Sono più di una casa, Eli, sono la dimora eterna», sulla composizione delle salme, sui letti mortuari: «Comodissimi». Ricordo che prese 9 e ½, un voto in più della mia *Nascita della siderurgia*. Era persino venuta in biblioteca con me per approfondire, insaziabile. Pensavo si trattasse di un nuovo modo per elaborare il lutto di sua madre. I dettagli delle sepolture le causavano risa di stupore.

Lo capisco ora, il perché: stava imparando.

Solo un simulacro può essere perfetto.

Senza malattie, vuoti, crepe.

Solo la morte può essere immortale.

Così Bea cominciò a seppellirsi già alla fine del liceo, senza che nessuno se ne accorgesse. Imparò le tecniche d'inumazione con quella tesina e le applicò sistematicamente durante tutta la sua carriera. La Rossetti non può modificare il suo colore di capelli, non può farsi fotografare, che so, struccata e in ciabatte, o in tuta mentre fa la spesa – *pardon*, lei non fa la spesa – o in salotto da sola, mentre si annoia. Non può ingrassare, non può esporsi su governi e presidenti né esprimere un'opinione scomoda. Può solo azzardare variazioni sul tema, un tono su tono. Mai, davvero, cambiare.

Però, io *viva* l'ho vista.

Piena di brufoli uscendo dalla doccia. Mentre provava le facce davanti allo specchio. Guardarmi con amore. Cadere in motorino. Rubare. E tutte queste Beatrici mobili, goffe, difettose per me rimangono *lei*.

Nel libro che le avevo regalato per il suo diciottesimo compleanno, Anna Karenina muore. In modo scomposto, disperato. Muore perché si era data in precedenza una meravigliosa opportunità: compiere errori. "Ecco come sappiamo di essere vivi: sbagliando" ha scritto qualcuno. Ma Beatrice non intendeva affatto vivere. Doveva solo rimanere immobile, sorridere, trattenere il respiro per appiattire la pancia. Come le aveva insegnato Gin, e come a Gin era stato insegnato a sua volta. Chissà chi lo ha stabilito per primo: a quale istantanea devono sottostare le donne.

In foto non puoi invecchiare, non puoi parlare, non puoi ribellarti e tradire tua madre. Io li odio, gli album fotografici: se li sfoglio, vedo solo quel che ho perduto, le persone che non ci sono più, gli attimi che non rivoglio indietro, la mia cronica inadeguatezza rispetto alle icone, cioè ai fantasmi, e detesto i social per lo stesso motivo: perché mi sembra di camminare tra le lapidi.

Eravamo in biblioteca, nella sala lettura, sedute da sole al tavolo di noce centrale quando alla fine trovai il coraggio di chiederle: «Bea, perché proprio i morti?». E lei sollevò la testa da una pagina con gli occhi spiritati: «Sai cos'ho scoperto, Eli? Lo sai? È una cosa *fondamentale*».

«Dimmela, allora.»

«Nel 1857 Adolphe Noël des Vergers e Alessandro François entrarono per la prima volta nella tomba dei Saties, buttarono giù la pietra all'ingresso, illuminarono l'interno con le torce. Fatti la scena.» Passò una mano nell'aria come per ricrearla. «Venti secoli di buio e silenzio totali, poi questi entrano, all'improvviso, e si trovano davanti i cadaveri di guerrieri adagiati sui letti, identici a com'erano stati seppelliti: colori, vestiti, stoffe, tutto precisamente uguale, *perfetto*. E poi» s'interruppe, incredula, «nel giro di un minuto l'aria esterna entra e disintegra tutto, tutto! Ti leggo il passo: "Questo tuffo nel passato non ebbe neanche la durata di un sogno e la scena sparì come per punirci della nostra indiscreta curiosità". E ora arriva il bello: "Mentre quelle fragili spoglie cadevano in polvere a contatto con l'aria, l'atmosfera diventava più trasparente. Ci vedemmo allora circondati da un'altra popolazione guerriera suscitata dagli artisti". Gli affreschi! È da queste raffigurazioni che hanno ricostruito tutta la storia, Eli. La realtà si sbriciola, le immagini no!»

«L'arte» la corressi, «la scrittura, i dipinti.»

«Le immagini, Elisa. Una sola di quelle raffigurazioni vale più di cinquemila tue amate parole. Se gli etruschi avessero avuto una macchina fotografica, stai tranquilla che l'avrebbero usata.»

*

Ci sono andata davvero, questa mattina, in Sala Borsa. Dopo una notte insonne, con la faccia stravolta, mi sono presentata alle dieci esatte di fronte alla porta e ho aspettato che la biblioteca aprisse. Ho trascorso due ore negli archivi per cercare il titolo del volume, l'autore lo ricordavo: Jean-Paul Thuillier. Quando l'ho trovato, mi è salita la febbre. E quando, sfogliando come una dannata, ho centrato il passo preciso, ho urlato: «Cazzo, sì!». Senza contenermi. Me la sono rivista, la mano di Beatrice che fa spazio nell'aria, corpi di duemila anni diventare cenere in pochi secondi. Se nessuno li avesse guardati, se nessuno avesse violato il loro segreto...

Esco dalla biblioteca. È il 24 dicembre, devo correre a casa a finire il capitolo. No, devo prima comprare dei tortellini da fare in brodo e preparare a mio figlio almeno un pranzo della Vigilia decente. Barcollo in piazza Maggiore. Se vuoi davvero custodire qualcosa, devi fare in modo che non venga mai conosciuta. Se vuoi salvarla, bisogna che non abbia spettatori. E tu è questo che hai fatto, Beatrice, in tutti questi anni. Non hai mai rivelato che tua madre è morta, che hai vissuto da noi come una profuga e poi in quella specie di sgabuzzino all'ultimo piano di piazza Padella, non hai mai ammesso di aver sofferto di acne, di esser stata costretta a rifarti il naso, che al liceo non avevi uno straccio di amico. L'intera tua storia, chi sei tu, li hai omessi dal racconto. Hai cancellato ogni testimone, inclusa la più scomoda: me.

Mi fermo davanti a San Petronio: è magnifica, risplende di marmi rosa e bianchi sotto il cielo limpido del mattino. Sorrido, forse sto perdendo il senno. Oppure sto arrivando a capire.

Per quanto possa suonare folle Bea, tu, mostrandoti ogni giorno, ogni ora, non hai fatto altro che nasconderti.

25

Via Mascarella

Il primo gennaio 2006 il Babylonia chiuse per sempre. Niccolò perse il lavoro, il punk morì in tutto il mondo, la provincia smise di ospitare "il sogno di qualcosa" e il leggendario capannone appena fuori Ponderano potete vederlo ancora là che galleggia, abbandonato, tra la nebbia e i campi.

Di dicerie sulla chiusura ne sono circolate tante, ma il reale motivo non si è mai saputo. I frequentatori più assidui vennero raggiunti da una mail di addio e gratitudine per gli undici anni e mezzo trascorsi insieme all'insegna dell'epos. Del resto, anche la fondazione del Baby è un mistero.

Mito vuole che fosse stato inaugurato il 14 maggio del '94 addirittura dai Radiohead. Immaginate: i Radiohead a Biella. Però quel concerto non lo vide nessuno. Per aprire mancava una firma, un bollo, una scartoffia: la burocrazia italiana se ne fotte dei sogni. I gestori rischiavano una multa colossale, ma i Radiohead, già che c'erano, si esibirono lo stesso: a porte chiuse, per una decina di miracolati, vietando espressamente qualsiasi forma di registrazione. Gli scettici chiedono ancora in giro: "Chi ha incrociato Thom Yorke e gli altri all'Hotel Astoria?". "Li avete sorpresi a mangiare rane fritte a Carisio?" Per parte mia, non ho mai dubitato che sia tutto vero. Proprio perché mancano le prove.

Avrei dovuto capirlo subito che la fine del Baby segnava il principio di un'estinzione più vasta, che avrebbe coinvolto l'industria, la cultura, la politica, l'Occidente, nonché la mia amicizia con Beatrice. Quando la notizia mi raggiunse, però, io vivevo a Bologna da quattro mesi, ero così tronfia che camminavo a un metro da terra: il nuovo status di matricola mi faceva sentire in diritto di sprezzare il mio passato come fosse un capitolo chiuso, archiviato, adesso che era cominciata *la vita vera*. Mi dispiacque, sì. Ma in fondo chi se ne fregava di quel vecchio pollaio. Quanta ingratitudine, se ci ripenso.

Sono tornata su Internet solo di recente, pentita, a elemosinare un frammento di video storto, un ricordo sfocato, la testimonianza di qualcuno che avesse pogato con me. Non ho trovato granché, *ça va sans dire*. Non esistevano social network diffusi in Italia tra il '94 e il 2005, nessuno usciva di casa con l'obiettivo di immortalarsi né desiderava essere colto in flagrante mentre stava vivendo. A volte, arrivo a pensare che il Baby, un po' come la ghiandaia marina del mio diciassettesimo compleanno, ce lo siamo sognato.

Un altro indizio del fatto che la Storia stava mutando drasticamente direzione fu che il mio Quartz non trovò uno straccio di acquirente, né per cento né per cinquanta euro. Finì demolito dai ragazzini in cerca di pezzi di ricambio allo sfasciacarrozze di T, non molto lontano da Donna Vintage. Fu un piccolo trauma per me, mai ripagato dalla Peugeot 206 nuova e lucente che mi comprò mio padre per farmi tornare da lui ogni due settimane. Ricordo, negli anni a venire, le ore ferma in coda sull'A1 tra Barberino e Roncobilaccio, a imprecare per l'ennesimo incidente, procedendo a passo d'uomo, mentre lassù, al di là del parabrezza, sulla cresta dell'Appennino, il fantasma di Bea&Eli – non il blog, ma quella magia che eravamo state insieme – continuava a sfrecciare sul motorino in mezzo ai boschi come un'unica creatura, libera e perduta.

Tornando al Baby, non fu il solo luogo a cessare di vivere. Anche la libreria L'Incontro, quel bugigattolo triste e polveroso a cui però mi ero affezionata, chiuse la saracinesca e diventò un franchising di custodie per cellulari. L'edicola di piazza Marina dove mi piaceva comprare "il manifesto" prima di entrare in classe fu solo svuotata e non si trasformò in niente. Sei mesi dopo la fabbrica dove lavorava Gabriele lasciò metà degli operai a casa. Persino Donna Vintage non esiste più. Negli ultimi quattordici anni, ogni volta che sono tornata a T e ho fatto un giro in corso, ho trovato un negozio in meno, un cartello AFFITTASI in più. Una moria inesorabile.

E poi c'è il Pascoli, che fu chiuso per mancanza di iscritti. Non nel 2006, forse quattro o cinque anni più tardi. Ancora una volta ho provato a cercare notizie sul web e non ne ho trovate. Mi chiedo a cosa serva sgomitare per connettersi alla Rete, se poi la Rete non trattiene nulla della realtà, non la salva, non se ne prende cura, non le vuole bene. Dell'intera vita che mi vorticò intorno da bambina e da adolescente – un mondo secolare bruscamente finito – là non è rimasta traccia.

Eccetto una, certo. Gigantesca, colossale.

Un'idrovora che s'è mangiata tutto.

La Rossetti.

*

Trovammo casa a Bologna alla fine di settembre 2005, una settimana prima che iniziassero i corsi, in via Mascarella, al secondo piano di una tipica palazzina rossa con le travi di legno e il pavimento di graniglia che mi fece innamorare a prima vista. Per arrivare a lezione, a piedi, io a Italianistica e Bea a Scienze statistiche, impiegavamo in tutto quattro minuti. Andava peggio a Lorenzo, che doveva prendere l'autobus e, per raggiungere Ingegneria, poteva metterci anche più di mezz'ora. Ma non se ne lamentava.

Eravamo felici, all'inizio.

Calibro il peso di questa frase, ne ausculto la tragica falsità col senno di poi. Ma, all'epoca, ero cieca di entusiasmo.

Avevo preteso io che vivessimo tutti e tre sotto lo stesso tetto, stretti nella stessa cucina, a darci il cambio per usare lo stesso bagno. Li avevo scelti io, zona e appartamento, fregandomene delle distanze che avrebbe dovuto coprire Lorenzo. Io avevo stabilito che dovessimo diventare una sola meravigliosa famiglia, gli unici di T emigrati a Bologna, un'isola avvinghiata, un ombelico, con me al centro e loro due ai lati.

Diffidate dell'ego di quelle che sembrano sfigate, perché un giorno, dopo decenni a rattrappirsi e incassare, esploderà.

Bea si era sistemata per forza nella stanza più piccola e, sotto ogni punto di vista, peggiore. Buia, perché affacciava su un retro senza orizzonte. Umida, perché dava su un canale sepolto tra le case che ammuffiva la carta da parati a fiorellini, già di per sé lisa e ingiallita. Il mobilio era composto da un letto singolo con struttura in ferro battuto, un comodino tarlato, un armadio dove ci stavano a malapena tre cappotti e una scrivania con le gambe che ballavano: nessuno mi crederà mai, ma Beatrice Rossetti, cinquanta milioni di euro di fatturato l'anno scorso, una copertina del "Time", dal settembre 2005 al luglio 2006 visse come Raskol'nikov.

Lorenzo e io dormivamo invece nella stanza padronale: spaziosa, luminosa, l'allegro viavai degli studenti che saliva alla finestra facendoci sentire sempre parte di una festa. Il letto matrimoniale king-size, l'armadio quattro stagioni. Gli inquilini precedenti, con ogni probabilità, non avevano figli; forse avevano addirittura utilizzato l'altra stanzetta come ripostiglio. Lorenzo e io, però, una figlia ce l'avevamo: scontrosa, musona, a tratti isterica, tutto il giorno chiusa in camera, china su Internet. Che poi, povera Bea: in quei primi tempi e in quelle condizioni anche il suo blog subì una battuta d'arresto. Dovette riorganizzarsi, con il computer di mio padre – modello ormai già decrepito – come unico alleato.

Ho scritto "povera"? Ma povera un corno: quei mesi in ristrettezze economiche e sentimentali le fecero solo bene.

Comunque, *io* ero al settimo cielo. Mi comportavo *come se* con Lorenzo fossimo sposati, ogni notte abbracciati, le gambe e i capelli confusi. In aggiunta, ero quella che rincasava la sera appagata, realizzata, vantandosi di aver brillato con questo e quel professore, di essermi distinta con un'alzata di mano coraggiosa, con una domanda spettacolare. Mentre quei due mi guardavano storto e non sapevano bene cosa dire, rimestando mogi dentro i piatti.

Dio, se ero odiosa. Tento una parziale assoluzione: cercavo di recuperare un po' d'esistenza dopo l'invisibilità passata, sfogavo le frustrazioni accumulate al liceo. Finalmente mi sentivo a casa: entravo in facoltà e, tempo un mese, mi conoscevano tutti. In pratica vivevo in via Zamboni 32, seguivo ogni lezione, leggevo in biblioteca fino a orario di chiusura. Davo esami su Pasolini, Moravia, Antonia Pozzi. Poteva dirsi *studiare* quello? Lorenzo detestava matematica, meccanica, termodinamica, moto dei fluidi, e non si occupava di altro. Parole, praticamente, non ne vedeva, solo numeri e simboli, solo fatica e bestemmie contro i suoi genitori, ai quali però non trovava il coraggio di ribellarsi. Quanto a suo fratello – il vero motivo per cui tutti e tre ci trovavamo là –, era tornato in Brasile, a lottare contro le multinazionali che intendevano radere al suolo l'Amazzonia, e non si sapeva quando sarebbe tornato.

Beatrice apriva i libri di testo con lo stesso entusiasmo di Lorenzo. Algebra, demografia, modelli lineari: si illuminava a tratti solo quando trovava correlazioni dirette con lo sviluppo del suo blog, informazioni utili per studiare i suoi seguaci, inquadrarli in categorie, rispondere meglio alle loro richieste e farli esponenzialmente aumentare. Per il resto, si annoiava a morte. Eppure il corso di laurea che aveva scelto – curriculum: Economia e impresa – si sarebbe rivelato una manna per il suo futuro. I milioni non si fanno senza pagare pegno, in termini di gioia e di anima. Il discorso vale anche per Lorenzo, che oggi non viaggia su un jet privato come la Rossetti, ma comunque guadagna il triplo di me. Io facevo la bohémienne, la sera fino a tardi nei caffè letterari, e adesso, giustamente, mi arrabatto – con un figlio, poi, tendo proprio al risparmio. Le vacanze sono sempre dai nonni, le scarpe da ginnastica da duecento euro che mi chiede se le può scordare.

Però ero spudoratamente felice, in quegli ultimi mesi del 2005.

Mi perdevo sotto i portici di Bologna; mi perdo ancora adesso, se è per questo. Con la pioggia che mi scrosciava accanto e io al riparo, incantata ogni dieci passi da una chiesa, un palazzo medievale, un affresco, una scalinata, una biblioteca di seicento anni. Una concentrazione folle di bellezza che però, a Beatrice, non diceva niente. Anzi, bastarono un paio di passeggiate in via Zamboni per farle capire che aveva sbagliato città, *completamente*.

È risaputo che a Bologna, se esci avvolto in una tenda, non ti giudica nessuno. Ciascuno è libero di girare come meglio crede, in ciabatte o in pigiama. Perché qui fu fondata la più antica università d'Occidente e si bada alla sostanza: a come parli, a cosa pensi, mica alle scarpe che indossi. Sentii Beatrice mormorare più di una volta: «Non è possibile, Eli, non ci si può vestire *così* male». Mio padre, al contrario, vivrebbe da dio qui, glielo ripeto sempre di trasferirsi, che mi farebbe comodo un nonno che scarrozza Vale alle partite. Ma quello è cocciuto, anche se Bologna gli piace. E poi, è troppo legato a Iolanda, alle sue tournée in Val di Cornia, ai teatri di campagna con cinquanta sedie di plastica e le bruschette e il brindisi a seguire. Bisognerebbe guardarli, come passeggiano insieme sul lungomare, mano nella mano.

Comunque, Bea a Bologna soffriva. Il sabato, quando non aveva lezione né nuovi amici da incontrare – Statistica era zeppa di nerd a cui lei non sapeva cosa dire –, né parenti a T a cui fare ritorno – di Gabriele parlerò in seguito –, andava in pellegrinaggio in via Farini di fronte alla vetrina di Hermès. Scartava una barretta ai cereali, mangiava una mela – tutto il suo pranzo – e fissava i manichini con determinazione. Lo so perché l'ho seguita di nascosto un paio di volte, e si vedeva che avrebbe dato un polmone per entrare. Divorava con gli occhi le ricche signore bolognesi, i turisti giapponesi accolti con gran riguardo, serviti e riveriti come nababbi, i portafogli gonfi di carte di credito, e lei niente, manco cinquanta centesimi, perché i soldi di suo padre continuava a rifiutarli e spesso l'affitto la aiutavo io a pagarlo.

La rivedo: lì davanti per ore. Prendevo un caffè coi miei nuovi amici, tornavo e la trovavo ancora ferma nella stessa posizione: la schiena dritta, l'ostinazione che gliela leggevi in faccia, intenta a studiare l'allestimento del negozio. Voleva il suo futuro così tanto, lo sognava a occhi sgranati così seriamente, che in seguito la sua marcia verso il successo sarebbe stata simile al passaggio di un carro armato. Figuriamoci se i benpensanti della moda, con le loro frecciatine e il loro snobismo, avrebbero potuto scalfire l'irruenza della sua volontà.

Ammetto che negli ultimi anni, quando l'ho vista a Cannes o al Met Gala coperta di diamanti, un po' ho goduto. Inutile che si affannino a scrivere, i detrattori, che ha usato scorciatoie, raccomandazioni: non è vero. Bea era orfana e povera, con una sola amica che le voleva un gran bene, ma che in quel periodo – forse – si comportò da stronza. Detesto il consumismo: non credo che lo shopping possa alzare di un millimetro l'asticella della felicità. Però so cosa ha patito Beatrice. E, anche se preferirei che spendesse i suoi soldi per ristrutturare scuole e ospedali, sorrido al pensiero che, se oggi si presentasse in via Farini, se lo comprerebbe tutto, Hermès, e le belle commesse vestite di nero sverrebbero al solo riconoscerla.

Nell'inverno 2005-2006 non c'era nulla, nemmeno un paio di collant, che Bea potesse permettersi. Il suo guardaroba era tutto arrangiato grazie alle bancarelle dell'usato in Montagnola e, per campare: cibo, acqua, riscaldamento, non quisquiglie, si barcamenava con lavoretti da hostess presso la Fiera e servizi fotografici per una piccola agenzia. Mi commuoveva, ogni sera, vedere con quanta cura disponesse sul letto i suoi stracci nel tentativo di abbinarli nel modo migliore. Mi colpiva, ogni mattina, la sua eleganza dentro vecchi maglioni a trecce e jeans a zampa di elefante da cinque euro.

È risaputo anche questo, di Bologna: la settimana della moda non passa di qui, ma gli scrittori di tutto il mondo sì. E, mentre Bea stringeva i pugni e resisteva, io sguazzavo beata nel mio preciso elemento. Era un tardo pomeriggio di dicembre quando, per caso, attraverso la vetrina, vidi una ressa disciplinata e composta all'interno di una libreria. Incuriosita entrai, mi avvicinai a piccoli passi per non disturbare, e sul palco chi vidi? Che stava parlando in inglese, gli occhi azzurro ghiaccio folgoranti, la voce profonda, ammaliando il pubblico?

Derek Walcott! Un premio Nobel. Vivo. Di fronte a me.

Non riuscivo a crederci. Ma non è tutto: siccome il suo interlocutore era un prof con cui avevo legato, la sera mi ritrovai al ristorante insieme a loro, presentata in pompa magna al Poeta come «promettentissima letterata», che se ci ripenso non so se ridere o piangere. Fatto sta che gli sedevo di fronte, a Walcott, mangiando e bevendo in estasi, facendo finta di capire l'inglese.

Quando rincasai a mezzanotte, ubriaca, barcollai fino alla camera di Bea e la trovai sveglia alla luce azzurrognola del computer, cupa e risentita. Poi raggiunsi anche Lorenzo, curvo sulla scrivania, angosciato dall'esame che avrebbe dovuto sostenere di lì a poche ore. Gridai loro, insensibile come una pietra, che ero stata a cena con un Nobel, un Nobel, un Nobel!

Altro che la libreria di T coi tascabili ingialliti, vivevo dentro la Letteratura adesso! Ovunque guardassi c'era una biblioteca grande come il Mucrone, un reading di poesie, la presentazione di un romanzo.

Come direbbe mio figlio, stavo volando.

*

A fine gennaio 2006, concluso il gran tour per balere, veglioni, pizzerie e tutto il lavoro extra che le festività avevano comportato, mamma venne a trovarmi a Bologna insieme a Christian/Carmelo.

Si presentarono carichi di provviste, come se patissimo la fame: toma, maccagno, nocetta, canestrelli e Ratafià, parecchio Ratafià, che vollero subito aprire per brindare alla mia nuova vita.

Ricordo ancora la faccia di Lorenzo quando vide mia madre per la prima volta. E dire che in quel periodo era pure in gran forma. Forse aveva esagerato coi fiori dietro l'orecchio, la lunghezza del gonnellone, le collane di legno, però era decisamente felice. Anche Christian lo era, e si manteneva fedele a se stesso, cioè giovane, coi capelli tinti raccolti nel codino, la camicia fucsia, le Nike sgargianti – e io non posso davvero ripensarlo costretto in poltrona, in seguito, la flebo attaccata al braccio e quelle scarpe verde fluo, mentre mio figlio gli si gettava al collo entusiasta: «Da paura, nonno!».

Per il primo quarto d'ora Lorenzo fu come se non si raccapezzasse. Li guardava, sia lui che lei, e non ne veniva a capo. Non sapeva come muoversi, cosa fare. Quando mamma si tolse i sandali – coi calzini –, sedette sul divano a gambe incrociate e tirò fuori un sacchetto gelo, di quelli piccoli, pieno di marijuana, impallidì.

«È colpa di tuo fratello» m'informò Christian indicandola, «ci rimpinza di questa roba e lei non è capace di dire no.»

«Immagino» mormorai. E sbirciai Lorenzo preoccupata.

«Adesso che il Baby ha chiuso» continuò Christian, «si è dato alle coltivazioni. Su, dalle parti di Graglia, con altri quattro debosciati. E io gliel'ho ripetuto, vero Annabella, quante volte? "Niccolò, guarda che ti arrestano, una serra è spaccio, mica uso personale."» Fissò gravemente prima me, poi Lorenzo. «Ma quello è pazzo.»

Mamma rollò, accese, passò la canna a Lorenzo sorridendogli, poi mi prese a braccetto e disse: «Avanti, fammi vedere la casa».

A causa del fumo e della vita sregolata che conduceva – mai a letto prima delle tre del mattino – le rughe le si erano infittite intorno agli occhi e alla bocca, la pelle era come ingrigita, ma lei, per contrappasso, era tornata ancora più bambina del solito, e scoppiava a ridere per un nonnulla, spalancava armadi che non erano suoi e ci curiosava dentro.

Eppure, con mio grande stupore, quella sera accadde qualcosa di straordinario: smisi di vergognarmi di lei.

Là, a Bologna, in casa *mia* – che, detto *en passant*, pagava papà – le sue battute fuori luogo, le sue mosse infantili, tutto quel che di lei mi aveva sempre fatta infuriare, ora quasi mi divertiva. Erano affari suoi: la canna, la corona di fiori, gli orecchini a forma di sole. *Io* non ero *lei*. E *volevo* perdonarla.

«Non me l'avevi detto che tua madre era così…» balbettò Lorenzo appena poté trascinarmi in un angolo, «così…» inceppato dallo sconcerto, «forte!»

Forte?, pensai. Stai scherzando? Lui era di nuovo ammutolito. Compresi che avrebbe voluto chiedermi: Com'è possibile che da un personaggio tanto stravagante sia venuta fuori tu, prevedibile e disciplinata, tutta casa e biblioteca? Ma si trattenne, e a me un po' dispiacque, perché gli avrei risposto volentieri che era proprio perché lei non aveva mai avuto un moto di responsabilità che fosse uno, che a me era toccato diventare così grigia.

Tornammo in cucina. Mamma aveva già tagliato a cubetti la toma e stappato una bottiglia di vino, mentre Christian era pronto, chitarra alla mano, a intonare *Siamo soli*. La cominciò, ma poco dopo s'interruppe: «Tu dici che riesco a incontrarlo, Elisa, se vado a Zocca?».

«Chi, Vasco?»

«Sì, dici che me lo fanno vedere, dove abita? Che riesco a chiederglielo, un autografo? Senza disturbarlo, eh. Ma se lo abbraccio, giuro, mi metto a piangere.»

Lorenzo di punto in bianco se ne uscì: «Se vuoi, ti accompagno io». Prese un pezzetto di toma, la assaggiò con tentata disinvoltura. «Domani è domenica, non devo studiare. Mi fa piacere, davvero.»

Non riuscivo a capire. Lorenzo era uno schivo, pure un po' spocchioso. Faceva tanto il rivoluzionario, ma dentro era un borghese. Era abbonato al Teatro Comunale, credo non sia mai stato a una sagra della salamella in vita sua. Pure, anche lui ne era fatalmente attratto, gli voleva già bene, mentre io ero un po' contenta e un po' gelosa.

Dopo un litro di vino, mamma spostò la sedia verso Lorenzo e accorciò le distanze. Dopo un altro litro, gli si piazzò dietro infilando le dita nella sua bella chioma bionda: «Sembri il Piccolo Lord pettinato così, invece sei tanto carino…».

E cominciò a impastare, arruffare, giocare a piene mani con le ciocche, con evidente piacere, mentre lui docile, forse colto alla sprovvista, la lasciava fare.

«Mamma» intervenni, «non esagerare: quello è il mio fidanzato.»

Al che lei s'interruppe, mi guardò colma di meraviglia: «Davvero? Non è il fidanzato di Beatrice?».

Non glielo avevo detto, è vero. D'altra parte, mi aveva forse mai ascoltata in vita sua? Vista e degnata della sua attenzione? Credevo potesse arrivarci da sola. Credevo riuscisse a immaginare che persino una persona come me potesse fidanzarsi, magari non con il più cesso, ma con il più bello. Invece no. Mi andò di nuovo a fuoco il sangue. La volevo strozzare. Quale perdono? Che mi mollavi a due bibliotecarie sconosciute quando avevo quattro anni?

Non feci in tempo a rinfacciarglielo, perché rientrò Beatrice.

In completo giacca-pantalone – non suo, affittato – décolleté di vernice, cappotto posato sul braccio: elegante, truccatissima e stanca. Rientrava da otto ore alla Fiera, durante le quali non aveva detto altro che «Salve» e «Buonasera, ha bisogno d'informazioni? La torre B? Prego, da questa parte!», e la sua faccia dichiarava apertamente che non ne poteva più di nessuno, che odiava il genere umano e ne avrebbe volentieri fatto strage. Solo che poi vide Annabella e il suo volto trasfigurò.

Le corse incontro, le si gettò tra le braccia con un trasporto che mi causò altro rancore e altro odio. Da quel momento, fu tutta un'effusione tra loro due, un chiacchiericcio, una confidenza – ma ad alta voce. Ché loro la conoscevano bene, la fatica, e l'aver a che fare col pubblico, la gente che è così stronza alle volte, e ti riversa addosso tutte le sue frustrazioni, le sue paturnie, e tu devi incassare, morderti la lingua. Questo voleva dire, *lavorare*. Mica come me, che vivevo in una bolla di carta, rincoglionita dai libri, inabile alla vita reale. Avrei desiderato che Lorenzo intervenisse a difendermi, invece se la rideva, pure lui, incantato da mia madre, servizievole con Christian che preparava un risotto al maccagno svelandogli i segreti del vero mantecato biellese, raccontandogli la sua vita di uomo libero e strimpellatore. «Mi basta stringergli la mano, a Vasco, lo giuro. Poi posso morire felice.»

Quella notte, mentre Bea ritoccava le foto aumentandosi i punti luce e assottigliandosi le gambe, mentre mia madre e suo marito dormivano accampati in cucina come due boyscout, Lorenzo mi bussò sulla spalla richiamandomi al presente. Mi voltai scocciata. Lui se ne stava sdraiato su un fianco, galvanizzato, e io volevo solo continuare a leggere.

«Eli» mi disse, «quanta libertà devi aver conosciuto, tu, da bambina... Non so come sia tuo padre, ma se assomiglia anche solo lontanamente a tua madre, sei cresciuta nell'autenticità.»

Posai *Caos calmo* sul comodino. Mai titolo fu più adatto al mio stato d'animo, superabile solo, forse, da *Furore*.

«Lorenzo» gli risposi, *calma*, «ho passato l'infanzia a guardare un paio di montagne mentre mia madre usciva, chissà dove andava, e tornava alle due di notte. Quando mi ammalavo, e mi andava bene, mi piazzava davanti alla televisione otto ore. Quando andava male, non te lo racconto. Per cena era mio fratello a procacciarmi il cibo. Sono cresciuta a pizza e Fonzies. Sono andata in giro vestita per anni come uno spaventapasseri senza rendermene conto, e mi sono fatta ridere dietro da tutti. Ma aspetta, te la faccio vedere subito, l'autenticità.»

Mi alzai la canottiera, scoprii la cicatrice muta e bianca sul lato sinistro della schiena. «C'è mancato tanto così» glielo feci proprio vedere con le dita, «*tanto così*, Lorenzo, che mi affidassero ai servizi sociali.»

Lui abbassò gli occhi, si mise a sedere. Rialzò lo sguardo cercandomi con una serietà che non ho mai scordato. «Capisco che non sia stato facile, Elisa. Ma forse un giorno tu scriverai un libro. Mentre io, con la mia famiglia unita, le vacanze studio all'estero, la facciata a tutti i costi immacolata, sarò chi non avrei voluto.»

*

Scusatemi per non avere capito, tutti e due, Lorenzo e Beatrice.

Non avrei immaginato, prima, di arrivare anche solo a concepire una frase del genere, ma raccontare serve a questo: a rendersi conto.

La prima sessione di esami si concluse con una raffica di 30 e lode per me, e 22 e 23 per Beatrice. Lorenzo si assestò su una media del 26 che per lui equivaleva al fallimento: il figlio perfetto non poteva portare a casa risultati così mediocri. D'altra parte, il poeta rivoluzionario non poteva studiare Ingegneria. Moravia era un lontano ricordo. E io, che a volte sono un genio, provai a consolarlo dicendogli: «Eh, sono difficili, fisica e metallurgia. Mica è poesia contemporanea!».

«Lo so» rispose lui, cupo.

«Avrai un superlavoro, *alla fine*, un superstipendio» risi, «mentre io sarò disoccupata.»

Lui non rise per niente.

E Bea rideva ancora meno.

Credo che in quei primi mesi del 2006 abbia proprio rasentato la depressione. Sepolta viva nel suo ripostiglio, pallida, imbronciata, i capelli unti: mi ricordava mio padre. Arrivò addirittura a non voler sentir parlare di nuove foto. Modificava le vecchie, piuttosto, ne pubblicava una ogni tanto e si sentiva come io mi ero sempre sentita: tagliata fuori.

Si rifiutava di uscire, di studiare in biblioteca insieme agli altri come facevo io. Non era ansiosa di conoscere nessuno. Chiamava a casa una volta ogni tre settimane per informarsi su come stava Ludovico, l'unico parente di cui le importasse qualcosa, e che non se la passava per niente bene: problemi di scuola, di droga. Sua sorella Costanza manco la salutava, su suo padre aveva posto una pietra peggio che sul ricordo di sua madre. Era sola al mondo. E io?

Non volevo vedere. Ero troppo felice e non intendevo guastarmi la festa a causa di quei due, che erano sempre stati belli, ammirati, fortunati. E che pure dicevo di amare.

Che pure amavo.

Che pure amo.

Ma adesso toccava a me, pensavo. Avevo sempre ingoiato: che mi facessero godere un po', per dio! Tanto più che, da qualche parte nella galassia più remota di me, lo sentivo che quello stato di grazia era fasullo e non sarebbe durato granché. Se anche al secondo piano di via Mascarella la regina ero io, il mondo là fuori stava già lavorando per Beatrice. Non potevo averne idea, ma oltreoceano un certo Mark Zuckerberg era operativo da un pezzo e si stava dando un gran daffare per spianare la strada al

futuro della mia ex migliore amica. Il fango che le toccò sopportare nella stanzetta di *Delitto e castigo*, in fondo, i soldi contati,
le notti a piangere, non furono che altri fattori utili a indurla a
saltare, più affamata che mai, sul treno del successo che passa
una volta sola. E lei lo prese – oh, se lo prese! – con il coltello fra
i denti e il mitra spianato.

Non poteva fallire, una così. Non chiedetemi il perché, ma
era evidente, e non sarebbe certo stato un breve periodo di sfiga
a incrinare la magnifica linea retta che ogni capitalista sogna:
l'ascesa senza fine.

La svolta aspettava Bea dietro l'angolo e si presentò fatale
il 22 febbraio, giorno del suo ventesimo compleanno, sotto le
sembianze di una giovane professoressa senza scrupoli la cui
materia di corso è, ancora oggi, Utilizzo statistico di banche
dati online. Una che si chiama Tiziana Sella, e che sono andata
personalmente a cercare qualche anno fa, in una serata malin-
conica, piovosa e cupa, dopo un insolito pomeriggio a bere,
braccandola fuori da Statistica e accusandola di aver contribuito a rovinarmi la vita.

Me ne vergogno, è chiaro.

Capisco che Beatrice, Sella o non Sella, avrebbe comunque
imboccato la sua strada, forse solo impiegandoci più tempo. Però
sono umana anch'io, e ho avuto bisogno di un capro espiatorio.

Ora, non so cosa accadde di preciso tra Bea e la sua prof,
consulente tra l'altro di innumerevoli aziende, anche di moda.
Fatto sta che, la mattina del suo compleanno, Bea si svegliò di
umore nero. Rifiutò il croissant con la candelina che le avevo
fatto trovare per colazione, si trascinò in bagno per lavarsi i denti
e potersi presentare «a questo corso di merda che ha la frequen-
za obbligatoria, vaffanculo». Quando mi affacciai alla sua porta
mentre lei si stava vestendo, tremante di emozione con il regalo
tra le mani – un regalo straordinario, per il quale avevo rispar-
miato mesi –, lei mi lanciò uno sguardo adirato e con voce piena
di cattiveria mi disse: «Non ho niente da festeggiare, *niente*, lo
capisci? E adesso scansati» mi spinse via dallo stipite, «voglio
solo morire».

Se ne andò sbattendo la porta, lasciandomi lì, a casa, impotente. Posai il regalo sul suo minuscolo comodino. Incartai il croissant nella stagnola. Andai a studiare in camera perché ero così triste che mi era passata persino la voglia di uscire. Mi aspettavo che lei rientrasse a mezzogiorno, invece non successe. L'aspettai per tutto il pomeriggio, cominciando a preoccuparmi: aveva detto che voleva morire. Parlava sul serio, o solo da egocentrica? Era tipo da suicidarsi? Non lo credevo, ma forse sì. Forse avevo sottovalutato il suo dolore. Forse non la conoscevo affatto. La chiamai più volte sul cellulare, che era sempre staccato. Quando Lorenzo rientrò scoppiai a piangere per la tensione accumulata e lo pregai di andare a cercarla. Dove? Non lo sapevo. «Ma dobbiamo pur fare qualcosa!» E mentre lo dicevo m'infilavo il cappotto, le scarpe. Fu quando avevo già aperto la porta che lei tornò. Trasfigurata. I capelli freschi di parrucchiere, un trench addosso che non le avevo mai visto, tutta allegra con una bottiglia di costoso spumante sotto il braccio.

«È sì o no il mio compleanno? Stappiamola subito, c'è il cavatappi?»

Lorenzo e io ci scambiammo uno sguardo allibito. Beatrice estrasse il cellulare, lo riaccese, ordinò addirittura le pizze d'asporto, che poi mangiammo nei cartoni: il massimo della vita universitaria.

Cos'è successo?, avrei voluto chiederle. Ma intorno a lei si era sprigionato come un campo di forze respingente che me lo impediva. Pagò le pizze, ma lo spumante non poteva averlo comprato lei. I suoi capelli erano splendidi, di un colore nuovo, così azzeccato sul suo viso, con i suoi occhi: quel caldo bruno cioccolato che non verrà mai più modificato. Era stata via tutto il giorno. Ardevo di curiosità, ma percepivo anche che non potevo sapere. Che c'era una crepa, in fondo a quello splendore. Una falla che si apriva tra noi due.

Poi, improvvisamente, Bea mi disse: «Sono stata così cafona stamattina, Eli, scusami: mi daresti di nuovo il tuo regalo?».

Andai a prenderlo nella sua stanza. Glielo porsi, lì in cucina, sotto la luce spiovente del lampadario, mentre Lorenzo sparecchiava con la testa immersa in tutt'altro. Beatrice squarciò la carta, aprì la scatola, ne estrasse il cappello color vinaccia e restò a rimirarlo, ammutolita di stupore, per un tempo infinito.

«È la cosa più elegante che abbia mai avuto» disse infine, con un filo di voce.

«È puro feltro» risposi orgogliosa, «l'ho commissionato a mia madre e lei lo ha fatto con le sue mani. Non ce l'ha nessuno perché è il modello di punta della collezione di Hermès del prossimo anno. La producono tutta al cappellificio Cervo di Sagliano.»

Mi abbracciò fortissimo.

Sapevo che quello era l'ultimo regalo che le avrei fatto?

No. Sapevo solo che mi era costato una follia a prezzo di fabbrica. Credevo che lo avrebbe consumato, per strada e in foto.

Invece, a onor del vero, non lo indossò mai.

*

Non si perse una lezione di Utilizzo statistico di banche dati online, studiò a memoria i manuali e gli articoli di Tiziana Sella, andava da lei a ricevimento tutti i santi giorni. Poi quelle due iniziarono anche a intrattenersi al bar per l'aperitivo, e a cena nelle migliori trattorie, infine nei dopocena, non chiedetemi dove. So solo che Bea prese 30 e lode a quell'esame, e non fu più la stessa.

Risbocciò con una forza selvaggia e spaventosa, colori sgargianti e vestiti lussuosi prestati – regalati? – da quella iena. Ricominciò a frequentare saloni di bellezza, estetiste, terme. La sua agenda tornò a essere quella di Gin ai tempi migliori.

Ma, più che all'atto spontaneo di un fiore, il suo risveglio assomigliava a un programma rigidamente calcolato, finalizzato al raggiungimento di obiettivi che mi sfuggivano.

Non era mai a casa. Non aveva più tempo per me.

A partire da fine marzo, Tiziana Sella iniziò a portarla con sé a qualsiasi convegno: Milano, Torino, Parigi, pagandole voli e alberghi. Non basta. La rifornì di attrezzatura nuova: computer ultimo modello, fotografi, contatti. Si chiamavano, si messaggiavano a qualsiasi ora del giorno e della notte, e Bea soffocava i risolini, se ero lì intorno, metteva una mano davanti alla bocca per non farmi sentire né intuire dal labiale. Giocavano al guru e al pupillo, a Pigmalione e Afrodite. Quella strega si era presa il ruolo da manager che avrebbe dovuto essere mio.

Poi accadde. Il grande, mitologico, esordio. Quello definitivo. Non la preistoria che ho raccontato fin qui, ma la Storia che tutti conoscono. Beatrice Rossetti, chiusa nella sua stanzetta, nel giro di una notte di fine aprile, fece sparire "Il diario segreto di una liceale" come già aveva fatto con "Bea&Eli", cioè come non fosse mai esistito, e aprì il blog arcifamoso, quello che macina numeri che il "New York Times" si sogna e quando pubblicizza, che so, un rossetto, poi quello va subito esaurito nell'intera Cina nel giro di ventiquattr'ore.

Arrivata a questo punto, devo ammettere che i miei ricordi diventano confusi. Rivedo uno spicchio di Bea rientrare a mezzanotte di un lunedì mentre io studio in cucina, rivolgermi appena un cenno di saluto e chiudersi in bagno. Un altro mozzicone di Bea affacciarsi nella camera matrimoniale: «Scusa, hai per caso un assorbente?». Aveva sempre fretta in quei mesi. Era sempre più bella. E io non capivo. Continuavo a snobbare il web. Ero ferma ai libri. Do pure la colpa ai libri, adesso. Perché se online si cominciava a parlare sul serio di Beatrice, nel Vecchio Mondo lei restava una sconosciuta: la mia amica, che viveva con me in via Mascarella.

Non riesco a metterla a fuoco mentre si allontana.

26

9 *luglio* 2006

Ecco il capitolo peggiore.

Quello in cui, non per scelta ma per costrizione, sono diventata *io*.

Secondo la mia ex psicanalista avrei preferito infilarmi di nuovo dentro mia madre e poi, in sua assenza, incistarmi in Beatrice: incastrarmi tra le viscere e il cuore e starmene là, al sicuro, ninnata dal lavorio degli organi, dal battito cardiaco, sprofondare nei suoi tessuti senza nascere mai. Perché la vita vera, secondo la dott.ssa De Angelis, comincia solo «quando tradisci chi ami per non tradire te stesso, quando te ne vai per diventare chi sei. Ma a lei questa scissione ha sempre terrorizzato, Elisa. Ancora oggi prova una vertigine abissale nei confronti della sua libertà.»

Difatti il 9 luglio 2006 io non l'ho mai raccontato: né alla De Angelis né ai miei genitori, figuriamoci a me stessa. Fu un trauma tale, *la scissione*, che se gli eventi non mi avessero obbligata – tredici anni, cinque mesi, quindici giorni *dopo* – a raccontarla, io ne avrei fatto volentieri a meno e avrei lasciato il trauma lì, a cronicizzare.

Rincaso questa mattina – se può chiamarsi "mattina" la mezza – con quattro etti di tortellini e una confezione di dadi per il brodo, e trovo Vale in pigiama a giocare al Nintendo, un pacco di biscotti da cui ne pesca compulsivamente uno al minuto, gli occhi fissi sullo schermo, forse pensando addirittura di poter pranzare in quel modo. Sto per rimproverarlo quando mi accorgo dell'infinita somiglianza tra quella scena e innumerevoli in via Trossi, con me e Niccolò buttati sul divano, soli. Mi mordo la lingua, sfilo le scarpe ed entro in salotto annunciando: «Ho preso i tortellini!».

Vale non mi guarda, risponde solo: «Dove cazzo eri». Senza neanche il punto interrogativo. Le mie buone intenzioni evaporano subito: «Non mi piace quando parli così, e non mi piace che stai sempre appresso a quest'affare che ti brucia il cervello. Leggere fa bene, uscire, camminare, interagire con gli altri, fa bene. I videogiochi no. Valentino, mi ascolti?».

«È la Vigilia, e non abbiamo nemmeno fatto l'albero di Natale.»

Sapevo che me l'avrebbe rinfacciato: i bambini sono tutti conservatori. Sospirando poso a terra le borse della spesa, mi lascio cadere sulla poltrona senza neanche togliermi il cappotto. Lui non smette di giocare, il che mi irrita. Poi finisce di accusarmi: «In questo periodo non esisti».

Chiudo gli occhi. «Ho molto da fare, mi dispiace.»

«Tu hai sempre da fare.»

Provo a difendermi: «Il lavoro è importante, fondamentale» e il peggio è che mento, perché sto trascurando pure il lavoro per colpa di quella strega, «se non hai un'occupazione, una passione, non sei libero, non hai niente».

«Io non ho già niente.»

I bambini sono anche drammatici. «Non è vero: hai il calcio, la scuola, e molti amici.»

«Che non mi lasci vedere a Capodanno.»

«Che, arrivato il momento, vedrai anche a Capodanno.»

«Bene, ma non ho una famiglia.»

Adesso mi arrabbio: «Non puoi dire una cosa del genere, dare tutto 'sto valore a un albero di Natale!». Mi accaloro, tolgo il cappotto. «Hai dei nonni che ti adorano, uno zio cretino ma che ti vuole bene, e…»

«Mamma» mi interrompe lui, «è una settimana che sei fuori di testa, stai tutta la notte, tutto il giorno chiusa a scrivere, ti dimentichi le cose, non c'è un tubo in frigo.»

Resto interdetta perché ha ragione. Mi sento un disastro di madre, so di esserlo sempre stata. Merita una spiegazione: è mio figlio, ha dodici anni, non è uno stupido e non è più un bambino.

«Sto scrivendo una *cosa importante*, e la devo finire.»

«A Natale?»

«Eh, il prima possibile.»

«Cos'è, un articolo?»

Questo fatto che i bambini infilino sempre, con precisione millimetrica, il dito nella piaga, mi fa imbestialire. «Oh, non ti sei mai interessato al mio lavoro, e proprio oggi improvvisamente te ne frega? Dài, metto su l'acqua per il brodo, è l'una.»

Lo lascio riprendere la partita che aveva messo in pausa, vado in cucina, riempio d'acqua una pentola, ci ficco dentro un dado e accendo la tv per riflesso condizionato. C'è il telegiornale ma io non ho tempo di seguirlo, sono troppo impegnata ad apparecchiare e a recriminarmi di aver passato la mattinata in biblioteca dietro un libro sugli etruschi anziché con mio figlio a fare l'albero di Natale. Ho accusato mia madre per tutta la vita, e alla fine sono diventata peggio di lei.

Quando il brodo è pronto, butto i tortellini e sento il suo nome. D'improvviso: *bum*! Sparato dal televisore. È un pugno contro lo sterno. Mi volto di scatto, come se fossi stata braccata. Ne parlano anche al TG2, cristo. Un intero servizio, e non alla fine, dopo la cultura e lo sport, ma a metà notiziario. Stringo il mestolo, mi ci aggrappo. Valentino si trascina in cucina col cellulare in mano, si siede, sempre smanettando, poi alza la testa, guarda Beatrice a tutto schermo: «Assurda 'sta storia, vero ma'? Ne parlano ovunque, ma tu lo sapevi che è di T?».

Mi giro di nuovo verso i fornelli, mescolo i tortellini attenta che non scuociano, sudo freddo.

«Va be'» replica al mio silenzio, «non sai manco chi è, tu, la Rossetti. Comunque è di T, ha la tua stessa età, magari vi siete pure incrociate da qualche parte.» E ride, per l'assurdo di una simile eventualità.

Non voglio mentire ancora a mio figlio, quindi persevero nel silenzio più totale, pregando solo che quel servizio finisca al più presto. Servo i tortellini, porto i piatti in tavola. Quando cominciamo a pranzare, il telegiornale è finito e le pubblicità scorrono a vuoto. Vale mangia di gusto: è il suo piatto preferito. A un certo punto mi decido, col cucchiaio sospeso pieno di brodo, gli prometto: «Dammi solo due ore, due, non di più. Devo sul serio finire di scrivere *quella cosa*, è una questione di vitale importanza. Poi scendiamo in cantina, te lo giuro, e recuperiamo l'albero di Natale».

Lui mi guarda storto, deluso riprende in mano il cellulare e finge di rispondere a qualcuno. «Si fa l'8 dicembre, l'albero, non il 24. Scrivi pure quanto ti pare.»

Poso il cucchiaio, traggo un respiro profondo. Mi impegno a non rovesciargli lì, sulla tovaglia, tutta la verità.

Se l'ho incrociata, la Rossetti? *Se l'ho incrociata?*

*

L'11 aprile 2006 Bea dimenticò il mio compleanno. Un fatto clamoroso, superato in corner solo dall'altro crimine che si consumò quella sera: lasciò Gabriele al telefono. Caso volle che io, dimenticata pure da Lorenzo, che era dovuto rientrare a T per non ricordo quale emergenza, incazzata nera e satura di rancore origliassi l'intera telefonata.

Il tira e molla tra loro durava ormai da mesi, forse addirittura dal settembre precedente. Non erano il genere di coppia che regge la distanza: a parte il corpo, non avevano veramente niente in comune. In più erano poveri in canna, faticavano a mettere insieme i soldi per i biglietti del treno, si vedevano poco e male, facevano l'amore subito e poi litigavano per l'intero weekend. A Bologna Gabriele si sentiva sperduto, a T Beatrice non voleva più mettere piede. La situazione peggiorò drasticamente quando lui perse il lavoro e, in perfetto sincronismo, lei cadde in depressione. Con tutta la buona volontà, Gabri non poteva aiutarla. Nessuno avrebbe potuto. Per risollevarsi, a Beatrice servivano una Canon da tremila euro e tutta la paccottiglia di cui la Sella, sempre sia maledetta, la rifornì.

Era tornata da Parigi giusto il 10 aprile, Beatrice, e si era buttata sul divano appagata ed esausta: «Ah, che bellezza: non ho dormito mai!», indossando un paio di Louboutin d'oro che, quando le avevo chiesto chi gliele avesse regalate, lei aveva emesso un sospiro così malizioso da raschiarmi i nervi. Aveva soggiornato, mi raccontò, niente di meno che a L'Hôtel, «dov'è morto il *tuo* Oscar Wilde». Aveva mangiato ostriche a ogni cena: «Cinquanta euro quattro ostriche, Eli, ci credi?». La conseguenza diretta di quel viaggio fu che, la sera successiva, dopo aver mancato di farmi non solo il regalo, ma persino gli auguri, Bea alzò il telefono con l'intenzione che ho già anticipato.

Esordì dicendo che aveva poco credito, quindi andò dritta al sodo: accusò Gabriele di essere una palla al piede. Nello specifico, quella che le impediva di spiccare il volo e conquistare il mondo. Non intendeva tornare «in quel posto di merda» a perdere tempo, non poteva più permettersi di sprecare fine settimana, lei, che adesso soggiornava a L'Hôtel e aveva accesso a prestigiosi corsi a Roma, Parigi, Zurigo. Doveva frequentare solo gente visionaria, ricca, senza scrupoli. Invece lui era un cassaintegrato, senza ambizioni, senza obiettivi. Uno che viveva in una topaia e gli bastavano un paio di canne, un paio di birre e un cartone di Miyazaki per essere felice. Sarebbe diventato cenere senza imprimere neppure una lieve orma su questa Terra, ma lei no: intendeva lasciarci un cratere.

Lo macellò. Gli impedì qualsiasi difesa o contrattacco con una furia calcolata e un sangue freddo tali che io, nascosta dietro la porta, sentii più volte l'impulso di spalancarla e fermare la mattanza. Era – e credo sia rimasto – una gran brava persona, Gabriele, non meritava una bomba del genere. Ma con quale diritto potevo intromettermi? Per fortuna, o per pietà, dopo dieci minuti il credito finì. Allora udii il tonfo del corpo sul letto a una piazza, la struttura in ferro battuto e la rete cigolare, il pianto disperato di Beatrice che durò una notte intera.

Ancora: quante volte fui sul punto di bussare? Di chiederle: Perché, Bea? Era il tuo fidanzato, il primo. Forse non ne sei più innamorata, ma comunque gli vuoi bene, a lui ci tieni, lo so, ne sono sicura. E poi, proprio oggi lo dovevi lasciare? Non mi hai nemmeno fatto gli auguri.

Invece mi sedetti sul pavimento in silenzio, la tempia appoggiata allo stipite della porta, e ascoltai a lungo il suo dolore soffocato nel cuscino, i singhiozzi inconsolabili. "È quando tradisci chi ami per non tradire te stesso che diventi chi sei." Perché non bussai?

Perché sapevo che l'altra palla al piede ero io.

*

Venne maggio, venne giugno. Ora che in molti avevano un blog, il nome di Bea cominciò a circolare e lei, tra sfilate e servizi fotografici, tornò a guadagnare bene come ai tempi di Ginevra. Era già nei modi, nel colore di capelli, nell'accento depurato dal toscano, quasi tale quale *la Rossetti*. Mancava ancora un dettaglio, uno solo ma decisivo, all'avveramento. Per aggiungerlo, però, doveva prima scaricare me.

Trascorreva a casa il minimo sindacale: una doccia, un cambio d'abito. Non mi raccontava niente, era sempre fuori. E solo il fuori contava: i pensieri nessuno poteva vederli, ma il corpo sì, e i vestiti anche. Diventò arrogante con me, al punto da risultare irriconoscibile. Io, d'altra parte, sedevo tronfia sotto gli affreschi dell'Archiginnasio, frequentavo le lezioni di Filologia romanza convinta di detenere le chiavi del futuro e, ancora una volta, non volli o non riuscii a vedere di quanti chilometri mi staccasse Beatrice.

Un giorno me lo disse proprio in faccia: «Perché non cambi facoltà, Eli? Nel 2020 staranno tutti su Internet, non leggerà più nessuno. La letteratura è già diventata *obsoleta*, come fai a non accorgertene?».

Però stavo raccontando un'altra cosa, adesso.

Era maggio, era giugno: era quasi il 9 luglio, e una sera Bea aprì la porta mentre io ero in bagno. La richiuse a chiave, sedette sul bordo della vasca di fronte a me che stavo facendo pipì, e mi lapidò con i suoi verdi occhi dardeggianti.

«Mi hai tradita.»

«Cosa?»

«Ti è importato solo di lui *quest'anno*, mai di me. Sei sempre entrata in casa correndo da Lorenzo senza nemmeno guardarmi. L'altro giorno sei andata a comprare le lasagne pur sapendo che io non posso mangiarle, e mi avete cenato davanti.»

«Bea» la interruppi, «non ci sei mai a cena, che ne sapevo...»

«Eri la mia migliore amica, Elisa. Più di una sorella, più di una famiglia. Eri *me*.»

«Lo sono, lo sarò sempre!»

«No» scosse la testa, «questa convivenza a tre è stata una tua idea, una pessima idea. Non te la perdonerò mai.»

Riesco a rivedermi mentre mi alzo di scatto senza neanche tirarmi su le mutande, mi avvinghio a lei scoppiando a piangere, le ripeto allo sfinimento, in una scena così patetica che faccio fatica a riportarla: «Ti prego, scusami, non succederà più, ho sbagliato, andiamo a vivere solo noi due, sei tu la persona più importante. Se mi chiedi di lasciare Lorenzo, io lo lascio».

Tu eri calma e bellissima. Avevi già deciso, vero? Era solo una messinscena per preparare il terreno. Ma questa opzione arrivo a considerarla adesso, mai ci sarei riuscita allora. Forse avevi addirittura già trovato un'altra casa. E mentre io ti stringevo, tu non ricambiavi l'abbraccio, non pesavi, non c'eri, solo il cuore riuscivo ancora a sentirlo. "Se vuoi diventare chi sei..."

Te ne devi andare.

*

Credo che nessuno, quell'estate, si aspettasse che l'Italia vincesse i Mondiali. Era un periodo di tali scandali e disillusione: nei bar s'inveiva contro dirigenti e giocatori, tutti ladri, peggio che contro i politici, la Nazionale veniva data per morta prima ancora di cominciare. Ma forse proprio per questo, libera dalle aspettative, la squadra andò avanti partita dopo partita espugnando gli avversari e, arrivati a luglio, la febbre era salita a tutti.

La sera della finale appendemmo anche noi il tricolore fuori dalla finestra. Io, la non invitata alle feste per eccellenza, mi arrischiai addirittura a organizzarne una, coinvolgendo i miei compagni di Lettere più affezionati, dandomi un gran daffare al supermercato a riempire il carrello di pessimo vino, birre in quantità, sacchi di popcorn, patatine, noccioline. Perché Italia-Francia era una pagina di Storia a cui non si poteva assistere da soli.

Siccome Bea, a parte Tiziana Sella, non aveva amici, e Lorenzo con gli ingegneri non era riuscito a legare, via Mascarella si riempì di secchioni vestiti da irresponsabili, con gli occhialini da Gramsci e la kefiah, le barbe incolte e gli espansori alle orecchie, allergici a qualsiasi divisa e guardati storto sia da Bea che da Lorenzo. Io però ero stupidamente felice, e facevo avanti e indietro dalla cucina al salotto per rifornire gli ospiti di alcol, riempire di noccioline le scodelle che si andavano vuotando. In generale, era una magnifica serata. In tutta Bologna, ma credo in tutta Italia, a partire dalle 20.30 non volava più una mosca. Anche con le finestre spalancate per via del caldo, non si udiva un motorino, una voce umana, passi sotto i porticati; solo il ronzio dei televisori sintonizzati all'unisono sullo stesso canale. Un evento così straordinario finì per ammorbidire Lorenzo e invogliarlo a cacciare fuori il poeta clandestino sepolto dentro di lui, e poi, a forza di vino, per ammansire Beatrice che, pur schifando le mie compagne – «Si conciano come le turiste tedesche all'imbarco per l'Elba, hai presente?» – tornò gentile, mi aiutò coi salatini e il prosecco. Al fischio d'inizio eravamo tutti ubriachi.

Ora, per quanto riguarda la partita, la cronaca è nota e io non la tirerò lunga: non sto trascurando mio figlio la Vigilia di Natale per raccontare un match calcistico. Rammenterò solo, per chi non era ancora nato, che al settimo minuto segnò Zidane, al diciannovesimo Materazzi, dopodiché il gioco si arenò su un logorante 1-1 e nel mio salotto, come in ogni casa italiana, non si faceva che sudare, imprecare e soprattutto bere. Noi avevamo vent'anni, quella notte, e forse ciascuno proiettava sul campo dell'Olympiastadion il proprio futuro. Ricordo Beatrice come seguiva attenta, non più sprezzante, ma in disparte – capisco: non era già più con noi. Lorenzo si stringeva invece sul divano insieme agli altri, fraterno come solo i maschi riescono, in pochi minuti, grazie allo sport. La meno concentrata di tutti ero io, l'unica a correre il rischio di perdersi un gol pur di portare altro vino. Ma se mi fermavo sulla soglia a guardare, lo spettacolo che vedevo era commovente: la mia casa era piena di amici, vivevo a Bologna, avevo chiuso in corso il primo anno. Cos'altro potevo vincere?

Il Mondiale prese col tempo la stessa piega delle guerre: la trincea, lo sfinimento, i supplementari. Cominciavamo a non poterne più, centodieci minuti sono tanti. Quando accadde l'imponderabile: Zidane assestò a Materazzi una testata brutale, e le regole saltarono in ogni cuore. La pagina di Storia virò da eccezionale a folle, al punto che nessuno poteva più rimanere in casa. Un richiamo più profondo, quasi ancestrale, esigeva che uscissimo, che cercassimo gli altri, e quando la tv annunciò che si andava ai rigori, Lorenzo scattò dal divano: «E noi andiamo in piazza Maggiore».

Lo seguimmo senza discutere, senza ragionare, lasciando a casa portafogli, borse, cellulari. Nudi come animali corremmo in strada, ci unimmo alla notte, risalimmo via Zamboni, arrivammo, e piazza Maggiore era un magma. Illuminata a giorno dal maxischermo, ribolliva di gambe, braccia, urla.

Cominciarono i rigori. Ricordo il silenzio spaventoso di quella bolgia prima di ogni tiro, il grido lancinante dopo. E non ricordo altro perché, essendo minuta, vedevo poco o niente oltre la muraglia di spalle e di teste. Sentivo solo la mia che girava, l'odore e la densità degli altri. Impiegavo tutte le mie forze per non perdere Bea, Lorenzo, gli amici. Avevo esagerato col vino e me ne pentivo, cominciavo quasi ad avere paura. Poi Grosso segnò, cominciò a correre, e dal maxischermo si sentì: «Goool! Goool! E allora diciamolo tutti insieme...».

L'Italia aveva vinto. Era una cosa impossibile, un segno del destino per noi che c'eravamo sotto il cielo stellato, presenti e vivi.

«Siamo campioni del mondo, campioni del mondo!» E io, il primo volto che cercai fu quello di Beatrice. Anche lei cercò il mio. In un istante fragile fuori dal tempo ci guardammo.

«Abbracciamoci forte e vogliamoci tanto bene. Vogliamoci tanto bene» urlava il telecronista, «perché abbiamo vinto tutti stasera!»

Gli occhi di Beatrice scintillavano. Ora lo vedo: quel segno era solo per lei in tutta la Terra. Mentre io cercavo di raggiungerla per baciarla, lei era sbalzata lontano dalla furia dei corpi. La città crollò, andò in fiamme. Fummo costretti ad aggrapparci gli uni agli altri per non cadere e venire travolti, calpestati, feriti dalle bottiglie che si rompevano, dai petardi che esplodevano. Fumogeni, sirene. Uomini a torso nudo, donne in reggiseno. Ricordo un autobus fermo in via Rizzoli, la gente che gli si arrampicava ai fianchi, saltava sul tetto. Un tizio issato su un cartello di divieto di sosta: lo prendeva a pugni.

A fatica riuscimmo a fuggire da piazza Maggiore, diventata campo di battaglia. In realtà non c'era strada da cui la civiltà non si fosse ritirata, ma in piazza Verdi scoprimmo che si poteva respirare e continuare a bere nei pub, nei bar, ma con quali soldi? Beatrice si voltò verso di me: «Eli, vai tu a prendere i portafogli, e il mio cellulare: dobbiamo assolutamente farci una foto!».

Forse qualcuno si offrì di andarci al mio posto, forse Lorenzo, ma Bea insisté che fossi proprio io, perché sapevo qual era il suo cellulare, il suo portafoglio, perché avrei fatto prima. Ricordo che pensai: E non puoi andarci tu, scusa? Però non glielo dissi. Perché, tragicamente, era da una vita che Bea non mi chiedeva di scattarle una foto ed ero contenta di guadagnarmi di nuovo quel privilegio.

Piazza Verdi e via Mascarella distano trecentocinquanta metri, *trecentocinquanta*, capite? Un baleno, un soffio, e io mi lanciai di corsa, ignara, perché la vita aspetta sempre che tu sia felice e indifesa per pugnalarti alle spalle.

Salii in casa a prendere i soldi, il cellulare, cercai quello di Bea fra i resti di patatine, bottiglie vuote, tappi rotolati ovunque sul pavimento. Per un istante fui di nuovo sola dentro quattro mura mentre il mondo fuori festeggiava. No, pensai sorridendo: ormai non sono più l'esclusa.

Trovai il suo telefono, i portafogli, li misi in tasca, trangugiai altro vino da una bottiglia aperta e subito dopo mi precipitai per la via, euforica. Quando arrivai in piazza Verdi erano tutti seduti a terra in cerchio a suonare i bonghi. E, al centro di quello spettacolo, c'erano loro: Beatrice e Lorenzo.

Io li vidi. E ancora adesso mi si ferma il cuore.

Beatrice gli teneva il volto tra le mani e affondava la lingua, le labbra, il muso nella sua bocca.

Lorenzo ricambiava quel bacio osceno palpandole il seno e il culo.

Il mio cuore cede, si rompe, rotola a terra.

Cedono i polmoni, lo stomaco, i nervi.

Gli occhi si asciugano, si crepano, non riescono a chiudersi su quel bacio che infierisce e insiste di fronte a me come se io non esistessi, non fossi mai esistita. E poi vedo – ma forse fu solo un'allucinazione – per una frazione infinitesimale di secondo, Beatrice che spalanca l'occhio sinistro, direziona la pupilla verso il punto esatto da cui sa che io sarei sbucata, per controllare se io sia arrivata, se stia vedendo. Quell'occhio verde inferno mi fissa e brilla prima di richiudersi.

"Chiudimi in un bacio."

*

La terra sotto i piedi è scomparsa. Sono scomparsi gli amici, gli sconosciuti che suonano in cerchio, il Teatro Comunale, l'oratorio di Santa Cecilia, la basilica di San Giacomo Maggiore, le forme, i rumori.

Precipito, ritorno allo stato inerme di bambina indesiderata, con la febbre alta, la tachipirina, infagottata e buttata in una stanza piena di libri. Che possano bruciare tutti: a cosa mi sono serviti?

Non mi hanno salvata. Mi si annebbia la vista. La città mi vortica intorno, ma io non ci sono. Per nessuno: nello sguardo, nell'amore di nessuno. Non è panico, è solitudine irreparabile. Mi piego sui sampietrini. Solo che un pensiero mi attraversa la testa: Non hai più quattro anni, Elisa, non hai più bisogno di tua madre.

344

Mi sforzo di respirare, di calmare il cuore. Mi rimetto in piedi. Mi dirigo verso di loro, li raggiungo, apro le braccia e, con tutta la forza che ho, li urto. Beatrice indietreggia, mi guarda quasi con spavento, ma è solo un attimo. Torna in sé. La sua faccia ha un'espressione – giuro – illeggibile. E io la odio. Come non ho mai odiato nessuno. Voglio strapparle i vestiti, raschiarle via il trucco con le unghie fino a scoprirle i brufoli, le vene, il sangue. Sei solo un bluff, una patacca. Se ne accorgeranno tutti, un giorno, del niente che sei. Ma lei regge il mio sguardo, mi sfida, compie un gesto che ancora oggi mi spiazza: allunga una mano verso la mia tasca, si riprende il cellulare, il portafogli. Mi dice qualcosa, una parola sola, senza voce, col solo labiale. Una parola che io non capisco.

E se ne va.

Si volta, si allontana inghiottita dalla folla, dai fumogeni, dai petardi, con calma, con eleganza, e io non faccio nulla per trattenerla.

Invece Lorenzo rimane.

Impacciato, patetico, si scusa. Io penso: Codardo. Lui affastella parole vane: «Ho bevuto troppo, non so neanch'io cosa mi è preso». Io penso: Vigliacco, stavi con la brutta, ma hai sempre voluto la bella. Lui continua: «Abbiamo vinto i Mondiali, non puoi dare peso...». Non lo lascio finire. Gli tiro un ceffone. Mi fa schifo. Gli afferro un braccio e lo trascino via, nella prima laterale che capita: largo Trombetti, e poi in un'altra a caso, ancora più buia e nascosta, via San Sigismondo. Lo scaravento sotto il portico, in un antro dove non può passare nessuno. Lui è così ubriaco che non oppone resistenza. Lo prendo a spintoni e gli grido: «Perché?».

Perché, perché, perché? E lui non riesce a rispondermi. Guarda verso la strada, farfuglia, cerca un pretesto per tornare ai festeggiamenti e liberarsi di me. Perché quella è una notte senza regole e solo io non l'ho capito, solo io gli rompo ancora i coglioni.

Tiro fuori il cellulare, glielo ficco in mano. Gli ordino: «Dài, fammi una foto, fammi un video». Comincio a spogliarmi. Sono una persona inerme, o quel che ne resta. Insisto: «Fammi una foto, avanti, che poi la metto su Internet così mi vedono tutti, così mi commentano». Lorenzo stringe il mio telefono, lo scaraventa contro il muro, lo disintegra. È forse il suo ultimo gesto di pietà, o di amore, nei miei confronti.

Ma io sto morendo. Quindi mi allaccio a lui, disperata, faccio scempio di me, di tutto. Gli abbasso i jeans, i boxer. Lo imploro, lo costringo a farlo in piedi, in strada contro una colonna come due cani, a venirmi dentro, e dopo è tale la vergogna che non riusciamo a guardarci.

Lorenzo barcolla verso piazza Verdi. Riesco ancora a gridargli: «Puoi andare da lei adesso!».

Ma lui non si volta e io mi accascio. Mi rivesto, scoppio a piangere. Mi lascio portare come un cadavere dalle correnti, sfocio in via Petroni, m'ingorgo in un mulinello in piazza Aldrovandi. Vago, espulsa. Non so dove mi trovo. C'è la Palazzina Piacenza là? Oppure è il Pascoli? È il Mucrone, è l'Elba? Raggiungo il ghetto, in via Canonica m'incaglio su un marciapiede e cado svenuta, forse addormentata.

Quando riapro gli occhi, il sole è alto sulla città saccheggiata e sporca, sui resti delle bottiglie vuote, dei petardi, delle bandiere. Mi rimetto in piedi.

La mia vita è finita.

Sono libera.

Sono nata.

27

La realtà esige
che si dica anche questo:
la vita continua

Quando riaprii la porta di via Mascarella erano le nove del mattino del 10 luglio. Le stanze risuonavano cave intorno a me come se ci fosse passato attraverso un uragano. Senza lavarmi né fare colazione, meno che mai guardarmi allo specchio, tirai giù la valigia più capiente da sopra l'armadio e presi a riempirla di abiti e libri, meticolosa, concentrata, pressai maglioni, reggiseni, mutande. Solo quando arrivai a Moravia e Morante persi il controllo e li sbattei dentro con rabbia. Richiusi subito per non strapparli, non piangere, non urlare. Poi stipai un secondo trolley di asciugamani e lenzuola, un terzo di medicinali, cosmetici, altri libri.

Se avevo paura che uno di loro rientrasse all'improvviso? No, non ci pensavo. Ero certa che fossero insieme, abbracciati dentro qualche tana, liberi di vivere il loro amore allo scoperto. Sapevo che non avrebbero osato rifarsi vivi, e tanto mi bastava. Ma, nel caso estremo, io non avrei battuto ciglio. Non sarei riuscita a metterli a fuoco, a riconoscerli, a udire le loro voci. Non esistevano più, per me.

Terminate le valigie, passai a borse e borsoni. Mi arrestai solo quando non fu rimasto niente di mio, neppure un segnalibro. Allora sollevai la cornetta del telefono fisso – non avevo più un cellulare – e registrai un messaggio nella segreteria del padrone di casa che, come tutti gli italiani, alle dieci stava ancora dormendo. Gli comunicai che lasciavo l'appartamento, quel giorno, all'istante, con due anni di anticipo, e che mi facesse pure sapere quanto gli dovevo per quella disfatta, mi scusi: disdetta, improvvisa. Misi giù e trascinai le valigie fuori dalla porta, lungo le scale, per un bel pezzo di portico senza sentire fatica, senza provare nulla. Pigiai tutto nel bagagliaio, sui sedili posteriori della Peugeot 206, controllai di avere abbastanza benzina, poi, un attimo prima di mettere in moto, osservai Bologna ferma in una luce perfetta.

Tu non c'entri, le dissi, però io me ne devo andare. Addio, arrivederci: non lo sapevo. Non esisteva più neanche il futuro.

Girai la chiave, ingranai la marcia. Fuggii tra i palazzi addormentati, lungo via Stalingrado deserta, sulla tangenziale con solo un paio di camion della Romania e della Polonia che procedevano stanchi sulla corsia di destra. Li superai, raggiunsi il casello dell'A1 e mi trovai di fronte a un bivio: Milano, Firenze. Che significava Biella o T, tua madre o tuo padre, dove sei nata e dove sei stata abbandonata. Non chiedetemi il motivo – non c'erano più motivi – virai verso T.

Guidai a ritroso nel tempo e nello spazio: Roncobilaccio, Barberino, la Fi-Pi-Li, Collesalvetti, inebetita dal colpo, immemore. Leggevo i cartelli: Rosignano, Cecina, a centotrenta all'ora senza rallentare, senza fermarmi. Tornavo lieve come chi ha perso tutto, anzi, non ha mai posseduto. Mi stavo di nuovo separando da un luogo, apolide, espiantata. «Il destino è rivivere il trauma, ripetere gli errori» mi avrebbe spiegato la De Angelis dieci anni dopo, «a meno che non ci si ribelli.»

Dopo Cecina mi accorsi del mare. Scintillava calmo di là da una pineta. Mi venne quasi da piangere, tanto era bello. Mi balenò nella mente rasa al suolo l'immagine di noi tre sul ponte Morandi: mamma, Niccolò e io, stretti nell'Alfasud a passarci la canna. Rividi le cave, Marina di S, l'acropoli di Populonia e, per la prima volta, mi domandai cosa resta di noi nei luoghi che amiamo, cosa sopravvive di tutti i baci, le confessioni, la gioia, perché da qualche parte la nostra vita deve pur rimanere, no? Sarebbe uno spreco tale, se morisse insieme a noi.

Infine arrivai a T, e lei mi riprese. Senza rancore e senza giudizi, mi ricondusse per vie secondarie, scorci rimasti illesi, a via Bovio 53. Parcheggiai sotto il balcone della cucina, smontai dall'auto, suonai il citofono. Vidi la faccia di mio padre accorso sul pianerottolo, incredula, poi preoccupata. Non riuscii a dargli spiegazioni, gli chiesi solo di avvisare mamma che mi trovavo lì, di aiutarmi con le valigie. Lui annuì, osservando le mie ginocchia sbucciate, nere di marciapiede. Scese in ciabatte a recuperare i bagagli e non si azzardò a domandarmi niente.

Io mi buttai sotto la doccia, raschiai via dal corpo la notte precedente: la polvere, la placenta, lo sporco, il liquido amniotico. Dopo, coi capelli appiccicati alle guance che gocciolavano ancora, andai allo specchio, aprii la bocca e svitai il piercing al centro della lingua. Lo tenni qualche istante tra il pollice e l'indice: era solo un minuscolo oggetto d'acciaio chirurgico, verde fosforescente, senza significato. Aprii le dita di scatto e lo lasciai scivolare giù, nel tubo di scolo del lavandino.

*

Per più di due settimane non parlai. La mia testa si era come liberata di tutte le parole e aveva trattenuto solo il vocabolario essenziale: «sì, no, esco, torno più tardi, va bene il pesce per cena».

Papà mi spiava con cautela mentre riponevo i libri sugli scaffali in ordine alfabetico per autore: Elsa Morante, Alberto Moravia, Sandro Penna, Vittorio Sereni, li seppellivo ciascuno nel proprio loculo perché non avevo intenzione di leggerli mai più. Mi diede una mano ad alleggerirmi degli oggetti che il confine tra il prima e il dopo – una muraglia invalicabile, spinata e militarizzata – aveva reso inopportuni o superflui: regali, lettere, fotografie di chi sapete voi. Mi fornì grandi sacchi neri per gettare tutto dentro senza nemmeno guardare, e chiudere bene. Comprese che qualcosa di grave era avvenuto, ma anche che non era il caso d'indagare. Quindi, sempre con tatto, si limitò a sorvegliare che mi alzassi la mattina, mangiassi a colazione, non trascurassi di pettinarmi e di mantenere la decenza e fu un po', per certi versi, come nei primi tempi in cui ci eravamo ritrovati a convivere, io e lui da soli, e ci studiavamo a distanza, evitandoci, cercandoci. Solo che ormai, padre e figlia lo eravamo diventati.

E lui come stava?, ci si chiederà. Be', se il mio trasferimento a Bologna gli aveva inferto un bello scossone, il mio ritorno a T quell'estate finì per riassestarlo. Viveva ancora, nei giorni di cui parlo, in pigiama, e usciva solo per rifornirci di cibo, acqua e beni di prima necessità. Però era riuscito a troncare la sua relazione con Incoronata. Su mio impulso; devo prendermi questo merito.

Credo fosse stato un paio di mesi prima che, stanca di andare a trovarlo per dovermi accontentare della sua schiena o, peggio, della porta dello studio chiusa mentre lui chattava come un disgraziato, lo avevo affrontato: «Papà, non puoi credere di amare una persona che non hai mai visto, e che ti riduce in questo stato, oltretutto». «Da quando l'amore ha a che fare con la vista?» aveva ribattuto lui. «Sei la solita materialista! È un dialogo tra anime, un altrove in cui poter essere sinceri.» «In cui mentire alla grande, vorrai dire. Sali su un aereo e vai a trovarla: è un anno che state al computer! Di cosa hai paura?» Al che lui si era alzato di scatto dalla sedia, mettendosi le mani nei capelli, poi coprendosi la barba: «Ha cinque figli, Incoronata, tutti maschi. Suo marito è in carcere da dieci anni. Se vado là e mi avvicino anche solo al citofono, mi sparano!». Allora io avevo allargato gli occhi, e forse sarebbe potuta bastare l'espressione sul mio volto. Ma decisi che no, non bastava: «Tu e la moglie del boss, papà? Proprio *tu*?» gli chiesi. «È a questo che serve, Internet?» Lui era rimasto in silenzio.

Adesso Incoronata era uscita di scena, per fortuna, e, con mia grande sorpresa, il web era passato da oggetto di culto a oggetto di discussione. Cominciava proprio allora, papà, ad avercela a morte con gli algoritmi e i motori di ricerca: «Vogliono farci diventare tutti uguali, Elisa, manovrabili, cretini! Non hai idea dei fini diabolici che covano, spariranno le democrazie! Il web diventerà un supermercato!». Vaticinava come Cassandra, e certo nel 2006 non poteva allarmare nessuno. «Doveva essere una frontiera, la liberazione, e invece... È il peggior tradimento della Storia.»

Si rimise a leggere Marx, Hegel e Platone allo scopo d'intraprendere un monumentale studio sul Tradimento. Ma, per quanto deluso e ribelle, doveva ancora disintossicarsi per bene, quindi, ogni tanto, nelle chat ci ricascava, e nei blog, e in quel social americano arcifamoso che in Italia sarebbe sbarcato due anni dopo, a cui proprio non sapeva resistere: «Il nemico, Elisa, per abbatterlo lo devi abitare». Ci tengo ad aggiungere, per inciso, che Iolanda, la sola donna normale della sua vita, non l'avrebbe conosciuta su Internet, bensì in pescheria.

Comunque, durante le settimane successive al 9 luglio 2006 io mi rifiutai di acquistare un nuovo cellulare, di controllare la posta elettronica, la cassetta delle lettere: sapevo che non mi avrebbero scritto, ma non volevo arrischiarmi a verificare e trovarmi davanti al vuoto: ribadito, sottolineato, sbattuto in faccia. D'altra parte, non volevo neppure che mi cercassero. Per dirmi cosa? Che si amavano? Mi piegavo fisicamente, a questo pensiero. Lo rigettavo perché il mio corpo non era in grado di tollerarlo. Evitavo i libri perché non mi avrebbero curato, non in quel momento, i giornali, i film, la cultura intera non mi sarebbe servita a niente.

Camminavo soltanto: senza meta né scopo, come un tempo vagavo in sella al mio Quartz e ora, dopo il naufragio, a piedi. Alle cinque del pomeriggio uscivo, raggiungevo il lungomare, mi fermavo a osservare i ragazzi che giocavano a pallone sul bagnasciuga, le ragazze al bar in costume da bagno che ridevano, le famiglie felici, i bambini amati, *gli altri* alla cui famiglia non riuscivo proprio ad appartenere. Arrivavo a Calamoresca, a piazza A, contemplavo le isole, le nuvole, le barche, e mi bastava ricevere ospitalità sulla crosta terrestre, come un corpo sul punto di affogare che sia stato restituito a riva da una mareggiata violenta.

Rincasavo alle otto, più o meno, cenavo con mio padre, lo ascoltavo inveire contro gli interessi economici occulti e i poteri loschi. Lo aiutavo a sparecchiare, a caricare la lavastoviglie, poi mi chiudevo in camera come a quattordici anni. Srotolavo la tapparella sul platano "rigoglioso, vestito di foglie, solitario, solo". Lanciavo uno sguardo rapido, rubato, in cima all'armadio, all'angolo destro del soffitto. Ed era quasi dolce, dopo, crollare nel letto del liceo.

Trascorsi altri diciassette giorni così, come un'ameba.
Poi arrivò la svolta.

*

Giovedì 27 luglio, dice il mio diario del 2006. E non aggiunge altro perché quella pagina, come le diciannove precedenti e tutte le seguenti, sono bianche.

Dovrò andare a memoria per forza, ma non credo incontrerò ostacoli: il maestrale e il cielo incontaminato li ricordo perfettamente, e anche la sensazione d'inutilità e vuoto che mi aveva come congelata dentro.

Quel pomeriggio risalivo la strada verso Calamoresca che, ho dimenticato di dirlo, è una meravigliosa insenatura di ciottoli, con un belvedere dalle cui panchine si ammira l'Elba, e dove mirti, ginepri ed eriche profumano il vento che batte la costa. Procedevo schivando i passanti come al solito, sperando di non incontrare nessun ex compagno di scuola che mi riconoscesse e mi chiedesse come stavo, quando, nel tratto più ripido, mi piombò addosso una stanchezza enorme, mai provata prima, tale da piegarmi le gambe, costringermi a cercare al più presto una panchina libera da fidanzati – erano ovunque, i maledetti – per sedermi e contenere lo stupore.

Guardai l'isola dall'altra parte del mare: limpida e dettagliata come un presepe, con le cave nere da cui gli etruschi avevano estratto il ferro duemila anni prima, le dorsali ombrose dei monti, i minuscoli grappoli di case. Ricordo che dal bar della spiaggia proveniva una canzone: *"Applausi, applausi per Fibra"*. Un nugolo di bambini stava per tuffarsi dallo scoglio più alto, sotto la casa abbandonata. In quel preciso istante una fitta sconosciuta mi attraversò la pancia. Non lo stomaco, però: un altro luogo, a cui non avevo mai fatto caso. E, anche se non possedevo nozioni né esperienza, lo capii subito: *subito*.

«Non è possibile» dissi a voce alta.

Ti prego, implorando quel dio che pure doveva esistere quando ne avevo bisogno. No, questo no, per favore. Mentre il blister riemergeva nitido nella memoria con le due pillole scordate, e poi riemergevo io, idiota, che accorgendomene ne ingurgitavo tre tutte insieme, convinta di cavarmela. La mente prese a calcolare da sola le settimane e i giorni, mentre io riuscivo solo a oppormi.

No.

Cominciai a sentire freddo. Vincendo il desiderio di addormentarmi lì, sulla panchina, raggiunsi la farmacia più vicina in uno stato di allarme e tensione tali che ero come una cerva prostrata in una foresta sommersa di neve, anche se nella realtà c'erano trentotto gradi e la gente mi ciabattava accanto allegra e scottata dal sole. Il farmacista mi consegnò quanto richiesto verificando con lo sguardo se avessi un anello all'anulare sinistro e io no: non ce l'avevo. Uscii e tornai a vagare stordita, con la tachicardia che montava e rimbombava nel petto, sul lungomare. Mi chiusi nel bagno del primo bar che mi capitò, non senza aver prima mandato giù un bicchiere di vino per prepararmi al risultato, o per illudermi di scongiurarlo. In quell'antro di piastrelle bianche chiesi se fosse possibile morire una seconda volta, a distanza di soli diciannove giorni dalla prima, e la risposta del test fu: Sì, inequivocabilmente sì. Puoi morire a oltranza, Elisa.

Papà stava cucinando quando rincasai. Udendo i miei singhiozzi accorse in salotto, sedette sul divano dov'ero andata a gettarmi. Parlavo, finalmente, ma pronunciavo solo parole folli e sconnesse. Papà mi prese la testa tra le mani, mi ordinò con dolcezza di calmarmi, guardarlo in faccia, essere adulta.

«Cos'è successo?»

«Una tragedia.»

«Dimmelo.»

«Sono incinta.»

Lasciò la risposta compiersi, smorzarsi, depositarsi al suolo. Sorpreso più che sconvolto, perché, tra tutte le ragazze incoscienti del pianeta, io ero proprio la meno leggera e avventata. Si sforzò di mantenere il controllo, commentò: «Non la definirei propriamente una tragedia, anche se…».

«Sono al primo anno di università!» gridai. «Devo dare gli esami, mi devo laureare, voglio morire!»

«La vita va ragionata, Elisa, non puoi sempre prenderla di petto o farti travolgere. Occorre valutare, ascoltare più opinioni, e credo che la più urgente sia quella di Lorenzo.»

«Non nominarlo!» mi rivoltai furiosa. Papà capì che l'avvenimento era ben più grave di una distrazione da ragazzini: «Allora vuoi che telefoni a Beatrice, che le chieda di venire qui?».

Non risposi: emisi un grido disarticolato, assunsi un'espressione così spaventosa che papà ammutolì. Cominciai a delirare. Lui si accorse che scottavo e mi mise a letto, mi rimboccò le coperte. Tremavo, me ne aggiunse altre. Lo vedevo sfocato che si agitava, e non sapeva nemmeno lui cosa fare. Poi prese una decisione: andò in bagno a radersi.

Ascoltai a lungo il rumore della macchinetta da sotto le coperte dove battevo i denti mentre fuori impazzavano le cicale. Non ho idea di quanto tempo ci mise a togliersi dal volto quella barba, so solo che si disfò anche del pigiama e, quando ricomparve sulla soglia della mia stanza, indossava pantaloni a coste di velluto, una camicia azzurra a quadretti chiusa fino all'ultimo bottone, ed era di nuovo, senza ombra di dubbio, il professor Cerruti.

«Non preoccuparti» provò a rassicurarmi, «ti aiutiamo noi.»

Noi?, pensai. Noi chi?

Papà afferrò il cellulare, cercò il numero di qualcuno in rubrica, se lo portò all'orecchio e, nell'attesa, prese a camminare su e giù per il corridoio, sudando, toccandosi di continuo gli occhiali, i capelli. Quando si fermò, lo sentii dire distintamente: «Annabella, sì, Elisa è ancora qui. No, non sta bene. Ha la febbre, dice di voler morire. E di essere incinta». Calò il silenzio. Provai a non piangere, ma non riuscii. «Forse è il caso che tu venga. Questa volta credo di non potercela fare da solo. Chiedi a tuo marito se può capire la situazione...»

No, papà, non puoi fare una cosa del genere. Tentai di mettermi seduta. Ma come ti è saltato in mente? Provai ad alzarmi e a interrompere quella follia, ma non avevo le forze. Immaginavo quanto gli costasse quella telefonata, sentivo i suoi passi da un capo all'altro dell'appartamento; sentivo i miei genitori parlarsi di nuovo a causa mia, e peggio di così l'età adulta non la potevo iniziare. Ero stata a un soffio, *uno*, dal riscatto e dalla realizzazione. E adesso?

Papà passò l'intera notte a poggiarmi sulla fronte pezze bagnate, ma non c'era guarigione possibile. Si portò il computer in camera a un certo punto, a fargli compagnia. Mi vegliava e navigava. Dove? Verso cosa? Forse cercava rimedi per la febbre, per gli errori delle figlie femmine. Io ero ferma in piazza Verdi, le palpebre inchiodate a quel bacio, e non dormivo, non potevo, avevo caldo, freddo.

Figuriamoci se quella viene.

*

Il giorno seguente mia madre salì sui quattro treni necessari a collegare una parte di me con l'altra e, dopo infinite ore di viaggio, spalancò la porta di camera mia, irrespirabile e buia.

Accese l'abat-jour, si sedette a terra accanto a me, con le sue lunghe trecce grigie e un girasole infilato dietro l'orecchio. Ero così sconvolta dal fatto che fosse lì e mi prendesse la mano, che soffocai il viso nel cuscino. Mi accarezzò, attese che mi voltassi di nuovo per appoggiarmi le labbra al centro della fronte. «Hai trentanove» concluse.

Non mi salutò, non mi rivolse domande. Avvertii dal tono della sua voce che aveva urgenza di parlare lei, adesso. «Ho imparato quand'eri piccola. Verso i tre anni non avevo più bisogno del termometro, mi bastava guardarti: cominciavi ad afflosciarti sulla sedia davanti ai cartoni animati, gli occhi ti diventavano lucidi, le guance rosse. E io, ogni volta, piuttosto che chiamare al lavoro, mi sarei sparata.»

«Mamma» le bisbigliai, «ti prego, non raccontarmi niente.»

Lei si alzò, andò di là a confabulare con mio padre. Tornò con mezzo bicchiere d'acqua e una tachipirina. Mi costrinse a mettermi seduta, mi ficcò la pasticca sulla lingua come faceva una volta.

«Se avessi avuto un aiuto» continuò, «che so, una vicina di

casa, una sorella, una cugina, io sono *sicura* che sarei stata migliore, come madre. Invece, mi toccava chiamare al lavoro e...»

«Mamma» la implorai.

«Manda giù la pastiglia.»

Si diresse alla finestra, la aprì, permise alla luce e all'aria pulita di entrare. Si voltò verso di me con le mani sui fianchi: una posa così severa che mi ricordò nonna Tecla.

«Elisa, un figlio è un casino. Ma io ti giuro che ti darò una mano.»

Alla parola *figlio* ricominciai a piangere. Non la potevo sentire, mi annientava, mi spaccava il cuore.

«Elisa» continuò mentre mi toglieva di dosso le trapunte, «ti giuro che non farai la mia fine.» S'interruppe: «Paolo, scusa» gridò per farsi sentire in cucina, «non per criticarti, eh, ma se la copri, la febbre non si abbassa: sale».

Papà si affacciò sulla soglia, impacciato. Farfugliò: «... Tremava, aveva freddo...». Mamma gli consegnò le coperte. «E ricorda: il paracetamolo si deve dare sempre e comunque. Non fare quella faccia. Non lo sapevi, ora lo sai.»

La parola *figlio* mi faceva sentire più sola e inerme di tutta la solitudine e impotenza sperimentate in vita mia. Si portava via il futuro che sognavo e il passato che non perdonavo, ed era senza scampo, senza soluzione. E poi c'era anche questo, che mi straziava: papà con la pila di coperte sulle braccia, che guardava mamma spaesato, lei che gli metteva una mano sulla spalla: «Risolveremo tutto, vedrai».

Mamma, che era tornata nel punto esatto in cui mi aveva mollata nell'ottobre del 2000, e questo gesto non riparava, non ricuciva niente, o forse sì.

Per effetto della tachipirina mi addormentai sul colpo, e continuai a dormire per ore, forse giorni. Finché, una mattina alle undici, resuscitai. Mi alzai dal letto di nuovo in forze, e con una gran fame. Socchiusi la porta, udii le voci dei miei genitori conversare allegre in cucina, e fu strano, persino *bello*. Uscii nel corridoio in punta di piedi. Dopo anni la stanza che era stata di Niccolò, e poi di Beatrice, era di nuovo aperta. Mi avvicinai, sporgendomi osservai la valigia di mia madre disfatta, le tute e i pigiami della Liabel piegati sul letto, e quella vista mi intenerì. Arrivai in cucina. Papà e mamma erano seduti a tavola insieme, stavano bevendo il caffè. Mi guardarono e io non sapevo niente: quale decisione avrei preso, cosa significasse avere un figlio. Però loro mi sorrisero e io compresi cosa significasse esserlo.

Mi versarono una tazza di caffè, mi avvicinarono un pacco di biscotti e io presi posto in mezzo a loro, che erano il mio luogo, il primo.

Ricominciai a mangiare, a pensare. Da quel momento, quei due: il professore e l'ex bassista, non mi lasciarono più sola. Mi accompagnarono a ogni visita, prelievo, ecografia. Ascoltarono attenti una versione profondamente edulcorata del 9 luglio. Carmelo, che aveva accettato di buon grado di proseguire da solo il tour per le sagre biellesi, telefonò ogni sera per sapere come stavo. Mamma venne con me ogni pomeriggio a passeggiare, spesso ci raggiungeva anche mio padre. Eravamo gli unici pallidi e vestiti sul lungomare in pieno agosto. Non ce ne fregava niente. Andavamo bene così: lo avevamo capito. Funzionavamo solo in quel modo sbagliato, arrangiato, strano. Ci guardassero pure storto, *gli altri*.

Capitò persino, nell'estate più dolorosa della mia vita, che salissimo in auto e raggiungessimo la spiaggia di ferro alle otto di sera, che nuotassimo insieme al tramonto, senza testimoni, e poi, ancora mezzi bagnati, ci allungassimo a Marina di S per mangiare una pizza, e dopo, sul corso dove le vetrine di Scarlet Rose brillavano ancora, comprassimo croccante e brigidini. All'inizio di settembre tornammo al Parco naturale di San Quintino, tutti e tre col binocolo appeso al collo. Le ghiandaie stavano per partire. Pazienza, rimanevano tante altre cose, comuni e preziose, normali e importanti: i gabbiani, i canneti, il mare, Paolo e Annabella che, forse per la prima volta, facevano i genitori insieme. E credo sia stato questo insieme a decidere.

Ad ammorbidire, ridimensionare, addomesticare, la parola *figlio*.

Devo interrompere: le due ore sono passate. Chiudo Word, mi stano dalla mia stanza e busso a quella di Valentino. «È permesso?» Apro la porta piano. Lui traffica al computer, sbuffa scocciato, ma si capisce che è contento: ho mantenuto la promessa. «Forza» lo sprono, «occupiamoci di questo benedetto albero.» Ride. E io, come sempre quando lo vedo ridere, perdono tutta la fatica, la solitudine e l'incoscienza, perché non fu affatto una passeggiata crescerlo, anzi. Però, come nell'estate del 2006 non riuscivo a concepire la vita insieme a lui, ora che lo conosco, non riuscirei a concepirla senza il suo preciso taglio d'occhi, il suo carattere allegro ed estroverso che è il contrario del mio, la voce che in questo periodo si sta arrochendo, i suoi lucidi capelli d'oro.

Scendiamo in cantina. L'albero sintetico è vecchio, malmesso e sa di muffa. Gli mancano persino un paio di rami ma, in fondo, chi se ne importa. Vale raggiunge gli scaffali più alti, dove sono riposte le scatole degli addobbi, si issa in spalla il nostro Spelacchio e risaliamo. Portiamo in salotto un quintale di polvere, io mi sforzo di non badarci, di non pensare a pulire: sono giorni che la casa langue in uno stato pietoso. Lascio che sia lui, che ha la mente matematica, a decidere la disposizione di luci e decorazioni, io mi limito a passargli le palle del colore che mi chiede, i nastri, paste di sale risalenti forse alla sua scuola materna. Come colonna sonora mette su un CD di tale tha Supreme e io, giuro, se a Sfera Ebbasta ancora stavo dietro, qui proprio non capisco quello che dice. Vale però canta concentrato, e io accetto che sia venuto il suo tempo, non più il mio.

L'albero, contro ogni pronostico, una volta decorato si riscatta. Spegniamo la luce del salotto per guardarlo brillare. «Avevi ragione» riconosco, «sarebbe stato un vero peccato lasciarlo in cantina.»

Vale annuisce, è di buon umore. Allora mi arrischio a domandargli se, tra questi rapper che ascolta, ci sia anche Fabri Fibra. E gli racconto che nel 2006, quando ero incinta di lui, si sentiva ovunque, persino a T, e mi ero comprata il disco. Vale si fa serio, asserisce che Fibra non si discute: è sempre «un grande». Ne approfitto per allargarmi: «E cosa vi ha dato da leggere per le vacanze la prof d'italiano?».

«*La coscienza di Zeno.*»

«Cosa? In seconda media?» Mi viene da ridere, e di solito non lo faccio mai: criticare le insegnanti, però. «Vogliono proprio ucciderli in culla, persino prima del 2020, tutti i lettori. Mi tocca dar ragione a una mia amica...»

«Allora che faccio, non lo leggo?»

«No, no, lo leggi eccome. Però vai anche a cercarti nella mia libreria Sanguineti, e il Gruppo 63, che questo tha Supreme un po' me li ricorda.»

Lo abbraccio e lui si lascia abbracciare. Non capita spesso: quante volte litighiamo e non so come prenderlo, quanto mi fa arrabbiare. Però mi godo questo minuto, senza recriminare che sia solo uno, gli do addirittura un bacio prima che suoni il citofono.

E il citofono suona: inesorabile, puntuale.

Valentino guarda l'orologio: «Che palle, sono già le sette».

Mi si stringe lo stomaco, ma so che è giusto, quindi rispondo: «Non lamentarti, ché alla fine ti diverti più con lui che con me».

«Però a Natale preferivo venire a Biella.»

«La regola è un anno in Piemonte e uno in Toscana. Non disperare: il Capodanno che ti sta tanto a cuore lo passerai con me e nonno Paolo.»

Vale solleva gli occhi al cielo, io vado ad aprire.

Ascolto il portone al pianterreno che cigola e si richiude, lui che tossisce, i suoi passi per le scale, e non è mai facile, mai, vederlo comparire sul pianerottolo, salutarlo, sorridere: «Ciao, come stai?».

«Normale, e tu?»

«Anche io, *normale.*»

Mi faccio da parte, Lorenzo entra. Si toglie il cappotto, mi sfiora una spalla, o forse è solo lo spostamento d'aria, la sciarpa. Come sempre, è molto elegante. Noto il taglio della sua giacca, la stoffa della sua camicia indossata con nonchalance fuori dai jeans, e mi viene in mente che non ho fatto altro che scrivere tutto il giorno, tutti i giorni. Mi sporgo verso lo specchio sperando di non essere vista. Verifico quel che già so: ho i capelli arrangiati in un elastico, la faccia sbattuta, il vecchio maglione sformato per stare in casa, che ha pure un buco, e, anche se non ne ho motivo, arrossisco per l'imbarazzo.

Lorenzo non nota la mia faccia, i miei vestiti.

«Vale dov'è?» mi chiede soltanto.

«In salotto.»

Lo seguo rimanendo a distanza, mi fermo sulla soglia e osservo mio figlio e suo padre abbracciarsi. Un istante, e distolgo lo sguardo. La loro è un'intimità che non mi riguarda. E poi, appunto, non è facile. Anche se sono passati anni, e devo riconoscergli di essere stato sempre un padre presente, e di aver telefonato ogni sera, spedito soldi e regali, preso l'aereo per ogni festività, compleanno, fine settimana libero, e di aver portato Valentino con sé ogni estate in giro per il mondo: in Svezia, a pochi chilometri dal circolo polare artico, in una sperduta provincia rurale della Cina, addirittura in Siberia, a visitare le prigioni di Mandel'štam, resta che quest'uomo biondo di trentaquattro anni, una volta, lo spiavo dalle scale antincendio del Pascoli. Resta Lorenzo.

Valentino corre in camera a riempire il borsone con le sue cose. Suo padre si trattiene in salotto sovrappensiero a fissare l'albero di Natale. «Però è bello» dice alla fine.

«Sì, l'abbiamo appena fatto» rispondo.

«La Vigilia?» È sorpreso, mi guarda.

Me, non il maglione, non i capelli. E io, anche se non vorrei, mi sento malferma sulle gambe, insicura. Mi sforzo di mentire.

«Ho avuto parecchio lavoro.»

«Bene, no?»

«Persino oggi ho scritto» mi sfugge, e subito me ne pento.

«Che cosa?» s'informa, interessato.

Continua a guardarmi. E io mi chiedo chi veda, quale donna. Se la madre di suo figlio, o la ragazzina imbranata della quercia, ormai invecchiata, o quella che voleva scrivere come la Morante, oppure una sfigata che non troverà mai nessuno perché ha rinunciato a provarci.

Mi impegno a mentire meglio: «Uno studio».

«Su?» Adesso mi scruta proprio, interrogativo.

«Sugli etruschi» dico, con la mia migliore faccia da sberle.

Lorenzo sorride: «Davvero, hai cambiato campo?».

E a me viene in mente una cosa che in tutto questo tempo non mi ha mai sfiorata, una suggestione o solo un'illusione che è colpa di quel file Word che tengo nascosto: forse la donna che Lorenzo vede è migliore di quello che penso.

Poi Valentino esce dalla camera, tutto pronto e "vestito di nuovo" come nella poesia del Pascoli che mi ha suggerito il suo nome. Lo prendo sottobraccio e, rivolgendomi a Lorenzo, ne approfitto per scappare da quel discorso, o da quel dubbio. «Andate, adesso, o troverete un sacco di traffico. Forse nevicherà addirittura sull'A1, così dicono.»

Non è vero: ci sono quattordici gradi, in Puglia stanno fiorendo i mandorli. E Lorenzo, che legge le previsioni come me, lo sa benissimo. Aggrotta la fronte, stringe gli occhi a fessura: è come se captasse che è avvenuto qualcosa dentro di me, d'inaspettato. Io abbasso lo sguardo, provo a sfuggirgli, e mi costa ammettere che, anche se non stiamo più insieme da tredici anni, e da altrettanti viviamo in città diverse, lui mi sa leggere ancora.

«Buon Natale, Elisa» si arrende.

«Buon Natale, mamma, ci vediamo il 28.»

Per un momento guardo Valentino e penso: Sei il figlio di un sogno. Di un quindicenne e una quattordicenne che avevano immaginato mille volte d'incontrare l'anima gemella in biblioteca, e poi era accaduto. E anche se dopo la realtà si è rivelata non all'altezza, però non si può lasciare mai, un sogno. Dovevi nascere per forza.

«A presto» li saluto, «mandatemi un messaggio quando arrivate.»

Chiudo la porta, ascolto in apnea la piccola scossa che subisce il mio cuore ogni volta. Incamero aria, espiro. Realizzo che posso scrivere tutta la notte, senza remore, senza freni.

Posso – e non hai idea dell'euforia e dell'adrenalina – liberarmi ancora di te, Beatrice.

28

La pioggia nel pineto

Alla fine di settembre mamma, papà e io ci arrampicammo sulla scogliera del porto e sedemmo sul sasso più alto a guardare le navi salpare, loro con le bottiglie di birra bevute a collo, io con il succo di frutta.

«Cos'hai deciso?» mi chiese papà.

Le opzioni che discutevamo da giorni erano tre: rimanere a T e frequentare l'università vicina da pendolare; tornare a Biella con mamma e iscrivermi a Lettere a Torino, sempre da pendolare; oppure ricominciare a Bologna cercando una sistemazione adeguata a studentesse madri. In ogni caso, non avrei potuto farcela da sola.

Stavo tra loro a prendere vento, senza un filo di pancia nonostante il terzo mese, anzi più magra di prima a causa delle nausee. Osservavo gli ultimi turisti stranieri imbarcarsi per l'Elba e la Corsica – li notavi perché erano vestiti male, in ciabatte e braghe corte – e Beatrice era ovunque, ancora: nel mio sguardo, nel paesaggio, mi toccava scacciarla di continuo. Non avevo uno straccio d'idea di quel che mi aspettava: il dolore del parto, l'allattamento a richiesta, le notti in bianco mi suonavano esagerazioni. Ricordo lo scirocco, come si abbatteva sulla mia giovinezza, il tramonto che tingeva di arancione il casotto della guardia costiera, i nugoli di gabbiani che scortavano una Toremar verso Portoferraio, il cuore che mi traboccava di coraggio: No, non te la darò vinta, Beatrice.

«Torno a Bologna» dissi.

I miei genitori rimasero in silenzio per un po'. Poi fu mamma a parlare per prima: «È giusto, è la città che avevi scelto».

In realtà non l'avevo scelta io, bensì un certo compagno Davide che neppure conoscevo e che forse lottava insieme agli indios, forse bivaccava in via Petroni. La mia non era una decisione ponderata, era puro desiderio: volevo tornare in via Zamboni dove per la prima volta mi ero sentita nel giusto, studiare all'Archiginnasio sotto le volte affrescate, riattraversare piazza Verdi, riprendermela e non cederla a quel bacio.

«Faremo su e giù io e tuo padre, all'inizio» continuò mamma, «poi troveremo una babysitter e, a un anno, potrai iscriverlo al nido. Giusto, Paolo? Mi stai ascoltando?»

Papà era assorto, continuava a bere guardando altrove. Pensai che ci fosse rimasto male perché avrebbe preferito che m'iscrivessi alla sua università, così avremmo preso il treno insieme ogni mattina e non si sarebbe ritrovato solo, di nuovo. Mi sbagliavo.

Finì la birra, posò la bottiglia e mi guardò con severità: «Non puoi far finta che Lorenzo non abbia un peso e un ruolo. Non puoi escluderlo da questa opportunità».

«Non lo voglio vedere» scattai subito, in difesa.

«Tu. Ma il bambino non sei *tu*.»

Mamma intervenne: «Paolo ha ragione, glielo devi dire».

«Ti rendi conto, Elisa? Noi siamo qui a decidere dove crescerà, chi se ne dovrà occupare, e lui non ne sa niente, niente!» Parlava risentito, come se il padre escluso fosse lui. «Ti sembra giusto? Lorenzo ha i tuoi stessi diritti e doveri, anzitutto di sapere.»

«No, perché è un pezzo di merda.»

«E tu sei un'incosciente, un'immatura.»

«Io, se lo vedo, lo ammazzo.»

Perse la pazienza: «Vuoi che tuo figlio cresca a metà? Che arrivi a conoscere suo padre a quattordici anni come te? Sul serio vuoi rifare i nostri stessi errori?».

Serrai le mani a pugno e rimasi zitta. Quello che avrei voluto replicare lo dimenticai subito, tanto era debole. Mamma sospirò, accese una sigaretta: «Eli, metti un po' di cervello e fai questa telefonata. Ci siamo già passati, sappiamo che il rancore non porta da nessuna parte».

Avrei voluto una birra anch'io, una bottiglia di vino, una canna, invece succhiai l'ultimo goccio di succo di frutta e il mio cuore da indomito tornò pesante, il futuro un casino, l'eventualità d'incontrare Lorenzo per Bologna un incubo statisticamente certo. Beatrice era un *non* pensiero, invece. Innominabile, colpevole a livelli tali da meritare l'inferno. Adesso ero io, Valeria con il secchio pieno d'acqua in mano e la parola "puttana" a fior di labbra. È buffo come, in certi casi, diventiamo tutti maschilisti, e adottiamo subito la versione per cui lei è Eva, infida ammaliatrice, e lui lo sprovveduto che ci è cascato. Io lo odiavo, certo, però odiavo lei incommensurabilmente di più. Perché?

Perché tu eri *me*.

Eri *tutto*, Bea: lo specchio attraverso cui m'interrogavo, la sorella più sveglia che avevo sempre desiderato, la possibilità di diventare ladra, di solcare corso Italia di sabato a grandi passi, d'indossare jeans da quanti euro? Non aveva importanza. Eri la stella luminosa apparsa sulla spiaggia quel Ferragosto – e io ce ne ho messo di tempo a raccontarti, non perdonandoti, questo no, ma forse *accettando*.

Al porto di T, quel giorno, il pensiero che non riuscivo a elaborare, la paura che non potevo dire era che, se avessi telefonato a Lorenzo, tu ti saresti allacciata a lui per ascoltare, forse avresti riso di me. Eravate così belli presi singolarmente, figuriamoci insieme. Come avevo potuto non accorgermi di essere io l'intrusa? Così ti ho afferrata, scaraventata in una buca, ricoperta di terra, e ho smesso di scrivere. Perché se ti ricordavo, semplicemente, non riuscivo a vivere.

L'aria si era raffreddata, il sole galleggiava basso sul mare quando mi arresi: «Va bene, lo chiamerò. Ma solo quando mi sentirò pronta».

«Ok» disse mamma.

«Ma non metterci troppo» sottolineò papà.

Rimanemmo lì, fermi sulla scogliera nonostante il vento e il buio che si allungava verso ovest. Nessuno aveva voglia di andarsene. La nostra estate stava toccando il termine, tempi difficili si addensavano tra Cerboli, l'Elba e la punta sfocata della Corsica.

E la verità è che ci dispiaceva: disperderci, mettere al mondo così male quel bambino. Però, nonostante tutto, ci eravamo guariti.

*

Così tornai a Bologna sulla Peugeot 206, e questa volta per sempre, lunedì 16 ottobre a lezioni cominciate, portandomi dietro solo l'essenziale: qualche vestito, i sei diari con dentro la nostra storia, che però non avrei più riaperto, e il mio amuleto, ossia *Menzogna e sortilegio*.

Papà, all'ultimo, era riuscito a trovarmi una stanza presso lo studentato Morgagni, uno dei pochi che accettasse "casi estremi" come madri con bambini. Si trovava a due passi dalla Facoltà, tragicamente incastonato tra via San Sigismondo e piazza Verdi – ma, come verificai appena arrivata, la mia finestra non affacciava né sull'una né sull'altra. Non era l'appartamento con le travi a vista di via Mascarella, certo, ma il bagno era funzionale, la scrivania ben disposta, l'armadio e la libreria capienti. Posai il bagaglio mezzo vuoto in un angolo, sedetti sul bordo del letto ad ascoltare le voci sconosciute che si rincorrevano lungo i corridoi e per le scale. Il pensiero che la mia pancia crescesse là, circondata da studenti, chissà perché, mi rassicurò. Mi rubò persino un sorriso.

In effetti non ci mise molto, la pancia, a emergere dal maglione, a risaltare tra le studentesse libere e spensierate che flirtavano con futuri ingegneri o filosofi, si fidanzavano, pomiciavano in sala studio, nelle cucine comuni e, nottetempo, sgattaiolavano nelle loro stanze. Io, naturalmente, ero tagliata fuori da tutto questo. Man mano che diventavo un pallone, qualsiasi sguardo non dico d'interesse, ma di semplice curiosità nei miei confronti si spegneva, sia dentro il Morgagni che fuori: in facoltà, in biblioteca. Altri posti, come feste e pub, non ne frequentavo: in gravidanza perché non potevo bere, e anzi dovevo studiare il più possibile per portarmi avanti con gli esami; dopo la nascita di Valentino perché riuscivo a malapena a lavarmi i capelli, aprire un libro, caricare lavatrici una dietro l'altra di tutine macchiate di rigurgiti.

L'amore rimase – o meglio: è rimasto da allora – escluso dalle mie possibilità. Mi piacerebbe poter usare il passato remoto, ma la verità è che non sono fidanzata né convivo. Ho avuto, sì, qualche breve relazione, persino un'ipotesi d'innamoramento più consistente con un collega, ma anche quella storia è già finita. Una donna con un figlio, che per di più lavora, non ha molto tempo per altro, e nemmeno grandi attrattive. Checché ne dica la Rossetti, tutto non si può. La vita è fatta di scelte, di rinunce, e io, nel 2006, anche se non avevo scelto un accidente, mi ero cacciata nei guai. La vita è fatta soprattutto di guai.

A dicembre avevo tette, pancia e fianchi tali che, per una volta, ero io la più visibile: a lezione, quando mi presentavo a un esame, entrando all'Archiginnasio, spiccavo, monopolizzavo gli sguardi, le smorfie, anche perché ero l'unica in quello stato. In Facoltà gli amici e i professori che mi avevano portata in un palmo di mano mi riaccolsero con freddezza, delusi. Una futura stella accademica non può rimanere incinta a vent'anni: è proprio il genere di cazzata che non si fa. Ci restai male, anzi: mi pentii di aver tenuto il bambino. Poi mi sentii montare dentro la rabbia, specialmente passando da piazza Verdi, e questa rabbia col tempo si convertì in determinazione: Devi studiare, Elisa, ti devi laureare in corso e prenderti sia pure il resto di tutti i resti di felicità.

Al Morgagni le cose andarono diversamente. Là dentro abitavano ragazzi provenienti da sperduti comuni della Puglia, della Calabria, dell'Abruzzo, che erano lì per ragioni di reddito e merito a giocarsi l'unica opportunità della vita. Con loro non mi potevo fidanzare, né uscire la sera a far baldoria, però condividevo adrenalina e disperazione. Mi diedero una grossa mano, devo dirlo, tutti quanti. Altrimenti non ce l'avrei fatta. E Valentino, forse, non sarebbe diventato così socievole.

Ricordo che, il giorno in cui rientrai dall'ospedale, ci fu la processione per venire a vederlo. Tenerlo in braccio, portarlo a fare un giro in piazza Maggiore con la carrozzina, furono i passatempi che ciascuno dei cinquanta o sessanta studenti del Morgagni prima o poi doveva provare. Quando cominciò a rotolarsi per terra, e poi a mettersi seduto, fu davanti a una platea che lo applaudiva. Lo svezzammo con il contenuto dei pacchi spediti dai paesi d'origine: cime di rapa di San Vito dei Normanni, meloni bianchi di Nardò, capocollo e clementine di Catanzaro. Quando papà e mamma non potevano raggiungermi a Bologna, quando non veniva Lorenzo insieme ai suoi genitori – di queste visite non ho voglia di parlare – i miei coinquilini mi bussavano in camera anche di notte, se lo sentivano piangere forte.

E Vale crebbe nel casino, circondato dai libri, ma mai lasciato solo in una biblioteca. Me lo tenevano a turno se dovevo dare un esame. Lo portavano in aula studio o nella saletta PC a gattonare mentre ripassavano chimica, storia, e lui, già a tre anni, sapeva pronunciare perfettamente parole come "metafisica", "imperialismo", "Caporetto" e "cloruro di sodio". Io, per parte mia, riuscii a laurearmi in corso sia alla triennale che alla specialistica, da vera, irrecuperabile, secchiona. Nei cinque anni in cui abitammo là, non ci fu mai bisogno di chiamare una babysitter. E quando, finiti gli studi, fummo costretti a lasciare lo studentato, Valentino pianse per mesi, ogni notte. Ancora oggi mi chiede, dopo un litigio con il suo amico o un no ricevuto da una ragazza, di fare un giro da quelle parti. Anche se gli studenti sono cambiati e non conosciamo più nessuno, il fatto è che niente muore davvero, nei luoghi.

Però, siccome questo non è il mio romanzo, bensì quello di Beatrice, non indugerò oltre su ricordi che non la riguardano. Dirò invece del giorno in cui, all'ottavo mese, costretta da mio padre non più con le buone, ma con le cattive – «Guarda che gli telefono io!» – ad affrontare Lorenzo, scesi nella saletta dei computer e andai su Internet a cercarla.

*

Ricordo l'effetto che mi fece digitare il suo nome per la prima volta su un motore di ricerca: Beatrice, spazio, Rossetti. Come si trattasse di Jean-Jacques Rousseau, Giulio Andreotti, Raffaello Sanzio o Britney Spears. Il blog comparve all'istante come primo risultato, circonfuso da numeri stratosferici, e io me ne stupii non poco.

Era febbraio, il 2007. Prima di cliccare con il mouse il tasto "cerca" avevo trattenuto il fiato, guardato a lungo fuori dalla finestra affacciata, quella sì, su via San Sigismondo, e osservato i volti degli altri studenti concentrati sui monitor dei PC che, vecchi, pesanti e grigi, ronzavano come quello di mio padre un tempo. Avevo dovuto ancorare le dita ai tasti per non lasciarle tremare, tenere a bada la paura, farmi violenza per aprire quel blog già così osannato e criticato, e a me estraneo.

Quando la vidi a tutto schermo, mi si fermò il cuore.

Il dettaglio, quello definitivo, era stato aggiunto.

Beatrice era riccia.

Riccia, intendo, come tutti la vedete oggi, con quella massa favolosa, senza sbavature di crespo, così lucida e imponente che sembra scolpita nel marmo. Eppure indomita, selvaggia.

Eccola, la Rossetti. Si era liberata, insieme a me, anche di quella sua ultima fragilità. Non si addomesticava più, non soffocava più la sua natura autentica. Aveva preso coscienza di sé e si era compiuta. Nessuno avrebbe più potuto fermarla.

Mi fu subito chiaro, fin da quella prima foto, che non avrei trovato traccia di Bea là dentro. C'era solo una mora, che in seguito sarebbe diventata *la Mora* per antonomasia, con addosso gioielli e vestiti che avranno anche fatto storcere il naso agli esperti di moda, all'epoca, ma certo non erano più quelli sfoggiati a scuola o in piazza A.

Superai l'impatto, l'apnea, il buco al centro del petto. Mi rimboccai le maniche, concentrai ogni energia come se dovessi calarmi in un abisso. Con questo spirito esaminai le centinaia di immagini che aveva pubblicato in mia assenza. Lessi e rilessi le didascalie zeppe di citazioni scopiazzate, frasi fatte, massime sulla vita e sul mondo di una banalità estrema – mai saputo scrivere, Bea, va detto – e compresi, un po' dal "diario", un po' dalla ricorrenza del Duomo e del quadrilatero della moda sullo sfondo dei suoi ritratti, che adesso viveva a Milano.

Hai vinto tu, Gin, pensai, alla fine ce l'hai fatta.

Beatrice spiccava su scorci da cartolina triti e ritriti, con borse e accessori stravaganti, scarpe costose e cappotti vintage, quasi sempre sola. Approfondii ingrandendo, frugando nei dettagli. Trovai, qua e là, qualche altro volto in secondo o terzo piano. Ragazze, tutte bellissime. Sparuti maschi atletici. Dopo un po' reperii un'immagine in cui era allacciata a un ragazzo che di sicuro faceva il modello, e che mi sorprese per la somiglianza con Gabriele. Ma era un caso isolato, e non si capiva se fosse amicizia, la loro, o qualcosa di più.

Fatto sta che Lorenzo non c'era.

Non compariva mai, né nelle immagini né nei testi né nei sottintesi. I luoghi di quegli scatti erano terrazze, locali esclusivi, hall di alberghi lussuosi: Lorenzo non era tipo da frequentarli. D'altra parte, in quei quattro mesi a Bologna non lo avevo mai incrociato. Ingegneria era distante da via Zamboni, io più in là di Lettere non andavo, e lui aveva tutto l'interesse a evitarmi. Però. Dov'era Lorenzo?

Cercai su Internet anche lui. Scrissi: "Lorenzo Monteleone", ma non venne fuori niente di decifrabile. Riferimenti a Monteleone che palesemente non erano lui. Immagini scarse e avulse da cui non emergevano informazioni. L'unica volta che i social network mi sarebbero serviti, in Italia non esistevano ancora. Dopo due ore di ricerche vane mi alzai, infilai il cappotto premaman e uscii.

Camminai più veloce che potevo fino a via Mascarella. Avevo urgenza di sapere, adesso. La mia testa correva, s'ingarbugliava, perché se quei due non stavano insieme, allora…

Cosa cambia, Elisa? Niente. Ma, *forse*, tutto.

Mi diressi spedita al vecchio appartamento, col fiatone e le gambe che mi facevano male dopo quattrocento metri. Per un istante mi figurai di citofonare e sentire la voce di Lorenzo, assolverlo, cancellare l'estate, l'inferno, volare da lui su per le scale, raggiungerlo, abbracciarlo: Sposiamoci, aspettiamo un bambino! Ero così sollevata che quei due non si fossero fidanzati, che non ragionavo più. Non mi chiedevo il perché di quel bacio. Lo avevo rimosso.

Suonai il citofono, nella realtà. Rispose una voce sconosciuta. Chiesi di Lorenzo Monteleone. La voce mi comunicò sbrigativa che non abitava nessun Monteleone, là.

Rientrai in me. Andai a sedere su un gradino perché avevo un macigno al posto della pancia. Cretina, mi dissi. Tirai fuori il cellulare, telefonai a mio padre. «Papà, fammi un favore. Vedi se riesci a recuperare qualche notizia su Lorenzo... Perché? Che ti frega? Voglio solo sapere *qualcosa*: dove sta, cosa combina. Sì, poi giuro che lo chiamo, ma prima devo sapere *chi* sto chiamando.»

Rimasi una decina di minuti in attesa, paralizzata. Poi papà richiamò e in tono molto neutro, con parole troppo scarne, mi rivelò che Lorenzo studiava Cooperazione internazionale a Parigi.

Parigi? Cooperazione internazionale? Mi mancò il fiato.

«Hai carta e penna?» mi chiese.

Frugai nelle tasche, sconvolta. «Sì, ce le ho.»

«Bene, allora segnati il suo numero. È quello francese.»

Me lo dettò e io, contro tutta la volontà, lo appuntai sul retro di uno scontrino.

«Papà, come hai fatto?»

«Ho aperto l'elenco telefonico e ho chiamato i suoi genitori.»

Ci rimasi male.

«Adesso non hai più scuse.»

Sostai ancora sul gradino di quel portone – che, per fortuna, non apriva nessuno – con lo scontrino di una pizzeria d'asporto in mano, un prefisso +33 alieno, e un *clic* nella testa: il dubbio che la notte dei Mondiali fosse stata solo una commedia. Ma potevo mai ammettere di averli soffocati per un anno intero? Nel 2007, no. Ci sono voluti tredici anni e quasi quattrocento pagine per capirlo.

Quel giorno, in via Mascarella, mi fu solo chiaro che Beatrice viveva a Milano, Lorenzo a Parigi, e che i nostri tre destini si erano divisi. Pure, che tra sei settimane avrei partorito, a Lorenzo glielo dovevo dire. Anche questa era una storia che doveva finire, un peso che mi dovevo togliere. Digitai quel numero francese e confidai – un po' come Beatrice quando aveva lasciato Gabriele –

che, con cinque euro di credito, la linea sarebbe caduta presto. Aspettai che rispondesse con il cuore in gola, gli occhi chiusi, i polmoni congelati, e lui ci mise un'eternità. Valentino scalciava, qualcuno aprì il portone dall'interno e mi chiese di scansarmi nel momento meno opportuno, quando udii la sua voce: «Pronto?». Non poteva sapere che c'ero io dall'altra parte. Non ci parlavamo da sette mesi. Lui non mi aveva mai cercata: né una mail né una lettera. Trassi un respiro profondo e, d'un fiato, gli dissi: «Ciao, sono Elisa. Tra un mese e mezzo, se tutto va bene, partorirò e il bambino è tuo. Lo so che è un casino. Ma io non voglio niente da te, davvero. Sei a Parigi? Rimani là. Solo, era giusto che tu lo sapessi».

Misi giù. Durante i venti, trenta secondi di quella telefonata, Lorenzo non aveva neanche respirato. Mi richiamò subito dopo, e poi ancora e ancora, ma io, seduta sulle ceneri della mia adolescenza, non riuscii a rispondergli.

*

Arrivata a questo punto, cioè alla fine, mi chiedo: Come hai potuto, Elisa, in tutti questi anni, non dimenticare Beatrice?

Passi Lorenzo: avete un figlio. Ma lei? Ogni ragazzina s'infatua della migliore amica del liceo e poi, crescendo, la perde. È un passaggio obbligato. Nessuna ne ha fatto un dramma esistenziale.

Certo, provo a difendermi, se di lì a un anno non fossero comparsi i social network, se non si fosse compiuta la rivoluzione digitale proprio mentre diventavo adulta, forse sarei riuscita a lasciarmela alle spalle. Se non ce l'avessi avuta sotto gli occhi ogni giorno, ogni momento, in tutta la sua perfezione. Ma la Storia si sa che direzione ha preso.

I libri sono diventati obsoleti, il web irresistibile.

Io sono diventata mamma, lei famosa.

Nel 2008, 2009, 2010, quante notti ho passato a piangere con Valentino in braccio che scottava di febbre, disperando di finire la specialistica, d'innamorarmi un'altra volta nella vita, arrivando perfino a capire mia madre. E la Rossetti dov'era, nel frattempo? In business class verso Dubai, coperta d'oro, con l'ennesimo fidanzato attore o imprenditore con cui si sbaciucchiava, immortalava viaggi esotici, bagni in piscina, litri di champagne. Mai un'influenza, lei, mai nemmeno un raffreddore, un contrattempo, una crepa. Solo profluvi di luci, di successi, di gioia. Ma il peggio qual era? Che io me l'andavo a cercare. Che non volevo sapere né vedere, e poi non resistevo. E ci restavo ore lì, davanti alle sue foto, a sentirmi una nullità assoluta.

Non vorrei si credesse infatti, per via di quel che ho raccontato prima, che i miei anni al Morgagni furono un idillio o anche solo semplici, perché mi massacrai. Pur con tutti gli aiuti, rimanevo una ragazza di vent'anni con la vita davanti e un bambino piccolo dietro, una che aveva sbagliato. La sera gli altri salutavano Valentino, uscivano e andavano a divertirsi, a fare l'amore, e io me ne stavo chiusa con lui attaccato al seno, in preda ai capricci, col mal di pancia, a preparare Filologia dantesca. Fu difficile uscire con qualcuno e sentirmi dire: «Però tu hai un figlio», rientrare con l'umore a pezzi, aprire un social a caso e vedere Beatrice alle Maldive, Lorenzo che baciava un'altra. Fu un inferno. Perché anche Lorenzo, cosa credete? Che non pubblicasse le sue foto alla Sorbona? Con uno stuolo di amici, disteso sui prati di fronte a Les Invalides? Che non abbia cambiato duecento fidanzate in questi anni?

Eravamo diventati "amici" su Internet, *amici*: vi rendete conto? Però, siccome io usavo con lui un profilo falso con un nome falso, Lorenzo era amico di chi? Non c'era un grammo di verità tra noi, su quella piattaforma. Non ci dicevamo niente, non ci consolavamo, non ci prendevamo a sberle. Io lo spiavo soltanto, a senso unico, sbattevo contro il suo muro di menzogne perché, anche lui, cosa raccontava? Che aveva un figlio lo diceva? Che aveva un fratello? No. E quale genere di amicizia è possibile da dietro una vetrina? È solo una gara a farsi male, almeno nella mia esperienza.

Li cercavo, Beatrice, Lorenzo, nel web. E più guardavo le loro foto, più li perdevo. Sbiadivano i momenti vissuti insieme, la quercia, piazza Padella, i ricordi era come se non valessero più, ora che loro due conducevano queste vite trionfali: uno, rampollo finalmente realizzato, l'altra che era divenuta sul serio, come promesso, *la regina del mondo*.

E io, l'unica ricacciata al punto di partenza, rimasta asociale, avevo questi profili fittizi che usavo in modo smodato e sconsiderato. Solo nottetempo, però, dopo aver finito di sottolineare libri e messo a letto Valentino. Non avevo alcunché da sbandierare, anzi: studiavo e basta, stavo dietro a mio figlio e mi sentivo in prigione. Però, per un periodo, m'illusi che quel mezzo, di per sé, fosse un riscatto. Allora, pur vergognandomi e quasi di nascosto da me stessa, andavo in bagno a truccarmi, pesante, come non sarei mai uscita di casa. Mi spogliavo, rimanevo in lingerie, mimavo pose ammiccanti allo specchio e mi scattavo una foto. Giocavo a liberarmi di me, a cambiarmi l'identità, a fuggire.

Non troverete nulla di tutto ciò online. Questi profili, aperti nottetempo quasi rubassi, li richiudevo dopo un paio di mesi. Mi davo i nomi più assurdi: Jessica Macchiavelli, Deborah Pozzi, Sharon Morante. Erano solo finzioni in cui andavo a rintanarmi o a stordirmi, trabocchetti per conoscere uomini che non avrei mai incontrato a Italianistica, esercizi per provare a sedurre, farmi accettare, esistere. Anche se sapevo bene che, nella mia verità, nella stanzetta al secondo piano del Morgagni, io rimanevo impubblicabile. Facevo l'alba a chattare, come mio padre. Ad accumulare foto sconce, a inventarmi avventure di trasgressione che non avevo vissuto. Col mal di testa, il disgusto di me, più vuota di prima.

Ora ho smesso. Da tempo mi sono arresa a me stessa, e concessa la libertà di non piacere.

Intanto il volto di Beatrice si è calcificato nella maschera che tutti sanno. La sua immagine si è separata da lei, definitivamente, e congelata in quell'entità magica che il mondo invoca o insulta. Coi ricci color cioccolato sempre uguali, con quei precisi rossetto, ombretto e inclinazione del mento, perché così il mondo esige. Di questi tredici anni non saprei raccontare la sua storia, non solo perché non ci siamo più parlate, ma perché, a guardare le sue foto che sono sempre la stessa, credo che lei non ne abbia più avuta una.

*

Ho fatto le sei del mattino. È Natale. Sono esausta, ma devo mettermi in viaggio per Biella. Ti cerco, giuro, l'ultima volta.

Se sono mai stata invidiosa di te? Se sotto sotto avrei voluto conquistarlo io, il web, anziché comporre mediocri poesiole? Può darsi.

Mi collego, mi sporgo. Sullo schermo, tra le mie mani, ti guardo e tu sei a milioni di anni luce. A Tokyo, a Parigi, con una corolla di amiche che ti circonda al mio posto. Hai lo sguardo da professionista, il sorriso incomprensibile. La Tour Eiffel, i Caraibi sullo sfondo. Mai T, mai via dei Lecci o il Pascoli che oggi è diroccato. E, pur conoscendoti in ogni recesso, pur sapendo quanto lavoro c'è dietro ogni foto, quale certosina pulizia delle prove, delle armi, perché ti ho aiutato mille volte a sbarazzartene, e perché ormai abbiamo imparato tutti, come si fa, e ti imitiamo di continuo – però non c'è niente da fare: nella tua illusione, ci casco sempre anche io.

Non dici nulla, brilli solo. Hai sfondi, luci giuste, abbagli, non riveli. Sei come la poesia a cui ho dedicato la tesi di dottorato. Tu, Bea, sei *La pioggia nel pineto*. Posso trascorrere giorni a rileggerla senza riuscire a saziarmene, ore ad ammirarti perdendomi e basta. Lasciarmi ammaliare dal suono della pioggia, da te che sorridi. "Piove / dalle nuvole sparse. / Piove su le tamerici / salmastre ed arse." I capelli che ti scendono sulle spalle. "Le ginestre fulgenti / di fiori accolti", "i ginepri folti / di coccole aulenti." I tuoi occhi verdi, e che verde! Un bracciale di diamanti, la pelle senza nei né alcuna traccia di brufoli. E più indago, più non capisco. Più ti cerco, più non ti trovo. Scavo e non mi resta in mano niente. Perché tu non esisti.

Sei rimasta sulla sedia da ufficio nella mia cameretta del liceo, con la tuta macchiata di tisana, lo smalto scrostato, dentro quella domanda.

"Sembro felice?"

PARTE III

Lezioni di vuoto

(2019-2020)

29

La telefonata

E siamo arrivati al dunque, ossia: perché il 18 dicembre scorso alle due di notte ho liberato i miei vecchi diari dalla polvere, ho fatto l'alba leggendoli e, subito dopo, ho perso il controllo sedendo alla scrivania e cominciando a scrivere *tutto questo.*

So di averlo chiamato "romanzo" diverse volte. Il fatto è che *vorrei tanto* lo fosse, ma non sono sicura che si possa definire tale. E poi, mi porto dentro questo terribile censore, che mai e poi mai, leggendo uno sfogo simile, lo riterrebbe accettabile.

Oggi è Natale. Ciò significa che ho buttato giù quasi quattrocento pagine in una settimana. Pensate il peso che mi portavo incuneato, compresso nell'anima. Era da quella notte in piazza Verdi che non scrivevo più poesie, lettere, niente di *personale.*

Adesso dovrei andare: sono vestita, truccata, ho poggiato vicino alla porta la valigia e la busta coi regali, il panettone, lo spumante. Mi aspettano tra un paio d'ore, mamma e Niccolò, e io sono ancora qui, a Bologna. Hanno telefonato per sapere se fossi già partita. Anche Valentino ha chiamato ieri a mezzanotte, anziché mandarmi un semplice messaggio, per dirmi che erano arrivati. Mi ha passato Lorenzo, che ha insistito per raccontarmi com'era andato il viaggio, di cosa avevano parlato. Mi ha sorpresa: di solito sento solo la sua voce in sottofondo che dice: «Salutamela tu, tua madre».

Però oggi è un'altra, la telefonata che temo. Continuo a lanciare occhiate ansiose al cellulare che potrebbe squillare da un momento all'altro, e questa volta mi toccherà dare una risposta: affrontare non il passato, ma la vita là fuori.

Allora chiudo i conti: con chi sono, col mio lavoro. Con quel che è successo il 17 dicembre.

*

In realtà all'inizio – credo ormai due settimane fa – la tua notizia era appena un trafiletto confinato nella sezione spettacoli, così scarno che avrei potuto non notarlo. "Beatrice Rossetti tace da 48 ore. La rete si scatena." Il titolo era in alto a sinistra, a pagina 40 o 41 del "Corriere"; l'articolo diceva, in sostanza, che da due giorni non pubblicavi nulla, nemmeno una foto, evento inaudito e mai accaduto prima. Mi sono fatta una grassa risata. E mi sono ritrovata a leggere l'articolo a voce alta, seduta al bancone del Baraccio dove mi fermo sempre a prendere il caffè e, appunto, a sfogliare i giornali. Mentre declamavo in modo canzonatorio la tua assenza dalle scene, si levavano intorno cori esilarati: «Finalmente!», «Si è tolta dalle scatole!». Alla fine ho concluso: «E cosa sarebbe, questa, una notizia?».

Ci siamo sganasciati tutti: non solo io e Davide, ma anche gli altri avventori del Baraccio. Sto parlando di *quel* Davide, sì: il fratello di Lorenzo. È tornato a Bologna stabilmente e ha aperto un bar in via Petroni, un posto *particolare*, diciamo, zeppo di libri di storia politica dell'America Latina, e sulla lotta partigiana in Italia, di foto incorniciate di Palmiro Togliatti, Nilde Iotti e Che Guevara e, insomma, se entri qua dentro capisci subito da che parte stiamo.

Puoi immaginare quanto ti abbiamo presa in giro. Piovevano commenti del tipo: «Mah, le saranno spuntati due brufoli...», «O le sarà venuta la dissenteria, c'è il virus in giro», «Ragazzi, ma veramente ne stiamo parlando?», «Già, chissenefrega della Rossetti!». Dopodiché siamo passati agli argomenti seri che ci interessano: il sorpasso della Cina sugli Stati Uniti, lo scempio dell'Amazzonia, quel dissennato di Trump, e la nostra povera Italia.

Il giorno seguente, sempre al Baraccio – ci passo ogni mattina prima di andare al lavoro e "la rassegna stampa" mia e di Davide è un momento molto atteso – riapro il "Corriere" spensierata e poco dopo ti ritrovo. Non più a pagina 41, negli spettacoli, ma a pagina 16, in cronaca.

"72 ore senza foto: il mistero Rossetti s'infittisce."

Ho riso meno forte questa volta, e non ne ho più parlato: né con Davide né coi clienti del bar. Alcuni sono così anziani che non sanno nemmeno cosa sia un social network, altri vestono come mio fratello e portano i rasta lunghi fino al sedere. Non è che là tu goda di tutta questa popolarità. E poi, erano solo tre giorni in fondo. Giorni, mica mesi. Ho posato il "Corriere", sono passata al "Foglio", ho letto "la Repubblica". Se l'edicola di piazza Verdi continua a esistere lo deve senz'altro a noi. Infine sono andata a lavorare come sempre, e non ti ho pensata più.

Nel tardo pomeriggio del quarto giorno, questo lo ricordo benissimo, ho accompagnato Valentino in un negozio sportivo a scegliersi un paio di quelle orribili scarpe da ginnastica fosforescenti che piacciono tanto ai ragazzini, e che a me ricordano Carmelo, il fatto che da tre anni non ci sia più. E di nuovo, di punto in bianco, alla radio hanno cominciato a parlare di te.

Seduta accanto a mio figlio che si provava le scarpe, ho visto una delle commesse precipitarsi ad alzare il volume e l'intero negozio – clientela, impiegati – fermarsi e mettersi in ascolto con espressione grave, neanche fosse stato annunciato un attacco nucleare, la fine del mondo. Solo dopo la sigla di chiusura del giornale radio hanno ripreso a muoversi, a respirare. E, a quel punto, si sono anche sentiti in dovere di esprimere un'opinione. Chi diceva che eri un genio del marketing e l'indomani ti saresti di sicuro rifatta viva insieme a un paio di calze che sarebbero andate esaurite in dieci minuti in tutto il globo. Chi, con le lacrime agli occhi, ipotizzava che ti avessero rapita perché «lei non tradisce mai i suoi fan, lei non può abbandonarci». Ma la cosa che più mi ha sconvolta è che Valentino, togliendosi le Adidas dai piedi e mostrandomele – «Mamma, prenderei queste…» –, subito dopo ha aggiunto: «C'è quest'altro social cinese adesso, che va alla grande. Ha funzioni video di altissimo livello. Le foto sono statiche, in generale, le sue erano troppo precisine, costruite. Anche la Rossetti ormai "ha dato"».

Alla cassa ho tirato fuori il bancomat e pagato senza neanche guardare il prezzo. Ero troppo scossa, allibita: che la letteratura avesse fatto il suo tempo, che io fossi strutturalmente *obsoleta*, va bene. Ma che potessi diventarlo tu, Beatrice, quest'ipotesi non mi aveva mai nemmeno sfiorata.

Al quinto giorno, ovunque entrassi: ufficio postale, sala d'aspetto, autobus, o anche semplicemente passeggiando per strada, non si parlava d'altro che della tua scomparsa. Fatta eccezione per quell'isola felice che è il Baraccio, correvi di bocca in bocca, nelle chat dei genitori, nei notiziari. Di ora in ora, sul web come sulla carta, le notizie che ti riguardavano salivano un po' più in alto.

Fuori dalle scuole medie Carducci, persino Vale e i suoi amici maschi, generalmente non interessati a te – potresti essere, come me, la loro madre – stavano discutendo della tua "mossa diabolica" o, a seconda dei punti di vista, del tuo "suicidio". Di norma mi faccio gli affari miei: non è sano che una mamma si metta a fare l'amica. Però in questo caso mi sono sentita chiamata in causa, mi sono avvicinata, ed è stato così che ho scoperto che tu eri diventata *virale* e infettavi ogni cosa, oscurando le uscite di Trump, le mosse commerciali di Xi Jinping, addirittura le nuove linee di profumi di queste famosissime Kardashian. Però, mi hanno spiegato sempre loro, che a dodici anni ne sanno di economia digitale più di me, non pubblicizzando niente, non vendevi neanche niente, quindi la tua scomparsa era un azzardo *a doppio taglio*.

Com'è noto, è arrivato anche il sesto giorno di silenzio. Le tue pagine social erano ormai prese d'assalto, subissate di domande, implorazioni, insulti; inondate di cuori, odio, disperazione; controllate tutti i momenti da tutti gli utenti di tutti i Paesi con una compulsione mai vista. E, tuttavia, restavano inermi e afone. Come una lapide.

Proprio quel giorno, dopo la scuola, Michele è venuto a casa nostra a studiare. Un ragazzo senz'altro intelligente, ma anche introverso; uno che, a differenza degli altri amici di Valentino, oltre a giocare a calcio e ascoltare rap, legge molto, dipinge, e io, quando li vedo insieme, riconosco il pericolo del conflitto e della simbiosi.

A un certo punto, quel pomeriggio, Valentino e Michele sono usciti dalla cameretta per fare merenda, si sono seduti in cucina a dividere un pacco di biscotti e a controllare i fatti degli altri sul cellulare. Avevano lasciato la porta aperta, io ero in corridoio poco distante e, mentre cercavo un saggio di Cesare Garboli nella libreria, ho sentito Michele che diceva: «Tutti credevano di sapere ogni cosa di lei, e invece adesso non sanno nemmeno dove cercarla. È assurdo, come un delitto, quando fanno sparire il corpo. Ma c'è mai stato un corpo? Secondo me no».

Mi sono seduta sullo scaleo, di colpo, come per effetto di un abbassamento di pressione.

Oh sì che c'era stato, un corpo...

Inutile che cercassi Garboli: lo avevo prestato, non mi era più tornato indietro. Avevo appena realizzato che, da quando eri sparita dal web, eri tornata a esistere nella mia vita.

Era da tanto tempo, infatti, che non andavo più su Internet a cercarti. Sono diventata adulta anch'io, cosa credi? E a dirla tutta mi avevi anche un po' stufata: sempre elegante, sempre perfetta, sempre felice. Avevo Valentino da crescere, io, le bollette da pagare, la carriera da tentare. Mi hanno sempre appassionata le storie, con le loro contraddizioni, le immancabili cadute, i tentativi di rialzarsi, la fatica di cambiare, e tu non cadevi mai, non litigavi mai, splendevi e basta. Però non eri più variabile. Col tempo sei mutata in stella fissa. Sempre più lontana, e pallida.

Quel giorno, che era il 16 dicembre, mentre Valentino e Michele tornavano in camera, e mio figlio diceva al suo amico: «Mia madre è stranissima, non farci caso», e io rimanevo immobile sulla scala con la testa rovesciata contro Cassola, e li guardavo nascondersi, girare la chiave, e mi sembrava di vedere me e te a casa mia la volta che mi avevi proposto di abbassarci le mutande, ho pensato: E se non fosse una strategia per guadagnare più attenzioni, più soldi, più fama? E se fosse qualcosa di *reale*?

Mi sono riscossa in fretta: Cosa vai a pensare, Elisa? Non la conosci? Vuoi cascarci proprio tu, nei trabocchetti di Beatrice? Ero finalmente riuscita ad accantonarti, e non avrei certo permesso a una trovata pubblicitaria di minare quelle fondamenta. Vaffanculo, ti ho detto.

E il giorno dopo è arrivata fatidica, puntuale, la mazzata.

*

Mi sono alzata alle 6.30, il 17 dicembre, come sempre.

Ho messo la moka sul fuoco, ho steso la lavatrice notturna, ho svegliato Valentino per andare a scuola.

Abbiamo fatto colazione seduti di fronte con Radio3 a volume basso, sennò gli dà fastidio. Lui di umore pessimo: muso, risposte nemmeno a monosillabi, ma a grugniti. Gli ho proposto d'invitare di nuovo Michele a casa nel pomeriggio, e lui mi ha fulminata con lo sguardo perché avevano appena litigato. La sera precedente, tramite messaggini. Prima che io gli intimassi di consegnarmi il cellulare, ché era ora di dormire.

Abbiamo camminato insieme per un pezzo di Strada Maggiore, in silenzio. Alla pensilina dell'autobus si è coperto le orecchie con le cuffie, la testa col cappuccio della giacca, e mi ha salutato come se mi conoscesse a stento. Io ho proseguito da sola sotto il Portico dei Servi, col magone e un senso tremendo d'impotenza. Ho attraversato piazza Aldrovandi rimpiangendo le gastroenteriti di quand'era piccolo. E, arrivata in via Pietroni, mi sono rifugiata al Baraccio.

Alle otto del mattino non c'è mai molta gente. In zona universitaria ci si alza tardi, è risaputo. Davide era di spalle dietro il bancone, stava pulendo la macchina del caffè. Mi ha sentita entrare e si è voltato. Non so come ci riesca, ma sa sempre che sono io.

«Buongiorno, cognata.» Mi ha guardata meglio in faccia. «Cos'è successo?»

«I soliti problemi.»

Per legge non corre alcuna parentela tra noi. Ma di fatto Davide è l'unica famiglia che abbiamo qui a Bologna, la migliore possibile; anche se, a causa del bar, non riesce a scarrozzarmi Valentino a calcio.

«Cos'ha combinato mio nipote?»

«Muto, scontroso» ho risposto togliendomi il cappotto e sedendogli di fronte su uno sgabello, «credo che il suo migliore amico lo abbia ferito o viceversa. Sono preoccupata.»

«E lasciali vivere…»

Per inciso: lui non ha figli.

«Si consolerà con qualche ragazza, no? Bello com'è!»

Davide è sempre stato magro come uno stecco, invece, e allampanato, con un naso che per generosità definirò *importante* e un cespuglio di capelli neri e crespi. Il giorno che ci siamo conosciuti, ormai parecchi anni fa, aveva esordito stringendomi la mano: «Piacere, io sono il fratello brutto. E ne vado fiero». Siamo diventati subito grandi amici.

Quel martedì mi ha allungato un caffè doppio, il solito.

«A proposito, ho sentito Lorenzo e mi ha detto che porterà Valentino a T per Natale.»

«Sì, quest'anno tocca a lui. E tu ci vai?»

«Scherzi?» Davide ha appoggiato le mani al bancone, si è fatto una risata amara. «Non ci metto piede da vent'anni.»

Lo capisco, anch'io torno il meno possibile: l'ultima volta che ci ero stata, avevo detto a mio padre che sarei andata a fargli la spesa, invece avevo preso a vagare per la città sovrappensiero e mi ero ritrovata a un palmo da via dei Lecci. Mi era quasi venuto un infarto inchiodando, sgranando gli occhi di fronte alle strisce pedonali che stava attraversando Beatrice: non la star, la ragazzina.

«Be', dovrete pur perdonarvi» mi è scappato.

«Io e T? Non credo.» Davide ha guardato fuori, oltre la vetrina. «Ho vissuto in Amazzonia, ad Haiti, ne ho viste d'ingiustizie. Ho cercato di raccontarle sui social e, mi credi? I commenti più stronzi erano sempre di gente di T che mi sfotteva: "Sub Comandante Davide", "Vieni qua a dare una mano che i poveri sono anche in Italia", "Comodo fare l'eroe coi soldi di papi?". "Papi" che mi ha tolto il saluto, figurati i sussidi.»

Lo scampanellio della porta ci ha interrotto. Sono entrati due professori di Filosofia che conosco, ma che, essendo ordinari, mi hanno snobbata. Hanno chiesto un caffè, preso a discutere di Hegel e, insieme, del governo Conte. La loro presenza mi inibiva: non me la sentivo di parlare con Davide degli affari nostri. Così mi sei tornata in mente tu.

Chissà se oggi ha pubblicato qualcosa, mi sono chiesta.

Ero stata molto brava, fino ad allora. Non ero mai andata sui tuoi social a controllare.

Mi piaceva l'idea che stessero tutti lì a smaniare, a elucubrare, e io no. Però un conto è il chiacchiericcio del web, un conto sono le informazioni dei giornali.

Con una lieve tachicardia ho allungato la mano verso la pila fresca di stampa che Davide fa trovare ai suoi clienti. Anziché attaccare col "Corriere" come faccio di solito, ho afferrato "il manifesto". Un singulto adolescenziale mi ha colta. Mi sono sentita di nuovo indomita e coraggiosa come quando entravo in classe con quel quotidiano sotto il braccio. L'ho sfogliato in fretta, sforzandomi di dedicare attenzione all'Amazzonia e alla guerra dei dazi. Purtroppo, era te che cercavo.

E tu non c'eri, almeno così sembrava, in nessuna pagina.

Allora io tornavo a respirare.

Mi alleggerivo, gioivo.

Nel frattempo i due filosofi se ne sono andati. È entrato Vito, con la spilla dell'Anpi puntata sul cappotto. Si è seduto. Si è messo ad ascoltare Davide, che aveva spalancato "la Repubblica" e cominciato a snocciolare a voce alta il consueto bollettino di catastrofi naturali, stragi alle frontiere, comunicati di presidenti che ignorano il congiuntivo. Tutto filava di nuovo liscio. E io ho abbassato le difese.

Ho afferrato il "Corriere".

Il mio sguardo è caduto sul titolo gigantesco in prima pagina.

Allora credo di essere sbiancata.

«No» ho detto.

«No, cosa?» ha chiesto Davide. «Bolsonaro, Trump, la Libia?»

«Una settimana…» ho bisbigliato stringendo il quotidiano. «In prima pagina, non è possibile.»

«Ma cosa?» è intervenuto Vito.

Ho posato il "Corriere". Con un misto di sconcerto, rabbia e, ormai innegabile, un principio d'ansia, ho risposto: «Beatrice».

«Chi?»

«La Rossetti.»

«Per favore» Davide si è stupito, «ma ancora con quella cazzata?»

«Chi è la Rossetti?» ha domandato Vito; ha ottantadue anni.

Mi sono voltata, ho fatto per aprire bocca, ma l'ho richiusa. "Chi è?" Era proprio una bella domanda. Mio malgrado, ho ripreso il giornale, riletto il titolo che ti riguardava: "Una settimana di silenzio. Sale l'angoscia per Beatrice Rossetti".

Davide ha dato un'occhiata agli altri quotidiani: «Certo che è pietoso: è su tutte le prime pagine, eccetto quella del "manifesto"».

«Sì, ma chi è?» Vito lo voleva sapere. E, siccome io tacevo, gli ha risposto Davide: «Una che vende borse, mutande… Un po' come facevano una volta porta a porta, solo che lei lo fa su Internet».

«Ah» ha risposto Vito, pacificato.

«Non vende esattamente mutande» ho replicato io con un filo di voce. Poi, parlando più forte, ho chiesto a Davide: «Lo sai che è di T?».

«Non mi stupisce affatto» ha ribattuto.

Sono entrati altri clienti, Davide ha dovuto mettersi a lavorare sul serio. Io sono rimasta lì, congelata col "Corriere" davanti. Il sottotitolo:

"Apprensione tra i fan scesi in piazza in più di venti Paesi".

Non volevo leggere, e leggevo: "Migliaia di persone si sono radunate ieri nei luoghi simbolo… La preoccupazione è alta…". Saltando le parole per l'ingordigia, la paura di sapere. "Dopo un'intera esistenza offerta allo sguardo degli altri, quotidianamente aggiornata ogni due, tre ore… Dal 9 dicembre basta: nessun nuovo post, nessun'altra immagine. Né una spiegazione né un addio. D'improvviso Beatrice Rossetti si è nascosta." Tornavo indietro, rileggevo pezzi di frase, mi si annebbiava la vista. "... ma quel che si teme maggiormente è un malore... Si rincorrono voci... dilagano... anche i media stranieri... I dipendenti sono chiusi in un silenzio impermeabile... Rapimento, suicidio: solo ipotesi al momento... Da Parigi a Pechino... un vuoto enigmatico."

Ricordo di aver chiuso il "Corriere" con il cuore esploso.

Una settimana era tanto, ho pensato.

Beatrice, non è da te.

Davide mi ha strappato il giornale dalle mani: «L'Australia va a fuoco, il Mediterraneo è un cimitero, e noi ci preoccupiamo della Rossetti? Sarà l'ennesima trovata per vendere più mutande».

Per un istante non gli ho dato ragione. Anzi ho provato fastidio, mi è venuta voglia di ribattere: Se si trattasse solo di mutande, l'intero pianeta riarso e sciolto non ne discuterebbe, non credi? Chi ti dà il diritto di giudicarla? Sei superficiale. Siamo tutti coinvolti, non lo capisci?

Però mi sono trattenuta. Sorpresa, ho dovuto ammettere che Davide non aveva esternato critiche poi così diverse dalle mie solite, eppure sentirle sulla bocca di un altro mi suonava ingiusto.

Ho controllato l'ora: le nove e mezza. Avevo perso la cognizione del tempo. Sono scesa veloce dallo sgabello: «Davide, a domani. Buona giornata a tutti». E sono corsa via.

Fuori il sole illuminava i portici di sghembo, l'aria era tiepida come all'inizio di aprile. Attraversando piazza Verdi più veloce che potevo, salendo la scalinata di Italianistica due gradini alla volta, ho avvertito l'apocalisse: quella pubblica e la mia privata.

Senza passare dallo studio, mi sono diretta a lezione.

*

L'aula III traboccava di teste scarmigliate, ampi ciuffi pettinati da un lato, code di cavallo, ricci fluenti, caschetti. I volti non potevo vederli perché erano tutti indistintamente chini sui cellulari a smanettare come ossessi, parlandosi a voce insolitamente alta, ma senza guardarsi, senza potersi distrarre nemmeno un secondo.

Bene, mi sono detta. E sono entrata.

Ho chiuso le porte facendo più rumore possibile. Ma niente: non uno che abbia alzato lo sguardo, che si sia accorto che ero arrivata.

Ho posato borsa e cappotto sulla sedia. Mi sono seduta come sempre sulla cattedra a gambe incrociate. Mi sono portata le mani a megafono sulla bocca e, con quanto fiato avevo, ho gridato: «Ehi, sono qui!».

Finalmente, una testa dopo l'altra, le studentesse si sono risollevate e quietate. Anche gli studenti, a dire il vero. Non è che i maschi non si iscrivano a Lettere, ma restano una tenera minoranza, offuscata dalle chiome generose e dai rossetti rossi.

«Scusatemi per il ritardo» ho detto.

E, nell'attesa che anche le ultime voci si placassero, ho studiato con cura la mia platea cercando di assumere l'espressione più minacciosa possibile. Il messaggio subliminale: Se sbirciate il cellulare, guai a voi.

Le ragazze hanno quasi tutte la tragica età che avevamo noi due quando abbiamo litigato e, lo vedo, smaniano per assomigliarti. Si presentano a lezione con il cerchietto da quando tu hai deciso di riportarlo in auge. I pantaloni li indossano come te, alle caviglie. Ti imitano nei colori, nelle pose, nei bronci. Di ventenni del mio tipo ce ne sono, certo: felpe larghe, anfibi, piercing per camuffare l'insicurezza. Quando incrocio i loro occhi in sede d'esame, devo reprimere la tentazione di rivolgere loro domande più facili, di bilanciare lo svantaggio che si portano dentro e che conosco bene.

La mattina del 17 dicembre ho osservato le mie trecento studentesse e loro hanno osservato me, in attesa. Ci siamo prese questo minuto di silenzio prima di cominciare, per scrollarci di dosso il mondo là fuori e fare vuoto al centro.

Sono solo una ricercatrice riconfermata, insegno Letteratura italiana del Novecento e il mio stipendio non è stellare. Forse non diventerò mai un'ordinaria e, anche se dovessi riuscirci, non ti potrei eguagliare. Però, Beatrice, vorrei sul serio che tu vedessi quest'aula: com'è maestosa nel suo legno scuro, piena di luce e di aspettative. Mi trema la voce ogni volta, all'inizio, lo sai?

No, perché non mi hai mai cercata. Così ho pensato quella mattina. Scommetto che in tutti questi anni non ti ha mai colta un momento di sconforto, di malinconia. Non ti è mai venuto in mente: "To', vediamo cosa combina Elisa. Che lavoro fa. Se si è sposata, se ha avuto figli".

In ogni caso, non avresti trovato nulla. Solo un profilo scarno e senza foto sul sito del Dipartimento, con l'elenco degli articoli specialistici e saggi brevi che ho pubblicato, e le bibliografie dei miei corsi.

Mi trema la voce, ti dicevo, perché a ogni lezione la sfida è la stessa: tenerti lontana. Sanguineti, Moravia, Cassola, Caproni devono risultare, almeno in questo perimetro e per la durata di due ore, più attraenti, interessanti e sexy di te. Io ce l'ho sempre messa tutta, credimi, per impedire alle ragazze di allungare la mano di nascosto sotto il banco, afferrare il telefono e andare a cercarti, vedere dove sei atterrata, cos'hai mangiato. Mi sono sempre sgolata per sequestrare le loro menti dentro qualcosa di più significativo dei tuoi vestiti, per far correre le loro biro sui quaderni. È sempre stata una lotta impari e infame, ma credo di esserci riuscita spesso: a far vincere l'invisibile sul visibile, me su di te.

Solo che, da quando hai deciso di diventare invisibile anche tu, l'impresa si è fatta impossibile.

Quella mattina avevo in programma una lezione su "Il postale", la sesta parte di *Menzogna e sortilegio*, in cui Anna Massia di Corullo, ormai adulta e consumata da un matrimonio infelice, dalla miseria del bilocale in cui vive, scrive nottetempo lettere a se stessa fingendo di essere il cugino Edoardo. Ci troviamo a Palermo alla fine dell'Ottocento, è estate. Anna tiene la finestra aperta davanti alla scrivania. Il marito non c'è, è sui treni notturni a lavorare. La figlia la spia mentre lei crede che dorma. Anna immagina che Edoardo, morto di tifo, le bisbigli all'orecchio parole d'amore, e si scioglie i capelli, ride, si lascia andare. Le scrive, quelle lettere, per leggerle il giorno seguente alla madre di lui, che non aveva voluto che stessero insieme. Per vendetta, quindi, per disperazione. Ma, soprattutto, per godere.

Ho cominciato sul serio a parlare di Anna. Le mie ragazze di norma la adorano perché è perversa: ama i gioielli, è bella, altera, è pura esteriorità. «Se solo la figlia e il marito non la vedessero come la creatura più straordinaria della Terra» ho detto, «se solo non la raccontassero così, questa donna cosa sarebbe?»

Però mi sono accorta quasi subito che non mi stavano ascoltando.

Nemmeno un personaggio diabolico come Anna in quel momento riusciva a strapparmele da te: erano tutte lì ad abbassare lo sguardo ogni due minuti, a controllare nei telefoni che tenevano nascosti fra le cosce se tu avessi pubblicato qualcosa. Ho cominciato a innervosirmi. Mi sono schiarita la voce perché mi pizzicava la gola. Perché già nei giorni scorsi far lezione è stata un'impresa. Ma così era troppo.

«Se solo non la raccontassero in questo modo» ho ripreso paziente, «Anna sarebbe una poveraccia, patetica al punto di scriversi lettere da sola. "Prose scadenti" le definisce Elisa, la narratrice. Per quanto le costi, deve ammettere che il sortilegio erotico che rapiva sua madre, non era altro che...» ho afferrato la dispensa dalla cattedra, «leggo testualmente: "una ventina di lettere, alquanto prolisse e lunghe, scritte su fogli di carta ordinaria... L'inchiostro è di cattiva qualità..."» Ho agitato i fogli per aria e ho urlato: «È insopportabile la realtà, ragazze».

A quel punto le studentesse mi hanno considerata. Ho letto nei loro occhi un interesse improvviso. Era un appiglio debolissimo, quasi evanescente, ma io mi ci dovevo aggrappare con tutte le forze, e sfruttare, e cavalcare.

Non divago mai, non esco mai fuori tema, perché sono una "rompicoglioni", come direbbe Lorenzo, o un'insicura, come preferisco io.

Ma questa volta ci dovevo andare. Un po' di coraggio lo dovevo cacciare: «Nella finzione Anna si prende la rivincita sulla vita. Che poi è quello che cerchiamo di fare tutti continuamente, giusto? Quando ci scattiamo una foto e la pubblichiamo con una bella frase fatta».

Sono scesa dalla cattedra, ho cominciato a camminare tra i banchi.

«Dovete sapere che io ho tre vicine di casa: condividono l'appartamento sopra il mio. Hanno qualche anno meno di me, lavorano, chi in ufficio, chi al supermercato; una studia come voi. E ogni volta che passo a salutarle, puntualmente le trovo in tuta e ciabatte, senza trucco, di cattivo umore. La sera non escono quasi mai perché sono troppo stanche dopo i turni, o perché devono risparmiare, o perché hanno perso le speranze d'incontrare qualcuno di cui valga la pena innamorarsi. Però, qualche volta, reagiscono. Si truccano, si vestono bene, vanno in centro a passeggiare, entrano in un bel locale e, tenendo alti i bicchieri, brindando con larghi sorrisi, si scattano una foto. Che subito dopo, naturalmente, finirà su Internet: un messaggio scagliato contro gli ex fidanzati, le amiche che le hanno tradite, i pettegoli delle province da cui provengono. "Lo vedete come ci divertiamo? Come sembriamo felici?"»

Mi sono interrotta e morsa le labbra. Ho pensato: Se lo vengono a sapere Claudia, Fabiana e Debora, che ho parlato così di loro, mi ammazzano. Ho pensato anche che io, a differenza loro, non ci provavo nemmeno *qualche volta* a uscire, a incontrare qualcuno, a cambiare la mia vita. Al massimo me ne stavo sugli spalti del campo da calcio a leggere, e quello era il clou della mia socialità.

Ma adesso la platea si era dimenticata di te. Sia pure per cinque minuti. E io avevo il dovere di giocarmi bene la partita.

«Più di una decina di anni fa una persona mi aveva detto che la letteratura avrebbe fatto presto il suo tempo, perché cosa te ne fai di un libro se hai la vita degli altri visibile e a portata di mano? Altri *veri*, mica immaginari, che conosci e ti sembra di poter spiare da vicino, come attraverso una fessura. Puoi invidiare la collezione di momenti felici che mostrano, impegnarti a fabbricarne una altrettanto invidiabile, chiuderti in una stanza e scattarti foto da sola, scrivere lettere d'amore a te stessa come Anna Massia di Corullo. Sono certa che quella persona avesse ragione, però, vedete... né lei né nessuno riuscirà mai a convincermi che quelle tre foto su Internet delle mie vicine di casa siano più interessanti di tutti i giorni, mesi e anni della loro vita in cui non sembrano niente, non vogliono assomigliare a nessuno né vincere nulla.» Ho fatto un grande respiro, e deglutito per evitare di commuovermi. «Perché quelle immagini io non le riesco ad amare, ma la presenza di quelle persone, la loro verità, sì.»

*

Dopo sono corsa a chiudermi in studio, furibonda con me stessa.

Sei diventata come la Marchi!, mi sono rimproverata. Zitella, sfigata, bacucca a trent'anni! Utilizzare lezioni retribuite per sfoghi personali: non ti vergogni? Ho ripensato a Valentino: Chissà se è ancora vicino di banco di Michele o si sono separati?

D'improvviso ho dovuto ammettere perché non mi ha mai convinto il loro rapporto: mi ricorda il nostro. Siccome io ci sono già passata, e conosco le disastrose conseguenze di un'amicizia sbagliata, vorrei evitarle a mio figlio. Poi mi sono ricordata di quella frase di Davide: «E lasciali vivere...». E ho dovuto ammettere anche questo: che non si vive, e non si cresce, senza passare attraverso un'amicizia sbagliata.

Ho pranzato alla scrivania con due pacchetti di cracker: per colpa tua non è che avessi molta fame. Ero tutta tesa a scacciare la notizia del "Corriere" dalla mia testa. Ho acceso il computer, evitato accuratamente di collegarmi a Internet, e aperto il file in alto a sinistra, decisa a dare il massimo.

Prima di cominciare a scrivere la nostra storia, infatti, stavo lavorando a un saggio sui personaggi femminili nell'opera di Elsa Morante su cui proiettavo moderate speranze. Quel giorno, anche se il martedì dalle 14 alle 17.30 ricevo gli studenti, ero convinta che nessuno avrebbe osato bussare alla mia porta dopo la sortita isterica di poco prima, e che quindi avrei avuto tempo per rifugiarmi nel caldo abbraccio della letteratura che, ricordiamoci, è pur sempre una droga.

Mi ci ero messa d'impegno, avevo iniziato col piglio giusto, ma già dalle 13.55 è cominciata una processione. Studentesse entusiaste o tormentate, studenti toccati sul vivo, dubbiosi: tutti a chiedermi letture e spunti per approfondire il dissidio tra realtà e rappresentazione.

Abbiamo chiamato a raccolta Schopenhauer, naturalmente, e Merleau-Ponty, *Il conte di Kevenhüller* di Caproni e *Madame Bovary*, persino *L'amica geniale*. L'amica che, senza dubbio, tu non sei stata. Il mio povero saggio è rimasto lì, mancato sullo schermo, ma io non me ne curavo più di tanto, perché essere riuscita a intercettare quelle giovani menti, aver scoperto che i miei dissidi interiori erano anche i loro, mi aveva dato una specie di euforia. Un ragazzo biondo come Lorenzo mi ha chiesto addirittura di poter dedicare la tesi all'argomento. «Ma sono proprio inconciliabili, secondo lei, letteratura e social network? Chi dei due mente di più?» Di pancia ho risposto: «Sì, sono inconciliabili». Poi ho corretto il tiro: «Forse, però, un punto d'incontro segreto c'è… Prova a stanarlo tu».

Mi era tornato il buonumore, ero riuscita a non pensarti. Ma, appena hanno smesso di bussare e mi sono ritrovata sola tra le quattro pareti strette dello studio, con la finestrella buia affacciata su via del Guasto, il cursore di Word che lampeggiava a vuoto, sono piombata di nuovo dentro quella domanda.

Dove sei, Beatrice?

Perché ti sei nascosta?

Ma possibile che nessuno riesca a trovarti?

È stato come in quei sogni in cui ti sembra di cadere e non c'è modo di fermare la caduta. Mi sono messa a ricordare, mio malgrado, frasi intere dell'articolo letto al Baraccio, a chiedermi se un silenzio potesse costituire una notizia, la più importante. Un silenzio è un buco, no? Un'assenza totale di contenuti. Mi avrebbe fatto così comodo pensare che stavi, come sempre, bluffando. E che anzi, la tua era una mossa accorta, intelligente. Forse te lo avrei consigliato anch'io: dopo tredici anni non potevi prosegui-

re al ritmo di sei, sette fotografie al giorno, sempre di te stessa.
Rischiavi di venire a noia. Ma non riuscivo a convincermi. E mi
sentivo soffocare.

Basta, ho spento tutto. Afferrando il cappotto dall'appen-
diabiti, raccogliendo dalla scrivania i libri, le dispense e le tesi
rilegate, un'ipotesi mi ha gelato il sangue: E se ti fosse successo
qualcosa?

Qualcosa di male?

Chiudendo a chiave lo studio, attraversando il corridoio, ho
avvertito lo stomaco comprimersi, l'ansia montare. Perché sparire è un'attività in cui io mi sono cimentata sin dalla scuola materna con ottimi risultati, ma tu, per come ti ricordo, non sapresti
da che parte cominciare.

Ho avuto paura che non esistessi più.

Tu. Non le migliaia di icone che ti riguardano e puntualmente
mancano il bersaglio. Ma tu, irraccontabile. Il peso specifico e il
calore della tua mano guantata sulla mia nuda, in motorino verso
Marina di S.

Mi è venuta voglia di chiamare tuo padre. No, mi sono fermata, non avrebbe senso. Per quanto ne so, da Internet e dai
giornali, non vi siete mai riconciliati. Meglio Costanza, con cui
ultimamente ti eri fotografata un paio di volte. O Ludovico: di
sicuro lui sa qualcosa. Stavo per tirare fuori il cellulare, quando
sono rinsavita: Non li vedi e non li senti da quindici anni. La tua
vita è questa. La sua non ti riguarda.

Sono scesa al primo piano, di nuovo risoluta a tenerti lontana.
Sono entrata in biblioteca per prendere in prestito quella raccolta di saggi di Cesare Garboli che avevo cercato invano a casa il
giorno prima e l'ho trovata: *Il gioco segreto*. Sul pianerottolo ho
incrociato il collega di Letterature comparate, ricercatore precario come me, e al solito ci siamo confrontati sul possibile pensio-
namento del Fracci, barone incartapecorito: che si schiodi e lasci
finalmente libero il posto, accidenti.

Salutato lui, mi ha fermato un gruppetto di studentesse e
abbiamo affrontato ancora la questione di quanta menzogna e
di quanto sortilegio ci siano nell'atto stesso di raccontarci, scri-

vendo o fotografandoci. E di quanto dolore implichi sdoppiarci, guardarci da fuori, di come un'obiettività anche minima sia impossibile. E così parlando mi era sembrato di aver ripreso in pugno me stessa dopo una sbandata, di aver difeso bene la mia esistenza, che sarà pure normale e scialba, ma ci ho messo parecchia fatica a costruirla.

Alle sei e mezza sono uscita in via Zamboni impaziente di rivedere Valentino, di riabbracciarlo. Avevo così fretta che mi sono cadute le dispense dalle mani. E, come sempre nei momenti meno opportuni, è squillato il cellulare.

*

Sarà lui, ho pensato. Speriamo solo stia meglio, che la sua voce non sia un dramma. Ho tribolato, carica com'ero, ad aprire la borsa. Il telefono continuava a squillare, ostinato. Quando sono riuscita a trovarlo, ho visto che non era Valentino e mi sono tranquillizzata.

Sullo schermo lampeggiava un 340 sconosciuto, che forse era il tecnico della caldaia che avevo cercato il venerdì precedente. Ho risposto distratta, un po' scocciata: alle sei e mezza di sera, d'inverno, col buio e l'umidità che ti trafigge le ossa, avevo solo voglia di tornare a casa.

«Pronto?»

«Elisa Cerruti?» mi sono sentita chiedere da una voce maschile.

«Sì, chi parla?»

«Buonasera, sono Corrado Rebora.»

La voce si è zittita, come se non ci fosse bisogno di aggiungere altro dopo un simile nome e cognome. Ma io, tenendo il telefono tra orecchio e spalla, raccogliendo i fogli da terra e sorridendo a uno studente che si era fermato ad aiutarmi, ho chiesto: «Prego?» in un modo che apertamente dichiarava che non avevo idea di chi fosse.

Allora lui ha calcato bene le sillabe: «Rebora, Corrado Rebora. Personal manager di Beatrice Rossetti».

Tutte le dispense, i libri che tenevo tra le mani mi sono caduti di nuovo, anche quelli appena raccolti. Il ragazzo gentile che mi aveva aiutata ha scosso la testa e se n'è andato.

Sono rimasta sola sotto il portico pieno di studenti.

«Credo possa intuire perché la sto chiamando. Le chiedo anzitutto di tenere il contenuto di questa conversazione riservato.»

Ero congelata. Respiravo piano, come un animale che stia per essere finito da un altro più grosso, o da una lama, da una fucilata. La domanda che mi premeva in gola era: È viva? Ma non sarei stata in grado, sul momento, di pronunciare nemmeno una vocale.

La voce nel telefono riprese: «La situazione, come tutti sanno e immagino anche lei, è critica. Parliamo di centinaia di posti di lavoro a rischio, di aziende che hanno subìto ingenti perdite durante questa settimana. Se ne passasse anche solo un'altra...».

L'ho interrotto: «Cosa c'entro io?».

Corrado Rebora è rimasto in silenzio. Forse per soppesare quello che aveva da rivelarmi. Io ero un grumo di ansia. Ho pensato a un tumore, come tua madre. I tumori sono ereditari, come gli errori, le condanne. Forse è malata, forse ha perso i capelli a causa delle chemio e non vuole farsi vedere in quello stato, che per quanto uno provi a indorarlo è brutto, è tremendo. Forse è già morta.

«Lei c'entra, Elisa» mi ha risposto Rebora, che disgraziatamente ha il cognome di un poeta, «perché Beatrice mi ha incaricato di dirle che vuole incontrarla. E che non riprenderà le sue attività fino a che non le avrà parlato.»

Mi sono seduta.

Meglio, sono crollata sul pavimento di graniglia del portico, circondata da una corolla di saggi e tesine. Ho chiuso gli occhi e ho pensato: È viva. Temo di avere sorriso. Il mio cuore ha ripreso a battere, il sangue a circolare, a portare ossigeno. Ho riaperto gli occhi, il mio sguardo è caduto proprio sul punto della piazza in cui hai baciato Lorenzo, ho provato a ricordare il tuo labiale, quella parola che non ho mai capito. E poi mi sono incazzata.

«Le dica che non mi interessa.» Rimettendomi in piedi e alzando la voce. «Che dopo tredici anni farmi chiamare dal manager è proprio un gesto da lei, ma io non ci casco più e non lo accetto.»

Mentre scrivo mi viene da ridere perché immagino la faccia che deve aver fatto a quel punto Rebora dall'altra parte della linea. È subito passato da "Elisa" a "signora Cerruti": «Mi scusi, forse lei non si rende conto».

«Oh, mi rendo conto, invece» gli ho risposto esaltata, raccogliendo le mie cose, decisa a non farle cadere mai più. «La saluto.»

«Mi ascolti» mi ha fermata con spavento.

«Non credo di poterle essere utile, davvero.»

«Signora» la sua voce stava diventando rauca, «le assicuro che la situazione è grave. Le chiedo almeno di pensarci un paio di giorni.»

«No.» Mi sentivo, dopo tanto tempo, viva.

«Può salvarsi questo numero, è il mio personale, e richiamarmi a qualsiasi ora...»

«E poi dove vorrebbe incontrarmi, sentiamo, e quando?»

«Se lei mi autorizza, verrà informata quanto prima attraverso canali sicuri.»

«Guardi che io ho un figlio, un lavoro, mi devo organizzare, non è che posso correre dalla Rossetti appena lei schiocca le dita.» Ma cosa stavo dicendo? Stavo aprendo uno spiraglio? «Può comunicare a Beatrice che ormai è tardi, tardissimo.»

«Ci pensi, valuti bene prima di prendere una decisione. Usi la testa, non agisca d'impulso. Se non si farà sentire prima lei, la richiamerò io, al massimo tra una settimana.»

«Tra una settimana è Natale.»

«Noi lavoriamo trecentosessantacinque giorni l'anno, ventiquattro ore al giorno. La prego di non contattare alcun giornale, né amici, parenti...» si raccomandò di nuovo.

Ho messo giù prima che finisse la solfa.

Ho ficcato il telefono in borsa. Ho iniziato a camminare spedita abbracciando pile disordinate di fogli e di volumi presi in prestito. Fiera, su di giri e ridicola.

Poi, davanti al chiostro di San Giacomo Maggiore, di colpo mi sono fermata e ho realizzato.
Allora non mi hai dimenticata.
Ti ricordi ancora di me, Bea.

30

Una famiglia

Taglio la pianura senza incontrare nessuno per chilometri, sorpasso Autogrill deserti, l'outlet di Vicolungo chiuso. Di là dal guardrail piccoli paesi con un campanile e una scuola, cascine sparse, strade sterrate: ogni scorcio è immobile a eccezione dei comignoli che fumano.

Saranno tutti a tavola, penso, avranno scambiato i doni e staranno telefonando ai parenti lontani, ben vestiti per la foto ricordo. Non provo più rancore però per il Natale degli altri. Ho come l'impressione che si siano ritirati per lasciare il mondo a noi due, le uniche fuori posto.

Provo a indovinare dove potresti essere. Tengo il cellulare acceso sul sedile del passeggero come fossi tu a viaggiarmi accanto. In fondo al parabrezza comincio a intravederle, le mie montagne. Sto tornando perché è Natale, certo, e perché non posso finire questa storia senza ripassare dal via.

Esco al casello di Carisio, risalgo la provinciale 230 e il Mucrone mi si para davanti. Per metà innevato, la cima scheggiata in modo preciso, che da piccola mi ricordava un capezzolo. Guardarlo mi fa sempre lo stesso effetto di quando mi ci aggrappavo dalla finestra della Palazzina Piacenza per non sprofondare. Di una lettera muta, fondamentale, che precede tutte le altre dell'alfabeto.

Perché questa montagna è mia madre.

E mentre torno a lei, immagino che tu sia sdraiata sulla lapide della tua, con l'orecchio sul marmo come a sentirle il cuore, sotto un cielo identico a questo che sovrasta me, mentre scendo dalla macchina perché sono arrivata in via Trossi.

Suono il citofono e il portone si apre all'istante. Capisco quanto mi stavano aspettando e mi sento in colpa, mi monta l'ansia. Mentre salgo in ascensore mi osservo allo specchio. Davvero, mi chiedo, sono questa donna di quasi trentaquattro anni, sempre lo stesso rosso di capelli, un filo anonimo di trucco, poca eleganza, poco seno, e però la pancia non più asciutta che preme da sotto la gonna, i fianchi – spalanco il cappotto per controllarli – ingrossati, i lineamenti del volto induriti, stanchi?

Cosa dice di me, questo riflesso?

Che è passato del tempo.

Le porte si aprono e io mi volto. Sul pianerottolo c'è mamma in vestaglia appoggiata alla porta, che non si tinge da un pezzo. Ha sessantuno anni, e già questo mi suona ingiusto, ma siccome si è lasciata andare ne dimostra dieci di più. Ha la bocca avvizzita, la pelle macchiata non più di lentiggini ma di grigio. Del resto, continua a fumare come un'ossessa. La verità è che non riconosco nemmeno lei mentre le vado incontro costringendomi a sorridere. E non riconosco mio fratello che le spunta da dietro le spalle in tuta acetata e maglietta dei Rancid. Si fa ancora la cresta anche se è brizzolato, porta ancora i piercing al labbro superiore e al sopracciglio anche se ha le rughe. Li abbraccio entrambi e sento quanto sono fragili le ossa di mamma, che Niccolò si è di nuovo gonfiato a causa dei farmaci. E cosa darei, Bea, cosa, per tornare a quando eravamo piccoli, e saremo pure stati incasinati, trascurati, ma il corpo di mamma era una roccia e poteva sollevarci due in un colpo per farci il solletico.

Entro, poso il cappotto, i regali, incamero tristezza. «Tieni» dico a mio fratello, «questo mettilo in frigo» e gli passo lo spumante. La disposizione dei mobili, i tappeti, la specchiera, tutto è tornato come quando rincasavo dalle elementari. Però il tempo ha lavorato sodo, ci si è messo d'impegno a ridimensionare e a sbugiardare ogni cosa, persino la palla di vetro di Oropa con la neve di polistirolo sul comodino dell'ingresso. E io dovrei smetterla di rivolgermi a te come se fossi un'amica immaginaria, fidata. Anzi.

Ribadirò al tuo manager che non intendo vederti. E, se dovesse insistere, gli esporrò la verità: che mi hai portato via il ragazzo, che ho dovuto crescere Valentino da sola. Per colpa tua.

*

Ci sediamo a tavola all'una e mezza passata. Quest'anno, mi avvertono, niente rosticceria. Niccolò ha tirato la pasta a mano, rosolato l'arrosto e le bietole per il ripieno, e mamma lo ha aiutato a chiudere gli agnolotti uno per uno. Ne sono molto orgogliosi mentre servono i piatti. Io stappo lo spumante e riempio i bicchieri. Teniamo il telegiornale in sottofondo per avere la sensazione che ci sia più festa, meno vuoto, anche se il Natale senza bambini non andrebbe festeggiato, e noi siamo tre adulti piuttosto disastrati, visti da fuori. Lo so come ci liquiderebbero: una vedova che non riesce a superare il lutto, una madre single che non riesce a uscire con un uomo, e un ex spacciatore.

Però siamo anche una storia, o quel che si dice *una famiglia*. Per cui rivolgo loro molti complimenti per il pranzo, frugo nel volto di mamma per scovarci la prova che stia meglio. Lei solleva un agnolotto con la forchetta, lo osserva illuminandosi: «Mi chiedo perché non ho provato a cucinare prima, dà così tanta soddisfazione». E subito dopo risprofonda nell'assenza di Carmelo: «Non gli ho mai preparato un pasto decente in vita sua, come mi dispiace».

Niccolò alza il volume della tv. Mamma continua a ricordare: le sagre, quando cenavano a fine concerto, e magari erano le tre di notte, ma sotto i tendoni delle cucine tenevano sempre due piatti in caldo per loro. Le torna in mente pure nonna: «Lei li faceva la domenica mattina questi agnolotti qui, mentre papà leggeva il giornale». La cucina si riempie di morti. Io comincio a rigirarmi sulla sedia come se volessi allentare catene invisibili. Ce l'ho di nuovo con te, perché non mi hai liberata abbastanza da questo luogo.

Niccolò, credo per riportarci indietro dall'aldilà, annuncia che ha una nuova fidanzata, una nuova Marina che fa la DJ. «Le ho detto di passare verso sera, così ve la presento.» Mamma ha un moto di allegria. Io non riesco a soffocare un pensiero meschino: tutti, pure mio fratello, prima o poi riescono a rifidanzarsi. E squilla il telefono.

Non è il mio, è il fisso di casa, ma io sussulto. Mamma si alza per andare a rispondere, ciabatta fino all'ingresso. «Pronto?» Io e Niccolò smettiamo di masticare, origliamo come da bambini. «Oh, ciao Paolo. Come stai? Buon Natale a te.»

Parlano a lungo. Il tono di mamma si fa via via più lieve, quasi frizzante. L'estate in cui sono rimasta incinta li ha cambiati. E credo che in seguito fare i nonni insieme li abbia avvicinati in un modo nuovo, ripulito dall'insicurezza e dalla frenesia. Non erano tagliati per il matrimonio, ma per altre forme d'affetto più anarchiche sì. Niccolò invece, quando tocca a lui, spiccica un augurio di cortesia, taglia corto e me lo passa. Per loro non c'è stato verso di trovare un incastro, ed è un peccato. Appoggio l'orecchio al ricevitore: «Buon Natale, papà. Che hai fatto di bello?».

«Sono tornato da Cesari adesso» risponde. «Siccome Iolanda era a pranzo coi suoi figli, mi sono voluto trattare bene. Stesso tavolo con vista del tuo compleanno. Il diciassettesimo o il diciottesimo, non ricordo... Ho mangiato un piatto di linguine allo scoglio favoloso.»

«Davvero?» Lo immagino al ristorante da solo, che contempla il Tirreno, che se ne frega altamente del Natale. E finalmente riesco a dire a me stessa che sono felice: di essermi trasferita a T quell'estate, di tutte le fratture e i traumi conseguenti, perché mi hanno permesso di conoscere quest'uomo. Mio padre.

«Andrò a fare un po' di birdwatching, finché c'è luce. Anche se, senza Valentino, mi diverto poco.»

Ho dimenticato di dire che mio figlio ha una passione sfegatata per gli uccelli, l'ha ereditata per vie misteriose: quelle che saltano una generazione. E ogni volta che va a T, chiede di essere portato al parco di San Quintino, comincia subito a lustrare il suo binocolo: colma il nonno delle soddisfazioni che io non sono riuscita a dargli.

«Stasera comincio a preparare le camere per te e per lui, non vedo l'ora che arriviate.»

«Mancano due giorni, papà.»

Quando metto giù, realizzo che ho solo quarantotto ore da trascorrere qui e non posso lasciarle passare a vuoto. Che tocca a me, è mio dovere, riempirle. Sono io quella che ha studiato, tutti quei libri devono pur migliorarci la vita. Torno in cucina, apro il panettone, stappo un altro spumante e propongo un brindisi: «A noi e al futuro!».

Non suona molto convincente, ma alla seconda bottiglia ridiamo più volentieri. La finiamo e rimaniamo lì, a dondolarci sulle sedie. Il TG non ha parlato di te e io gliene sono grata. Ci aspetta un lungo pomeriggio d'inedia, più assonnati che brilli. Mi alzo da tavola e dico: «Andate in salotto a rilassarvi, a sparecchiare ci penso io».

Accettano senza proteste perché, lo vedo, sono stanchi. Stanchi di cosa, se non lavorano più e, da una rapida occhiata alla casa, non mettono neanche troppo in ordine? Credo, di alzarsi al mattino, di vivere questi giorni. Comincio a scuotere la tovaglia, a lavare i piatti, mi faccio prendere la mano e tiro a lucido i fornelli. Infine carico la moka, sistemo tre tazzine del servizio buono sul vassoio. Appena il caffè sale, le riempio fino all'orlo e attraverso il corridoio, fiduciosa che questo gesto potrà, almeno un poco, ripararci.

Invece, entrando in salotto, vedo l'alberello striminzito senza nemmeno le luci, che si saranno sforzati di addobbare con le vecchie palle solo perché venivo io. E, sistemati sotto, i nostri regali: sei pacchetti piccoli, sgualciti. E loro due buttati sul divano, così trasandati che per una volta mi viene da attribuire un grande valore all'apparenza. E mi si stringe il cuore. Per la pianta da appartamento disseccata. Per la tv sintonizzata su uno di quei film decrepiti che danno il giorno di Natale, tipo *Sette spose per sette fratelli*. Per il lettore DVD sepolto dalla polvere e il videoregistratore VHS della nostra infanzia che è ancora lì e chissà se funziona. Quello che osservo, in realtà, rimanendo in piedi sulla soglia, incapace di varcarla, è il mio riflesso in ascensore.

Possibile, mi chiedo, che il meglio sia già passato?

Che abbia un figlio adolescente che tra poco andrà per la sua strada, e rimarrò a casa sola la sera a pensare a un amore chiuso nel 2006, a un'amicizia perduta nello stesso anno, alle poesie e ai romanzi che non ho scritto, con una carriera di ripiego che chissà se avanzerà mai?

Il mio sguardo ricade sul videoregistratore, ci si impunta.

Mi rispondo: No, cazzo.

Supero la soglia. Mi piazzo di fronte al divano.

«Mamma» le chiedo posando il vassoio sul tavolino di ferro, *quel* tavolino, e in corpo ho un principio d'incendio, «che ne dici se vado a prendere i VHS delle Violaneve che tieni nell'ultimo cassetto del comò, e li guardiamo insieme?»

Mamma sbianca. Mi scruta aggrottando la fronte, le sopracciglia, le palpebre, diventa un grumo di rughe e di spavento come se avesse cento anni. «E tu come fai a sapere…?»

«Ti avevo messo a posto la camera, a ottobre, per il cambio di stagione. Ricordi?»

«Figurati se è il caso di tirar fuori quella roba» si difende.

Niccolò ci osserva stranito, ammorbidendo una pallina di hashish tra pollice e indice. Non capisce di cosa parliamo. E io penso sia incredibile che proprio lui, che non si è mai staccato da lei, che ci vive ancora insieme a quarant'anni, ignori la storia delle Violaneve.

«Mamma suonava il basso in un gruppo rock da giovane» gli spiego, «e ha conservato le registrazioni dei concerti.»

Lui allarga gli occhi. Mamma si torce le mani per l'imbarazzo.

«Lasciali dove stanno» insiste.

Ma io non ho intenzione di mollare. «Credo che sarebbe una bella cosa» sfodero il tono che uso in aula III quando non voglio-no ascoltarmi, «se, anziché sbadigliare davanti al solito film che conosciamo a memoria, oggi guardassimo qualcosa che ha un senso.»

«No» ribadisce mamma incrociando le braccia. Glieli leggo nel volto, i sentimenti che la attraversano: la paura, il rimpianto, la tentazione. La osservo mentre combatte con se stessa, e i suoi occhi diventano pezzi di cielo cupo con esplosioni improvvise.

«Siamo i tuoi figli» la incoraggio, «e non ti abbiamo mai sentita suonare in quella band. Ti sembra giusto?»

Lei si irrigidisce ancora. Ma poi allenta le braccia di colpo. «E va bene.» Si rimette in piedi, diritta sulla schiena. «Però il concerto, lo voglio scegliere io.»

*

Il VHS ha un adesivo dagli angoli scollati e sopra scritto: GATTINARA, 17 AGOSTO 1978. «Scommetto che non si vedrà un accidente» dice mamma consegnandomelo, e torna a sedersi sul divano.

Io accendo il videoregistratore, infilo nello sportello la cassetta che viene subito risucchiata, e prego con tutta me stessa che funzioni.

Poco dopo lo schermo da nero diventa grigio, comincia a frusciare. Mi volto verso mamma e Niccolò sorridendo, ma loro non tradiscono emozioni né aspettative: lui sta finendo la canna, lei sta accendendosi una Camel. Sono due muri. Allora esito, mi pento: cosa stai cercando di fare, Elisa? La stanza puzza di hashish, e la cosa un po' mi infastidisce, un po' mi ricorda l'Alfasud in corsa sul ponte Morandi.

La spia rossa del tasto power rimane accesa, l'arnese vecchio e pesante sembra mettersi in moto, agganciare le bobine, srotolare i nastri, e io voglio intestardirmi. Corro ad abbassare le tapparelle per fare buio. Il salotto prende le sembianze di un cinemino di Natale, di quelli di paese, organizzati nelle sale polivalenti del dopolavoro. Impugno il telecomando e vado a sedermi di fianco a mamma, che adesso si morde il labbro inferiore. Percepisco la sua tensione.

«Non si vedrà nulla» ripete, forse lo spera.

Schiaccio play e una chiazza di colore gialla, poi rossa, emerge, si sgrana, sparisce. Tornano il nero, il grigio. Mi sono illusa? Affiora un suono, come di vociare confuso. No, torna il vecchio stridore analogico. Una pozza verde preme, prova a diventare immagine. Aspetto, ho un brivido: sono foglie, sì, sono alberi.

Incrocio le dita. Teste di persone ammucchiate, inquadrate storte. Poi l'obbiettivo si raddrizza, si ferma, e, come in un prodigio, ecco nascere finalmente, nitida, la mamma.

Non fosse per i capelli rossi e le lentiggini, non la riconoscerei. Traffica con cavi e amplificatori su un palco insieme ad altre tre ragazze. La camera fa una carrellata su di loro, il suono si riallinea alle forme, e distinguo le chitarre che strimpellano, i microfoni che fischiano. Uno zoom improvviso, rocambolesco, e in primo piano riappare mamma a vent'anni, con il basso a tracolla.

Indossa un gonnellone a righe dai colori sgargianti, una canottiera esile che le lascia le spalle e un ampio scollo nudi. La telecamera incede su di lei, la fruga, ci gioca. Una voce fuori campo irrompe e grida: «Annabella, cos'è quel broncio? Dài, sorridi».

Mamma, la donna anziana accanto a me, intendo, si lascia scappare una risatina. L'altra, la ragazzina nel video, fa una smorfia così infantile che mi provoca una fitta di tenerezza. Ha un bel rossetto fucsia; i capelli lunghi fino a metà schiena, con la scriminatura al centro, le ricadono ai lati del volto. Porta una fascia lilla sulla fronte, decine di collane. Sta provando insieme alle altre Violaneve, tutte giovani e sfrontate. La voce fuori campo la chiama ancora: «Anna, mandami un bacio!». Ma lei è troppo impegnata ad accordare il basso e si volta di schiena. Allora lui, che forse è il fidanzato dell'epoca, si offende, e comincia a riprendere la folla riunita sotto il palco. Sono tutti ventenni, alcuni a petto nudo, con le sigarette, le birre in mano, e più che Gattinara sembra Woodstock. Però, man mano che la telecamera si sposta verso il fondo, si capisce che è solo la provincia di Vercelli: iniziano i tendoni delle cucine, i lunghi tavoli di legno con le panche dove bambini e anziani mangiano insieme la panissa.

Infine il ragazzo di mamma torna bruscamente da lei. «Avete finito di provare, sì o no?» Altre voci gli fanno eco e le incitano: «Viola-neve! Viola-neve!». Il sole sta tramontando, anche da questa parte dello schermo riesco a sentire il formicolio dell'aria densa di umidità e di zanzare, impregnata del sudore dei corpi, dei desideri.

Le Violaneve si scambiano un cenno d'intesa. Trascorrono alcuni istanti di urla, risate. Poi attaccano a suonare, e lo fanno così bene, con una tale sicurezza, che quel palco di legno grande ma arrangiato, buttato lì tra i platani, si trasfigura e diventa il centro del mondo.

Mi volto con cautela verso mamma e vedo che senza fare rumore ha cominciato a piangere. Anche Niccolò è scosso, accende l'ennesima sigaretta. «Sei davvero tu?» le chiede.

Mamma non si muove, non si distrae. Con le guance bagnate accenna un sorriso allo schermo e risponde convinta: «Sì, sono io».

Devo prenderne atto: Annabella Dafne Cioni non è stata solo mia madre, la donna impulsiva, inconcludente, disordinata, sempre troppo triste o troppo su di giri, che ci ha amati e abbandonati un'infinità di volte. Così come io non sono solo la persona che immagina Valentino, che lavora e basta e sta con lui: non sa nulla di Beatrice, come io non sapevo nulla delle Violaneve.

Mamma è stata prima di tutto, e forse sarà sempre, la formidabile ragazzina che guardo dimenarsi sul palco con energia, libera sotto il fascio di luce bianca, che scuote la testa a ritmo selvaggio, ride e possiede un innegabile talento.

E io, invece, chi sono?

D'istinto infilo una mano dietro la schiena, sotto il maglione. Tasto in cerca della cicatrice, la trovo al primo colpo, ci passo sopra il polpastrello per l'intera sua lunghezza e dal concerto a Gattinara torno qui, in questo stesso salotto, un pomeriggio di primavera del 1991, con le finestre spalancate; mamma e io da sole.

Ho ricordato così tanto, che posso compiere anche quest'ultimo sforzo e finire di accettare.

Ero irritata, quel giorno. Insofferente, stufa di stare in casa o ammalata. Quel che ho ben presente è che avevo cinque anni e volevo mia madre. Starle in braccio, farmi coccolare, baciarla. Le impedivo di pulire, guardare la tv, andare in bagno, qualsiasi cosa, perché lei doveva stare con me, sempre e solo, ogni secondo. Perciò piagnucolavo, la strizzavo, la soffocavo. Poi lei aveva ricevuto una telefonata.

Rivedo me stessa avviluppata intorno a una sua gamba: «Mamma, mamma, mamma». Mentre lei cercava di capire le parole provenienti dal ricevitore, di rispondere, ed evidentemente era una conversazione importante. Solo che io tiravo il filo del telefono, continuavo: «Mamma, mamma». E lei aveva messo giù, era tornata in salotto pallida, preoccupata. E io sempre dietro: «Mamma, mamma». Allora si era voltata. Mi aveva guardata come se non mi riconoscesse più. Come se mi odiasse. Io mi ero di nuovo abbarbicata a una parte del suo corpo. E lei, gridandomi qualcosa di terribile che la mia memoria si rifiuta di restituire – come: "Muori!", come: "Adesso ti butto giù dalla finestra!" – mi aveva artigliato le braccia, scaraventato via da sé con violenza, il più lontano possibile, e io ero finita dritta contro lo spigolo del tavolino di ferro.

Quello spigolo era appuntito, tagliente; mi era penetrato nella carne così a fondo che *dopo* eravamo dovute correre al pronto soccorso per farmi ricucire, e più tardi avevamo dovuto buttare il tappeto perché il sangue lo aveva impregnato al punto che nessun detersivo era riuscito a smacchiarlo. Ma *prima*, mentre la punta mi lacerava e il dolore doveva ancora arrivare, avevo sgranato gli occhi attoniti su quelli fissi di mia madre e vi avevo letto una stanchezza abissale, di me e di tutto, una prigionia insopportabile, un bisogno impellente di liberarsi, fuggire, togliersi di dosso quella donna esausta, stufa di crescere due figli da sola, l'operaia sfiancata dai turni, la camicia di forza che la vita le aveva cucito intorno anziché permetterle di suonare.

Poi le sue palpebre si erano chiuse e riaperte, le ciglia avevano sbattuto più volte, si era accorta del sangue, di me, del dolore che a quel punto era arrivato.

«Oddio, oddio» aveva balbettato. «Non volevo. Non l'ho fatto apposta, lo giuro.» Si era lanciata verso di me, mi aveva raccolta fra le braccia e sollevata coprendomi di baci. Ripetendo: «Amore, scusa, scusa», mi aveva chiuso la ferita con la mano, l'aveva tamponata con una garza, e poi, quando aveva capito che medicarmi in bagno non serviva a niente, mi aveva vestita, sistemata in macchina e portata all'ospedale mentre io, rannicchiata sul sedile, continuavo a fissarla incredula, così sorpresa da provare il vuoto.

Lo stesso da cui avevo tentato di fuggire per tutto il pomeriggio, di riempire con lei, esigendo la sua presenza. Quel vuoto si era allargato a dismisura, era diventato precipizio, caduta libera. Solo che dopo, al pronto soccorso, ci avevano fatto un sacco di domande su quell'incidente, chiesto infinite volte se si trattasse davvero di un incidente, e io avevo detto: Sì, sì, sì, perché avevo intuito il pericolo che mi dividessero da lei.

Non è stata colpa tua, penso trent'anni dopo.

E nemmeno mia.

Non è stata colpa di nessuno, se eravamo così sole.

«Suonavi proprio bene» le dico cercando la sua mano.

La prendo, la stringo con delicatezza e le sue dita reagiscono, avvolgono le mie, le tengono.

Niccolò annuisce: «Sì, eri bravissima. Al Babylonia ti avrebbero chiamata a suonare tutte le sere». C'è un filo di rammarico nella sua voce. Ma mamma si affretta a rispondere: «Non importa, Nic, davvero. Abbiamo vissuto così tante cose, insieme».

Continuiamo a guardare, distrutti e grati, questo filmato amatoriale mezzo rovinato, che nessuno eccetto noi ha mai visto né vedrà mai. Questo segreto, per sola proiezione privata, intima, famigliare. Siamo tre stranieri che si sono intralciati, fatti del male, ma siamo qui adesso, e mi rendo conto che non abbiamo niente da perdonarci. Lo decido io cosa conta di più, alla fine, dentro questa storia. E conta il bene che ci siamo dati.

Ascolto mamma al basso: è un peccato che non sia potuta diventare chi desiderava, magari persino famosa. Spero che la verità di questo momento la ripaghi, almeno un poco, dei riconoscimenti che si è persa, e che la sua passione per il basso continui ad ardere in lei, da qualche parte nella sua anima.

La riconosco nello schermo, mentre si avvicina al microfono, canta anche lei il ritornello.

"How I wish, how I wish you were here.
We're just two lost souls
Swimming in a fish bowl,

Year after year,
Running over the same old ground.
What have we found?
The same old fears,
Wish you were here."
Penso a te, Bea.
Vorrei che tu fossi qui.

*

Quando riavvolgo le tapparelle si è fatto buio anche fuori. Biella somiglia a un piccolo presepe raccolto ai piedi delle montagne, e ritrovo l'isola irraggiungibile dai treni normali in cui sono cresciuta prima di conoscere T, papà e Beatrice. Spalanco le finestre, lascio entrare aria pulita. Suona il citofono e Niccolò scatta in piedi: «Dev'essere Marina» dice con sollievo, e corre ad aprire.

Aveva gli occhi arrossati poco fa, l'ho notato. Credo abbia pianto in segreto durante la proiezione del cinemino. Sento la porta d'ingresso che si apre e penso che questa Marina ha un ottimo tempismo. La vedo avanzare in salotto, presentarsi impacciata prima a mamma poi a me, coi capelli fucsia, il rossetto nero, il collo tatuato e a occhio e croce cinquant'anni. Però mi prometto che non giudicherò mai più nessuno dall'apparenza, non prima di aver ascoltato tutta la storia.

Mamma le chiede se abbia voglia di un caffè, di un amaro e lei risponde: «Un amaro, grazie». Beviamo, chiacchieriamo di cose che non trattengo perché ho ancora i Pink Floyd nelle orecchie, le zanzare intorno, il profumo di panissa nelle narici, e l'amaro mi infligge il colpo di grazia. Quando Niccolò e Marina ci salutano per andare a farsi un giro – dove, il 25 sera, non si sa – mi ritiro in bagno a struccarmi, cerco nell'armadio di mamma qualcosa di comodo, poi mi sdraio sul divano appoggiandole i piedi sulle ginocchia.

È bello rimanere sole. Chiudo gli occhi e penso divertita che non abbiamo nemmeno scartato i regali. Chi se ne importa, abbiamo avuto di meglio da fare, e ora potrei perfino addormentarmi. Non fosse che mamma, credo avvertendo questa splendida confidenza tra noi, si arrischia a domandarmi: «Ho sentito della scomparsa di Beatrice...» esita, «spero non le sia successo niente. Tu sai qualcosa?».

Non avevamo più parlato di te da quell'estate. Sapevo che lei, come papà, continuava a seguirti su Internet con entusiasmo, ma di sicuro non me lo veniva a dire.

Mi sorprendo a non provare irritazione, dispiacere. Anzi, le rispondo con allegria: «Cosa vuoi che succeda a quella, mamma? Manco una cannonata l'ammazza. Se il mondo esplode, crolla, viene centrato da un meteorite, puoi star certa che lei sarà sempre là, in pole position, invincibile...».

«Però tu l'hai vista bene» mi interrompe, «l'ultima foto che ha pubblicato?»

«Perché?» Rido. «Non era riccia, elegante e perfetta come in tutte le altre?»

Mamma allunga il braccio verso il suo cellulare, scuote la testa: «Eh no, mia cara, vieni un po' a vedere».

Mi rimetto seduta, mi avvicino. Mamma apre la tua pagina, ingrandisce l'immagine che hai pubblicato il 9 dicembre scorso, punta l'indice sul particolare che intende mostrarmi e io sgrano gli occhi incredula, smetto di ridere, di giocare. Mi manca il respiro: come ho fatto a non accorgermene?

«Lo riconosci?»

Hermès, collezione autunno/inverno 2007. Color vinaccia. Puro feltro. È l'ultimo regalo di compleanno che ti ho fatto, in via Mascarella: certo che lo riconosco. Ricordo quanto ci ero rimasta male perché non avevo mai speso tanti soldi in vita mia e tu non ti eri degnata di indossarlo nemmeno una volta.

«L'ho notato subito» continua mamma, «all'istante. Perché questo cappello, e tutto l'ordine di Hermès di quell'inverno, l'avevo seguito io. Mi ero occupata di ogni singolo passaggio, dal feltro alle cuciture.»

Sento che mi studia per capire cosa provo, allora nascondo il volto, senza staccare lo sguardo dalla foto, da te che sorridi nel solito modo, talmente in primo piano che annienti qualsiasi luogo, sfondo, paesaggio, e il color vinaccia di quel cappello buca talmente l'obbiettivo che mi domando come non mi sia balzato agli occhi subito, o tutte le volte che me lo sono ritrovato davanti sui giornali, in televisione. Mi chiedo cos'ho visto di te in tutti questi anni.

«Secondo me è un messaggio per te, Elisa, per forza. Ha indossato quel cappello prima di sparire per dirti qualcosa.»

Sollevo la testa verso mia madre e penso che abbia ragione. Mi sento sconvolta, emozionata, come mi sarei sentita al liceo se Lorenzo avesse scritto su un muro ELISA TI AMO, o mi avesse dedicato una canzone alla radio. Anche se nessuno al mondo ha potuto leggere la tua dichiarazione, tu me l'hai fatta, Beatrice. L'hai lanciata pubblicamente per me.

«Puro feltro» ripete mamma, «un supercappello di lusso.»

«Cos'è il feltro?» le domando.

Lo ignoro, ma d'improvviso mi sembra importante conoscere di cosa sia fatto quel cappello, la sua realtà oggettiva, il suo materiale.

«Davvero lo vuoi sapere?» Mamma scoppia a ridere. «Guarda che non lo chiede mai nessuno...»

«Sì» insisto, «dimmelo.»

«È pelo di coniglio infeltrito.»

*

Quando squilla il cellulare, e questa volta è il mio, mi alzo con calma, lo afferro senza controllare chi mi sta chiamando perché non ne ho bisogno, e mi allontano di là, in cucina.

Mi chiudo la porta alle spalle, raggiungo la finestra che dà sul balcone. Osservando le luci della ferrovia, il cortile di cemento, l'intera mia infanzia, rispondo: «Buonasera, Rebora».

«Buonasera» ribatte lui, cortese, «cos'ha deciso?»

Mi sento sicura, finalmente. So cosa fare. Seguo l'ultimo treno a metano salpare dalla stazione di Biella verso la pianura nera e immota, e ascolto la mia voce scagliare questa enormità: «Sì, la voglio incontrare. Ma a patto che sia lei a chiedermelo».

«Va bene» acconsente Rebora, «riferirò subito.»

La linea cade. Resto in piedi alla portafinestra, stringendo il telefono. Il cielo è limpido e punteggiato di stelle. Comincio a contarle, non arrivo a cento. Il telefono squilla di nuovo. "Numero sconosciuto" compare sullo schermo.

E la sconosciuta sei tu.

Prendo atto che non hai esitato.

E che io non sono pronta.

Mentre accetto la chiamata, e avvicino il ricevitore all'orecchio, sono del tutto impreparata a sentire di nuovo la tua voce che mi parla.

«Ciao, Eli.»

Un singhiozzo mi si pianta in gola, senza che io riesca a impedirlo.

Lo trattengo. Ti rispondo: «Ciao, Bea».

«Ascolta» continui, e la tua voce è illesa, sembra uscita direttamente dalla quarta ginnasio, dal fisso di casa di mio padre. Ma ora ti fermi, prendi tempo, e questo significa che vent'anni sono passati sul serio.

Ti sento respirare, io non ci riesco. Avverto la tua fatica e la mia insieme, e l'unico sollievo è che tu non possa vedermi, perché sto tremando.

«Ascolta» ripeti per prendere quota. Però, siccome sei pur sempre tu, ti orienti subito, la pianti di tentennare, sganci la bomba: «Che fai a Capodanno?».

Dovrei difendermi, ma tu mi disarmi ancor prima che io possa rendermene conto. Sono nuda e ti rispondo: «Non ho progetti».

Che poi sarebbe anche la verità, escludendo la tombola con papà e Valentino in attesa della mezzanotte.

«Bene, allora ti faccio una proposta: ci troviamo il 31 e salutiamo insieme l'arrivo del nuovo anno, io e te.»

Rivedo in un lampo le mille feste faraoniche che hai organizzato negli anni scorsi, a Sankt Moritz, alle Maldive, a Beverly Hills, pagine e pagine di rotocalchi i giorni seguenti sui tuoi vestiti, i tuoi invitati, e mi viene da ridere. «Vuoi che passiamo l'ultimo dell'anno insieme, io e te? Stai scherzando?»

«No, per niente» mi freddi con irritazione. E il distacco della tua voce ora è tale che mi rimette al mio posto, mi ribadisce la distanza, mi ricorda che tu sei Beatrice Rossetti, la donna più famosa del mondo, e io non sono nessuno.

«Dove sarebbe la festa?» Torno seria.

«Al covo.»

«Il covo?»

«Non lo hanno mai venduto, mai svuotato. Non hanno nemmeno tolto i sigilli. È rimasto esattamente come nel 2003.»

«Ma sei a T, allora?»

Lei glissa e conclude: «Al covo alle 21». Ma poi, un istante prima di mettere giù, di sfuggita aggiunge: «Sono contenta di vederti».

Mi ritrovo col telefono in mano, lo guardo e mi dico: Brava, Elisa, complimenti. Più di dieci anni a lottare contro di lei, oltre quattrocento pagine di corpo a corpo col suo fantasma, e poi? Sei capitolata così?

Sì, le hai detto: subito, come se non aspettassi altro. Ma non dovevi vendicarti? Presentarle il conto?

Abbandono il cellulare sul tavolo, non ho voglia di restare in casa. Le parole "Sono contenta di vederti" mi formicolano nel petto, se ne vanno in giro dappertutto. È un solletico doloroso, ma bello.

Non riesco a negarlo: sono felice. Basta fingere. Chi è che ha recitato di più fra noi due in questi tredici anni? Non me ne importa, non è una gara. So solo che non mi va di apparecchiare, cucinare, lavare i piatti. Mi affaccio in salotto e propongo a mamma: «Andiamo alla Lucciola a mangiarci una pizza?».

Lei sorride, per un istante è di nuovo la giovane donna che mi portava in pizzeria da bambina il sabato sera, e l'illusione mi basta. Ci vestiamo, ci trucchiamo, c'infiliamo i tacchi come se dovessimo andare chissà dove. Poi saliamo in macchina e sono io a guidare.

Perché adesso sono diventata grande.

31

Esercizi di riavvicinamento

Il braccio di mare che separa la terraferma dall'isola in questo tratto di costa è magnifico, abbacinante, come fosse appena stato creato.

Il blu dell'acqua appare cupo a causa della profondità, ma viene ricamato dal sole che pizzica la superficie e la irrora di luce. Al di sopra, i promontori dell'Elba e del continente si guardano, vicini al punto che basterebbe un niente a congiungerli. Mi sporgo dalla balaustra: quanti chilometri saranno? Tre, quattro? È la distanza irrisoria, incolmabile, che divide la vita che hai dalla vita che desideri.

Siedo in piazza A e mi sento in bilico tra quel che ho scritto finora e il futuro. Sono le nove del mattino del 31 dicembre, l'ultimo giorno di quest'anno e, così mi pare, dell'intero passato. Valentino si è svegliato presto, ha insistito perché facessimo colazione tutti e tre al bar "per una volta". Non sono riuscita a dirgli di no, però l'ho avvertito: «Ho da fare una cosa prima, vi raggiungo più tardi». Lui ha inforcato la bici per passare dal padre, e io sono uscita a piedi con un lieve senso di colpa.

La "cosa da fare" infatti era solo sedermi qui, su una delle panchine per innamorati che al liceo mi davano fastidio, e osservare il canale, le navi che lo attraversano. Lasciare che mi tornino in mente gli etruschi, Omero e i miti che ci spiegava la Marchi durante l'ora di epica, i pomeriggi sul letto con Beatrice a studiarli.

Crescere è un tradimento, lo ribadisco.

Mi stacco a fatica da questa vista. Attraverso la piazza, risalgo corso Italia. Ogni scorcio di viuzze con dietro il mare, ogni saracinesca sollevata, ogni insegna, mi ricordano il noi che siamo state. Quando spalanco la porta del bar Corallo, dov'è l'appuntamento, il primo tavolo su cui mi cade lo sguardo è quello vuoto a cui ci saremmo dovute sedere a sciabolare, secondo le previsioni della Bea non ancora famosa, millantatrice, di cui sarei dovuta diventare la manager. Solo in un secondo momento noto Lorenzo e Valentino che mi rivolgono un saluto e un sorriso.

«Meno male che volevi vederlo poco, tuo padre» esordisco scherzando e prendendo posto di fronte a loro. Mi sporgo a baciare Valentino, che però si schernisce, perché davanti a Lorenzo non vuole.

Lui è sempre distinto: giacca di lana, camicia di velluto sopra i jeans; educato. Mette le mani avanti: «Gli sei mancata, anche se non lo vuole ammettere. Te l'ha detto che siamo stati in barca?».

Io non sono elegante mai, ma educata sempre: «Sì, me lo ha raccontato, era entusiasta». E dovrei congratularmi con entrambi per i genitori accorti e diplomatici in cui ci siamo trasformati, non fosse che un demone dentro di me questa mattina sarebbe capace di comprare una bottiglia di vodka e proporgli di andare a berla alla quercia.

Valentino mi guarda: «Comunque non puoi lamentarti, mamma. La settimana prima di Natale c'era il frigo vuoto, la casa uno schifo, e tu non facevi altro che scrivere, scrivere. Pure di notte ti sentivo battere sulla tastiera. Sarei potuto andare al concerto di Massimo Pericolo e rientrare alle sei del mattino, non te ne saresti accorta».

«Assì?» fa Lorenzo divertito. «Allora è vero che ci nascondi qualcosa. L'avevo capito subito, quella sera a casa tua...»

M'irrigidisco. Non so come parare le insinuazioni, quindi mi volto verso il bancone. «Voi cosa prendete?»

Mi alzo, fuggo verso la vetrina dei dolci. Da dietro le spalle mi arrivano le loro ordinazioni frammiste a risate e ipotesi di cosa ci sia nel mio computer. Fisso i cornetti, le crostate. Considero la voce di Valentino poco fa: non c'era traccia di rimprovero, però, intanto, la frecciatina me l'ha scagliata. «Mi hai trascurato» mi ha detto, non troppo tra le righe. E dire che ha quasi tredici anni, mica cinque, e ascolta uno che si chiama Pericolo. Ma i figli sono fatti così: loro devono andare, allontanarsi, mentre tu non puoi, nemmeno di un millimetro.

Il barista si avvicina, gli indico le brioche, aggiungo due caffè, una spremuta. Realizzo che, in questi ultimi dieci giorni, per la prima volta non ho anteposto mio figlio a me. Ho avuto altro da fare, sì, di più importante. E questo *più* mi suona come una mostruosità.

Ripenso ai VHS delle Violaneve, le rivedo scatenarsi su quel palco.

E quante volte, mi chiedo, pur non arrivando a scaraventarlo contro uno spigolo, sono stata io a provare insofferenza, persino rabbia, verso Valentino? Perché mi sentivo soffocare, imbrigliare? Perché stavo rinunciando? A che cosa?

Ritiro il vassoio misurando quanta paura ho della risposta.

*

Finita la colazione, Lorenzo propone di fare una passeggiata. «È una giornata troppo bella per non approfittarne.» Mi prende in contropiede e io, come qualche ora fa con mio figlio, non riesco ad accampare scuse. Mi lascio condurre in corso insieme a loro, a camminare vicini come fossimo una famiglia vera con tutti i crismi e palesemente non lo siamo, con qualcuno che ci riconosce e un'occhiataccia ce la tira: è pur sempre uno scandalo non rientrare in alcuna definizione.

Ci inoltriamo nei budelli. Rallento il passo per osservare i palazzi di pietra dei pescatori che mi avevano folgorata al mio arrivo a T. I balconi dove jeans, calzini, lenzuola sciorinano come bandiere; i grumi di bambini assiepati in cima ai terrazzi a giocare in cinque intorno a un cellulare. Rimango indietro. E quando torno con lo sguardo alla via, Valentino e Lorenzo mi precedono di parecchio. Mi sembrano uguali.

Il biondo è lo stesso, e anche l'altezza, le spalle ampie, l'andatura. Colgo l'affinità tra loro, la complicità tra maschio e maschio. Non mi sento tagliata fuori. Lorenzo è il padre bello che vive a Parigi, presente ma lontano, facilmente idealizzabile. Io sono la madre rompipalle, quella che c'è sempre: agli ordini! A reggergli i musi, a incassare le parolacce, le porte sbattute. Però, vedendomi con i suoi occhi, mi viene da ridere. Quanto ti sbagli su di me, vorrei dirgli.

Ci ritroviamo in piazza Marina. Appena me ne rendo conto mi volto verso il Pascoli, quasi temessi di averlo perso. Invece è sempre là: un rudere consumato dalle intemperie, dall'abbandono. Lorenzo me lo indica e scoppia a ridere: «Elisa, te lo ricordi?».

Che domanda. Rispondo con una smorfia.

«Mi sembra di vedere ancora il tuo Quartz con il dito medio sopra il fanalino posteriore.»

Considero la desolazione del parcheggio per i motorini e, mio malgrado, mi riempio di nostalgia. Valentino ci prende in giro, non sa nemmeno cosa sia un Quartz, lui. Non può immaginarci adolescenti dentro quella scuola. Anche se abbiamo poco più di trent'anni, per lui siamo due catorci del secolo scorso che non capiscono niente. Allora se ne va verso il porticciolo, ci lascia soli. Io sollevo la testa e passo in rassegna una per una le finestre del liceo al primo piano, in cerca della nostra classe.

Non riesco a frenarmi e dico a Lorenzo: «Non sono diventata una scrittrice, è vero. Ma forse, lo sai?». Provo un brivido perché sto azzardando. «*Forse* qualcosa ho scritto.»

«Qualcosa?» mi chiede avvicinandosi. «Vuoi dire, il romanzo che hai sempre voluto?»

Siamo molto vicini, ma non indietreggio. In tutti questi anni mi sono impedita qualsiasi confidenza con lui, non ho mai allentato il controllo sulla distanza da tenere. Solo che ora non ne ho più voglia, più bisogno.

«Romanzo è una parola grossa. Diciamo che mi sono sfogata, questo sì, e che scrivere è stata una liberazione.»

«Da cosa?»

Esito perché non ce l'ho ben chiaro. Ci voltiamo a controllare dove sia Valentino: su una banchina, armeggia con delle reti, cerca di attaccare bottone con un pescatore. Scendo verso di lui, Lorenzo mi segue. È un giorno di festa, l'ultimo del 2019, e lentamente il porticciolo si affolla di persone che passeggiano al sole, come noi. Il pescatore non lo manda via, anzi, invita Valentino a salire sulla sua barca, gli mostra gli attrezzi del mestiere. Decido di non richiamarlo.

Osservo le persone, invece: come camminano lievi e calme, con le giacche intrecciate in vita o appese in spalla perché l'aria è tiepida nonostante sia inverno, finché mi sembra di scorgere una sagoma familiare, bruna, molto alta. Mi fermo. Via via che si avvicina, mi rendo conto che la conosco. Si è fatto crescere la barba, tiene per mano una ragazza e con l'altra spinge un passeggino con sopra una bambina di circa due anni, accanto gli saltella un altro bimbo non molto più grande.

D'istinto mi sbraccio. «Gabriele!»

Si ferma a sua volta, stringe gli occhi. Poi mi riconosce e ricambia il sorriso. Forse non dovrei dirtelo, ma sono contenta di vedere che ha gli stessi modi allegri, leggeri che ricordavo, e che ha messo su famiglia; che la vita è andata avanti, Bea, anche senza di te.

Ci abbracciamo.

«Elisa, sei identica.»

«Anche tu, non sei cambiato per niente.»

Mentiamo perché da vicino è evidente che non siamo più i pischelli della mansarda. Ci raggiunge Lorenzo e si tirano una pacca sulla spalla. Gabriele ci presenta Gisella, sua moglie. I suoi bimbi, che non ricordo come si chiamano, ma gli assomigliano molto. Racconta che lavora alla Coop adesso, che abita sempre nel centro storico «ma non più in piazza Padella» e mi lancia un lungo sguardo carico di sottintesi. Malizioso ma pulito, completamente sgombro dalle accuse, dai rimpianti.

Ti ha superata, Bea. L'ho capito subito. Non ti nominiamo, non avrebbe senso. Siamo qui, nelle nostre vite normali, a dirci che, storto o morto, ce l'abbiamo fatta. Parliamo di mutui, di ferie, di figli. Che ne sai tu di queste cose? Che ne sa il modello con la messa in piega che qualche giorno fa parlava di te in tv fingendo di avere il cuore spezzato? Rimaniamo al porticciolo

418

per un po'. Gli indico da lontano Valentino, che nel frattempo è salito su un'altra barca con altri pescatori in esplorazione, e mi pare un giovane Odisseo.

Penso che dev'essere un segno, Gabriele. Perché tutte le volte che sono tornata a T, non lo avevo mai incontrato. Tutte le volte prima di questa avevo accuratamente evitato piazza Marina e il corso perché non trovavo il coraggio di ricordarti.

Mi guardo intorno: il sole è alto e la città vecchia riluce arroccata sul mare, il Pascoli così assolato sembra quasi ridipinto. È vero: una parte di me, da là dentro, non è mai uscita. Però sento che è arrivato il momento di cambiare.

*

Più tardi Lorenzo e io proseguiamo tra le barche e i gatti che sonnecchiano sugli scafi, rimanendo spesso in silenzio o chiacchierando di Valentino mentre lui ci ignora e sfugge di continuo alla nostra vista.

Lo lasciamo andare.

Indugio tra i moli, anche se è mezzogiorno e papà ci aspetta per pranzo, anche se passeggiare con Lorenzo è strano e mi mette a disagio, perché non ho voglia di tornare a casa. Temo che il tempo, nella mia vecchia stanza, si fermi. Di annaspare nell'attesa delle ore ventuno.

Ho il terrore del dopopranzo, del pomeriggio a guardare l'armadio col problema di cosa mettermi. Quale abito scegliere, infatti, per incontrare la regina dello stile? Come ti puoi presentare di fronte a lei? In pantaloni, in gonna? Dovrei comprarmi un vestito all'ultimo minuto, forse, qualcosa di elegante. Sì, così poi penserà: Ecco, si è cercata un tubino con le paillettes, che non è da lei, perché è insicura. Oppure, se ci andassi conciata come al solito: Ma come si fa a mettersi sempre gli stessi maglioni dopo vent'anni? Maledico questo discorso della moda perché a me gli abiti non mi svelano e non mi spiegano. Io dovrei solo scrivermi, ecco, non vestirmi.

Sopra di noi, sulla strada, passa un'auto con lo stereo a volume esagerato, si ferma a un semaforo. Dal finestrino mezzo abbassato distinguo chiaramente una strofa di *Sally*, allora riemergo dall'ansia.

Guardo Lorenzo, capisco che abbiamo pensato la stessa cosa perché dopo un istante mi chiede: «Forse, dopo la morte, le promesse si possono sciogliere. Tu che dici?».

«Quali promesse?» Continuo a camminare.

«Christian. Te lo ricordi quando era venuto a trovarci insieme a tua madre in via Mascarella, e io gli avevo proposto di accompagnarlo a Zocca a cercare Vasco Rossi?»

Mi fermo. «Certo, la sera in cui mi sono infuriata. La mattina dopo ci siete andati, ma io e mamma eravamo troppo prese dai nostri conflitti e non vi abbiamo chiesto niente.»

Lorenzo sorride. Purtroppo è rimasto bello, e la bellezza è una menzogna che non dà scampo. «Lo vuoi sapere com'è andata?»

«Mica lo avrete visto sul serio?»

«Abbiamo perlustrato Zocca palmo a palmo, che non sarà una metropoli ma un'ora abbondante ce l'abbiamo messa, e Christian…»

«Chiamalo Carmelo.»

«E Carmelo domandava a chiunque: "Dove abita Vasco? Quale bar frequenta Vasco?". Era ovvio che dovessimo mancarlo. E invece, ti giuro, prima di salire in macchina per tornare a casa lo abbiamo visto.»

«Scherzi?»

«Non sarei qui a raccontartelo dopo tutti questi anni. È sbucato non so da dove e ha attraversato il parcheggio come un'apparizione. E io, ti giuro, non ho mai visto un uomo commuoversi così. Carmelo lo ha abbracciato, gli ha detto chissà cosa stringendogli le mani. Sono rimasto indietro perché era una scena troppo intima. E dopo, quando siamo saliti in macchina, mi ha confidato che era stato un regalo così grande che poteva anche morire contento in quel preciso istante. Credo sapesse già di essere malato. E mi ha fatto promettere di non dirlo a nessuno, perché una cosa così importante non poteva che rimanere segreta.»

Vorrei abbracciare Lorenzo anche se sarebbe una follia. Gli prendo la mano, però. Lui mi guarda. Penso che sia assurdo, per certi versi. Abbiamo fatto un figlio, ci siamo tolti la verginità sotto la quercia, è voluto entrare in sala parto a reggermi la testa. Però adesso ritiro la mano perché siamo imbarazzati.

«Ascolta, perché non ci prendiamo un caffè uno di questi giorni? Io e te da soli, intendo, e mi racconti quello che hai scritto?»

Prima non ci avrei nemmeno ragionato, avrei risposto subito di no. Devo lavorare, devo accompagnare mio padre a una visita. Invece ora ci penso meno di un secondo e gli dico: «Va bene. Prima, però, dovresti farmi un favore».

Lorenzo annuisce. «Quello che vuoi.»

«Dovresti stare tu con Valentino questa sera. E anche con mio padre, se non ti dispiace, così non rimane solo.»

Mi guarda sorpreso, al punto che non risponde.

«Potete passare il Capodanno insieme?» insisto.

«Sì, dovevo andare a una cena, ma posso disdire, non è un problema. Tu cosa devi fare?»

Avverto una scarica di adrenalina, come se avessi in ballo un furto, una fuga, una rivoluzione.

«Non posso dirtelo. È un segreto.»

32

Amiche per sempre

Lo avevamo scoperto per caso, il covo, passeggiando su e giù di nascosto rasenti le siepi di via dei Lecci, un pomeriggio che Bea non aveva il permesso di uscire in motorino – una strategia della madre per evitare che venisse da me.

Quel giorno avevo parcheggiato due strade più in là per essere certa che il Quartz non si vedesse, e lei aveva usato la scusa del jogging per sgattaiolare fuori. Avevamo superato le ultime villette finite prima di una decina in costruzione, un rettangolo vuoto di sterpaglia con al centro una betoniera.

Poi l'avevamo vista: seminascosta dal cantiere, una vecchia casa isolata, collegata a via dei Lecci tramite un esile sterrato. Lo avevamo percorso d'istinto, senza metterci d'accordo. Una volta arrivate, ci eravamo sollevate in punta di piedi oltre la recinzione per ammirare il giardino ridotto a una giungla e la porta sbarrata dai sigilli.

Che dovessimo entrarci lo pensammo subito. La nostra amicizia all'epoca – primavera inoltrata del 2002 – era in piena espansione, smaniosa di colonizzare. Solo che poi Bea aveva proposto di chiamare Gabriele e aveva rovinato tutto.

Si vedevano meno, da che Gin aveva cominciato a stare male, e una tana nei paraggi avrebbe fatto loro comodo. Ma io non potevo ammettere che qualcun altro condividesse un nascondiglio con la *mia* amica e le avevo fatto una scenata. «Lascialo fuori» le avevo intimato. «Sarà il nostro segreto, pena la fine irrevocabile della nostra amicizia.» Lei, lo ricordo bene, aveva sorriso con sadica soddisfazione. «E tu cosa mi dai in cambio?»

Ci avevo pensato, le avevo risposto con solennità: «Scavalco io per prima». Avevo alzato il tiro: «Rompo un vetro con un sasso ed entro dalla finestra». «Se decidiamo di abitarla» avevo aggiunto in extremis perché non la vedevo convinta, «la pulisco io.»

Solo adesso, abbagliando coi fari della Peugeot le villette a schiera tutte uguali avvolte nell'oscurità, già invecchiate anche se avranno più o meno la nostra età, mi rendo conto che addentrarmi in quell'abitazione, sbattere la testa contro le ragnatele, farmi schizzare il cuore in gola a ogni cigolio, è stato l'atto d'amore più spudorato che abbia mai compiuto.

M'immetto nello sterrato rallentando per scansare le buche, spengo i fari perché mi viene in mente che qualcuno potrebbe notarmi: una bizzarria che sa di gioco infantile, ma lo scrupolo me lo pongo. Parcheggio davanti al cancello, non trovo il coraggio di spegnere il motore.

Il covo giace immobile nel silenzio. Non riesco a credere che tutto il mondo ti cerchi e tu sia davvero qui.

Penso a uno scherzo, come la volta dei jeans: ne saresti capace. La luna è una falce sottile che non rischiara la campagna né la casa. Osservo con attenzione i muri, le finestre, finché scorgo in prossimità degli infissi schegge di luce gialla; il segno che là dentro ci sono delle lampade, delle candele. Che ci sei tu.

Giro la chiave e il motore si spegne. Fisso il vuoto oltre il parabrezza e gli dico: «Ciao, Bea». Il tono mi esce serio, funereo. Quella virgola segna una pausa troppo marcata, non va bene. Non devi capire subito che sono venuta in guerra.

«Ciao, Bea!» Ci riprovo, e questa volta sorrido troppo, il punto esclamativo squilla esagerato. Non so mai recitare quando serve. Faccio un altro paio di tentativi, aggiungo la frase che tengo in serbo per te da giorni, o meglio da anni, con estrema cura. Ma intanto si sono fatte le 20.57, basta stupidaggini. Accendo la luce del cruscotto, mi do un'ultima occhiata nello specchietto: ho usato sia la matita che il mascara, ho persino sfumato l'ombretto come mi avevi insegnato. Non mi sono mai truccata tanto in vita mia.

Scendo dall'auto. Una folata di vento gelido mi riscuote. In mano reggo due sporte: una con lo spumante migliore che ho trovato adatto alle mie tasche, l'altra della panetteria, con un misto di pizzette e salatini tipo quello che ordinavo per le feste di compleanno di Valentino.

Il cancello è aperto, lo supero. Ascolto i miei passi sul vialetto, gli stessi che forse stai ascoltando anche tu. Raggiungo la porta che ci separa, e il dubbio mi sorge: che le pizzette siano un po' ridicole come cena, e che il Cuvée Brut non sia il massimo, paragonato a quel che sei solita bere tu.

Ripasso mentalmente come sono vestita: il golfino nero scollato, i jeans attillati. Respiro. Mi guardo le scarpe rosse, le sole che possiedo con un tacco decente. Alla fine ho contenuto al massimo le ambizioni, mi sono limitata a una sola: non ricordarti al primo impatto la Marchi. Sposto il peso da un piede all'altro per non precipitare. Nell'ansia di deludere, di affrontarti. D'improvviso ho paura. Di te, della realtà. Però ti detesto anche, così tanto che intendo dirtelo in faccia: Sei solo apparenza, Bea, una montagna.

Busso, e aspetto.

*

La porta è sottile, dovrei riuscire a captarti mentre ti avvicini, intercettare qualche tuo movimento, invece niente. Mi guardo intorno per ingannare l'attesa, e rinvenire nel buio i ricordi lasciati in questo luogo. Il maestrale che sibila tra i rami, l'odore di selvatico e di ruggine mi restituiscono te l'ultima volta che ti ho vista qui. In tuta e scarpe da ginnastica, struccata, con quel filo bianco tra i capelli, segnata dal dolore per la malattia di tua madre. E il mio cuore ha un cedimento.

Se sei sparita così da quasi un mese, ci dev'essere per forza un tragico motivo: depressione, droga, una diagnosi tremenda. Penso che ti voglio ancora bene, in fondo. Che possiedo gli strumenti – la Letteratura, mica i lustrini – per aiutarti davvero. Mi sento più forte. Compio questo grave, gravissimo errore.

La porta si spalanca a tradimento, e ad aprirmi non ci sei tu. C'è Beatrice Rossetti.

Non basta: la persona reale di fronte a me, che mi sovrasta di venti centimetri buoni emettendo luce, non è una Rossetti qualsiasi, bensì la sua versione migliore, quella dei Met Gala, di Cannes, delle grandi occasioni. E non in foto, ma viva. A grandezza naturale. Mi avverto rimpicciolire, sopraffatta, completamente impreparata al cospetto delle lunghe ciglia che sbattono, dei muscoli del volto che si contraggono, della bocca che infrange la fissità del celeberrimo sorriso mentre la sua voce erompe: «Elisa, che bello rivederti!».

Fatico a rimanere salda.

Stringo le sporte nelle mani.

Beatrice addolcisce il tono: «Vieni, non prendere freddo».

Entro, richiudo la porta. Inoltrandomi nella stanza che ricordo essere la cucina, ho la sensazione di camminare come su quelle pedane di rulli nelle case stregate dei luna park; di scivolare via. Percepisco un chiarore diffuso, un calore che non mi riscalda, ma non riesco a mettere a fuoco alcun dettaglio perché il mio sguardo è fisso su di lei.

Altro che tuta e sofferenza, altro che depressione. Ci avevi sperato sotto sotto, eh, Elisa? E guarda questa come ti ha fregata. Per l'ennesima volta.

Anche lei mi osserva. Si è ripresa il suo vecchio sorriso indecifrabile e me lo punta contro, sulla fronte in mezzo agli occhi. Dovrei dirle qualcosa, credo, inventarmi una mossa per liberarmi. Ma non ci riesco, sono immobilizzata. Dal vivo, non ho mai visto uno spettacolo simile.

*

Adesso ve lo dico: com'è vestita. Meglio: come si è occultata. O rivelata. Al pari di quei fiori irresistibili che deflagrano in primavera. O di quegli animali feroci che improvvisamente cacciano gli artigli, i canini, gonfiano il pelo, la coda. E io non so distinguere se si tratti di bellezza o di violenza.

La cascata di ricci bruni le spiove sulle spalle e sulla schiena completamente nuda. Ché la Rossetti non ha freddo mai, nemmeno in una casa abbandonata in pieno inverno; e mentre io mi stringo nel cappotto, lei tiene le braccia rilassate, una lungo il fianco e l'altra appoggiata al divano, in una posa ora spontanea, ora studiata. In ogni caso, da diva.

Il viso è un'opera d'arte. Parlare di trucco sarebbe riduttivo. Pare una delle maschere più scenografiche di Venezia, una bambola di porcellana finissima, la creatura magica che un tempo balenava in lei a intermittenza, ora è una luce compiuta che abbaglia. Ombretto d'oro. Polvere di diamanti sugli zigomi. Rossetto scarlatto. In un contrasto di fulgori e ombre, di grazia e potenza, che mi ricorda solo eroine letterarie che non esistono.

E poi l'abito. Che abito. Come faccio a descriverlo? È lucente. Sembra fatto di squame di sirena incendiate da sole e acqua, ricamate sul corpo come una seconda pelle, dello stesso smeraldo terribile degli occhi. Uno spacco le scopre la gamba sinistra dalla caviglia all'inguine. Un accenno di strascico le allunga la figura altissima. Se ci trovassimo su un red carpet, sarebbe pura esagerazione. Figuriamoci al covo. E le scarpe sono di cristallo. Certo, non lo saranno alla lettera, ma l'effetto è quello, con il tacco a spillo tre volte il mio, tale per cui lei è la versione più letale di Cenerentola al ballo, mentre io, col mio mezzo tacco rosso, la piccola Dorothy Gale spazzata via dall'uragano.

«Notevole, eh? Lo so. È un peccato non postarlo sui social, prenderebbe tra i tre e i quattro milioni di like.» L'indecifrabilità del suo sorriso aumenta, mi sembra di vederle tutti i denti bianchissimi baluginare. «Ma io non l'ho scelto per gli altri, l'ho indossato per te.»

M'impongo di compiere un gesto, uno qualsiasi.

Mi accorgo di avere ancora il cappotto addosso, le sporte in mano, e cerco un posto dove appoggiarle. Ma lei mi anticipa: «Puoi sistemarle sul tavolo, grazie». Il suo tono gentile di cartavetrata mi scortica.

Avrà addosso un anno di miei stipendi, e io non ho ancora spiccicato parola. Insegni all'università, mi dico, non puoi franare così senza neanche aver combattuto. Poso sul tavolo il vino, l'incarto con il misto di pizzette che, ora che ci penso, è la stessa idea insulsa venuta a mio padre per affrontare la nostra prima, già complicata, merenda. Mi sfilo il cappotto e scandisco bene: «Sei molto bella, Beatrice. Però sai che sono altre le cose a cui do importanza, non i vestiti».

Il suo sorriso prende fuoco: «Però ti sei messa in ghingheri, stasera. Hai anche provato a sfumare l'ombretto dall'interno della palpebra. Come ti avevo insegnato io quella volta, ricordi? Che eri passata da me di nascosto prima dell'appuntamento».

Come fa a ricordarsi una cosa del genere? Cerco di ricompormi prendendo le misure della stanza, di orientarmi. Considero il tavolo: è sempre quello di compensato del 2002, ma qualcuno – stento a immaginare sia stata la Rossetti in persona – ha aggiunto delle sedie. È apparecchiato in un modo che mi sembra al contempo approssimativo e pretenzioso. I tovaglioli sono di carta, ma la tovaglia di fiandra. I piatti di plastica e i calici di cristallo. Accanto alle mie pizzette, noto una vaschetta di sushi, che io non ho mai assaggiato e sia Valentino che Lorenzo mi sfottono sempre per questo. L'etichetta sulla bottiglia nel portaghiaccio recita: "Dom Pérignon 2000 rosé".

Mi rendo conto che la cucina è rimasta uguale: piastrelle scheggiate, divano sfondato, ma che sono stati aggiunti cuscini e stampe alle pareti. Osservo le lampade a stelo disseminate qua e là, il termosifone elettrico bollente, seguo il percorso dei loro cavi e arrivo al generatore di corrente posto in un angolo accanto al forno.

Allungo la mano verso il mio Cuvée; ora che ho visto il Dom Pérignon vorrei nasconderlo. Lei mi legge di nuovo nel pensiero: «Puoi metterlo in fresco sul davanzale». Mi indica la finestra che s'intravede nel bagno, la stessa che avevo rotto per entrare qui la prima volta. Il vetro è ancora rabberciato col nylon, ma affaccia sulla notte, su Venere che risplende, a differenza delle finestre della cucina, oscurate da spessi cartoni.

«Beatrice» le chiedo esterrefatta, «sul serio ti stai nascondendo qui come un boss latitante?»

Lei scoppia a ridere. Si avvicina all'incarto che ho portato, solleva un lembo per sbirciare. Sospira come a dire: "Solo a te potevano venire in mente i salatini". Poi mi guarda e mi risponde, molto tranquillamente: «Ci vengo solo di giorno. È un posto che mi rilassa, mi aiuta a pensare. L'ho arredato per renderlo più abitabile, ma senza tradire lo spirito originario» ammicca. «Però di sopra non arriva la corrente, quindi la notte sto dai miei, dormo nella mia vecchia cameretta. Chi l'avrebbe mai immaginato?»

«Vivi con tuo padre?»

«Temporaneamente. È malato, un tumore. Quando Costanza me l'ha detto, mi sono sentita in dovere di arrivare a un armistizio.» Il suo volto si rabbuia per un istante. «Comunque, non è per lui che sono tornata. Fino a dieci giorni fa me ne stavo al caldo in un resort favoloso, in Oman.»

«Mi spiace per tuo padre.»

Non so cos'altro aggiungere quindi mi allontano, sistemo sul davanzale del bagno lo spumante. Il fatto che l'Oman, il tumore e il covo si stratifichino in un'unica storia mi spiazza. Comincio a pentirmi di essere venuta. Io e questa persona non abbiamo nulla da spartire, non ci siamo mai conosciute. Pure, dopo due settimane a scrivere, mi deve un chiarimento. Allora torno in cucina, risoluta. E me la trovo che armeggia col tappo dello champagne.

S'infila il Dom Pérignon tra le ginocchia per tenerlo fermo. La bottiglia, a contatto col tessuto – metallico? Vai a capire di cos'è fatto quel vestito – sguscia via. Per un pelo non le cade. Lei si soffia via un riccio dal volto con una smorfia divertita.

«Forse dovremmo tenerlo per la mezzanotte» mi viene da dirle.

«Ne ho un altro, non preoccuparti.»

«Sì, ma quello è del 2000.»

Beatrice mi guarda: «Brava, sai ancora cogliere i dettagli».

Torna a far pressione sul tappo, ma è palese che gli champagne glieli hanno sempre aperti gli altri. La sua goffaggine è così piena di grazia che mi mette il nervoso. Anche quando non riesce a fare una cosa, resta comunque bellissima. Non perde la calma, l'ironia. Ne sono irritata al punto che le vado vicino, provo ad aiutarla per porre fine a questa commedia e bere finalmente, ché ne ho bisogno.

La prossimità del suo corpo, però, l'ho sottovalutata. Ci ritroviamo a sfiorarci, a sovrapporre le nostre mani sul collo della bottiglia, a intrecciare le dita e il contatto improvviso è eccessivo, familiare. Il tappo salta, lo champagne straborda, ci bagna i piedi. Le mie scarpe rosse di camoscio sono andate. Ma non è per questo che esplodo.

Cosa ci faccio io qui? Sono venuta a farmi prendere in giro da questa? Che mi sbatte in faccia che lei è la più bella del mondo, la più ricca, la più famosa?

«Perché mi hai cercata, Beatrice?»

La voce mi esce molto dura.

Resto immobile, ma sono così tesa che potrei frantumarmi.

Lei non si scompone. Versa lo champagne nei due calici, me ne allunga uno pieno fino all'orlo. Mi mostra il divano con la gommapiuma a vista: «Elisa, è la notte di Capodanno... Sediamoci e beviamo, *prima*».

Mi lancia un'occhiata che interpreto: "Penserai mica di condurre tu, il gioco?". E accavalla le gambe.

*

Afferro una sedia – di quelle di policarbonato, trasparenti, che vanno tanto di moda – e mi piazzo di fronte, a distanza. Sono arrabbiata. Con lei e con me stessa, per aver accettato di rivederla, per aver trascurato mio figlio a causa sua, e per essere arrivata scrivendo addirittura a capirla, a ricordarla con affetto. Soprattutto, per aver scelto lei come soggetto del mio primo libro.

Non brindiamo, beviamo soltanto: un lungo sorso dell'uva che maturava mentre ci conoscevamo sulla spiaggia a Ferragosto.

Poi Beatrice solleva lo sguardo dal bicchiere: «Lo sai? Ti ho cercata spesso in questi anni, ma non sono mai riuscita a trovarti, nemmeno in una foto di gruppo».

429

«Allora mi hai cercata!» Ne sono così sorpresa che non riesco a controllarmi. E subito dopo mi odio per essere così sprovveduta.

Beatrice alza le spalle con noncuranza. «Ogni tanto provavo a vedere se ti eri aperta un sito, una pagina. Non ho più avuto tue notizie finché non sei diventata ricercatrice. Certo, nel profilo dell'università almeno una fototessera potevi mettercela. In compenso ho potuto leggere le bibliografie dei tuoi corsi: hai scelto gli stessi libri che leggevi di nascosto sotto il banco durante le lezioni di fisica e matematica.»

Sarà il bicchiere che ho appena finito, ma sento le mie difese incrinarsi ancora: quanto era distante la realtà da quel che immaginavo?

«Poi» prosegue, «quando è avanzato di categoria, sono riuscita a vedere tuo figlio sul sito del Bologna Calcio. L'ho riconosciuto subito: è identico a Lore.»

Lore. Poso il bicchiere. Una vampata di rabbia m'irrigidisce. «Chi te lo ha detto che ho un figlio?»

«Lorenzo» risponde, come fosse ovvio. Provo odio per la serenità con cui lo nomina. «Un paio di settimane dopo la nascita mi ha scritto un messaggio. Siamo rimasti in contatto per un po' nei primi tempi. Poi ci siamo persi.»

La rabbia aumenta, preme in gola, vuole esplodere. Il rancore di tredici anni riemerge tutto insieme e io non intendo dominarlo, anzi, voglio riversarglielo addosso, pronunciare la frase che ho provato allo specchio decine di volte, anche poco fa in macchina.

«Mi hai rovinato la vita, Beatrice.»

L'ho detto. E il tono mi è uscito sbagliato, le parole ridicole.

«Non è affatto vero» obietta lei: «insegni all'università, hai un figlio bellissimo…».

«Potevamo essere una famiglia» la interrompo. «Tu non sai un accidente di cosa vuol dire crescere un figlio da sola, delle rinunce che si devono fare. Tu nella tua vita sfolgorante col solo cruccio di essere di più, ogni giorno di più, sempre più perfetta. Ma che problemi sono, i tuoi? Se non lo avessi baciato» ricordare mi esaspera, «se non mi aveste tradito tutti e due in quel modo...» Mi alzo, guardo il cappotto riverso sulla sedia, lo champagne sul tavolo. Afferro la bottiglia e me ne verso un altro po'. «No, non ti posso perdonare.»

Beatrice si alza a sua volta, mi sottrae con gentilezza il Dom Pérignon e si riempie il calice anche lei. La bottiglia si svuota, lei la scuote perché non ci crede. Rotea gli occhi in modo buffo: «Se non ti dispiace, vado a prendere il vino che hai portato tu. Abbiamo bisogno di bere in una notte del genere, non credi?».

Mi passa davanti briosa, leggera, come se non le avessi appena detto nulla d'importante. E io vorrei balzarle addosso, strapparle i capelli e la pelle, come non ho avuto il coraggio di fare quella sera in piazza Verdi.

Invece mi rimetto seduta. Bevo, continuo a bere. Quando Beatrice ritorna dal bagno col mio Cuvée, quasi inciampa. Si regge a una sedia, ride. Io non rido per niente. Però capisco che ci siamo scolate una bottiglia a stomaco vuoto. I pensieri mi cominciano a frizzare in testa. Bisogna che mangi qualcosa, che torni lucida prima che sia tardi.

Beatrice deve aver fatto il mio stesso ragionamento, perché apre la vaschetta del sushi. Quando mi rimetto in piedi, per un attimo mi gira la testa. Scarto il salato. Ci serviamo al tavolo come fosse un buffet. Sembriamo una più bambina dell'altra mentre ci riempiamo i piatti di plastica. Vederla concedersi un salatino al würstel un poco mi addolcisce – perché mi ricorda come si era abbuffata quella volta, a casa mia. Però non placa la mia furia: voglio risposte.

Ma Beatrice, portandosi alla bocca una pizzetta, decide che è arrivato il suo turno.

«Eri l'unica felice a Bologna» mi fredda. Il suo tono è sempre calmo, ma attraversato da un filo di tensione. «Solo che tu non lo capivi, non ci lasciavi andare. Abbiamo tentato di dirtelo in tutti i modi, sia io che Lorenzo, che le nostre strade erano diverse dalla tua, erano altrove, e tu non volevi starci a sentire.» Una goccia di pomodoro cade e le macchia il vestito. Lei non ci bada.

«Quel bacio è stata un'intuizione, un'idea che mi è venuta lì per lì. Io sapevo solo che non potevo restare là, odiavo quella stanza in via Mascarella più di ogni altra cosa.»

«Potevate parlarmi.»

Afferra il Cuvée, lo stappa con sicurezza, questa volta. «Invece no, perché eri un muro. Appena io provavo a dire "Milano" o "Roma" smettevi di ascoltarmi. Ti ho detestata, quell'anno.» Riempie i calici, fa una smorfia e sbuffa: «Ma veramente ne stiamo parlando? Di una storia di… quanti anni fa? Venti?».

Io conosco il numero esatto, ma taccio.

«In ogni caso» conclude rimettendosi comoda sul divano e sfilandosi i sandali di Cenerentola, «Lorenzo sì, è un bel ragazzo, ma non è proprio il mio tipo. Non so come hai fatto a credere che potessimo stare insieme. Lui era il tuo amore, non il mio.» Mi guarda. «Il mio eri tu.»

Incasso. Mi siedo. E bevo.

«Cosa mi hai sussurrato prima di andartene, la sera dei Mondiali?»

Non capisce a cosa mi riferisco.

«Era una parola. Me l'hai detta prima di voltarti.»

Beatrice si concentra, recupera nella memoria quello che per me è un dettaglio capitale, per lei secondario. «Addio, ti ho detto. Perché sapevo che ti stavo lasciando.»

«E dove sei andata, dopo? Con lui?»

«Ancora Lorenzo?» Sgrana gli occhi, incredula. «Ma se non l'ho più visto da allora, Lorenzo! Ci siamo solo scritti via social di tanto in tanto… Quella notte sono andata da Tiziana, te la ricordi? Tiziana Sella.»

«Come posso dimenticarla, la strega. Ogni tanto la incrocio pure in via Zamboni.»

«Ho dormito da lei un paio di notti. Mi ha aiutata a trovare una nuova sistemazione, a scegliere un corso di studi più calibrato sulle mie esigenze, ad avviare la mia impresa.»

E mi parla di questa impresa, di questa marcia di conquista trionfale. Guardo l'orologio: sono quasi le undici. È da due ore che siamo qui. Chi è questa Beatrice che snocciola concetti di economia digitale, proprio a me? Non c'è nulla in lei che mi restituisca anche solo la pallida ombra della mia ex amica. Non gliene frega niente, a questa, della nostra amicizia. Me ne voglio andare, chiudere con questa storia.

«Non mi hai ancora detto perché mi hai cercata.»

«È lo stesso motivo per cui sono sparita.»

«Perché?» insisto.

«Te lo voglio dire, te l'assicuro. Solo che non ho fretta.»

Cominciamo a sentire, in lontananza, qualche petardo esplodere.

«Io sì, invece.»

«Ne sei sicura?»

Si alza. A piedi nudi raggiunge la credenza, apre un cassetto, prende qualcosa. Viene da me e me la lascia cadere sul tavolo, davanti.

«Perché tra noi due, quella che ha tradito sei tu.»

*

Mi sento sprofondare.

Mi brucia gli occhi guardare quella cosa, mi soffoca.

«La riconosci? È l'agenda di mia madre.»

Non riesco a parlare, a muovermi.

«Ti ho fatto una sorpresa, vedo. Bea la stronza, Bea l'egoista, la rovina-fidanzamenti che pensa solo al successo, ai vestiti. E invece, alla fine, è venuto fuori che la stronza sei sempre stata tu.»

«L'ho fatto per il tuo bene» balbetto. E suona falso persino a me.

«Fammi ridere.» Non si siede, resta in piedi. Beve un altro bicchiere e impassibile infierisce. «Mi hai portato via mia madre. E facendo questo hai deciso il mio futuro, me l'hai rubato. Perché forse, se avessi letto il suo diario prima... Sono io che non ti perdono.»

Mi sento piangere.

Mi sento un verme.

«Non l'ho mai aperta quell'agenda.» Ho la bocca impastata

di lacrime e di vergogna, la voce mi esce lagnosa, troppo stridula. «Devi credermi. Sono stata vigliacca e ti chiedo scusa, ma non immaginavo fosse un diario...» Poi la mia testa fa *clic*. Mi alzo in piedi anche io. Il vino mi toglie ogni pudore. «Bea, ma quale futuro ti ho rubato? Quella che se ne sta in cucina la sera, sola come un cane, inesistente col telefonino in mano, sono io. A guardare te a bordo piscina, sullo yacht ormeggiato sotto i Faraglioni, a rosicare al cospetto della tua immane felicità. Non hai idea di come si sta dall'altra parte.»

Lei non si lascia distrarre. Il suo volto è teso. «Te lo chiedo io adesso: perché?»

Mi sforzo di tenere fermo lo sguardo e sostenere il suo. «Perché non volevo perderti.» Desidero che mi creda. «E perché non volevo che tu fossi solo il sogno di tua madre.»

Beatrice prende il suo bicchiere, lo svuota.

S'incazza.

«Sei una stronza invidiosa, travestita da secchiona, Elisa.»

I ricci continuano a ricaderle sul viso, le danno fastidio. Afferra il fil di ferro del tappo del Cuvée e lo usa per legarseli. Ha il rossetto sbaffato, l'illuminante sugli zigomi è spento, lacrime di rabbia le tremano sul bordo degli occhi. Guardo la maschera oscillare, voglio che cada e mi gioco tutto.

«C'era anche altro, in te. Lo vedevo. Qualcosa che ci faceva assomigliare.»

Mi lancia un'occhiata furibonda: «Non insegnarmi cosa conta davvero nella vita perché ti prendo a sberle».

«Come l'hai avuta?» chiedo, indicando l'agenda.

Il suo volto si rischiara un poco: «Tuo padre».

Si asciuga le lacrime che le hanno sciolto la matita intorno agli occhi. «L'ha trovata spostando i mobili nella tua stanza per imbiancare. L'ha aperta e, quando ha capito di cosa si trattava, ha scritto all'indirizzo di Corrado, quello sul sito.» Ride. «Oh, quella mail era un capolavoro. Corrado me l'ha girata all'istante perché era evidente che fosse *per me*, e che quel Paolo Cerruti mi conoscesse bene.»

Mi sento grata a mio padre, di nuovo gelosa di lui.

434

«Mi sono fatta mandare un'auto e sono andata a T quella sera stessa. Era la fine di novembre. È stato molto bello tornare a casa tua, cenare insieme. Mi ha preparato un'orata al forno che mi ricordo ancora adesso...» Smette di sorridere. «Poi ho letto il diario. E ho scoperto cose di mia madre che non avrei voluto sapere. Le marchette a Latina per guadagnarsi un posto alle sfilate, il matrimonio sbagliato con papà, pieno di corna fin dall'inizio. E, a un certo punto, ho trovato una descrizione di me, così minuziosa da spaventarmi. Non di com'ero, ma di come sarei diventata da grande: sulla copertina di "Vogue", con un vestito rosso molto simile a quello che ho indossato sul serio per la prima cover...»

Si apre la cerniera laterale del vestito, che adesso le tira. Si lascia cadere su una sedia con le gambe scomposte, il bicchiere in mano.

«Aveva previsto tutto» continua, «le campagne pubblicitarie, la televisione. Ogni meta che ho raggiunto, lei l'aveva già scritta. La mattina dopo aver letto quel diario, dovevo girare uno spot e l'ho fatto saltare. È stata la prima volta che ho annullato un impegno di lavoro. I giorni successivi ho provato a presentarmi agli appuntamenti, a rientrare nella mia vita normale, ma non ci riuscivo. Era come se fosse cambiato tutto per sempre. Voglio dire» prova a ridere ma non ci riesce, «ho eseguito alla lettera ogni suo desiderio. "Cosa vuoi fare da grande?" Me lo chiedeva sempre, di continuo. Come se avessi scelta.»

Si ferma, mi fissa.

«Ho sentito la tua mancanza, Eli. Del liceo, di quando andavamo in motorino alla spiaggia di ferro e facevamo le matte. Mi sono sentita un buco qui» si tocca lo sterno, «lancinante. Allora il 9 dicembre sono scesa nel seminterrato, mi sono messa a cercare tra tutti gli scatoloni dei vecchi traslochi il cappello che mi avevi regalato. E quando l'ho trovato, avvolto in un cellophane polveroso, mi sono stupita. Perché non ricordavo fosse così bello. L'ho indossato, mi sono scattata una foto, l'ho postata. Poi ho chiamato Corrado e gli ho comunicato che mi sarei presa una pausa.»

Sentiamo i botti, adesso. Un susseguirsi di detonazioni, urla e schiamazzi da ogni balcone di T, da ogni vicolo e giardino, e i

435

fuochi d'artificio sparati dalla punta di piazza A, dalla panchina sotto il faro.

Bea e io ci guardiamo. Siamo solo noi due chiuse dentro una stanza, in silenzio, in quello che sembra un rifugio antiatomico, un nascondiglio per partigiani. Il mondo intero festeggia là fuori e forse, in questo momento, nessuno si chiede più che fine abbia fatto la Rossetti, dove sia.

Compiamo un passo l'una verso l'altra, rischiando di perdere l'equilibrio.

Non so bene cosa fare, forse non lo sai nemmeno tu. Mi sento goffa, indecisa. So solo che non ne posso più di questa guerra.

Crolliamo l'una sull'altra e ci abbracciamo.

Ci scambiamo un bacio che non sappiamo bene su quale guancia, ci confondiamo, finiamo per darcelo sulle labbra. Ed è strano, imbarazzante e tenero insieme, perché ragazzine non lo siamo più.

«Auguri, Eli.»

«Auguri a te, Bea.»

«Aspetta...» Raggiungi una finestra, la apri per prendere dal davanzale la terza bottiglia: un Dom Pérignon del 1986, il nostro anno di nascita. «Mi piace fare le cose in grande, anche al covo.»

«Non dirmi quanto costa.»

Brindiamo, a cosa non si sa. Facciamo solo tintinnare i bicchieri.

«Ho sempre odiato il Capodanno» mi dici, ormai strascicando le frasi, «anche il Natale, sia chiaro. Ma da quando mamma non c'è più, almeno mi evito le gonne di velluto, le pose davanti al camino. Vado a sciare e mi porto dietro un bel fidanzato. Però il Capodanno, non c'è niente da fare, mi deprime.»

Sbirciamo dalla finestra i fuochi lontani che deflagrano e poi cadono nel mare.

«Ma come?» ribatto. «Se hai sempre organizzato feste epocali.»

«Certo, ma era tutta un'elaborata strategia.»

«Una strategia per cosa?»

«Per non dovermi dire che avevo paura.»

«Di che?»

Bevi un altro sorso, soppesi la possibilità di dirmelo.

«Dei cambiamenti, del futuro.»

Mi sfilo le scarpe anch'io, mi tolgo il maglione e ritorno sulla mia sedia. Vorrei dirti che tutti abbiamo paura delle novità, ma mi mordo le labbra. Perché in effetti io ci spero, ogni primo gennaio, di cambiare. E che il futuro sia migliore del passato. Di non assomigliarmi più.

Quando i botti si attenuano, mi arrischio: «Cosa farai adesso?».

«Bella domanda!»

Ti spogli, lasci cadere il vestito a terra come una pelle che non serve più. T'infili una t-shirt larga presa dal bagno. La stanza è diventata un forno, i vetri si sono appannati. Ti siedi sul divano, rovesci indietro la testa e mi parli. «Per tutti questi anni non ho fatto altro che rimanere identica. Mai un chilo in più, un taglio o un colore di capelli diverso, mai un'espressione che non fosse fotogenica, un fidanzato che non giocasse in serie A o non recitasse al cinema. E tutto questo per cosa? Potrebbe finire all'improvviso, Eli, da un momento all'altro. Da Parigi a T, è una frazione di secondo. Cosa mi resterebbe?»

Impugni male il bicchiere, te ne versi mezzo addosso.

«La vuoi sapere la verità?» Sospiri. «Mi sono rotta le scatole di fare sempre le stesse foto. L'Australia sta bruciando, l'Amazzonia non ne parliamo. In Siria è una strage continua. Trump divide i figli dai genitori al confine col Messico. I ghiacciai si stanno sciogliendo al punto di non ritorno. E tutte quelle persone che annegano nel tentativo di attraversare il mare, senza un nome, come se non fossero mai esistite. Importa anche a me, cosa credi? Li leggo, i giornali. È una catastrofe dietro l'altra, e io che fisso l'obbiettivo sorridendo… Non mi basta più.»

«Se ti sentisse parlare così, Davide, non ci crederebbe…» Cerco di mettermi dritta a sedere perché d'improvviso ho una folgorazione, o forse sono solo troppo ubriaca. «Devi fare politica, Bea.»

«Figurati!» E tu sei più ubriaca di me. «La politica è divisiva, perderei consensi.»

«Che te ne frega? Fai quello che vuoi!»

Ti volti verso la finestra del bagno, da cui trapela un pugno di stelle. Variabili, cangianti. «Lo avevo chiesto io a te, ricordi? Sulle scale antincendio della scuola. Quando volevo che uscissi dal guscio, che tirassi fuori un po' di coraggio. Tu cosa vuoi? Non cosa pensi che si aspettino gli altri da te, come ti piacerebbe essere giudicata. Ma tu, nella vita, cosa desideri?»

Mi osservi, il tuo volto è nudo mentre confessi: «Io non lo so, quello che voglio. Fuori dallo sguardo di mia madre, dalle fotografie. Io non so chi sono».

*

T è tornata silenziosa. Sarà l'una, ormai. Il covo galleggia nell'oscurità come un luogo inventato.

Raggiungo barcollando il divano. Mi siedo accanto a te. Stiamo così strette che siamo obbligate a intrecciare le gambe, a far combaciare i fianchi, anche se siamo adulte e non possiamo più tornare una cosa sola.

«Lo deciderai col tempo, no? Chi sei.» Le parole mi sgusciano via per conto loro. «Puoi procedere per tentativi ed errori, sbagliare come sbagliano tutti. Puoi cambiare idea, rimetterti in discussione.» Ammetto: «Secondo te, io lo so? Faccio la ricercatrice, la madre, la zitella, continuo a sembrare la secchiona di sempre. Ma è così?».

Siamo mezze svestite, arruffate, sgualcite, e la vera dichiarazione che vorrei farti è: Ho scritto un romanzo. Parla di te, di noi. Vorrei dirti che senza il tuo pungolo non ci sarei riuscita, senza le tue critiche, la tua verità, proprio com'era stato al liceo, con quella lettera a Lorenzo. Vorrei dirti che, forse, io sono sempre stata questo desiderio.

Ma tu mi bruci sul tempo, tiri fuori non so da dove il cellulare: «Dài, facciamoci una foto».

Allunghi il braccio, dirigi il polso, lo inclini senza la minima approssimazione e punti lo schermo centrandoci in pieno. È il gesto che sai fare meglio da una vita, da quando hanno inventato i telefoni con camera incorporata. Scatti, il flash mi acceca.

Quando ci chiniamo a guardare la foto, io ho la faccia contratta in una smorfia e tu, per la prima volta, sembri brutta. Scuoti la testa. «Lo vedi? L'amicizia non viene bene in foto.» Ascoltiamo l'ultimo botto esplodere in lontananza, beviamo l'ultimo sorso di champagne da mille euro. Mentre tutti là fuori stanno pensando al futuro, noi siamo qui, ubriache ed esauste dopo aver passato la serata a rinfacciarci cose vecchie di tredici anni.

Possibile?, mi chiedo. Non è ridicolo?

Tu, forse, stai pensando la stessa cosa, perché mi lanci un ultimo sorriso: inedito, un po' amaro, prima di chiudere gli occhi e raggomitolarti sulla gommapiuma. Anche io non ho più le forze, né la voglia, di aggiustare niente. Però resisto ancora un attimo. Per guardarti.

Il volto riverso sul bracciolo, le labbra dischiuse, il respiro regolare, un filo di saliva all'angolo della bocca. Mi viene da pensare, prima di arrendermi appoggiando la testa sul bracciolo opposto, incastrandomi come posso tra i cuscini e te, che chi siamo è infinitamente più interessante, e commovente, di quel che vorremmo a tutti i costi sembrare.

UN'AMICIZIA

T, 2 gennaio 2020

Sto riflettendo sull'articolo indeterminativo di questo titolo: *Un'amicizia.* È giusto un'ipotesi provvisoria, però mi pare che colga un aspetto importante. Non credo, infatti, che quella tra me e Bea sia stata *l'*amicizia. Determinata, che doveva essere per forza quella e non un'altra. Non credo neppure che noi due potessimo essere solo e necessariamente la diva e la secchiona, la vincente e l'invisibile. Di più: ora so che non siamo mai state una parola soltanto.

Ieri, il primo di gennaio, quando ci siamo svegliate a mezzogiorno e abbiamo fatto colazione coi resti del sushi e delle pizzette, il collo e la schiena bloccati a causa della notte sul divano, Bea ha acceso un istante il telefono, ha aperto l'homepage di non so quale giornale, ha commentato: «To', non sono già più una notizia». Ed è scoppiata a ridere.

«Davvero non ti dispiace?» le ho chiesto.

«No» mi ha risposto addentando un pezzetto di salmone, «era la mia paura più grande, non dormivo per il timore che il declino fosse dietro l'angolo, e invece guarda: è successo, sono qui con te, e sono ancora viva.»

Per la prima volta, l'ho vista diversa. Anzi, nuova. Beatrice non è più la mia migliore amica, ma nemmeno la Rossetti. Persino io, a quel tavolo di compensato, sorseggiando il pessimo caffè che lei aveva insistito per preparare e poi bruciato, mi sono sentita un'altra. Leggera, come appena rinata. O come chiunque sia cresciuto e abbia accettato: i limiti, i vuoti. È stato allora che ho realizzato che tutto quel che avevamo vissuto fin qui era solo una delle amicizie possibili. Una declinazione acerba, e per giunta zeppa di errori. Ma che potevamo sperimentarne altre.

Siamo cambiate, adesso.

Dopo che ci siamo salutate, Beatrice è rimasta un istante sulla soglia, trasognata, a stuzzicare con il piede nudo una foglia secca, e mi è sembrato quasi che sorridesse.

Chissà cosa farà, da domani.

Quanto a me, mi trovo qui nella mia vecchia stanza, seduta alla scrivania su cui studiavo latino e greco, accanto all'armadio bianco quattro stagioni per ragazzine romantiche. Forse, mi viene in mente, diventare adulti non è affatto una perdita come credevo. Al contrario, è una liberazione.

Di là, dal salotto, mi arrivano le voci di mio padre e mio figlio. Dovevano sfidarsi a Scala 40, ma più che giocare li sento discutere di questo nuovo social cinese che sta spopolando. Valentino ne tesse le lodi, mio padre gli risponde che passerà anche quello, come tutto passa, senza lasciare traccia. E io sono qui che batto i tasti del computer anche se ormai non ho più niente da scrivere, e penso che l'unica cosa che abbia il potere di restare e di durare, alla fine, siano le parole con dentro un significato. Che non ci sia altro modo di trattenere la vita.

Sollevo lo sguardo oltre la finestra, verso il platano al centro del cortile. È sempre lui: "solitario", "anziano". Lo immagino strizzarmi l'occhio: ebbene, dopo che il fondo del buio lo hai attraversato e hai visto che era solo uno sgabuzzino, ce l'hai fatta a esaudire il tuo sogno, a scrivere un romanzo.

È così. Però mi chiedo cosa sia giusto fare, adesso.

Pubblicarlo? Far sapere a tutti di me e Beatrice? Rischiare che la nostra storia passi di mano in mano e venga giudicata, magari travisata, che corra dei pericoli? Oppure mantenere il segreto, farmelo bastare.

La vita ha davvero bisogno di essere raccontata, per esistere?

Ringrazio Michele Rossi e Arianna Curci.

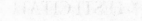

TESTI CITATI

p. 21: *Il gatto in un appartamento vuoto*, in Wisława Szymborska, *La gioia di scrivere. Tutte le poesie (1945-2009)*, trad. di Pietro Marchesani, Adelphi, Milano 2009

p. 50: *Addio a una vista*, in Wisława Szymborska, *La gioia di scrivere. Tutte le poesie (1945-2009)*, trad. di Pietro Marchesani, Adelphi, Milano 2009

p. 55: *Novembre*, in Giovanni Pascoli, *Myricae*, Rizzoli, Milano 2015

pp. 72, 75: Sandro Penna, *Poesie, prose e diari*, Mondadori, Milano 2017

pp. 80-81: Omero, *Odissea*, trad. di G. Aurelio Privitera, Mondadori, Milano 2016

p. 90: *Domenica dopo la guerra*, in Vittorio Sereni, *Poesie e prose*, Mondadori, Milano 2020

p. 102: *X Agosto*, in Giovanni Pascoli, *Myricae*, Rizzoli, Milano 2015

p. 128: Elsa Morante, *Menzogna e sortilegio*, Einaudi, Torino 2014

p. 138: *Antigone*, in Sofocle, *Antigone, Edipo Re, Edipo a Colono*, trad. di Franco Ferrari, Rizzoli, Milano 1982

p. 173: Tucidide, *La guerra del Peloponneso*, Bur, Classici greci e latini, Milano 1996

p. 200: Elsa Morante, *Menzogna e sortilegio*, Einaudi, Torino 2014

pp. 205-206: Elsa Morante, *Menzogna e sortilegio*, Einaudi, Torino 2014

p. 240: Fëdor Dostoevskij, *L'idiota*, trad. di Laura Salmon, Rizzoli, Milano 2013

p. 272: Maurice Merleau-Ponty, *Il visibile e l'invisibile*, Bompiani, Milano 2007

p. 291: Elsa Morante, *L'isola di Arturo*, Einaudi, Torino 2014

p. 314: Philip Roth, *Pastorale americana*, Einaudi, Torino 2005

p. 315: Jean-Paul Thuillier, *Gli etruschi. Il mistero svelato*, Electa Gallimard, Milano 1993

p. 347: *Ogni caso*, in Wisława Szymborska, *La gioia di scrivere. Tutte le poesie (1945-2009)*, trad. di Pietro Marchesani, Adelphi, Milano 2009

p. 361: *Valentino*, in Giovanni Pascoli, *Canti di Castelvecchio*, Rizzoli, Milano 1983

p. 374: *La pioggia nel pineto*, in Gabriele D'Annunzio, *Poesie*, Rizzoli, Milano 2011

p. 389: Elsa Morante, *Menzogna e sortilegio*, Einaudi, Torino 2014

INDICE

I DIARI

PARTE I
Prima che la conoscessero tutti
(2000)

PARTE III
Lezioni di vuoto
(2019-2020)

UN'AMICIZIA